KA...

Née à Chicago, Kathy Reichs est anthropologue judiciaire à Montréal et professeur d'anthropologie à l'université de Charlotte, en Caroline du Nord. Elle fait partie des quatre-vingt-huit anthropologues judiciaires certifiés par l'American Board of Forensic Anthropology et collabore fréquemment avec le FBI et le Pentagone. Elle s'impose en France dès son premier roman, *Déjà dead* (1998, récompensé par le prix Ellis), dans lequel apparaît pour la première fois son héroïne Temperance Brennan, également anthropologue judiciaire. Depuis, elle a notamment publié, aux éditions Robert Laffont, *À tombeau ouvert* (2007), *Meurtres au scalpel* (2008), *Meurtres en Acadie* (2009), *Les Os du diable* (2010), *Autopsies* (2011), *Les Traces de l'araignée* (2012), *Circuit mortel* (2013) et *L'Ange du Nord* (2014). Elle a également commencé une nouvelle série de romans, écrite avec son fils Brendan Reichs. Les trois premiers tomes – *Viral* (Oh ! Éditions, 2010), *Crise* (Oh ! Éditions, 2011) et *Code* (XO Éditions, 2013) – mettent en scène Victoria Brennan, la nièce de Temperance. Kathy Reichs participe à l'écriture du scénario de *Bones*, adaptation des aventures de Temperance Brennan pour la télévision, dont elle est aussi productrice.

Retrouvez toute l'actualité de l'auteur sur :

46 428 903 I

L'ANGE DU NORD

KATHY REICHS

L'ANGE DU NORD

ROMAN

Traduit de l'anglais (Canada)
par Viviane Mikhalkov et Dominique Haas

ROBERT LAFFONT

Titre original :
BONES ARE FOREVER

Pocket, une marque d'Univers Poche,
est un éditeur qui s'engage pour la préservation
de son environnement et qui utilise du papier fabriqué
à partir de bois provenant de forêts gérées
de manière responsable.

© Temperance Brennan, L.P., 2012
© 2014 Éditions Robert Laffont pour la traduction française.
ISBN 978-2-266-25634-6

Pour mon très, très vieil ami
Bob « Airborne » Abel

1.

Ce qui m'a impressionnée chez ce bébé, ce sont ses yeux : tout ronds et blancs, et qui palpitaient.

Comme sa bouche minuscule et ses narines.

Ignorant la masse d'asticots qui grouillaient sur son corps, j'ai glissé mes doigts gantés sous son petit torse et soulevé délicatement une de ses épaules. Il s'est redressé, le menton et les membres serrés contre la poitrine.

Un essaim de mouches s'est dispersé dans un vrombissement indigné.

J'ai enregistré mentalement les détails : les sourcils délicats, à peine visibles, sur un visage qu'on avait du mal à qualifier d'humain. Le ventre gonflé. La peau translucide et qui pelait sur de petits doigts parfaits. La flaque de liquide brun verdâtre accumulé sous la tête et les fesses.

Le bébé se trouvait à l'intérieur d'un meuble de toilette, coincé en position fœtale, entre la paroi du fond et le S du siphon.

C'était une fille. Les missiles vert brillant jaillissaient de son petit corps et de tout ce qui l'entourait.

Je suis restée un long moment à la fixer, pétrifiée.

Ses yeux blancs et mobiles me rendaient mon regard,

comme ébahis de la situation désespérée dans laquelle elle se trouvait.

Mille questions se bousculaient dans ma tête sur les derniers instants vécus par ce bébé. Était-il mort dans l'obscurité de l'utérus, victime d'un mauvais tour cruel joué par la double hélice d'ADN ? Avait-il lutté pour rester en vie dans les bras de sa mère en larmes, serré contre son cœur ? Ou bien, abandonné délibérément, était-il mort dans le froid et la solitude, incapable de se faire entendre ?

Combien de temps faut-il à un nouveau-né pour renoncer à la vie ?

Un torrent d'images a défilé devant mes yeux. Une bouche haletante. Des membres agités de soubresauts. Des mains tremblantes.

La colère et la tristesse me nouaient les tripes.

Concentre-toi, Brennan !

Avec un long soupir, j'ai laissé le petit corps reprendre sa place initiale. Quand je me suis redressée, mon genou a eu un soubresaut.

Les faits. Se concentrer sur les faits.

J'ai sorti de mon sac mon carnet à spirale.

Sur le dessus du meuble de toilette il y avait un savon, un gobelet en plastique sale, un support de brosses à dents en céramique ébréché et un cafard mort. Dans l'armoire à pharmacie, un flacon d'aspirine contenant deux cachets, des cotons-tiges, un spray nasal, des comprimés de décongestionnant, des lames de rasoir et un paquet de pansements adhésifs contre les cors aux pieds. Pas un seul médicament sur ordonnance.

Un souffle d'air chaud entrant par la fenêtre ouverte a fait voleter le papier hygiénique accroché à côté du siège des toilettes, attirant mon regard. Sur le réservoir, une boîte de mouchoirs en papier ; dans la cuvette, au niveau de l'eau, un cercle brun et visqueux.

J'ai détourné les yeux.

Un bout de tissu à fleurs, dont les couleurs avaient depuis longtemps cédé la place à un gris terne, masquait le cadre de fenêtre à la peinture écaillée. La vue à travers la moustiquaire incrustée de saletés consistait en une station d'essence Petro-Canada et l'arrière d'une épicerie.

Depuis que j'étais entrée dans l'appartement, le mot *jaune* me tournicotait dans la tête. La façade de l'immeuble, au crépi taché de boue ? Le morne jaune moutarde de la cage d'escalier ? Le paillasson tristounet ?

Quoi qu'il en soit, mes vieilles cellules grises continuaient à me rabâcher ce mot. *Jaune.*

Je me suis éventée à l'aide de mon calepin. J'avais déjà les cheveux trempés.

Il était neuf heures du matin en ce lundi 4 juin. À sept heures, j'avais été tirée du lit par un coup de fil de Pierre LaManche, chef du département médico-légal au LSJML, le Laboratoire de sciences judiciaires et de médecine légale de Montréal. Lui-même avait été réveillé par Jean-Claude Hubert, le coroner en chef de la province du Québec, lequel avait été prévenu par un policier de la SQ, Sûreté du Québec, nommé Louis Bédard. À en croire LaManche, le caporal Bédard avait rapporté les faits suivants :

Le dimanche 3 juin, à deux heures quarante du matin, une certaine Amy Roberts âgée de vingt-sept ans s'était présentée à l'hôpital Honoré-Mercier de Saint-Hyacinthe, se plaignant de saignements vaginaux. Le médecin de garde, le docteur Arash Kutchemeshgi, l'avait trouvée plutôt désorientée. Constatant la présence

11

de restes placentaires et une dilatation de l'utérus, il avait pensé à un accouchement récent. Interrogée sur son éventuelle grossesse et la mise au monde de son bébé, Roberts était restée évasive. Comme elle n'avait pas de papiers d'identité sur elle, Kutchemeshgi avait décidé de prévenir les autorités locales de la SQ.

Mais sur les coups de trois heures vingt, sept ambulances avaient débarqué aux urgences, à la suite d'un carambolage de cinq voitures sur l'autoroute 20. Le temps que le Dr Kutchemeshgi finisse d'éponger tout ce sang, il était trop crevé pour se rappeler la patiente qui avait peut-être accouché. En tout état de cause, à ce moment-là, la patiente en question avait quitté les lieux.

Vers quatorze heures quinze, requinqué par quatre heures de sommeil, le médecin s'était souvenu d'Amy Roberts et avait contacté la SQ.

Vers dix-sept heures dix, le caporal Bédard s'était rendu à l'adresse inscrite sur la fiche d'entrée de Roberts.

N'obtenant pas de réponse à ses coups de sonnette, il était reparti.

Vers dix-huit heures vingt, en discutant avec Rose Buchannan, l'infirmière des urgences qui, comme lui, avait été de garde ces dernières vingt-quatre heures, Kutchemeshgi avait appris que Roberts avait tout simplement quitté les lieux sans prévenir personne. Toutefois, l'infirmière avait l'impression de l'avoir déjà vue à l'hôpital.

Vers vingt heures, en consultant les registres de l'hôpital, Kutchemeshgi avait découvert qu'Amy Roberts s'était déjà présentée aux urgences pour des saignements vaginaux onze mois plus tôt. Le médecin qui l'avait examinée à l'époque avait noté dans son dossier la possibilité d'un accouchement récent, sans autre précision.

Craignant pour la vie d'un nouveau-né, Kutche-meshgi avait de nouveau contacté la SQ, se sentant coupable de ne pas avoir donné suite plus rapidement à son intention de prévenir les autorités.

Vers vingt-trois heures, le caporal Bédard était retourné à l'appartement de Roberts. Pas de lumière aux fenêtres et pas davantage de réponse à ses coups à la porte. Cette fois-ci, il avait fait un petit tour des environs. Dans une benne à ordures derrière l'immeuble, il avait aperçu un tas de serviettes hygiéniques pleines de sang.

Bédard avait demandé un mandat de perquisition et appelé le coroner. Le lundi matin, une fois le mandat délivré, Hubert avait contacté LaManche qui m'avait prévenue à son tour, se disant que l'on découvrirait peut-être des restes décomposés.

Et voilà.

Voilà pourquoi, par cette belle journée de juin, je me retrouvais au troisième étage d'un immeuble miteux et sans ascenseur, dans une salle de bains qui n'avait pas vu un coup de pinceau depuis 1953. Dans mon dos, il y avait la chambre à coucher. Contre le mur sud, une commode au pied cassé, soutenue par une poêle posée à l'envers sur le plancher. Les tiroirs ouverts et vides. À même le sol, un sommier et un matelas entouré de draps sales. Dans le mur, un petit placard ne contenant que des cintres et de vieux magazines.

La chambre donnait sur un salon auquel on accédait par une double porte pliante dont un panneau, sorti de son rail, pendait de guingois. La pièce était meublée dans le style classieux de l'Armée du salut. Canapé bouffé aux mites. Table basse balafrée de brûlures de

13

cigarettes. Télé antédiluvienne sur un socle en métal branlant. Une table et des chaises en Formica et tubes chromés.

Seul charme architectural de tout l'appartement, la baie vitrée de la chambre à coucher, percée dans un petit renfoncement du mur et qui donnait sur la rue. Sous le rebord de fenêtre était encastrée une banquette en bois dont l'assise était en trois parties.

La cuisine, dans l'enfilade du salon, avait une cloison commune avec la chambre à coucher. Plus tôt, en y jetant un œil, j'avais repéré des appareils électroménagers aux formes arrondies, comme au temps de mon enfance. Les plans de travail étaient recouverts de carreaux craquelés dont les joints, noirs de crasse, indiquaient des années de non-entretien. L'évier rectangulaire et profond ressemblait à ceux que l'on trouve dans les fermes et qui font fureur aujourd'hui.

Par terre, à côté du réfrigérateur, un petit bol d'eau. Je me suis vaguement demandé si un animal n'habitait pas ici aussi.

L'appartement tout entier ne faisait pas soixante-dix mètres carrés. Chaque centimètre était envahi par une odeur écœurante, aigre et fétide, qui évoquait le pamplemousse pourri. Elle émanait principalement des ordures putrides entassées dans la poubelle de la cuisine, mais aussi de la salle de bains.

Un policier gardait l'unique porte d'entrée, qui était ouverte et barrée à l'aide d'un ruban de plastique orange arborant le logo de la SQ et les mots « Accès interdit – Sûreté du Québec. Info-Crime ». D'après son badge, le flic avait pour nom Tirone.

C'était un gars baraqué, d'une trentaine d'années, qui avait viré gros. Il avait des cheveux blonds comme les blés, des yeux gris acier et un nez apparemment délicat, à en croire la trace brillante de Vicks VapoRub sur sa lèvre supérieure

Près de la baie vitrée, LaManche discutait avec Gilles Pomier, un technicien d'autopsie du LSJML. Tous deux avaient l'air attristés et parlaient à voix basse.

Je n'avais pas besoin d'entendre ce qu'ils se disaient. En tant qu'anthropologue, j'ai bossé sur tant de scènes de mort que je ne les compte plus. Ma spécialité, ce sont les cadavres décomposés, brûlés, momifiés, démembrés, et les restes de squelettes humains.

Je savais que des collègues étaient déjà en route pour nous rejoindre. Le service de l'identité judiciaire et la division des scènes de crime, version québécoise de notre Crime Scene Investigation américain. Bientôt, les lieux grouilleraient de spécialistes chargés de relever et d'enregistrer toutes les empreintes digitales, cellules épithéliales, traces de sang et jusqu'au moindre cil présents dans cet appartement sordide.

J'ai reporté les yeux sur le meuble de toilette. De nouveau, j'ai senti mon ventre se serrer.

Je savais ce qui attendait ce petit être qui aurait pu devenir un bébé, quelle forme d'agression il allait subir. Ça ne faisait que commencer. Il allait devenir un dossier numéroté, rempli de preuves matérielles qui seraient contrôlées et évaluées. Son corps si frêle serait pesé et mesuré. On lui ouvrirait la poitrine et le crâne ; le cerveau et les organes en seraient extraits, puis découpés et examinés au microscope. Les os seraient utilisés pour établir son ADN. Un peu de son sang et de son humeur vitrée seraient prélevés et soumis à des tests de toxicologie.

Les morts sont impuissants, mais ceux dont on considère le décès comme pouvant résulter d'un acte répréhensible sont victimes d'un surcroît d'indignités. Ces morts-là deviennent des pièces à conviction, ils passent de laboratoire en laboratoire, de bureau en bureau. Techniciens de scènes de crime, experts, policiers, avocats, juges et jurés. Je le sais : pareille violation de la personne est indispensable pour que justice soit rendue. N'empêche, j'ai horreur de ça. Même si je suis l'une des premières à prendre part au processus.

En tout cas, et c'était déjà ça, cette toute jeune victime ne connaîtrait pas les cruautés que la machine judiciaire réserve aux victimes adultes, comme celle qui consiste à étaler sur la place publique les détails de leur vie privée : leurs habitudes vestimentaires, les boissons qu'ils ingurgitaient, leurs fréquentations et leurs amours. Dans le cas présent, rien de tout cela n'aurait lieu. La petite fille découverte ici n'avait pas eu une vie susceptible d'être scrutée au microscope. D'ailleurs, elle ne connaîtrait ni première dent, ni bal de fin d'école, ni robe bustier provocante.

D'un doigt rageur, j'ai tourné une page de mon calepin.

Repose en paix, ma toute petite. Je veillerai sur toi.

J'étais en train d'inscrire une observation quand une voix que je ne m'attendais pas à entendre a soudain capté mon attention. Je me suis retournée pour apercevoir par la porte endommagée de la chambre une silhouette bien connue.

Mince et tout en jambes. La mâchoire carrée. Les cheveux couleur de sable. Vous voyez le tableau.

Cette image s'accompagne pour moi d'une longue histoire.

Le lieutenant détective Andrew Ryan, de la Sûreté du Québec, section des crimes contre la personne.

Ryan est un flic de la crim'. Au fil des ans, nous avons passé beaucoup de temps ensemble. Au boulot et en dehors.

La partie hors boulot est aujourd'hui révolue. Ce qui ne veut pas dire que ce type ne me fait ni chaud ni froid.

Ryan a rejoint LaManche et Pomier.

Mon stylo glissé dans la spirale, j'ai refermé mon carnet et me suis dirigée vers le salon.

Pomier m'a saluée. LaManche a relevé sur moi ses yeux de bon toutou.

Quant à Ryan, il s'est contenté d'une formule strictement professionnelle, notre mode opératoire, même au temps de nos bons moments. Surtout en ce temps-là.

— Docteur Brennan.

— Détective.

J'ai retiré mes gants.

— Alors, Temperance ?

LaManche est bien le seul être au monde à employer la forme officielle de mon prénom. Dans son français parfait, il rime avec *France*.

— Depuis quand cette petite personne est-elle décédée ?

LaManche, qui est médecin légiste depuis plus de quarante ans, n'a pas besoin de mes lumières pour connaître avec précision le laps de temps écoulé depuis la mort. S'il recourt à cette tactique, c'est pour que ses collègues se sentent égaux à lui. Bien peu le sont.

— La première vague de mouches a probablement pondu ses œufs entre une heure et trois heures après la mort. Quant aux œufs, ils ont pu éclore dès la douzième heure après la ponte.

— Surtout qu'il fait bigrement chaud dans cette salle de bains, est intervenu Pomier.

— Vingt-neuf degrés. La nuit, il devait faire plus frais.

— Autrement dit, la présence des vers dans les yeux, le nez et la bouche suggère un intervalle d'au moins treize à quinze heures après la mort.

— Oui, ai-je répondu. Mais certaines espèces de mouches sont inactives dans l'obscurité. Il faut qu'un entomologiste détermine quelles mouches sont présentes et à quel stade de développement elles en sont.

Le gémissement d'une sirène au loin nous est parvenu par la fenêtre ouverte.

— Comme la rigidité cadavérique est à son niveau maximal, ai-je ajouté, principalement à l'intention de Ryan car les deux autres le savaient déjà, cette estimation du temps est donc cohérente.

La rigidité cadavérique est due aux changements chimiques qui se produisent dans la musculature d'un corps une fois qu'il est privé de vie. C'est un état transitoire, qui débute à peu près trois heures après la mort, atteint son apogée au bout d'une douzaine d'heures et se dissipe en gros soixante-douze heures après le décès.

LaManche a acquiescé d'un air sombre, les bras croisés sur la poitrine.

— Ce qui situe l'heure de la mort quelque part entre six heures et neuf heures du soir, avant-hier.

— La mère est arrivée à l'hôpital hier vers deux heures quarante du matin, a déclaré Ryan.

Pendant un long moment, plus personne n'a rien dit. Cette précision impliquait que le bébé avait peut-être vécu plus de quinze heures avant de mourir. C'était trop triste.

Jeté au fond d'un meuble de salle de bains ? Sans même une couverture ou une serviette sur lui ?

Une fois de plus, j'ai ravalé ma colère. Je me suis tournée vers Pomier.

— Vous pouvez emporter le corps.

Il a hoché la tête mais n'a pas fait un geste.

— Où est la mère ? ai-je demandé à Ryan.

— Apparemment, elle a mis les bouts. Bédard est descendu parler au propriétaire, et il va interroger le voisinage.

Dehors, les hululements de la sirène allaient en s'amplifiant.

— L'armoire de la chambre et la commode sont vides, ai-je ajouté. Il y a bien quelques objets personnels dans la salle de bains, mais pas de brosse à dents, de dentifrice ou de déodorant.

— Parce que vous supposez qu'une salope pareille pourrait se soucier de l'hygiène ?

J'ai regardé Pomier, surprise de le voir si amer. Puis je me suis souvenue : quatre mois plus tôt, sa femme avait fait une fausse couche pour la deuxième fois, alors que le couple espérait tant fonder une famille.

La sirène a hurlé son arrivée à destination et s'est tue. Des portières ont claqué. Des voix se sont interpellées en français. D'autres ont répondu. Des bottes ont ébranlé les marches de l'escalier en fer du trottoir au premier étage.

Peu après, deux hommes se sont glissés sous le ruban de scène de crime. Tous deux en combinaison de travail. Alex Gioretti et Jacques Demers. Je les connaissais bien.

Sur leurs talons, un caporal de la SQ, probablement Bédard. De petits yeux noirs derrière des lunettes à monture métallique et le visage marbré de plaques rouges : l'excitation, sans doute. Ou l'effort. Je lui ai donné dans les quarante-cinq ans.

Ryan s'est avancé vers eux. Je suis restée avec LaManche et Pomier. Après un court échange, Gioretti et Demers ont commencé à déballer leur matériel, instruments et appareils photo.

Le visage tendu, LaManche a tiré sur une de ses manchettes puis regardé sa montre.

— Une journée chargée vous attend ? lui ai-je demandé.

— Cinq autopsies, et le Dr Ayers est absente aujourd'hui.

— Si vous voulez rentrer au labo, je peux rester ici.

— Ce serait peut-être mieux.

Au cas où on découvrirait d'autres corps, inutile de le préciser.

L'expérience m'a soufflé que la matinée serait longue. Dès que LaManche est parti, j'ai regardé autour de moi à la recherche d'un endroit où m'installer.

Deux jours plus tôt, j'avais lu un article sur la faune variée qui peuple les sofas. Poux, puces et punaises. Pour ne rien dire des acariens. Ce canapé miteux et sa vermine étaient loin d'avoir un charme irrésistible. J'ai opté pour la banquette en bois sous la fenêtre.

Vingt minutes plus tard, j'en avais terminé avec mes observations. Quand j'ai relevé les yeux de mon calepin, Demers passait au pinceau de la poudre noire sur la gazinière dans la cuisine, et des flashes intermittents dans la salle de bains indiquaient que Gioretti était en train de prendre des photos. Ryan et Bédard n'étaient visibles nulle part.

J'ai regardé par la fenêtre. Pomier grillait une cigarette, appuyé contre un arbre. La Jeep de Ryan avait rejoint ma Mazda et le camion des scènes de crime le long du trottoir, imitée par deux berlines. L'une d'elles avait le logo « CTV » sur la portière du côté conducteur. L'autre affichait « Le Courrier de Saint-Hyacinthe ».

Les médias avaient flairé l'odeur du sang.

Pendant que je reprenais ma position première en pivotant sur les fesses, la planche sur laquelle j'étais assise a vacillé légèrement. En y regardant de plus près, j'ai remarqué le long du mur un interstice parallèle à la fenêtre. La partie centrale de l'assise dissimulait-elle un rangement ? Je me suis relevée, pour m'accroupir aussitôt et regarder sous la planche horizontale qui servait de siège.

Sa partie avant débordait au-dessus d'une sorte de coffre. À l'aide de mon stylo, je l'ai poussée de bas en haut. La planche s'est soulevée, puis a basculé en arrière contre le rebord de la fenêtre.

Une odeur de poussière et de moisi s'est échappée de l'obscurité de ce coffre.

J'ai scruté l'ombre.

Et vu ce que je redoutais d'y trouver.

2.

Le second bébé avait pour linceul une serviette-éponge. Du sang ou de ces liquides qui accompagnent la décomposition avaient laissé une floraison de taches marron sur le jaune du tissu.

Le petit cadavre gisait dans un coin, au fond. Lui tenaient compagnie un gant de baseball craquelé et décoloré par le soleil, une raquette de tennis cassée, un camion en plastique, un ballon de basket dégonflé et plusieurs chaussures de sport éculées. Poussière et insectes desséchés complétaient le tableau.

À un bout du « balluchon », on apercevait le haut d'un tout petit crâne, avec ses ondulations des sutures ouvertes, typique des nouveau-nés. Un doux duvet recouvrait l'os aussi mince qu'une membrane.

J'ai fermé les yeux. Et vu un autre visage d'enfant. Des cercles sombres entourant des yeux d'un bleu saisissant. Des joues potelées plaquées contre des os délicats.

« Oh, non ! » s'est exclamé quelqu'un.

J'ai relevé les paupières, je n'ai pas regardé en direction de la voix, mais de la rue. Un fourgon mortuaire avait rejoint les véhicules garés le long du trottoir.

Les journalistes discutaient entre eux, près de leurs voitures.

À travers la moustiquaire, une légère brise a projeté un souffle d'air chaud contre mon visage. Mais peut-être était-ce mon sang gorgé d'adrénaline qui enflammait mes joues.

— *Quelque chose d'intéressant ?*

Je me suis retournée.

Demers, les yeux rivés vers moi, tenant son pinceau en l'air.

J'ai soudain pris conscience que c'était moi qui avais lâché cette exclamation.

Je me suis contentée de hocher la tête, n'osant parler, de crainte que ma voix ne se brise.

Demers a appelé Gioretti, puis s'est avancé vers moi. Après avoir fixé très longtemps le bébé, il a extrait son portable de sa ceinture et composé un numéro.

— Je vais essayer de faire venir la brigade cynophile.

Gioretti nous a rejoints peu après et a inspecté du regard la banquette-coffre.

— Tabarnouche !

Ayant préalablement positionné une étiquette permettant d'identifier le cas, Gioretti a entrepris de photographier la scène sous différents angles et en variant la distance.

Je me suis écartée de quelques pas pour appeler LaManche. Ses instructions ont été celles auxquelles je m'attendais : déranger les restes le moins possible, et poursuivre les recherches.

Vingt minutes plus tard, Gioretti en avait presque terminé avec ses prises de vue.

Demers avait passé à la poudre à empreintes tout le meuble sous la fenêtre et son contenu.

Pendant que je renfilais des gants en latex, Demers a étalé un sac mortuaire sur le sol, à côté des chaussures et des accessoires de sport extraits du coffre. Les muscles de sa mâchoire ont sailli quand il a descendu la fermeture à glissière.

J'ai plongé les bras à l'intérieur de la banquette et soulevé délicatement notre deuxième victime. Compte tenu de son poids et de l'absence d'odeur, je me suis dit qu'elle devait être momifiée.

Me servant de mes deux mains, je l'ai transférée avec ses « langes » dans la housse mortuaire. Dans cette enveloppe destinée aux adultes, ce second bébé paraissait d'une petitesse pitoyable, tout comme le bébé du meuble de toilette qui reposait déjà dans un sac, par terre, près du canapé.

Éclairée par Demers au moyen d'une lampe de poche, j'ai recueilli à l'aide d'une pince à épiler une demi-douzaine d'os épars au fond du coffre. Trois phalanges. Deux métacarpiens. Une vertèbre. Aucun de ces os ne dépassait la taille d'un ongle.

Je les ai enfermés séparément dans des flacons en plastique sur le bouchon desquels j'ai inscrit au marqueur indélébile le numéro du dossier, la date et mes initiales. Puis je les ai rassemblés dans une boîte que j'ai glissée sous un coin du linceul taché en tissu-éponge jaune.

Ensuite, avec Demers, j'ai regardé Gioretti prendre ses dernières photos.

Dehors, une portière de voiture a claqué, suivie d'une autre.

Des pas ont résonné dans l'escalier.

Gioretti m'a interrogée du regard. J'ai acquiescé.

Gioretti venait tout juste de remonter la fermeture Éclair du sac mortuaire, de le replier et d'en attacher les extrémités quand Pomier est réapparu. L'accompagnaient une femme et un border collie. Elle, c'était Madeleine Caron ; le collie avait pour nom Pepper. Les chiens dressés pour réagir à l'odeur de chair humaine en décomposition retrouvent les corps dissimulés comme les systèmes infrarouges localisent les sources de chaleur. Les vraiment bons renifleurs peuvent même repérer l'endroit où a reposé un cadavre, bien après qu'il en a été retiré. Mais ces chiens sont aussi singuliers que leurs maîtres. Les uns sont bons, les autres mauvais, d'autres encore sont tout simplement des fumistes.

Ça m'a fait plaisir de voir débarquer ces deux-là. C'était un tandem hors pair.

Je me suis avancée vers Caron, en tenant mes mains gantées loin de mon corps.

Pepper m'a regardée approcher de ses grands yeux caramel.

— Jolie, la baraque, a déclaré Caron.

— Un vrai palace. Pomier vous a mise au courant ? Caron a fait oui de la tête.

— Pour le moment, nous en avons deux. Un trouvé dans la salle de bains, l'autre dans la banquette sous la fenêtre.

J'ai désigné l'endroit d'un geste du pouce par-dessus mon épaule.

— Je suis sur le point de les faire enlever. Attendez que les sacs aient été sortis pour faire le tour des lieux avec Pepper et voir si un truc l'intéresse.

— Pigé !

— Il y a des ordures dans la cuisine.

— Elle ne réagira que s'il s'agit de restes humains.

Caron a d'abord fait sentir à Pepper les endroits où les bébés avaient été dissimulés. Certains animaux dressés donnent l'alerte en aboyant, d'autres en s'asseyant ou en se couchant au sol. Pepper était du genre qui s'assied. Aux deux endroits, la chienne s'est carrée sur son arrière-train et a poussé un gémissement. Les deux fois, Caron l'a grattée entre les oreilles en lui donnant du « Bonne fille ! ». Puis elle a détaché la laisse.

Après avoir reniflé la cuisine et le salon, Pepper est entrée dans la chambre à pas feutrés. Caron l'a suivie à distance polie. J'ai fait de même.

Pas de réaction près de la commode. Légère hésitation devant le lit. Et la chienne s'est immobilisée. A fait un pas. S'est arrêtée, une patte levée à quinze centimètres du sol.

— Bonne fille, a répété Caron d'une voix douce.

Pepper a traversé la pièce très lentement en pointant le museau tantôt à droite, tantôt à gauche. Arrivée au placard, qui était ouvert, elle a levé la tête et humé l'air.

Cinq secondes plus tard, son examen achevé, elle s'est assise, la tête tendue vers nous, et a gémi.

— Bonne fille, a déclaré Caron. Couché !

Les yeux rivés sur sa maîtresse, la chienne s'est affalée sur le ventre.

— Et merde, a lâché Caron.

— Quoi ? Qu'est-ce qu'il y a ?

Nous nous sommes retournées. Ni Caron ni moi-même n'avions entendu Ryan arriver derrière nous.

— Elle a trouvé quelque chose, a révélé Caron.

— On peut s'y fier ?

— Absolument.

— Elle a signalé un autre endroit ?

Caron et moi avons secoué la tête.

— Ça ne lui arrive jamais de louper quelque chose ?

— Jamais jusqu'à présent, a répondu Caron sur un ton qui était tout sauf enjoué. Je refais un tour des lieux avec elle et l'emmène dehors, a-t-elle ajouté.

— Vous pouvez dire au chauffeur du fourgon d'attendre, s'il vous plaît ? ai-je demandé. Et prévenir Pomier. Qu'il accompagne les dépouilles à la morgue.

— Oui, comptez sur moi.

Laissant Caron emmener Pepper en « promenade », je me suis dirigée vers le placard avec Ryan.

L'armoire ne faisait pas plus d'un mètre sur un mètre cinquante. J'ai tiré la chaînette de l'ampoule électrique au-dessus de ma tête.

La lumière a révélé une barre de fer du genre solide, qui avait dû être installée voilà des décennies. Les cintres avaient été regroupés sur un côté. Par Demers, je suppose. Une étagère en bois surplombait la barre.

Une collection de magazines avait été transférée par terre, dans la chambre. Demers les avait recouverts de poudre à empreintes, tout comme l'étagère, la porte, la tige et le bouton de porte.

Ryan et moi avons repéré la bouche d'aération en même temps. Elle était située au plafond, à peu près au centre du placard. Au moment où nous échangions un regard, Gioretti s'est encadré sur le seuil de la chambre.

Je lui ai demandé s'il avait photographié l'endroit. Il a répondu que oui.

— Nous allons avoir besoin d'un escabeau et d'une caméra endoscopique.

Ryan a profité du temps d'attente pour me renseigner sur le propriétaire.

— Stephan Paxton. Un type qui ne risque pas de prononcer un discours pour la remise des diplômes à Harvard.

— Ce qui veut dire ?

— Qu'il a un QI d'acarien. Comment il peut posséder trois immeubles, ça me dépasse ! a-t-il ajouté en secouant la tête. La fille à qui il loue cet appart' s'appelle Alma Rogers. Il dit qu'elle paie comptant, généralement avec trois ou quatre mois d'avance. En tout cas, c'est ce qu'elle fait depuis trois ans.

— Rogers aurait donc donné un faux nom à l'hôpital ?

— Ou ici. Mais c'est la même nana. La description fournie par Paxton correspond à celle du médecin des urgences.

— Pourtant, elle a donné sa vraie adresse.

— Apparemment.

Ça m'a paru bizarre, mais je n'ai pas relevé.

— Elle a un bail ?

— Elle a emménagé ici avec un gars du nom de Smith. Paxton pense que c'est peut-être Smith qui a signé un papier au départ, mais il n'est pas très bon pour tenir les registres. Le loyer payé à l'avance, ça lui suffisait comme bail.

— Cette Rogers a un emploi ?

— Paxton n'en a pas la moindre idée.

— Et Smith ?

Ryan a levé les épaules en signe d'ignorance.

— Qu'en disent les voisins ?

— Bédard est en train de les interroger.

C'est alors que le matériel réclamé est arrivé. Pendant que Demers positionnait l'escabeau, Gioretti a branché un moniteur vidéo portable à un tuyau qui ressemblait à ceux qu'utilisent les plombiers, et a appuyé sur un bouton. Un bip-bip a retenti, et l'écran a donné signe de vie.

Juché sur l'escabeau que lui tenait Ryan, Demers

a testé la résistance de la grille. Elle a bougé et une cascade de poussière de plâtre est tombée du plafond.

Il a pris un tournevis à sa ceinture, fait deux petits tours, et les vis se sont desserrées. Il a retiré la grille, provoquant une nouvelle pluie de plâtre, et nous l'a tendue. S'étant recouvert la bouche d'un masque, il a plongé un bras dans le sombre rectangle ouvert au plafond et, du plat de la main, l'a exploré avec précaution.

— Il y a une poutre...

J'ai retenu mon souffle pendant qu'il promenait le bras à l'intérieur du trou.

— Une matière isolante...

Enfin, il a secoué la tête.

— Je vais avoir besoin de la caméra.

Gioretti lui a tendu l'outil qui ressemblait à un serpent, en réalité un tube optique pourvu à l'une des extrémités d'un système d'éclairage et d'une caméra vidéo dont l'objectif ne dépassait pas quatre millimètres de diamètre. Cette petite caméra allait filmer l'intérieur du mur et nous permettre de visualiser les images en temps réel.

Demers a tourné un interrupteur, un faisceau lumineux a jailli dans l'obscurité. Après avoir ajusté la courbure du serpent, il l'a inséré dans le trou. Une image grise et floue est apparue sur l'écran.

— On te reçoit.

Gioretti a tourné un bouton. La grisaille s'est cristallisée en une poutre en bois, protégée en dessous par quelque chose qui ressemblait à un bon vieux flocage isolant en vermiculite.

— Ça doit être l'une des solives qui soutiennent la toiture, a décrété Ryan.

Nous avons suivi à l'écran le lent cheminement de la caméra le long de la solive.

— Essayez de l'autre côté, a suggéré Ryan. Vous devriez tomber sur un poteau et un chevron.

Demers a obtempéré.

Ryan ne s'était pas trompé. À quatre-vingts centimètres de la bouche d'aération, des poutres venant d'en haut et d'en bas se croisaient à angle aigu au niveau de la solive.

Un autre paquet – une serviette enroulée – était coincé dans la gorge du V supérieur.

— Putain de merde ! s'est exclamé Gioretti.

Une heure et demie plus tard, il ne restait plus rien du plafond du placard, et un troisième bébé gisait dans un sac mortuaire de quatre-vingt-dix centimètres sur deux mètres vingt.

Ouf, les combles n'hébergeaient pas d'autre bébé.

Et, dehors, Pepper n'avait rien signalé d'alarmant.

À présent, les sacs mortuaires reposaient côte à côte dans le fourgon, trois enveloppes plates hormis une pathétique petite bosse au milieu.

Des journalistes étaient massés un peu plus loin sur le trottoir, avides de sensations à en mouiller leur froc. Pourtant, ils demeuraient à distance. Je me suis demandé de quoi Ryan avait bien pu les menacer pour parvenir à ce résultat.

J'étais maintenant à l'arrière du fourgon, debout contre le pare-chocs. J'avais retiré ma combinaison, et le soleil me chauffait la tête et les épaules.

Il était plus de deux heures de l'après-midi. Je n'avais rien avalé depuis le lever du jour, mais je n'avais pas faim. Les yeux fixés sur les sacs, je ne cessais de me demander quel genre de femme avait pu faire une chose pareille. Éprouvait-elle des remords pour avoir tué ces nouveau-nés ? Ou menait-elle son petit bonhomme de chemin sans seulement s'interroger sur l'énormité de ses crimes ?

Des images issues de mon propre passé continuaient à me tarauder, surgissant malgré moi. Je m'en serais volontiers dispensée.

Mon petit frère, Kevin, mort de leucémie à l'âge de trois ans. On m'avait interdit de le revoir. Pour une petite fille de huit ans, cette mort avait quelque chose d'irréel. Du jour au lendemain Kevin n'avait plus été là, alors que la veille encore il était parmi nous.

Dans mon esprit d'enfant, j'avais très bien compris que Kevin était malade et qu'il ne vivrait pas longtemps. Pourtant, lorsque c'était arrivé, j'en étais restée comme sidérée. Il m'avait manqué un dernier au revoir.

Plus loin, Ryan était en train de parler avec Bédard. Une fois de plus.

Le caporal nous avait déjà informés des résultats de son enquête de voisinage. Pour l'heure, une seule personne se rappelait avoir vu Alma Rogers, une dame âgée, veuve, du nom de Robertina Hurteau. Elle habitait de l'autre côté de la rue et surveillait tout ce qui se passait dans le quartier à travers les stores de son salon. Elle avait décrit sa voisine d'en face comme une personne ordinaire. Elle ne se rappelait pas quand elle l'avait vue entrer ou sortir de chez elle pour la dernière fois. Elle l'avait aperçue quelquefois en compagnie d'un homme, mais jamais avec un bébé. Un type *barbu*.

Roberts/Rogers avait-elle un chien ? Ou un chat ? La question de l'animal continuait à me titiller. Qu'était-il devenu ? L'avait-elle emmené avec elle ? L'avait-elle abandonné ou tué comme ses propres enfants ? Est-ce qu'on avait interrogé les voisins sur ce point ?

Trois cadavres de bébés, et je m'inquiétais de la

disparition d'un toutou. Allez y comprendre quelque chose !

Et je me disais : Vous êtes là, quelque part, Amy Roberts ou Alma Rogers. Vous passez inaperçue. Vous déplacez-vous à bord d'une voiture ? D'un car, d'un train ? Seule ? Avec le père de vos pauvres enfants morts ? Avec l'un d'entre eux ? Mais combien de pères y a-t-il eu en tout ?

Pourvu que Ryan obtienne d'autres renseignements !

Demers et Gioretti étaient en train de ranger leur matériel. Je les regardais faire, quand une Kia verte s'est garée juste derrière leur camion. La portière s'est ouverte, le conducteur s'en est extrait lourdement. Un type en jean, moulé dans un débardeur qui laissait voir bien trop de son individu. Un visage rouge et tavelé encadré par des cheveux raides, une barbe mal taillée.

Le bras passé autour de la portière, il a détaillé les véhicules stationnés dans la rue. Puis il s'est retourné et s'est rassis au volant.

Mon cerveau, malgré sa fatigue, a su accoucher d'une traduction.

Barbu.

Je me suis retournée pour appeler Ryan.

Il piquait déjà un sprint vers la voiture.

3.

Ryan a atteint la Kia juste au moment où le conducteur en claquait la portière.

Passant le bras par la vitre ouverte, il a arraché la clé de contact.

De l'endroit où j'étais, au milieu du trottoir, j'ai entendu crier :

— C'est quoi ce bordel ?

Bédard est arrivé pendant que Ryan montrait son badge au gars.

— C'est quoi ce bordel ?...

Un anglophone. Au vocabulaire limité.

— Sors de là !

Ryan a tiré violemment sur la poignée.

— Qu'est-ce...

— Tout de suite !

Des pieds chaussés de sandales ont basculé dehors, suivis d'un corps de cétacé.

Pendant que Bédard dégainait son Glock, Ryan a fait pivoter le conducteur. D'un coup de pied dans les mollets, il l'a obligé à écarter les jambes avant de le fouiller.

— Ben quoi ? Tu me payes pas un verre d'abord...?

Côté Ryan, la plaisanterie est tombée à plat.

En revanche, une poche arrière du jean a accouché d'un portefeuille en toile. Comme le suspect n'était pas armé, Ryan s'est reculé pour en examiner le contenu. Bien campé sur ses deux pieds, Bédard tenait le type en joue.

— Retourne-toi, mais tu gardes les mains en l'air...

Le Cétacé a fait comme on le lui ordonnait.

— Ralph Trees...? Ryan a relevé les yeux d'une carte en plastique qui devait être un permis de conduire et en a fixé le porteur.

Le Cétacé a gardé le silence, les mains levées au-dessus de la tête. De grosses touffes de poils s'échappaient de ses aisselles.

— C'est toi, Ralph Trees ?

Silence radio côté Cétacé.

Ryan a détaché les menottes pendues à sa ceinture dans son dos.

— C'est quoi, ce merdier ? a réagi le Cétacé en écartant ses gros doigts. C'est bon, c'est bon. Mais c'est Rocky, pas Ralph.

— Qu'est-ce que tu fiches ici ?

— Ce que je fiche ici ?

— T'es un marrant, toi, hein, Rocky ?

— Et si vous disiez à votre inspecteur Harry de se calmer un peu avec son arme ?

Ryan a fait un signe de tête à Bédard. Le caporal a baissé son Glock sans le rengainer pour autant.

Ryan est revenu à Trees en agitant son permis. L'autre a marmonné une réponse que je n'ai pas entendue de là où j'étais.

Je me suis rapprochée du trio. Ils ne m'ont pas prêté attention.

De près, j'ai constaté que Trees avait les yeux sillonnés de veinules rouges. Il devait mesurer un bon mètre quatre-vingt-dix et peser dans les cent trente kilos sinon plus. Un tatouage entre sa lèvre inférieure et le haut de sa barbe représentait un sourire à l'envers hérissé de dents. Classieux.

— Je viens voir ma nana. J'ai vérifié, c'est pas un crime.

— Mais assassiner en est un.

— Putain, c'est quoi, ce délire ?

— C'est qui, ta petite amie ?

— C'est pas ma petite amie.

— Tu commences à me faire chier, Rocky.

— Bon, je la saute quand ça me démange. Ça veut pas dire que je lui file des chocolats à la Saint-Valentin.

Ryan s'est contenté de faire peser sur lui son regard.

— Alva Rodriguez.

Ses yeux injectés de sang ont brièvement dévié sur Bédard.

— Quoi ? Alva s'est fait descendre ?

— Quand est-ce que tu as vu ou parlé à Mme Rodriguez pour la dernière fois ?

— Merde, j'sais pas. Y a deux ou trois semaines.

— Essaie d'être un peu plus précis.

— C'est du harcèlement.

— T'as qu'à porter plainte.

Le regard de Trees s'est décalé sur moi.

— C'est qui, la poule ?

— Te déconcentre pas.

— Des conneries, tout ça.

— Quand as-tu été en contact avec Mme Rodriguez pour la dernière fois ?

Trees a fait celui qui réfléchissait à la question. Mais son regard nerveux et la sueur au ras de ses cheveux montraient bien qu'il crânait et qu'en réalité il n'en menait pas large.

— Ça fera deux semaines jeudi. Non, mercredi. Je rentrais juste d'une virée du côté de Calgary...

— Pourquoi Calgary ?

— De temps en temps, je fais un peu le routier pour mon beauf.

— Où est Mme Rodriguez, maintenant ?

— Eh, mec, je peux baisser les bras ?

— Nan.

— Comment je pourrais le savoir ? Elle me rend pas de comptes. Comme je l'ai dit, je passe la voir, je la baise, et je reprends mon bonhomme de chemin.

— Et tu payes pour ces petits rendez-vous ?

— Moi ? Vous rigolez.

Son sourire gras m'a donné l'envie d'une douche bien chaude.

— Je lui apporte une bouteille, à c'te fille, elle m'en est reconnaissante. Vous voyez ce que je veux dire ?

— Tu lui apporterais pas aussi un peu de came de temps en temps ?

— Je fais pas dans ce genre de truc. J'tire un coup, j'lui apporte de quoi boire, ça s'arrête là.

— Tu sais quoi, Rocky ? Je pense que tu me baratines. Je te regarde, je vois un gars complètement défoncé. Peut-être bien un gars qui deale. Qu'est-ce que tu dirais si j'embarquais ta jolie petite bagnole ?

— Vous pouvez pas faire ça !

— Qu'en pensez-vous, caporal Bédard ? a lancé Ryan sans lâcher Trees des yeux. À votre avis, on peut faire ça ?

— Sûrement.

— Eh bien, vous pourriez vérifier l'identité de ce Roméo, a repris Ryan en lui passant le permis de conduire. Des fois qu'il aurait une biographie intéressante.

Bédard a rangé son arme et s'est dirigé vers sa voiture pour effectuer la recherche. Ryan et moi avons attendu le résultat sans rien dire. Trees a ressenti le besoin de remplir le silence, comme bien souvent les gens en état de stress.

— OK, je vous dis ce que je sais, et c'est pas grand-chose, parce qu'avec Alva on passe pas notre temps à bavarder.

— Où travaille Mme Rodriguez ? a demandé Ryan.

— Vous m'écoutez pas !

— Elle a un revenu stable ? Les moyens de payer son loyer ?

Trees a haussé les épaules aussi haut que ses bras levés en l'air le lui permettaient.

— Peut-être que tu la mets sur le trottoir, Rocky ? Que tu la fournis en coke, comme ça elle est là quand tu as besoin de tirer un coup ? C'est ça le business dont tu parles ? T'as d'autres femmes qui bossent pour toi, en plus de Rodriguez ?

— Pas du tout. Je veille sur elle. Alva, c'est pas ce qu'on pourrait appeler une surdouée.

Ryan s'est mis à poser des questions en rafale, passant d'un sujet à l'autre pour déstabiliser Trees.

— Tu sais si elle utilise un autre nom que Rodriguez ?

Trees a secoué la tête.

— Où est-ce qu'elle habitait, avant de venir ici ?

— Elle est mexicaine, non ? Ou quelque chose comme ça...

— Qu'est-ce qui te fait penser ça ?

— Son nom. Et aussi, elle avait comme un accent, mais pas français. Je me suis dit qu'elle était mexicaine. Pour moi, ça a pas d'importance.

— Un gars aussi ouvert d'esprit et le reste, c'est vraiment touchant.

Trees a levé les yeux au ciel. Ses avant-bras, qui pendouillaient maintenant vers le bas, formaient un V à l'envers. Deux poids morts au bout de ses coudes toujours levés.

— C'est toi, le père des bébés ?

— Hein ?

— Tu l'as aidée à les tuer ?

— Tuer *quoi* ?

— Tu montes le son de la radio pour couvrir leurs pleurs ?

— Z'êtes dingue, putain ?

— Ou est-ce qu'elle les a zigouillés elle-même parce que tu lui en avais donné l'ordre ?

De Ryan, le regard de Trees a rebondi sur moi, puis sur sa voiture, plusieurs fois de suite. Je me suis demandé s'il n'allait pas essayer de prendre la tangente.

— Trois, Rocky. Trois nouveau-nés. En ce moment-même en route pour la morgue.

— Vous êtes complètement barjot. Alva n'était pas enceinte. N'est pas enceinte. Où est-ce qu'elle est, d'abord ? Et qu'est-ce que vous attendez de moi ?

Il s'est frappé la poitrine du plat de ses deux mains, ayant complètement oublié qu'il était censé garder les bras en l'air.

— On pense que Mme Rodriguez a accouché dimanche matin. On a trouvé un bébé sous le lavabo, a continué Ryan en désignant d'un mouvement de tête le deux pièces où nous avions passé la matinée. Il y en avait deux autres cachés dans l'appartement.

— Bordel de merde ! a lâché Trees en blêmissant, si bien que son nez a pris l'aspect d'un phare écarlate au milieu de son visage grisâtre, grêlé comme un champ de bataille. Si Alva a été enceinte, j'suis pas au courant.

— Toi, son dévoué protecteur ? Mais comment est-ce possible, Rocky ?

— Alva, l'est du genre épanouie, comme on dit. Elle porte des vêtements amples. Ce serait un peu comme une tente piquée sur deux guiboles.

— T'inquiète. L'ADN répondra à toutes les questions de paternité. Si t'es le père, tu peux déjà acheter des fleurs à porter sur leurs tombes.

— C'est rien que des conneries !

— Où est-ce qu'elle aurait pu aller, Rocky ?

— Comment je pourrais le savoir ? Je vous dis que je sais pas d'où elle vient ! Je sais juste qu'elle...

— Ouais. T'es un vrai romantique. Où est-ce que tu as fait sa connaissance ?

— Dans un bar.

— Quand ça ?

— Y a deux ans. Peut-être trois.

— Où tu as été depuis samedi ?

Le visage de Trees s'est éclairé, comme s'il avait détecté une lueur d'espoir.

— Justement, j'ai fait une course pour mon beau-frère du côté de Kamloops. Vous pouvez lui demander.

— Rassure-toi, on le fera.

— Je peux prendre quelque chose dans ma voiture ?

Ryan a hoché la tête.

— N'en profite pas pour tenter une connerie.

Trees a attrapé sur la banquette arrière des papiers éparpillés sous un sachet vide de KFC et les a tendus à Ryan.

— Celui-là, sur le dessus, c'est la réclame de

l'entreprise de mon beau-frère. Le vert, c'est mon ordre de mission. Vérifiez la date. J'étais à Kamloops.

Ryan a lu tout haut l'accroche publicitaire :

— « Vous l'avez ici ? Vous le voulez là-bas ? Pas le temps de dire ouf, vous l'avez déjà ! » De la poésie à l'état pur.

— Ouais, on peut dire qu'il a le sens de la formule, le Phil ! s'est exclamé Trees, manifestement imperméable au sarcasme.

— Il ressemble à un putois.

— Ça, il y peut rien. L'a pas été aidé par la nature.

Ryan a examiné l'ordre de mission, puis m'a remis les deux documents.

Étonnée par son commentaire, j'ai regardé le feuillet.

Un joyeux chauffeur que j'ai supposé être Phil était assis au volant d'un camion et souriait en agitant la main. Il avait des cheveux noirs peignés vers l'arrière, séparés par un croissant blanc qui partait du front et remontait vers le sommet de la tête.

Bédard est revenu. Secouant la tête.

Ryan a écarté les pieds et dévisagé Trees comme s'il pesait le pour et le contre d'une décision.

— Voici ce que tu vas faire. Tu vas suivre le caporal Bédard et mettre par écrit tes coordonnées et celles de ton beau-frère, ainsi que celles de toute personne susceptible de confirmer tes dires de pauvre tache que tu es. Tu sais écrire, n'est-ce pas, Rocky ?

— Z'êtes un comique, vous, hein !

— Je suis même carrément hilarant quand je fouille les boîtes à gants des bagnoles.

— OK. OK, a fait Trees avec un geste apaisant des deux mains.

— Tu vas inscrire tout ce que tu te rappelles sur

Alva Rodriguez. Jusqu'à la dernière fois où elle a tiré la chasse d'eau. Pigé ?

Trees a opiné.

Ryan s'est tourné vers moi, les sourcils levés. J'ai demandé :

— Est-ce qu'Alva a un chien ou un chat ?

— Un chien.

— Quelle race ?

— Ben un chien, quoi, a répondu ce balourd, apparemment troublé par ma question.

— Gros ? Petit ? Avec de longues oreilles ? Blanc ? Marron ?

— Une petite boule grise qui aboie tout le temps et qui chie partout.

— Il s'appelle comment ?

— Pas la moindre idée.

— Si Alva est partie, est-ce qu'elle a pu emmener le chien avec elle ?

— J'veux bien être pendu si je l'sais.

Ryan m'a lancé un regard interrogateur, mais n'a rien dit. Puis, revenant à Trees :

— Allez, Rocky. Et fouille bien ta mémoire.

Tandis que Trees suivait Bédard jusqu'à sa voiture, Ryan m'a raccompagnée à la mienne. Je lui ai demandé ce qu'il pensait de ce type.

— Il ne retrouverait pas son cul avec un GPS. Il a dû se griller la cervelle.

— Tu crois qu'il se shoote ?

J'ai eu droit à la grimace de Ryan signifiant : tu veux rire !

— J'ai trouvé qu'il avait l'air vraiment choqué quand on a mentionné les bébés.

— Peut-être, a admis Ryan. N'empêche, je vais lui

41

coller aux basques, à ce connard, comme des puces sur le dos d'un chien.

— Rien de nouveau à propos de Roberts ?

— Demers doute de pouvoir exploiter les empreintes qu'il a relevées. Et s'il arrive à en tirer quelque chose, ça prendra un moment. De toute façon, si Roberts n'est pas fichée, ça ne servira à rien. C'est le propriétaire qui paie l'eau et l'électricité. Il n'y a pas de téléphone. Pas d'ordinateur. Pas trace d'un papier quelconque. Si jamais elle a pris la poudre d'escampette, on risque de mettre du temps à la retrouver.

— Et ce n'est pas le bébé qui nous y aidera.

Ce en quoi je me trompais lourdement.

4.

Le lendemain matin, j'ai tourné pendant vingt minutes dans les rues étroites et sinueuses d'Hochelaga-Maison-neuve, un quartier ouvrier situé à un saut de puce du centre-ville. Je suis passée devant deux immeubles avec des escaliers de secours sur la façade, plusieurs magasins, une école, un petit square. À huit heures du matin, en ce mardi du mois de juin, pas une place où se garer.

Ne me lancez pas sur le sujet. Il faut avoir un diplôme en génie civil pour comprendre où et quand le stationnement est autorisé à Montréal. Et pour ce qui est de trouver l'emplacement adéquat, il faut en plus la chance d'un gagnant au loto.

À mon cinquième passage dans la rue Parthenais, une Mini Cooper a déboîté à moins d'un pâté de maisons de moi. J'ai foncé. Avec force jurons et changements de vitesses, j'ai réussi à insérer ma Mazda dans la place libérée.

Huit heures trente-neuf à l'horloge du tableau de bord. Génial. Le briefing du matin allait commencer dans à peu près six minutes.

Ayant attrapé mon ordi et mon sac sur la banquette arrière, j'ai fait le tour de la voiture pour admirer mon œuvre. Quinze centimètres devant, dix-huit derrière. Pas mal !

Fière de mon exploit, j'ai pris la direction de l'immeuble de treize étages en verre et acier, récemment rebaptisé Édifice Wilfrid-Derome en l'honneur du fameux criminaliste québécois, pionnier dans cette discipline. Célèbre selon les critères d'ici. Et dans le milieu médico-légal.

Tout en me hâtant, j'ai regardé la masse noire en forme de T qui domine le quartier. Sur ce fond de ciel bleu et joyeux, elle avait quelque chose de sinistre.

Les vieux de la vieille continuent d'appeler ce bâtiment par ses initiales. QPP, pour Quebec Provincial Police, ou SQ, pour Sécurité du Québec, selon qu'ils sont anglophones ou francophones. Normal, puisque pendant des décennies la police provinciale en a occupé la quasi-totalité.

Mais les flics ne sont pas les seuls à travailler ici. L'immeuble abrite également, aux deux derniers étages, le LSJML qui, au Québec, regroupe les labos de la police criminelle et ceux de la médecine légale. Le Bureau du coroner se trouve au onzième. La morgue et les salles d'autopsie sont situées au sous-sol. Pas mal, d'avoir toute l'équipe sur place. À bien des égards, ça me facilite la tâche ; à d'autres, ça la complique : Ryan, par exemple, a son bureau huit étages en dessous du mien.

J'ai dû scanner mon laissez-passer à plusieurs reprises : dans le hall, dans l'ascenseur, à l'entrée du douzième étage et à la porte en verre qui sépare l'aile médico-légale du reste du T. Huit heures quarante-cinq. Un calme relatif régnait dans le couloir.

En passant devant la section de microbiologie, celle d'histologie et les labos de pathologie, j'ai vu par les baies vitrées quantité d'hommes et de femmes en blanc déjà installés à leur microscope, leur bureau ou leur paillasse.

Plusieurs d'entre eux m'ont fait un signe de la main ou m'ont articulé des bonjours à travers la vitre. Je leur ai rendu leur salutation tout en filant vers mon bureau. Je n'étais pas d'humeur à bavarder. Je déteste être en retard.

Je venais juste de déposer mon ordinateur sur la table et de ranger mon sac quand le téléphone a sonné. LaManche. Impatient de commencer la réunion.

Quand je suis entrée dans la salle de conférences, seul le patron et Jean Pelletier, tous deux pathologistes, s'y trouvaient. Ils ont l'un et l'autre esquissé ce geste propre aux hommes de l'ancienne génération quand une dame entre dans la pièce, à savoir : se lever à demi de leur chaise.

LaManche a voulu savoir ce qui s'était passé dans l'appartement de Saint-Hyacinthe après son départ. Pelletier a écouté mon récit en silence. C'est un type trapu et de petite taille, avec des cheveux gris et des poches sous les yeux de la taille d'un poisson-chat. S'il est le subordonné de LaManche, il l'a cependant précédé dans ces murs pendant une bonne décennie.

— Je commencerai l'autopsie du premier enfant sitôt la séance levée, a déclaré LaManche dans son français digne de la Sorbonne. Si les autres sont effectivement réduits à l'état de squelette, comme vous le supposez, vous vous en chargerez.

J'ai acquiescé. Je savais déjà qu'ils seraient en effet momifiés.

Pelletier a laissé échapper un soupir. L'ayant entendu, j'ai regardé dans sa direction.

— C'est vraiment affreux, a-t-il ajouté en tambourinant

45

sur la table de ses doigts jaunis par un demi-siècle de gauloises. Affreux, affreux.

À cet instant, Marcel Morin et Emily Santangelo ont fait leur entrée. Encore des pathologistes. Encore des « Bonjour » et des « Comment ça va ? » à la ronde.

Après avoir distribué le programme de la journée, LaManche a commencé à présenter les cas et à les attribuer.

À Longueuil, une femme de trente-neuf ans avait été retrouvée morte, empêtrée dans une housse de pressing en plastique. Cause présumée du décès : intoxication alcoolique.

Le corps d'un homme avait été découvert sur le rivage de l'île Sainte-Hélène, sous le pont des Îles.

Une femme de quarante-trois ans avait été frappée à coups de matraque par son mari, à l'issue d'une dispute à propos de la télécommande du téléviseur. C'est leur fille de quatorze ans qui avait appelé la police de Dorval.

Un agriculteur de quatre-vingt-quatre ans avait été retrouvé mort dans la maison qu'il partageait avec son frère de quatre-vingt-deux ans, à Saint-Augustin. Tué par balle.

— Où est le frère ? s'est enquise Santangelo.

— Vous direz que je suis fou, mais j'ai comme l'impression que la SQ se pose la même question, a répliqué Pelletier, et il a ponctué sa déclaration en faisant claquer ses prothèses dentaires.

Les nourrissons de Saint-Hyacinthe s'étaient vu attribuer les numéros LSJML-49276, 49277 et 49278.

— Le détective Ryan essaie de localiser la mère ? a demandé LaManche sur un ton plus proche du constat que de l'interrogation.

J'ai répondu que oui.

— Il n'a pas grand-chose sur quoi s'appuyer, de sorte que ça pourra prendre du temps.

— M. Ryan a de multiples talents, a déclaré Pelletier d'une voix neutre, mais je n'ai pas été dupe.

Ce vieux bonhomme savait que Ryan et moi avions été ensemble, et il aimait me taquiner. Je ne suis pas tombée dans le panneau.

Santangelo a écopé du noyé et de la victime dans la housse en plastique. Le matraquage est allé à Pelletier, le mort par balle à Morin.

Dès qu'un cas était attribué, LaManche inscrivait en abrégé sur sa feuille le nom du pathologiste concerné. Sa. Pe. Mo.

Le dossier LSJML-49276, c'est-à-dire le nouveau-né retrouvé dans le meuble de toilette, s'est ainsi vu accoler les lettres « La ». Les dossiers LSJML-49277 et LSJML-49278, respectivement le bébé de la banquette et celui de la bouche d'aération, ont eu droit aux lettres « Br ». Brennan, pour vous servir.

De retour dans mon bureau, après la réunion, j'ai pris deux formulaires de cas dans mon échafaudage de corbeilles en plastique, et je les ai glissés dans une chemise. Ensuite j'ai clipsé le tout sur une planchette. Au labo, chaque spécialiste a une couleur particulière. Le rose correspond à Marc Bergeron, l'odontologiste ; le vert à Jean Pelletier. LaManche utilise le rouge. Quant aux rapports d'anthropologie, ils sont jaunes.

En piochant un stylo dans mon tiroir, je me suis rendu compte qu'un voyant rouge clignotait sur mon téléphone.

Aussitôt, un petit flottement. Ryan ?

Arrête, Brennan. Entre vous, c'est fini.

Je me suis laissée tomber sur ma chaise et j'ai

attrapé le combiné. Tout d'abord, accéder à la messagerie vocale, ensuite composer mon numéro de code.

Un journaliste du *Courrier de Saint-Hyacinthe*.

Un autre d'*Allô Police*.

J'ai supprimé les messages.

Après, je me suis changée dans le vestiaire des femmes. Vêtue de ma tenue chirurgicale, j'ai quitté le département médico-légal par un couloir latéral qui passe devant le secrétariat et débouche sur la bibliothèque et un ascenseur strictement réservé aux personnes munies d'une autorisation.

Dans la cabine, j'ai appuyé sur le bouton de la morgue. Il n'y en avait que deux autres : pour le Bureau du coroner et pour le LSJML.

Au sous-sol, après deux tournants à gauche puis un à droite, je me suis retrouvée devant une porte peinte en bleu Santorin, marquée d'un « Entrée interdite ». De nouveau, recours à la carte d'accès avant de pouvoir m'engager dans l'étroit couloir qui court sur toute la longueur du bâtiment.

Sur la gauche, une salle de radiographie et quatre salles d'autopsie, dont trois n'ont qu'une seule table, alors que la quatrième en a deux.

À droite, le long du mur, des séchoirs pour vêtements détrempés et des étagères où ranger les pièces à conviction et autres effets personnels récupérés avec les corps, puis des postes informatiques, des cuves montées sur roulettes et des chariots pour transporter les échantillons à l'étage des laboratoires.

Les petits carrés vitrés pratiqués dans les portes m'ont permis de constater qu'en salles 1 et 2, Santangelo et Morin avaient déjà commencé leur examen externe, assistés chacun d'un photographe de la police et d'un technicien d'autopsie.

Dans la grande salle, Gilles Pomier et un technicien du nom de Roy Robitaille déployaient leurs instruments. Aujourd'hui, ils étaient respectivement attachés à LaManche et à Pellctier.

J'ai poursuivi ma route jusqu'à la salle 4, qui est dotée d'une ventilation spéciale. C'est là que sont traités les cadavres momifiés, les corps décomposés, les noyés, et autres victimes particulièrement odorantes. Les cas dont je m'occupe.

Comme toutes les autres salles d'autopsie, la 4 donne par une porte à double battant sur un grand hall bordé de grands compartiments réfrigérés pouvant accueillir une civière chacun.

Mon dossier déposé sur une paillasse, j'ai sorti d'un tiroir un tablier en plastique et d'un autre des gants et un masque. Les ayant enfilés, j'ai franchi la double porte.

Petit décompte mental : sept cartes blanches, par conséquent, sept résidents temporaires.

Les cartes portant les premières lettres de mon nom étaient apposées sur une seule et même porte. Elles correspondaient aux cas LSJML-49277 et LSJML-49278.

Un bébé mort a besoin de si peu de place, n'ai-je pu m'empêcher de penser.

Inscription identique sur les deux cartes : « Ossements d'enfant. Inconnu. »

Image surgie de mon propre passé : moi-même berçant Kevin dans mes bras et craignant de le serrer trop fort, de casser ses petits os fragiles ou de faire d'autres bleus sur sa peau d'un blanc laiteux.

Debout au milieu de tout cet inox glacé, je sentais encore le corps si léger de mon frère contre ma poitrine, je percevais la cadence à peine audible de sa respiration, j'avais dans les narines son odeur de petit garçon en sueur et de shampoing pour bébé.

Secoue-toi, Brennan. Fais ton boulot.

J'ai tiré la poignée vers moi. La porte de la glacière s'est ouverte. De l'air froid s'en est échappé et, avec lui, l'odeur de la mort réfrigérée.

Sur l'étagère supérieure d'un chariot, deux housses mortuaires côte à côte, leurs bords repliés. Du pied, j'ai libéré le frein et poussé le chariot jusqu'à ma salle.

Lisa s'y trouvait déjà, en train d'étaler les instruments sur une paillasse latérale. Ensemble, nous avons fait entrer le chariot et l'avons placé parallèlement à la table en inox vissée au centre de la pièce.

— Ils sont en panne de personnel à l'identité judiciaire, a déclaré Lisa en s'exprimant dans ma langue, comme elle le fait le plus souvent avec moi pour améliorer son anglais. Nous partagerons donc le photographe avec le Dr LaManche.

— Très bien. On prendra nous-mêmes nos photos.

Âgée d'environ quarante ans, Lisa travaille comme technicienne d'autopsie depuis l'obtention de son diplôme, à dix-neuf ans. Vive d'esprit et efficace, elle est aussi habile de ses mains qu'un chirurgien. C'est, et de loin, la meilleure technicienne d'autopsie de tout le LSJML.

C'est aussi la chouchoute de tous les flics du Québec. En plus de son talent et de sa bonne humeur, sa blondeur et sa poitrine généreuse y sont sûrement pour quelque chose.

— Ils ont l'air si petits !

Elle fixait les sacs mortuaires, le visage empreint de tristesse.

— Prenons une série de photos avant de les sortir des sacs.

Pendant que Lisa remplissait les étiquettes identifiant les dossiers et vérifiait le bon fonctionnement du Nikon, j'ai reporté sur le formulaire du premier cas les renseignements déjà en ma possession.

Nom : Inconnu. Date de naissance : laissée en blanc. Numéro du LSJML : *49277*. Numéro de la morgue : *589*. Numéro du rapport de police : *43729*. Pathologiste : *Pierre LaManche*. Coroner : *Jean-Claude Hubert*. Enquêteur : *Andrew Ryan, de la Sûreté du Québec, section des crimes contre la personne*.

Pendant que j'ajoutais la date et m'attaquais au second formulaire, celui consacré au bébé caché derrière la bouche d'aération des combles, Lisa a pris des photos des deux housses noires. Ayant prestement enfilé des gants, elle a sorti un drap en plastique d'un placard situé sous une paillasse et l'a étalé sur la table d'autopsie.

— Défaites les fermetures à glissière, lui ai-je indiqué, en réponse à son regard interrogateur.

Les serviettes enroulées autour des petits corps étaient bien telles que dans mon souvenir, l'une verte, l'autre jaune, toutes les deux maculées de ces taches brunâtres laissées par les fluides qui accompagnent la décomposition des corps. Les prenant à deux mains, Lisa a transféré les bébés sur la table, l'un après l'autre. Puis elle a pris d'autres photos pendant que je couchais par écrit mes premières observations.

— Nous allons commencer par le bébé de la banquette, ai-je décidé, et j'ai désigné le baluchon jaune.

Sans autre instrument que le bout de ses doigts, Lisa a entrepris de défaire la première couche de tissu-éponge en tirant dessus délicatement. Après quoi elle l'a penché d'un côté puis de l'autre pour en révéler le contenu.

Un nouveau-né constitue une biomasse minuscule. Et le corps, après la mort, peut se momifier au lieu de se putréfier en raison de la très petite quantité de graisse contenue dans les tissus. Tel était le cas pour le bébé de la banquette.

Le petit cadavre avait été fortement comprimé : la tête était baissée sur la poitrine, les bras et les jambes repliés et croisés l'un sur l'autre. Son thorax, son abdomen, ses membres et même les os délicats de son visage étaient recouverts d'un amas de peau, de muscles et de ligaments desséchés. Ses orbites évidées contenaient de petites boules qui rappelaient des grains de raisin flétris.

Lisa tendait le bras vers le Nikon quand Pomier a passé la tête par la porte.

— Le Dr LaManche a une question à vous poser.

— Tout de suite ? (Sur un ton quelque peu agacé.)

Pomier a fait signe que oui.

J'avais hâte de commencer mon analyse, mais le patron ne m'aurait jamais interrompue pour une futilité.

— Prenez des clichés sous tous les angles. Gros plans et plans généraux, ai-je ordonné à Lisa. Après, vous ferez une série complète de radios.

— Les os seront tous superposés, je n'y peux rien.

— Je sais. Ces radios des bébés ne permettront sans doute pas d'estimer leur taille à partir des os, mais faites de votre mieux. Si vous finissez avant mon retour, passez à l'autre bébé. Et si vous avez des questions, vous savez où me trouver.

Lisa a acquiescé.

— Allons-y, ai-je dit à Pomier.

Chaque morgue possède une odeur bien à elle, parfois subtile, parfois étouffante, mais toujours là et bien là. Ces odeurs font partie de ma vie depuis si longtemps que je les sens parfois dans mon sommeil. Les corps retirés de l'eau sont parmi les plus nauséabonds.

Dans le couloir, la puanteur du noyé confié à Santangelo prenait le pas sur les senteurs toujours présentes de désodorisant et de désinfectant.

En salle 3, la victime du matraquage était étendue sur la table la plus éloignée de la porte. Elle avait le visage tuméfié, déformé, et le côté gauche violacé en raison de la *livor mortis*, la masse de sang accumulée post mortem dans les parties déclives du cadavre.

Robitaille inspectait méthodiquement le cuir chevelu, écartant les cheveux, une mèche après l'autre, tandis que Pelletier examinait les orteils.

Sur la table la plus proche de l'entrée, où officiait LaManche, reposait le bébé du meuble de toilette. La photographe du SIJ, l'identité judiciaire, se tenait près de lui : une femme très grande et très pâle, que le badge sur sa chemise identifiait comme étant « S. Tanenbaum ». Je ne l'avais jamais vue.

Ce qui n'était pas le cas pour la tierce personne présente dans la salle. Andrew Ryan.

Pendant que j'avançais vers lui, Pomier sur les talons, le patron a reposé la main droite de l'enfant pour s'emparer de la gauche et l'examiner à son tour.

Ni commentaire ni note écrite.

Pour autant, le cours de ses pensées était facile à deviner : pas de blessures révélant une manœuvre défensive.

Évidemment ! Un nouveau-né est bien trop faible pour tenter de se défendre ou en avoir seulement le réflexe. De toute façon, celui-ci n'était probablement pas mort d'avoir reçu des coups.

Un détail dans cette salle m'a tout de suite frappée : le fait que tout le monde travaille dans la tranquillité, réponde à voix basse aux questions posées ou aux ordres donnés, évite les blagues et les quolibets. L'impasse totale sur ce qui constitue d'ordinaire l'humour irrévérencieux des scènes de crime ou des salles d'autopsie, moyen comme un autre de relâcher la tension. Le bébé, étendu nu sur cette froide plaque d'acier, paraissait bien trop vulnérable.

— Ah, Temperance. Je vous remercie.

Au-dessus de son masque, les yeux de LaManche avaient un regard triste et las.

— L'enfant mesure trente-sept centimètres de long.

Règle de Haase : au cours des cinq derniers mois de grossesse, la longueur du fœtus mesurée en centimètres et divisée par cinq correspond au nombre de mois de gestation.

Après un rapide calcul, j'ai déclaré :

— Il est petit pour un bébé né à terme.

— Oui. Longueur cranio-caudale. Diamètre bipariétal. Toutes ces mesures indiquent la même chose. Nous nous demandions, le détective et moi-même, avec quelle précision vous pouviez déterminer son âge.

Un fœtus est considéré comme viable après sept mois de gestation. S'il naît plus tôt, il a peu de chance de survivre sans intervention médicale. Devinant ce que LaManche attendait de moi, j'ai demandé :

— C'est pour le cas où vous ne trouveriez pas d'anomalie et où la mère prétendrait avoir accouché prématurément d'un bébé mort-né ?

— Le baratin habituel, est intervenu Ryan. L'enfant était mort, j'ai paniqué et dissimulé le corps.

Les muscles de sa mâchoire se sont crispés un bref instant.

— En l'absence de témoin ou de preuve contradictoire, c'est toujours une vraie chierie d'instruire ce genre de cas.

J'ai pris un temps de réflexion avant d'ajouter :

— Je n'ai pas encore examiné le bébé des combles, mais celui de la banquette est complètement desséché et contorsionné. Les tissus sont tellement imbriqués les uns dans les autres qu'il sera difficile d'en extraire les os sans les endommager. Quant aux radios, elles ne donneront pas grand-chose, à cause de toute cette superposition de tissus et d'os. Pour ces restes momifiés, le mieux, me semble-t-il, serait de pratiquer une MSCT.

En retour, quatre regards hébétés. Mieux valait développer :

— Une tomodensitométrie multicoupe. Je propose qu'on y recoure aussi pour ce bébé-là. Un scanner multibarette permettrait d'observer le squelette lorsqu'il est maintenu par les tissus mous. Le gros avantage de cette technique, c'est qu'elle donne une image isotopique où la réalité anatomique n'est pas faussée. On pourrait mesurer les os longs grâce à des reconstructions en 2D et obtenir directement leur taille anatomique, sans qu'il faille utiliser un facteur de correction. Ensuite, en vous appuyant sur ces scans, vous pourriez procéder à l'autopsie habituelle.

Tout en parlant, je détaillais l'enfant sur la table. Son corps avait été nettoyé à sec, pas encore lavé à l'eau.

— Ça ne peut pas faire de mal, a réagi LaManche et il s'est tourné vers Pomier. Appelez Sainte-Marie, ils nous ont déjà sortis du pétrin. Voyez avec le service de radiologie si nous pourrions utiliser leur scanner.

Dans sa hâte, Pomier a pivoté trop vite. Sa chaussure a heurté la roulette du socle de la lampe mobile installée à un bout de la table. La lampe a vacillé.

Ryan l'a stabilisée en attrapant le bras articulé qui supportait l'ampoule halogène.

Dans le déplacement saccadé de la lumière, mon œil a perçu un détail que mon cerveau n'a pas su interpréter.

Quoi donc ?

— Bougez encore la lampe !

Ryan s'est exécuté. Je me suis penchée sur le bébé.

Oui, là ! Dans le creux de la clavicule, là où l'épaule droite rejoignait le cou. Pas vraiment une tache, plutôt une absence de luminosité, un endroit où la peau était plus terne.

Un petit groupe de cellules grises m'a aiguillée vers une explication.

N'osant y croire, je suis allée prendre une loupe sur la paillasse.

Sous le verre grossissant, la différence était bien visible.

— Regardez-moi ça !

5.

— Câlice, a murmuré LaManche.

— Vous pensez que c'est une empreinte.

Ryan avait parlé sur un ton si neutre que je me suis demandé s'il en doutait ou s'il essayait simplement d'être objectif.

— Vous voulez une lumière alternative ? a demandé Pomier.

— S'il vous plaît, ai-je répondu.

— Je vais chercher la poudre à empreintes, a déclaré Tanenbaum.

Les deux techniciens ont quitté la salle pour y revenir peu après, Pomier portant plusieurs paires de lunettes ainsi qu'une boîte noire avec une poignée sur le dessus et une baguette souple sur le côté, Tanenbaum chargée d'un kit de prise d'empreintes.

J'ai demandé à Pelletier si on pouvait faire le noir.

— Pas de problème, a-t-il répondu. Madame se prépare à passer sur vision aux rayons X ?

J'ai délimité la zone concernée. Tanenbaum a déposé une poudre orange sur le cou du bébé, tandis que Pomier installait en hauteur le CrimeScope CS-16-500, une source de lumière alternative qui produit des ondes lumineuses allant de l'infrarouge à l'ultraviolet. Puis il a distribué les lunettes en plastique orangé aux personnes rassemblées autour de la table – LaManche, Ryan, Tanenbaum et moi-même. Tout le monde s'en est affublé.

— Prêts ? a demandé Pomier.

LaManche a opiné.

Pomier a éteint le scialytique. Remontant ses lunettes sur son nez, il a réglé l'éclairage du CrimeScope et positionné la baguette au-dessus du corps du bébé. Lentement, la lumière s'est déplacée le long des petits pieds blancs, explorant les collines et les vallons de ses orteils parfaits, puis ses genoux, l'aine, le ventre, éclairant le creux où était encore accroché un cordon ombilical tout ratatiné.

Çà et là, des filaments s'illuminaient comme des câbles chauffés à blanc.

Des poils ? Des fibres ?

En tout cas, quelque chose qui pouvait se révéler utile. Je les ai tous récupérés à la pince à épiler et les ai transférés individuellement dans des fioles en plastique.

Enfin, la lumière a balayé la courbe délicate entre le cou et l'épaule. Pomier a tourné un bouton pour revenir à l'extrémité inférieure du spectre vert, puis il a lentement augmenté la longueur d'onde.

Une forme ovale est apparue, bien visible. Constituée de cercles concentriques et de sinuosités.

Comme un seul homme, nous nous sommes penchés au-dessus.

— *Bonjour !*

La voix de Pomier. Puis, tout de suite, celle de Ryan :

— Oh, bon sang !

Ce n'est qu'à cet instant que j'ai pris conscience

d'odeurs qui n'étaient décidément pas celles de la salle où nous nous trouvions : senteurs d'eau de Cologne Bay Rhum et de coton amidonné pimentées d'un soupçon de transpiration masculine.

Déstabilisée, je me suis redressée et c'est sur un ton sec que j'ai expliqué :

— La peau d'un bébé est si douce et si fine qu'il est plus facile d'y repérer un défaut que sur celle d'un adulte.

Un cliquetis m'est parvenu : certainement Tanenbaum en train de placer un filtre orange sur l'objectif de son appareil photo numérique. Maintenant, tout le monde s'attendait à une longue série de déclics, mais les bruits suivants ont indiqué qu'elle s'apprêtait à relever l'empreinte à l'aide d'un ruban adhésif afin de la transférer sur un autre support.

Quelques minutes se sont écoulées, puis :

— Ça y est. Je l'ai.

Nous avons travaillé encore une demi-heure dans le noir, sans rien trouver d'intéressant. N'empêche, on était tous excités comme des puces.

Pomier a rallumé, puis il est allé se renseigner sur la possibilité d'utiliser le scanner de l'hôpital Sainte-Marie.

Tanenbaum a filé porter notre trophée au CIPC, le Centre d'information de la police canadienne. À l'instar de l'AFIS américain, ce système d'identification automatisé fonctionne à la manière d'une base de données regroupant non seulement les empreintes digitales, mais bien d'autres renseignements d'une importance capitale pour résoudre les enquêtes policières.

LaManche a repris son examen externe du bébé. Ryan est remonté à son étage pour voir s'il avait reçu des réponses à ses demandes de renseignements sur

Ralph Trees et Amy Roberts/Alma Rogers/Alva Rodriguez. Quant à moi, j'ai réintégré ma salle d'autopsie n° 4.

Lisa avait fini de photographier les deux cas LSJML-49277 et LSJML-49278. Elle avait également fait des radios du premier bébé, qui s'étalaient maintenant sur les négatoscopes disposés tout autour de la salle.

Je les ai étudiées l'une après l'autre, sans grand espoir. J'avais raison. Le bébé de la banquette avait été enveloppé si serré que l'enchevêtrement de ses os rendait bien difficile d'en évaluer l'état, et carrément impossible de les mesurer. Frustrée, je me suis occupée du cas LSJML-49278 qui reposait sur sa serviette à présent déroulée, à côté du bébé de la banquette, sur la table d'autopsie.

De ce bébé-là, celui des combles, ne restaient que le squelette et des fragments de ligaments desséchés. Lisa avait déjà réparti plusieurs de ses os selon leur positionnement anatomique de façon à obtenir un être humain miniature. Mais la plus grande partie d'entre eux reposaient encore à côté de lui, sur la crasseuse serviette-éponge verte.

Pas surprenant qu'elle n'ait pas su en identifier davantage ! Chez les nouveau-nés, les os du crâne sont inachevés et ne sont pas fusionnés. Les arcs vertébraux sont encore séparés des minuscules disques. Les trois parties qui composent chaque moitié du bassin sont toujours disjointes. Dépourvus des détails anatomiques et des surfaces articulaires qui font d'eux sans erreur possible des fémurs, des tibias, des péronés, des humérus, des radius ou des cubitus, les os longs ne sont que des tiges amorphes. Idem pour les tout petits os des mains et des pieds.

Résultat : la plupart des gens ne sauraient pas reconnaître le squelette d'un fœtus s'il leur en tombait un sur la tête. Et la classification des divers éléments peut se révéler un vrai casse-tête, même pour ceux qui ont suivi une formation en ostéologie infantile.

Coup d'œil à la pendule : bientôt onze heures. Déjà !

— Ça va prendre du temps, Lisa. Si vous avez des choses à faire, ça ne me dérange pas de continuer seule.

Elle a hésité une seconde, puis a acquiescé.

— Au besoin, vous savez où me trouver.

Tout d'abord, le crâne : os du front, pariétaux, sphénoïde, segments temporaux et occipitaux. Je l'ai reconstitué en lui donnant la forme d'une rose éclatée, examinant soigneusement tous ces os en même temps que je les triais.

L'os occipital contribue à former l'arrière et la base du crâne. Chez un fœtus, il se compose de quatre éléments. La partie supérieure arrondie s'appelle la *pars squama*. Le *foramen magnum*, le trou par lequel la moelle épinière pénètre dans le cerveau, est délimité par les deux parties latérales, ou *pars lateralis*, et par la partie basilaire, ou *pars basilaris*.

J'ai mesuré ce dernier élément à l'aide d'un pied à coulisse. Plus large que long. Ce qui laissait supposer un fœtus ayant plus de sept mois.

Au tour de la *pars lateralis*. Les lames de l'instrument bien positionnées de part et d'autre du trou occipital, j'ai regardé le résultat. Longueur supérieure à celle de la *pars basilaris*. Voilà qui augmentait d'un cran l'âge gestationnel et le faisait passer à huit mois.

J'ai pris ensuite la partie du temporal qui est plate avec des bords dentelés, celle qui avait constitué autrefois le côté droit du crâne de ce bébé. Un délicat cercle de tissu osseux, l'anneau tympanique, avait déjà fusionné avec le canal auditif. Le fait que ces deux

éléments soient fusionnés faisait grimper l'âge gestationnel à neuf mois.

Je suis passée aux os de la face. Les maxillaires
et les zygomatiques, l'ethmoïde, l'os nasal et les os
palatins, les petits os de l'intérieur du nez, en forme
de coquillage étiré. La mandibule.

Chez les êtres humains, la mâchoire inférieure ne
fusionne en son milieu qu'un an après la naissance.
Jusque-là, elle se compose de deux moitiés séparées.
Pendant que je les examinais, de petites dents ont roulé
au fond des alvéoles. Normal, les bourgeons dentaires
apparaissent chez le fœtus entre neuf et onze semaines.
Ici, les couronnes des dents étaient déjà partiellement
formées, mais il faudrait une radio panoramique pour
savoir à quel stade de son développement la denture
était parvenue.

Poursuite de l'examen. Reconstitution de l'arrière
du crâne ; mesure des os des bras et des jambes ;
comparaison des résultats avec les données standard.
Pour tous ces os, la longueur correspondait à l'âge
qu'indiquait le développement crânien.

Contente d'avoir tiré de ce bébé tout ce qu'il était
possible de savoir sur son âge, j'ai entrepris de détacher
les tissus desséchés des os minuscules.

À midi, Pomier a déboulé pour m'annoncer que
Sainte-Marie se débrouillerait pour nous trouver un
scanner disponible, ce soir après neuf heures. Un
radiologue appelé Leclerc m'attendrait dans le hall de
l'hôpital. Il requérait la plus grande discrétion. Inutile que les patients entendent parler des bébés morts.
J'étais à l'unisson.

Lisa était passée toutes les demi-heures. Chaque
fois je lui avais dit que je me débrouillais très bien
toute seule.

Ce qui était vrai.

Et puis trop d'émotions tourbillonnaient en moi : les souvenirs de Kevin ; la peine infinie que m'inspirait le sort de ces nourrissons ; la fureur à l'égard de la femme qui les avait tués. Je préférais la solitude.

Vers treize heures, j'en avais terminé avec le nettoyage des os. Mon estomac grognait tout ce qu'il savait, et un mal de tête commençait à me ronger le lobe frontal. Je devais faire une pause. J'en étais incapable. Quelque chose me poussait à en apprendre le plus possible sur ces bébés avant de les remettre dans cette sinistre chambre froide.

J'ai tiré un tabouret devant le microscope à dissection et je me suis attaquée à l'examen de tous les os. Processus laborieux. Tiges axiales, métaphyses, épiphyses, sillons, foramens, sutures et autres fosses, il faut tout inspecter, un millimètre après l'autre, débusquer le moindre signe de maladie, de malformation ou de traumatisme.

Coup de fil de Ryan, juste après trois heures : Ralph « Rocky » Trees n'avait pas eu de casseroles à l'âge adulte. En revanche, il avait un casier de délinquant juvénile. L'affaire était classée, mais Ryan avait demandé à consulter le dossier.

L'alibi avait été vérifié : de temps à autre, Trees bossait effectivement pour son beau-frère, Philippe « Phil » Fast, qui possédait une petite entreprise de transport : deux camions et un entrepôt. De mardi dernier à dimanche en fin d'après-midi, il se trouvait en effet à des kilomètres de Saint-Hyacinthe. À la mention que Trees pourrait avoir une petite amie, Phil s'était tordu de rire.

C'est tout. Ni bonjour, ni comment ça va. Pas d'au revoir non plus.

Vers cinq heures moins vingt, l'acide gastrique me brûlait l'estomac, j'avais la tête en compote et le dos en feu. Je tenais quand même à terminer mon analyse. Jusque-là, mon formulaire était quasiment vierge.

Sexe : *Inconnu.*

Certaines études prétendent qu'il serait possible de déterminer le sexe d'un fœtus ou d'un nouveau-né d'après la mâchoire, la forme du bassin ou le développement des os de l'arrière du crâne. J'ai du mal à le croire.

Race : *Inconnue.*

Les pommettes larges, tout comme le pont nasal assez prolongé, tendaient à indiquer un apport non européen. Pour autant, impossible d'établir l'ascendance.

Anomalies congénitales : *Néant.*

Pathologies : *Néant.*

Trauma : *Néant.*

Âge : *Fœtus à terme.*

Une fiche bien courte. Comme la vie de ce bébé.

Mon enthousiasme, déjà en berne, a sombré définitivement.

À quoi bon appeler Lisa ou Tanenbaum pour les dernières photos ? Autant les prendre moi-même.

Après, j'ai rassemblé tous les os dans une petite boîte en plastique portant l'inscription « LSJML-49278 » sur le couvercle et le côté, que j'ai placée ensuite sur le chariot et conduite jusque dans la morgue proprement dite. J'agissais comme un robot.

Quand a retenti le déclic de la porte de la chambre froide se refermant, j'ai dit doucement : « Adieu, mon tout petit. »

J'étais en train d'envelopper le LSJML-49277 dans un drap en plastique matelassé lorsque le téléphone de l'antichambre a sonné. Je l'ai laissé s'égosiller. Je n'étais pas d'humeur à bavarder ni même à être aimable.

Le bébé de la banquette bien installé dans une boîte en plastique carrée capitonnée, je l'ai recouvert d'autres feuilles de rembourrage pour bien le protéger. J'ai inscrit le numéro de dossier sur un côté de la boîte, puis j'ai rempli et signé le formulaire de transfert de pièces à conviction. Que de procédures fallait-il encore respecter pour sortir ce bébé momifié de la morgue !

J'en avais fini avec les restes humains ; aux serviettes, maintenant.

Elles iraient à la section cheveux et fibres, comme les filaments recueillis sur le bébé de l'armoire de toilette. De là, elles iraient peut-être au labo de biologie et d'ADN où l'on en tirerait quelque chose, qui sait ? Ou rien du tout.

La serviette des combles dûment enfermée dans un sachet pour pièces à conviction, j'ai reporté sur l'étiquette les renseignements pertinents et repoussé le sac sur un côté de la paillasse.

Comme je soulevais la seconde serviette, quelque chose en est tombé en produisant un léger bruit de graines qu'on secoue.

Un petit sac en velours, fermé par un cordon !

Étonnée, je l'ai ramassé. À l'intérieur, une sorte de gros gravier.

J'en ai versé un peu dans le creux de ma main gantée. Dans le mélange, il y avait deux trois cailloux verts de quelques centimètres à peine.

— Eh bien voilà qui va nous aider à résoudre l'affaire en deux coups de cuiller à pot...

L'ironie a fait chou blanc, vu l'absence de public.

Après avoir pris plusieurs photos de ces mystérieux

graviers, je les ai enfermés dans un flacon, que j'ai rangé avec la serviette jaune dans un deuxième sachet pour pièces à conviction.

Là, j'ai appelé Lisa. Pas de réponse.

Et pour cause. La pendule marquait dix-huit heures dix. Lisa était partie, comme tout le monde !

Accablée par une masse d'un poids atomique voisin de celui de l'uranium, j'ai emporté la boîte avec le bébé de la banquette dans la chambre froide à côté de la salle d'autopsie n° 3, et je l'ai déposée sur le chariot, à côté du bébé de l'armoire de toilette, lui aussi enfermé dans sa boîte.

J'ai alors pris le chemin de l'ascenseur. Le sous-sol était désert. Tout comme mon douzième étage. Le bâtiment bourdonnait de ce silence un peu angoissant typique des lieux de travail déserts.

De retour dans mon bureau, j'ai laissé un message à Lisa pour lui demander de remettre les sachets contenant les serviettes au département des pièces à conviction.

Au moment où je reposais le téléphone, mon regard a dévié sur la baie vitrée à côté de mon bureau. Plusieurs étages plus bas, une quantité de toits, de flèches d'églises, de petits carrés de verdure. Plus loin, sur le boulevard René-Lévesque, le gigantesque cylindre en brique de la Maison de Radio-Canada et, derrière, la langue grise et béante du Saint-Laurent, menaçante même en juin.

Au-delà des poutrelles noires du pont Champlain, la découpe précise des gratte-ciel du centre-ville sur fond de crépuscule naissant. On reconnaissait la place Ville-Marie, le Complexe Desjardins, le Centre Mont-Royal, le Marriott Château Champlain.

Les rues que j'avais parcourues le matin même à

la recherche d'une place de parking étaient noires de monde. Parents qui rentraient en banlieue pour dîner avec leurs enfants et surveiller leurs devoirs ; amoureux pressés de se retrouver pour la soirée, travailleurs de nuit se traînant vers des pointeuses dont l'horloge semble toujours indiquer la même heure.

Que de fois Ryan et moi étions-nous rentrés ensemble en voiture de Wilfrid-Derome, discutant des victimes, des suspects, des divers aspects d'une affaire ou d'une autre, autant de sujets que je ne peux aborder avec mes proches. Pete, Katy, Harry, Anne, ma meilleure amie, ne sont pas du métier. Comment leur dire sur quoi je suis tombée à l'intérieur d'une benne à ordures ou au fond d'un trou, sous quelques centimètres de terre ? Comment leur décrire le sang coagulé, les corps boursouflés, les vers grouillants ? Ça me manquait d'avoir quelqu'un à qui parler, quelqu'un qui comprenne. Ryan m'avait permis de conserver mon équilibre. Mon sens de l'autre.

Sa froideur actuelle était incompréhensible. Il est vrai que nous avions toujours tourné autour de nos émotions sans vraiment les dévoiler, que nous avions l'habitude de garder pour nous-mêmes nos sentiments les plus intimes. Même au temps où tout allait bien entre nous.

Il est vrai aussi que la vue de victimes innocentes lui était insupportable, qu'il s'agisse de femmes, d'enfants ou de personnes âgées. Je le savais. Mais sa morosité présente semblait venir d'ailleurs. Pas seulement de moi. Pas seulement de ces bébés morts.

Qu'importe. Il m'en parlerait quand il se sentirait prêt à le faire. Ou non.

Je me suis changée, bien décidée à dîner à la maison avant d'aller à Sainte-Marie.

— Et merde !

Rappel brutal de la réalité. Je déteste faire les courses. C'est idiot mais c'est comme ça. Je trouve toutes sortes d'excuses pour ne pas aller au supermarché. Résultat : j'en paie le prix. Comme ce soir, puisque je n'avais rien acheté à manger depuis mon retour à Montréal, deux jours plus tôt.

Autre pensée désespérante, qui a surgi au moment où je balançais ma tenue de travail dans la poubelle des déchets biologiques : mon chat !

Quand j'avais quitté ma ville de Charlotte, Birdie se remettait d'une infection des voies urinaires. Comme il déteste prendre l'avion et que le voyage risquait d'avoir de fâcheuses conséquences sur sa vessie, je l'avais laissé à Dixie.

Pour son plus grand plaisir.

J'écopais donc ce soir d'une double peine : des surgelés au menu, à manger en solitaire.

J'ai remonté le couloir, le moral dans les chaussettes. Bon, j'allais m'arrêter chez un traiteur.

Soudain, j'ai aperçu quelqu'un dans mon laboratoire, de l'autre côté du couloir.

Je me suis figée sur place.

Et j'ai reconnu Ryan. En train de taper un numéro sur son portable.

À six heures et demie ? Qu'est-ce qui se passait ?

Il s'est retourné quand j'ai poussé la porte du labo. Pas le temps de dire un mot qu'il m'interrompait déjà.

— On a retrouvé sa trace !

— Amy Roberts et cætera ?

— Ouais.

— Et alors ?

— Tu ne vas pas le croire !

6.

— Son vrai nom est Annaliese Ruben. Elle s'est fait poisser deux fois pour prostitution, en 2005 et 2008, les deux fois à Edmonton. La première fois, elle a été libérée sur parole. La seconde, elle ne s'est pas présentée au procès.

Ryan m'a tendu trois tirages d'imprimante.

Le premier était une réponse à la recherche d'empreintes. J'ai sauté le passage sur les points de correspondance pour m'intéresser à la description physique. Annaliese Ruben, cheveux noirs, yeux marron, un mètre cinquante-deux, quatre-vingt-huit kilos.

La deuxième feuille était un extrait de casier judiciaire ; la troisième, sa photo la plus récente, obtenue à l'aide du fichier des empreintes. Le portrait, format timbre-poste, montrait un visage lunaire, encadré par des cheveux noirs, emmêlés, qui n'auraient pas volé un shampoing.

Je lui ai rendu les feuilles.

— Elle devait faire de l'hyperthyroïdie.

— Ah ouais ?

— Les yeux globuleux. À moins que ce soit l'éclairage. Les photos d'identité judiciaire ne sont jamais très flatteuses.

— Le commissariat d'Edmonton dit que l'adresse fournie par Ruben lors de sa seconde arrestation était celle d'un entrepôt abandonné. Ils ont perdu sa trace en 2008 et n'ont aucune idée de ce qu'elle a pu devenir.

Ryan a rempoché son iPhone et mis ses mains sur ses hanches. Il y avait de la raideur dans ses mouvements, une crispation dans ses épaules et sa mâchoire. Des signes familiers. Il prenait le dossier à cœur.

Mais il y avait autre chose. Une dureté dans ses yeux que je n'avais encore jamais vue.

J'avais envie de lui demander s'il y avait quelque chose qui n'allait pas, de lui dire que j'étais là s'il voulait en parler, mais je n'en ai rien fait. Mieux valait attendre.

— Tu as entendu parler du programme KARE ?

Ryan m'a épelé l'acronyme.

— N'est-ce pas une force spéciale d'intervention créée par la gendarmerie royale du Canada pour enquêter sur les morts et les disparitions de femmes à Edmonton et aux alentours ? J'ai cru comprendre qu'il y en avait eu un paquet.

— C'est rien de le dire. En gros, c'est bien ça. Ils ont pour mission d'arrêter les salauds responsables de la disparition des HRMP.

— Les *high risk missing persons* ? Les personnes disparues que l'on suppose être en situation de grand danger ?

— C'est ça, a-t-il acquiescé sur un ton mesuré.

— Ce qui veut dire les prostituées et les droguées.

Je voyais d'ici où ça allait nous mener.

— Oui.

— Et si je comprends bien, Annaliese Ruben figure sur cette liste du programme KARE ?

70

— Depuis 2009.

— Qui a signalé sa disparition ?

— Une autre prostituée.

Étrange.

— Généralement, les travailleuses du sexe ont plutôt pour habitude d'éviter les flics.

— Comme tu dis. Mais à Edmonton, elles sont littéralement terrorisées.

— Je croyais qu'ils avaient arrêté quelqu'un pour ces meurtres ?

— Thomas Svekla. Un sacré dossier. Accusé de deux meurtres, condamné pour un seul, a-t-il ajouté, écœuré. Il avait fourré sa victime dans un sac de hockey et l'avait trimbalée de High Level à Fort Saskatchewan,

— Au moins, ils l'ont bouclé.

— Sauf qu'il y aurait apparemment plus d'un coupable.

— Et donc, un prédateur rôderait encore dans le coin.

— Ouais. Un prédateur, ou plusieurs, a-t-il rectifié, le regard troublé.

Et d'un bleu trop intense pour être vrai.

— Mais si Annaliese Ruben a accouché à Saint-Hyacinthe dimanche dernier, c'est qu'elle est encore vivante, ai-je objecté.

— Et elle assassine des bébés.

— Ça, on n'en sait rien.

— Qui, à part leur mère, pourrait tuer trois nouveau-nés différents à trois moments différents ? Ça expliquerait qu'elle soit en cavale.

— Qu'est-ce que tu vas faire maintenant ?

— Montrer sa photo à Ralph Trees. Voir si cette Annaliese Ruben est bien Amy Roberts/Alma Rogers/Alva Rodriguez.

— Et puis ?

— Et puis la retrouver et la traîner jusqu'ici par la peau des fesses.

J'ai commandé une salade thaïlandaise au Bangkok, au coin du Faubourg et de la rue Sainte-Catherine. Il n'y avait pas beaucoup de queue, et je commençais à être en retard.

L'hôpital Sainte-Marie a vu le jour en 1924. Au début, ce n'était qu'un ensemble de quarante-cinq lits dans Shaughnessy House, qui abrite maintenant le Centre canadien de l'architecture. Dix ans plus tard, les installations ont été transférées avenue Lacombe, dans le quartier de la Côte-des-Neiges, juste de l'autre côté du mont Royal par rapport au centre-ville. Aujourd'hui, cette vénérable institution de trois cent seize lits est constituée de plusieurs pavillons, et son personnel se consacre également à l'enseignement et à la recherche.

Pour me garer, j'ai revécu ce que j'avais connu douze heures auparavant. À neuf heures moins dix, une voiture a fini par quitter sa place. Je me suis précipitée pour la prendre, j'ai attrapé mes affaires et j'ai filé.

Le coin était étonnamment fréquenté pour un mardi, à neuf heures du soir. Les rues étaient pleines de voitures, et les piétons se bousculaient sur les trottoirs, des gens avec des sacs en plastique, qui faisaient du shopping ; d'autres, les mains vides, venus voir des malades à l'hôpital et rentrant sans doute chez eux ; des étudiants de l'université de Montréal ou des élèves du Collège Notre-Dame, avec leur sac à dos.

Sainte-Marie n'est pas un fleuron de l'architecture du Québec. Le bâtiment principal est un cube de plusieurs étages en béton et en brique, au milieu duquel se dresse une tourelle digne d'un château. J'ai foncé droit vers l'entrée et poussé les portes de verre.

Le hall était quasiment vide. Un vieil homme ronflotait doucement, les jambes tendues devant lui, le menton sur la poitrine. Une femme tournait en rond en poussant un landau, l'air épuisée. Deux infirmiers commentaient l'ordonnance d'un pharmacien tapée à la machine, à moins que ce ne soit un menu, ou une recette de soupe aux lentilles.

LaManche était planté à l'autre bout du hall, devant une batterie d'ascenseurs. Pomier se tenait à côté de lui, les doigts serrés sur les poignées de sacs de courses. Avec eux se trouvait un homme de haute taille qui portait des lunettes à fine monture métallique. Sans doute le Dr Leclerc.

J'ai rejoint le trio, et Leclerc a écarté les pieds et croisé les bras dans une posture qui aurait mieux convenu à un videur de boîte de nuit qu'à un radiologue.

— On attend encore quelqu'un ?

Il parlait français avec un accent qui évoquait les quartiers chics de Paris et les vieilles gargouilles de pierre. J'ai supposé qu'il n'était pas du coin.

— Nous sommes au complet, a répondu LaManche.

— L'affaire requiert la plus extrême délicatesse.

— Naturellement.

Leclerc a hoché la tête et continué à la hocher comme un chien à l'arrière d'une voiture, tout en appuyant à plusieurs reprises sur le bouton d'appel des ascenseurs. Quand la cabine est arrivée, je suis montée dedans la première et suis allée jusqu'au fond. Alors qu'elle s'élevait, j'ai observé notre hôte.

Leclerc avait les cheveux qui se raréfiaient, séparés par une raie d'une rectitude militaire. Sa blouse de labo était d'un blanc éclatant, le pli de son pantalon kaki assez tranchant pour vous faire une entaille. La souplesse ne devait pas être son principal trait de caractère.

Quand les portes se sont rouvertes, Leclerc nous a conduits par un couloir au carrelage étincelant jusqu'à une salle de radiologie qui rappelait celle du LSJML. Il y avait quand même une différence : à Wilfrid-Derome, il n'y a pas de vestiaires pour se changer. Chez nous, les patients arrivent et repartent tout nus.

Par une vitre, on apercevait une femme assise à côté d'une machine qui ressemblait à un grand beignet carré. Du trou sortait un étroit berceau. La femme avait les cheveux noirs et la peau noisette. Sans doute une technicienne ou une manipulatrice en électroradiologie, à en juger par sa tenue.

— Mme Tong va vous assister. Je lui ai expliqué... la situation, a conclu Leclerc.

Ses lèvres se sont tordues d'un côté tandis qu'il cherchait le terme approprié.

Il a tapoté sur la vitre pour attirer l'attention de Mme Tong. Elle a posé son magazine et s'est dirigée vers la porte qui donnait sur la salle du scanner.

— J'ai autorisé Mme Tong à procéder à une MSCT – une tomodensitométrie multicoupe – du corps entier des deux sujets. Chacun des scans axiaux sera effectué à l'aide d'une collimation de seize par trois quarts de millimètres. L'appareil est un Sensation 16. J'ai ordonné à Mme Tong d'utiliser deux filtres, un pour le squelette et l'autre pour l'analyse des tissus mous.

Il parlait avec une telle raideur qu'on aurait cru entendre un enregistrement.

— Mme Tong a accepté de rester après son service.

Vous voudrez bien ne pas la retenir plus que le strict nécessaire. Et vous plier à ses directives.

— Oh, mon Dieu ! Mais je suis ravie de vous rendre service, est intervenue Mme Tong avec un sourire chaleureux. Je n'ai pas de bébé qui pleure à la maison ni de messe ce soir. En fait...

— Nous vous remercions, madame Tong, l'a coupée Leclerc, et son ton glacial a effacé le sourire de la manipulatrice. Qui va positionner les sujets ? a-t-il repris en se tournant vers LaManche.

Le regard de LaManche s'est porté sur moi. J'ai hoché la tête et pris les sacs des mains de Pomier. Lequel en a profité pour me souffler tout bas :

— Il a avalé un balai, ce type. Par-derrière.

Trois paires d'yeux m'ont suivie tandis que j'emboîtais le pas à Mme Tong. Direction : la salle de radiologie. Sitôt la porte refermée, elle s'est mise à babiller.

— Je l'ai surnommé Félix le Chat, a-t-elle expliqué en désignant le scanner. Le Chat, pour CAT scan. C'est comme ça qu'on les appelle. C'est idiot, je sais, mais beaucoup de patients sont aussi nerveux que des lapins quand on les fait entrer dans cette grande machine bourdonnante. Alors, lui donner le nom d'un personnage de dessins animés, ça les met un peu à l'aise.

— Madame Tong...

— Quoi, on dîne à la table de la reine d'Angleterre, là ? Appelez-moi Opaline. Vous savez comment il marche, Félix ?

Tout en parlant, elle a ajusté des cadrans et actionné des interrupteurs.

— Je comprends...

— Ça n'a rien de magique. Ce vieux machin utilise un ordinateur et un système à rayons X rotatif pour créer des images à section croisée des organes et des parties du corps. Je vais vous en mettre plein la vue avec mes images !

Un vrai moulin à paroles, cette Opaline Tong ! Ou alors le fait de se retrouver autour de bébés morts la mettait mal à l'aise. Elle m'a évitée du regard pendant que j'ouvrais le premier conteneur.

— Le *T* de « CAT » signifie « tomographie ». Vous savez ce que ça veut dire ?

— Imagerie par sections à l'aide d'ondes pénétrantes, ai-je répondu tout en déposant la petite momie baptisée LSJML-49277 sur la table destinée aux patients. Je l'ai couchée sur le dos et l'ai attachée en bouclant les courroies.

— C'est ça. Vous êtes une maligne, vous, alors.

Opaline a appuyé sur un bouton pour faire monter la table, puis elle l'a fait avancer et enfin reculer à l'intérieur du trou. Le bébé correctement positionné, elle s'est écartée et a donné une tape sur le côté de l'appareil.

— Le scanner proprement dit, c'est ce cadre circulaire rotatif. D'un côté, il y a un tube émetteur – une lampe à rayons X, et de l'autre, un détecteur, ou capteur. C'est une chose qui ressemble plus ou moins à une banane. Le cadre rotatif fait tourner le tube émetteur et le détecteur autour de notre pauvre petit copain, là, créant un faisceau de rayons X en forme d'éventail. Le détecteur prend des clichés qu'on appelle des coupes. Généralement un millier de fois à chaque tour. Et c'est comme ça qu'à chaque rotation complète on a une coupe transversale.

Opaline a ensuite poursuivi sur un ton un peu moins maîtresse de jardin d'enfants.

— L'ordinateur utilise un traitement géométrique numérique pour générer des images en 3D de l'intérieur du corps à partir d'images en deux dimensions prises autour de notre axe de rotation. Vous suivez ?

— Oui, merci.

— Vous êtes prête ?

— Oui.

— Eh bien, c'est parti.

Quarante-trois minutes plus tard, nous nous sommes tous retrouvés dans l'antichambre autour de Mme Tong assise à son poste de travail. Tout en entrant des paramètres, elle nous a expliqué comment les données fournies par le scanner allaient être retraitées par un procédé appelé « windowing », qui mettrait en évidence les diverses structures corporelles, en fonction de leur faculté à absorber les rayons X. Elle nous a dit que, au départ, les images générées étaient, dans le plan axial ou transversal, perpendiculaires à l'axe longitudinal du corps, mais qu'aujourd'hui les scanners de dernière génération permettaient de reformater les données obtenues selon des plans différents, ou même sous forme de représentations volumétriques – c'est-à-dire en 3D.

Pour commencer, nous allions visionner des images en deux dimensions, acquises par MPR, ou reconstruction multiplanaire. Coupe par coupe, nous nous déplacerions de la tête du bébé de la banquette jusqu'à ses orteils, interprétant des images qui ressemblaient à des tableaux abstraits de Miró.

Et de fait, nous avons pu noter que le crâne était déformé par suite de l'effondrement des os pariétaux, des deux côtés. Nous avons vu que les canaux auditifs étaient bien définis, que les minuscules osselets – le marteau, l'enclume et l'étrier – étaient bien présents dans l'oreille moyenne. Leclerc a indiqué la cochlée, le vestibule de l'oreille interne, le segment labyrinthique du canal facial, le faisceau pyramidal et d'autres détails anatomiques.

J'ai pu mesurer la *pars squama* et la *pars basilaris* de l'os occipital, ainsi que les os dits longs, le tibia et le fémur.

Et nous sommes tous tombés d'accord : le fœtus était né à terme.

— On passe à la 3D ? a demandé Mme Tong.

— Oui, a répondu Leclerc.

— Ces images seront reformatées à l'aide de la technique de reconstruction tridimensionnelle et du mode d'intensité maximale, a ajouté Mme Tong.

À présent, toute abstraction avait disparu. Le bébé est apparu dans des nuances détaillées de gris et de blanc, incliné vers le bas, ses petits membres repliés sur l'intérieur du corps comme deux paires d'ailes.

Leclerc a indiqué avec son doigt des éléments tout à fait reconnaissables :

— Les vestiges des hémisphères cérébraux, du cervelet, du pont, du bulbe rachidien, de la moelle épinière.

Son doigt s'est déplacé du crâne au thorax :

— L'œsophage, la trachée, les poumons. Et le cœur, bien que je n'arrive pas à en différencier les différentes cavités.

Il est ensuite passé à l'abdomen :

— Voilà l'estomac, le foie. Ce qui reste des autres organes est impossible à identifier.

— C'est un pénis ? a fait Pomier d'une voix étranglée.

— En effet, c'est bien ça.

— Je ne distingue ni malformation squelettique, ni traumatisme, ai-je dit.

Leclerc et LaManche ont acquiescé, puis ils ont échangé des commentaires sur quelques repères anatomiques.

Je n'ai pas vraiment entendu. Mon attention s'était reportée au niveau de la trachée, sur un point opaque à la radio en partie dissimulé par la superposition de la minuscule mâchoire.

— Et ça, qu'est-ce que ça peut bien être ?

7.

LaManche a hoché la tête, pas comme si j'avais seulement posé une question, mais comme si j'y avais apporté une réponse. Apparemment, il avait vu l'ombre, lui aussi.

— Je l'avais remarquée, a dit Leclerc, mais j'avais pensé que c'était un artéfact. Je n'en suis plus si sûr, à présent.

— Il n'y a pas moyen d'avoir une image plus nette de la zone ? ai-je demandé.

Mme Tong est retournée aux coupes en 2D, et nous avons examiné celles du cou du nouveau-né. Ça ne nous a pas été d'une grande aide. L'opacité radio paraissait centrée sur la trachée ou l'œsophage. En dehors de ça, impossible de distinguer beaucoup de détails.

— Peut-être de la poussière, ou des sédiments filtrés à travers la bouche après la décomposition, a suggéré LaManche.

— Peut-être, ai-je acquiescé sans vraiment y croire.

La tache blanche, intense, évoquait une substance solide.

Pendant toute une minute, nous avons scruté l'écran du moniteur, et puis j'ai pris une décision.

— Je pourrais vous emprunter un scalpel et une pince ?

— Bien sûr.

Leclerc s'est précipité hors de la salle. Il est revenu quelques instants plus tard et m'a tendu les instruments.

De retour au scanner sous le regard de mes compagnons, j'ai sorti des gants de ma poche. Le latex a claqué sur le dessus de ma main quand je les ai enfilés.

Pardonne-moi, mon petit chéri.

Tout en tenant le bébé de la main gauche pour l'empêcher de rouler, j'ai planté le scalpel dans sa petite gorge ratatinée.

Les tissus parcheminés se sont fendus avec un léger claquement. J'ai reposé le scalpel, et inséré la pince dans l'incision. À deux centimètres de profondeur, j'ai rencontré un obstacle.

J'ai agrandi l'ouverture de la pince, je l'ai repositionnée et j'ai tiré, délicatement. La masse n'a pas bougé.

Retenant mon souffle, j'ai écarté davantage les mâchoires de la pince et je l'ai enfoncée plus profondément avant de recommencer à tirer.

L'objet qui obstruait la trachée a fini par céder et par remonter, millimètre par millimètre, en raclant les bords de l'incision. Je l'ai laissé tomber dans le creux de ma main.

Une matière pelucheuse, froissée. Blanc sale.

Je l'ai tapotée avec le bout de la pince. Une couche presque aérienne s'est soulevée, révélant une perforation en pointillé.

Sainte mère de Dieu !

Une sorte de feu d'artifice a embrasé mes connexions

cérébrales, suscitant une image trop horrible pour être appréhendée.

Je suis restée un instant figée sur place, un froid glacial au creux de la poitrine et les paupières en feu.

Quand j'ai retrouvé mon empire sur moi-même, j'ai de nouveau regardé le bébé.

Je suis désolée. Tellement désolée, tellement.

Après avoir pris une profonde inspiration, j'ai rejoint le groupe derrière la vitre.

Sans un mot, j'ai ouvert mes doigts, révélant la chose horrible que je tenais dans la main. Tout le monde m'a regardée, intrigué.

C'est LaManche qui a pris la parole en premier.

— Une boulette de papier toilette.

Je n'ai pu que hocher la tête.

— Enfoncée dans la gorge de l'enfant pour l'empêcher de respirer.

— Ou de pleurer.

C'en était trop pour Mme Tong, qui a fondu en larmes. Pas avec de bruyants hoquets, mais avec des gémissements entrecoupés. Les autres demeuraient plantés là, dans un silence gêné.

J'ai posé la main sur son épaule. Elle a tourné la tête et m'a regardée.

— Quelqu'un aurait tué ce petit ange volontairement ?

Mon regard a constitué une réponse suffisante.

D'une voix basse, très neutre, j'ai dit à LaManche :

— Le détective Ryan aura envie de savoir.

— Oui. Veuillez lui transmettre l'information.

Je me suis précipitée vers la porte alors que Leclerc demandait à Mme Tong si elle préférait rentrer chez elle.

— Pour rien au monde.

Le couloir était désert. Ignorant l'interdiction d'utiliser les téléphones portables dans l'enceinte de l'hôpital, j'ai fait défiler ma liste de contacts sur mon iPhone et appelé le numéro personnel de Ryan. Trois sonneries, et sa messagerie a pris l'appel.

Et merde.

J'ai laissé un message.

— Rappelle-moi, c'est important.

J'ai regardé ma montre. Onze heures dix.

J'ai marché jusqu'au bout du couloir. Cet endroit était une vraie ville fantôme.

Je suis retournée vers la radiologie. Ai de nouveau regardé l'heure.

Onze heures quatorze.

J'ai fait les cent pas pendant un moment. Onze heures vingt-deux.

Bon sang, où était-il passé ?

J'allais laisser tomber quand Ryan a fini par me rappeler. Je suis allée droit au but.

— Au moins deux des bébés étaient nés à terme. Pour le troisième, nous n'allons pas tarder à le savoir.

— Des problèmes médicaux ?

— Non. Le bébé de la banquette est de sexe masculin.

Je lui ai parlé de la boule de papier hygiénique.

Pendant un long moment, la ligne ne m'a transmis que du bruit de fond. Des voix. Des verres entrechoqués.

— C'est tout ?

Plus sec, on meurt. Ryan s'efforçait de masquer ses émotions, tout comme je l'avais fait.

— On est en train de scanner le bébé du meuble de toilette.

J'ai attendu une réponse. Comme rien ne venait, j'ai relancé :

— Et de ton côté, quoi de neuf ?

— Trees a identifié la photo. Idem pour le médecin des urgences et le concierge. C'était bien Ruben, à l'hôpital, de même que la locataire de l'appartement de Saint-Hyacinthe. D'après Paxton...

— Le propriétaire de l'immeuble.

— Exactement. Paxton prétend maintenant qu'il avait d'abord loué l'appartement à Smith. Et puis Smith a comme qui dirait disparu du paysage. Tant que Rogers continuait à payer, il n'a pas posé de questions.

— Et du côté d'Edmonton et de la gendarmerie royale, du nouveau ?

— Le sergent du RCMP à qui j'ai parlé ce matin arrive à Montréal ce soir. On doit le voir demain matin.

Normalement, Ryan aurait dû me proposer de participer à la réunion. C'était aussi mon affaire. Mais il ne l'a pas fait. Je me suis donc imposée :

— À quelle heure ?

— Huit heures.

— J'essaierai de passer.

Quand j'ai regagné la salle du scanner, les scans de LSJML-49276 étaient achevés et tout le monde s'était rassemblé autour de la console de visualisation. Mme Tong avait les yeux rouges et gonflés des gens qui ont pleuré.

L'image en 2D affichée à l'écran était une coupe axiale de la poitrine. Leclerc a dit :

— Il y a de l'air dans les bronches souches et l'œsophage. Apparemment les deux poumons ont été aérés.

Mme Tong a pianoté sur son clavier, faisant apparaître des coupes de l'abdomen.

Leclerc a poursuivi son monologue.

— Il y a eu de l'air dans l'estomac.

— Donc, le bébé respirait et avalait, a dit Pomier.

— Peut-être.

LaManche avait toujours eu des poches sous les yeux, mais je lui ai trouvé l'air plus las, les traits plus marqués que d'habitude.

— L'air peut aussi être dû à la décomposition. À l'autopsie, nous prendrons des échantillons pour les faire analyser par la toxicologie.

LaManche n'avait pas besoin de s'étendre. Je savais que l'air inhalé contiendrait de fortes quantités d'azote et un peu d'oxygène, alors que les gaz résultant de la décomposition étaient principalement constitués de méthane.

Je savais aussi qu'au moment du retrait de la plaque sternale, après l'incision en Y, un gonflement du parenchyme pulmonaire traduirait la présence d'air dans les lobes. Et que, placés dans l'eau ou le formaldéhyde, ces poumons aérés flotteraient.

Toutes choses dont Mme Tong n'avait pas besoin d'entendre parler.

Nous avons analysé la petite fille comme nous l'avions fait avec le petit garçon momifié. J'ai mesuré ses os longs, la partie basale de l'occipital.

Nous avons observé la maturation osseuse et l'état du squelette et sommes tous arrivés à la même triste conclusion.

Le LSJML-49276 était un nouveau-né de sexe féminin né à terme, qui ne présentait ni malformation, ni traumatisme squelettique.

À deux heures moins vingt du matin, nous avons remis les bébés dans leurs containers et leurs sacs pour le trajet de retour avec Pomier vers la morgue.

Je suis rentrée chez moi à deux heures dix. Et à deux heures et quart, je dormais.

J'ai été réveillée par des cloches d'église. J'ai flanqué par terre mon iPhone en essayant de le réduire au silence.

Les chiffres affichés sur l'écran annonçaient sept heures du matin.

J'ai essayé de me rappeler pourquoi j'avais mis le réveil.

Ryan. Edmonton. Le RCMP. Bien sûr.

Encore groggy, je me suis traînée dans la salle de bains, le dressing, puis la cuisine. Dans le placard, il n'y avait que des Frosties hors d'âge. J'ai récupéré du café moulu dans le freezer. La combinaison des deux m'a un peu aidée à me réveiller, mais contre une nuit de moins de cinq heures, la caféine et le sucre ne peuvent pas faire de miracle.

Une demi-heure plus tard, j'ai glissé ma carte dans le lecteur du Wilfrid-Derome. D'accord. Le fait de se lever tôt comporte certains avantages, notamment celui de se garer en un clin d'œil.

Après avoir largué mon sac à main dans mon bureau, je suis redescendue au quatrième. Section des crimes contre la personne.

La brigade disposait d'une salle équipée d'une douzaine de bureaux. Et sur chacun, le matos habituel des flics : un téléphone, des classeurs et des enveloppes matelassées, des piles de corbeilles « arrivée-départ », des trophées et des souvenirs gadgets, des mugs de café encore à moitié pleins.

Sur la droite, le bureau du chef et la salle de photocopie. Sur la gauche, des portes donnant sur les salles d'interrogatoire.

Il n'y avait que quelques détectives dans la pièce, au téléphone ou devant leur ordinateur, dont un en costume. Probablement se préparait-il à témoigner au tribunal. J'ai mis le cap sur le fond de la pièce.

— Salut, Rochette. On est bien mardi ? a demandé une voix dans mon dos, celle d'un détective appelé Chestang. Ça veut dire les petites roses ?

— On est mercredi. Ça sera les petits pois.

Comme Chestang, Rochette parlait fort, pour que je ne loupe rien de leur échange.

Allusion lourdingue à un incident au cours duquel j'avais été tirée d'un incendie et déposée à terre, cul par-dessus tête, permettant au monde entier de contempler ma culotte imprimée léopard.

L'épisode remontait à plusieurs années, mais il fournissait un matériau de choix pour alimenter les plaisanteries. Ignorant celle d'aujourd'hui, j'ai poursuivi mon chemin.

Ryan était assis une fesse sur le bord de son bureau. L'homme en face de lui n'avait ni pantalon à rayures jaunes ni T-shirt gris. J'ai supposé néanmoins que c'était le gars d'Edmonton, officier de la gendarmerie royale du Canada, appelée aussi « police montée ».

Et non, il ne portait pas non plus de vareuse rouge, de jodhpurs ou de Stetson, cette tenue-là étant strictement réservée aux cérémonies.

Un mot sur la GRC, gendarmerie royale du Canada – ou RCMP en anglais, le Royal Canadian Mounted Police. Dans le monde entier, on les appelle les « Mounties ». Entre eux, ils s'appellent « la Force ». Ils ont trop regardé *La Guerre des étoiles*, croyez-vous ? Non. Leur tradition est beaucoup plus ancienne.

La GRC a ceci d'unique qu'elle agit à la fois aux niveaux national, provincial et municipal, fournissant des services de police fédérale dans le Canada tout entier, et, de façon contractuelle, à trois territoires, huit provinces, plus de cent quatre-vingt-dix municipalités, cent quatre-vingt-quatre communautés amérindiennes, et trois aéroports internationaux.

Si les deux provinces les plus peuplées, le Québec et l'Ontario, conservent leurs propres forces provinciales, la police provinciale de l'Ontario et la Sûreté du Québec, toutes les autres font plus ou moins appel à la GRC. Dans les trois territoires, le Yukon, le Nunavut et les Territoires du Nord-Ouest, la police montée est seule gardienne de l'ordre.

Vous trouvez ça compliqué ? Eh bien, pour simplifier les choses, sachez que certaines grandes villes, comme Edmonton, Toronto et Montréal, possèdent leur propre police municipale.

Pensez seulement au FBI, aux polices des différents États, au département du shérif, aux polices municipales. Même tarif.

Le visiteur de Ryan me tournait le dos, le bras sur l'accoudoir de son fauteuil. Ses tempes grisonnantes laissaient supposer qu'il avait déroulé du câble.

Ryan n'avait-il pas dit que le type était sergent ? Donc la Force ne se dépêchait pas de l'expédier vers l'OCDP, autrement dit l'Officer Candidate Development Program – le programme de perfectionnement pour aspirants officiers. Je me suis demandé si ce grade n'était pas son bâton de maréchal. Si, comme tant d'officiers subalternes, il en voulait aux « cols blancs », surnom que les sous-off' donnent aux officiers en titre.

Enfin, peu importait. Bien qu'il ne soit pas très impressionnant, s'il travaillait au quartier général à Ottawa, ou dans le QG de division, le grade de sergent était assez convenable pour un gars de terrain.

Pourquoi donc alors Ryan le regardait-il comme si c'était une flaque de vomi sur le trottoir ?

Je me suis rapprochée et j'ai distingué davantage de détails. De taille moyenne, le sergent n'en était pas moins un costaud. Ses bras et sa poitrine tendaient au maximum le tissu de sa chemise.

Ryan a dit quelque chose que je n'ai pas saisi. Son visiteur a répondu affirmativement en avançant et en relevant le menton.

Cette étrange mimique a déclenché un rapprochement de neurones à l'endroit où un souvenir était stocké.

J'ai ralenti. Hors de question.

Le sergent a reposé un gobelet en polystyrène sur le bureau de Ryan. L'espace d'un instant, sa main gauche m'est devenue visible.

Mon rythme cardiaque a crevé le plafond.

8.

Le sergent Oliver Isaac Hasty !

J'ai envisagé un instant de battre en retraite. De remonter quatre à quatre dans mon labo. Mais mon cortex cérébral a commencé à m'envoyer des messages intitulés « professionnelle » et « adulte ».

En dehors des rides d'expression plus creusées et des tempes grisonnantes, le représentant d'Edmonton était égal à lui-même. Pas de flaccidité des bajoues. Pas un gramme de graisse superflue.

À l'époque, Ollie était caporal, temporairement affecté à l'Académie du FBI à Quantico. Il suivait une formation en sciences du comportement ou quelque chose dans ce goût-là, tandis que j'enseignais aux agents spéciaux la récupération des corps.

On se retrouvait parfois autour d'une bière dans une salle de réunion. Il était canadien et, justement, j'étudiais une proposition du LSJML de Montréal qui m'offrait un poste de consultante. Toute cette semaine-là, il m'avait briefée sur mes étranges voisins du Nord.

Entre nous, l'alchimie avait fonctionné, je ne peux pas le nier. C'était torride. Mais Ollie avait de lui-même une si haute opinion que ça m'avait refroidie.

Quel que soit le sujet, le caporal Hasty était un expert, et les autres des ignares.

Après le séminaire, j'étais rentrée chez moi, en Caroline du Nord, la libido en berne, mais mon estime de moi intacte. À la fin de sa propre formation, Ollie était venu me voir à Charlotte. Je ne l'avais pas invité, mais dans son monde, les fins de non-recevoir n'existaient pas.

Mon mariage venait d'imploser, j'étais encore ébranlée par la trahison de Pete, et je vivais seule pour la première fois depuis vingt ans. Une future divorcée en rut. Un membre de la police montée bien monté. On ne peut pas éternellement tourner le dos à Éros. Je n'étais pas folle d'Ollie, mais pendant une bonne semaine, nos parties de jambes en l'air avaient fait trembler les murs de la maison.

Alors, vous demandez-vous. Que s'était-il passé ?

Eh bien, Ollie avait vingt-neuf ans. J'étais, disons, un poil plus âgée. Je vivais dans le Sud profond et lui dans le Grand Nord – l'Alberta, autant dire le bout du monde. Nous n'avions ni l'un ni l'autre l'intention de nous engager. Il n'avait pas été envisagé d'autres occasions de rencontre.

Nous avions échangé de brèves lettres et quelques coups de fil pendant un moment ; il n'y avait pas de courrier électronique, à l'époque. Et comme il fallait s'y attendre, notre relation était morte de sa belle mort.

Et voilà qu'il était là ! Assis devant le numéro deux de ma très brève liste d'amants post-divorce.

M'entendant approcher, les deux hommes se sont retournés.

— Docteur Brennan, a fait Ollie en se levant, les bras écartés.

La main gauche quasiment amputée de l'annulaire.

— Sergent Hasty.

Ignorant la proposition d'embrassade, je lui ai tendu la main. Alors qu'il la serrait, mes pensées ont bizarrement vagabondé en direction du doigt disparu. Je me suis demandé comment il l'avait perdu.

— J'ai cru comprendre que vous vous connaissiez, tous les deux, a fait Ryan, une demi-fesse toujours sur son bureau.

— Nous nous sommes rencontrés à Quantico, le Dr Brennan et moi, a confirmé Ollie, ses yeux bruns, liquides, rivés aux miens. Quand est-ce que c'était, déjà ?

— Oh, ça fait un bail, ai-je répondu, en m'efforçant d'empêcher mes joues de devenir écarlates.

— Super, a fait Ryan. Bon, si on parlait d'Annaliese Ruben ?

Je me suis glissée derrière Ollie jusqu'au fauteuil à sa gauche tout en me demandant ce que Ryan savait au juste. Avait-il été question de nos fredaines d'autrefois au cours de leur conversation sur Annaliese Ruben ? Ollie n'avait sûrement pas pu tomber aussi bas.

Mon histoire avec Ollie était-elle la raison de la froideur de Ryan à mon égard ? Ridicule. Au mieux, je dirais que nous nous étions mutuellement pêchés et rejetés à l'eau. De l'histoire ancienne, le temps que je débarque à Montréal. Et puis, entre Ryan et moi, l'affaire était terminée depuis plus d'un an. Il ne pouvait pas être assez puéril pour m'en vouloir d'une passade morte et enterrée bien avant que je ne le rencontre. À moins que... Ryan était d'une froideur polaire avec moi depuis déjà un certain temps, alors, s'il était au courant, c'était forcément tout récent.

— Allons-y, a répondu Ollie.

— Si nous commencions par la raison de votre présence ici ? a suggéré Ryan.

— Il y en a deux. D'abord, Ruben fait l'objet d'un mandat d'arrêt, et vous dites qu'elle est ici, au Québec. Ensuite, elle appartient à la catégorie des personnes à haut risque dont on signale la disparition sur mon territoire. En tant que membre de l'équipe attachée au programme KARE, je me dois de suivre les pistes concernant les personnes disparues qui collent avec le profil.

Sans attendre de réponse, Ollie a ouvert les fermoirs de laiton de son attaché-case, en a tiré un dossier. Fort maigre : juste deux petites pages.

Une idée angoissante. Quelqu'un s'était-il donné la peine d'enquêter sur la disparition d'Annaliese Ruben ? Quelqu'un s'en était-il seulement inquiété ?

— Le rapport a été rempli suite au dépôt d'une main courante, a commencé Ollie. Dépôt effectué par Susan Forex, connue dans les rues sous le nom de Foxy.

— Curieuse démarche de la part d'une prostituée, a commenté Ryan.

— Foxy est un drôle de numéro.

— Vous la connaissez ?

— Oui.

Et ce n'était pas si bizarre. À Edmonton, ces dames pétaient de trouille.

— Les filles sont prises entre le marteau et l'enclume. Les flics ou les psychopathes.

Petit geste d'Ollie signifiant son approbation, puis :

— C'est un bleu appelé Gerard qui a pris la déposition. Forex a déclaré que Ruben louait une piaule dans sa maison. D'après elle, Ruben avait rendez-vous avec un micheton qu'elle a décrit comme « plein aux as ». Ils devaient se rencontrer au Days Inn, dans le centre-ville.

Ollie pêchait les informations dans le dossier.

— Ruben n'est jamais rentrée chez elle. Au bout de quatre mois, Forex s'est décidée à signaler sa disparition.

— Elle a mis un moment à s'inquiéter, a remarqué Ryan.

— Elles étaient colocataires depuis longtemps ? ai-je demandé.

— Depuis six mois environ.

— Quelqu'un a donné suite à la plainte ?

— Il n'y avait pas grand-chose à suivre. Les filles des rues changent d'adresse comme de chaussettes. Et la plupart d'entre elles refusent de piper mot aux flics. Une pute appelée Monique Santofer cohabitait avec Forex, à l'époque. Elles ont été interrogées toutes les deux, ainsi que quelques autres. Personne ne savait quoi que ce soit.

Pas de réaction de ma part, ni de celle de Ryan. Facile d'imaginer la suite.

Après ces enquêtes, il est probable que le dossier avait circulé dans le bureau des enquêteurs, sans éveiller d'écho sur les écrans radars. De là, il était parti pour une division centralisant les dossiers des personnes disparues où un nombre bien trop insuffisant de détectives étaient chargés d'enquêter sur le bien trop grand nombre de cas signalés tous les ans. Et il avait fini enfoui sous la pile de dossiers semblables.

Et un jour, grâce au ciel, il avait fini par rencontrer le programme KARE.

— À ton avis, pourquoi Forex a-t-elle pris cette peine ? ai-je demandé.

— Pour ces femmes, Edmonton est l'antichambre

du cimetière. Elles sont tellement terrorisées, pour la plupart, qu'elles donnent volontairement un échantillon d'ADN pour permettre l'identification de leur cadavre au cas où elles se feraient massacrer.

— Il y a déjà eu tellement de victimes ?

— Une vingtaine au moins, depuis 1983. Et on signale un nombre encore plus important de disparitions. Vous savez, personne n'a oublié cet enfoiré de Pickton.

Ollie faisait allusion à Robert William « Willie » Pickton, un éleveur de cochons de Port Coquitlam, en Colombie-Britannique, condamné en 2007 pour le meurtre de six femmes, et accusé de l'assassinat de vingt autres. Nombre de ses victimes étaient des prostituées et des droguées des quartiers les plus déshérités de Vancouver.

Je n'avais pas travaillé sur l'affaire, mais certains de mes collègues avaient suivi le dossier. Les fouilles avaient commencé quand on avait découvert des restes sur le terrain de Pickton, en 2002. Les médias avaient complètement pété les plombs, et un jugement du tribunal avait interdit à la presse écrite et parlée de relayer la moindre information. Les rumeurs étaient allées bon train. On avait raconté que les cadavres décomposés avaient été donnés à manger aux cochons, hachés et mélangés à la viande de porc de la ferme.

Il avait fallu attendre le début du procès pour que les détails commencent à émerger. Les mains et les pieds enfoncés dans les crânes ouverts en deux, les restes balancés à la décharge ou enfouis près de l'abattoir, les vêtements féminins trempés de sang dans la caravane de Pickton.

Inexplicablement, le jury l'avait déclaré innocent de meurtre au premier degré – c'est-à-dire avec préméditation –, mais coupable d'homicide sans préméditation des six femmes. Il avait été condamné à la perpétuité, assortie d'une période de sûreté de vingt-cinq ans – le maximum prévu par la loi canadienne pour les homicides au deuxième degré.

L'enquête, qui avait coûté près de soixante-dix millions de dollars, était la plus importante affaire de meurtres en série de l'histoire du Canada. En 2010, les charges avaient été abandonnées pour les vingt meurtres restants, mettant fin à tout espoir de procès dans l'avenir. L'accusation avait apparemment conclu que, comme Pickton avait déjà été condamné au maximum, il valait mieux arrêter les frais.

Triste épilogue : lorsque l'interdiction de publication avait été levée, en 2010, le public avait appris que Pickton avait été accusé en 1997 de tentative d'assassinat sur la personne d'une autre prostituée qui avait été poignardée. Les vêtements et les bottes en caoutchouc qu'il portait lors de son arrestation avaient été oubliés pendant sept ans dans un casier de consigne de la GRC. Quand on avait fini par les analyser, en 2004, on avait trouvé l'ADN de deux femmes disparues à Vancouver.

Trop tard pour obtenir la jonction de ces trois affaires.

La voix d'Ollie m'a ramenée au présent.

— ... et pas qu'à Vancouver. Des femmes ont disparu ou ont été retrouvées mortes le long de la Yellowhead Highway 16, en Colombie-Britannique. Vous savez comment on appelle cette partie de l'autoroute, maintenant ? La route des larmes. Des sites Web et des magazines entiers sont consacrés à cette région. La liste des personnes disparues continuant à s'allonger, la GRC a élargi la zone dans laquelle on pense que le meurtrier pourrait opérer. Qui sait combien d'autres victimes gisent dans les fossés de la région ou enfouies sous terre ? a fait Ollie d'une voix pleine de frustration et de compassion.

— D'où le progamme KARE, ai-je dit.

— J'appartiens à la force d'intervention depuis deux ans. Notre mission est de retrouver ces dégénérés et de les mettre au trou.

— C'est un programme qui dépend de la GRC, c'est ça ?

— Plus maintenant. Dans l'Alberta, on en a eu marre. La force d'intervention comprend désormais des enquêteurs rattachés à la police d'Edmonton et d'autres détachements compétents, en plus des membres de l'unité des crimes majeurs d'Edmonton et de Calgary. Ces femmes ont besoin d'être protégées. Il faut mettre fin aux agissements des prédateurs.

Le massacre de ces créatures en marge de la société désespérait Ollie tout comme la mort des bébés consternait Ryan. Jadis j'avais entendu la même passion dans sa voix. C'était l'une des rares choses qui me plaisaient chez lui.

— Apparemment, Ruben n'est pas une victime, ai-je observé.

— Dites-moi ce que vous savez, a demandé Ollie en sortant un stylo et un calepin de sa mallette.

Ryan s'est chargé de lui exposer les faits. La visite aux urgences d'Amy Roberts. L'appartement de Saint-Hyacinthe occupé par Alma Rogers. Alva Rodriguez, la petite amie de Ralph Trees. Les bébés. L'empreinte digitale. Les renseignements obtenus du fichier centralisé canadien.

— Et à présent, Ruben a disparu des écrans radars, a conclu Ollie.

— Oui, a platement répondu Ryan.

— Vous pensez qu'elle a quitté la région ?

— Les recherches auprès de l'aéroport, des gares routières et de chemins de fer comme des agences de location de voitures n'ont rien donné. Idem pour les taxis.

— Vous avez regardé les bandes de vidéosurveillance de l'hôpital ?

— Elle est arrivée et repartie à pied. Elle venait de la direction de son appartement, qui se trouve à un kilomètre et demi de là. Et elle est repartie dans la même direction.

— Quid des commerces du coin, des bibliothèques, de tous les endroits où on aurait pu la repérer ?

— Rien du tout.

— Ruben avait des amis ou de la famille dans le secteur ?

— En dehors de Trees, de son propriétaire et d'une voisine fouineuse, personne ne semblait savoir seulement qu'elle existait.

— Elle ne travaillait pas dans la rue ?

— Non, pour autant qu'on le sache, mais elle devait bien avoir un moyen de subsistance.

— Autrement dit, elle n'a jamais été arrêtée au Québec.

— Exact. Il faut croire que le programme de formation continue de l'Alberta est payant.

— Vous avez vérifié les surnoms vraisemblables ?

Ryan s'est contenté de regarder Ollie d'un œil fixe.

— Ruben a été épinglée deux fois par la police d'Edmonton pour mendicité, a déclaré Ollie. Elle s'est évaporée après la seconde arrestation.

— En 2008, ai-je précisé.

— Ce qui coïncide avec les dates fournies par son

proprio, a ajouté Ryan. Ruben et un dénommé Smith se sont installés là il y a trois ans à peu près. Dixit Paxton.

— Il a gardé les coordonnées de ce Smith ?

— Même pas son prénom.

— Qu'est-ce qu'il vous en a dit ?

— C'étaient des locataires géniaux. Qui ne se plaignaient jamais de la plomberie. Qui payaient rubis sur l'ongle, en espèces, et d'avance.

— Il est où, ce Smith, maintenant ?

— Disparu dans la nature.

— Vous avez essayé de retrouver sa trace ?

— Je n'y ai même pas pensé.

Piqué au vif par le sarcasme de Ryan, Ollie a plissé légèrement les paupières inférieures.

— Il a un job ? Une voiture ? Un portable ?

— Si vous voulez courir après un Smith dont vous ignorez le prénom, l'âge et le signalement, je vous souhaite bonne chance.

Ryan a flanqué une tape sur l'un des écrans d'ordinateur qui se trouvaient derrière lui.

Il y a eu un moment de silence tendu. Que j'ai interrompu.

— Tu penses que Smith pourrait être le client friqué que Ruben avait prévu de rencontrer au Days Inn ? Peut-être qu'il l'a persuadée de partir dans l'Est avec lui ?

Ryan a secoué la tête d'un air écœuré.

— C'était gentil de sa part de prévenir ses bien-aimées coloc, à la maison.

— Forex a eu l'occasion de le voir, ce client ?

— Non.

— Et où sont Forex et Santofer, maintenant ? ai-je demandé à Ollie.

— Santofer ne fait plus partie du tableau. Overdose, l'an dernier. Quant à Forex, elle habite toujours à la même adresse. L'endroit lui appartient.

— Vous l'avez placée sous surveillance ? a demandé Ryan.

— Ça ne m'était pas venu à l'idée, a rétorqué Ollie, lui renvoyant son sarcasme en pleine poire.

— Une raison de penser que Ruben aurait pu retourner dans l'Alberta ? me suis-je enquise. Ça pourrait être son mode opératoire : quitter la ville quand ça commence à chauffer. Elle connaît des gens à Edmonton. C'est sa zone de confort.

— Ben voyons ! a laissé tomber Ryan. Elle sera partie dans l'Ouest au volant de sa Porsche Boxster sans permis, ou bien elle aura traversé le pays à bord d'une limousine avec chauffeur.

— Elle a pu faire de l'autostop, ai-je répliqué d'une voix tendue.

Ryan commençait à me taper sur le système à moi aussi.

— Dans ce cas, nous allons la poisser. Tous les flics du Canada ont sa photo et son signalement.

— Elle a un chien.

Décidément, j'y tenais ! J'aurais été bien en peine de dire pourquoi.

— Ça existe, les gens qui font du stop avec leur animal, a renchéri Ollie en foudroyant Ryan du regard.

Lequel a rétorqué sans sourire :

— Le voyage avec Charley, comme aurait dit Steinbeck.

— Steinbeck ne faisait pas de stop, ai-je lancé. Il avait une caravane.

Le regard d'Ollie est passé de Ryan à moi, conscient de sous-entendus qu'il ne comprenait pas, mais qui ne lui plaisaient pas. Il était sur le point de répondre quand le portable qu'il avait à la ceinture s'est mis à vibrer. Il l'a détaché et a regardé qui l'appelait.

— Il faut que je réponde, a-t-il dit en se levant.

Ryan a eu un geste du bras en direction des salles d'interrogatoire. Ollie a fait le tour du bureau et a disparu par la première porte.

Moment de gêne, que Ryan a consacré à regarder ses chaussures. Au bout d'un moment, n'y tenant plus, j'ai demandé :

— Vous avez un problème avec moi, détective ?

Il s'est levé du bureau et s'est mis à tourner comme un ours en cage. Pour finalement déclarer :

— Contentons-nous de clore cette affaire.

J'allais ouvrir la bouche pour lui demander ce qu'il voulait dire quand Ollie est revenu. Son expression était annonciatrice de bonnes nouvelles.

— Tempe a peut-être vu juste.

Ryan s'est crispé en l'entendant m'appeler par mon prénom.

— Elle est à Edmonton, a poursuivi Ollie.

— Ruben ?

Je n'en revenais pas.

— On vient de la repérer dans un Tim Hortons non loin du centre-ville. À un kilomètre à peu près de la Transcanadienne.

— Et maintenant ?

— Maintenant, la partie continue sur mon territoire.

9.

— J'ai demandé qu'on nous retienne des billets, a dit Ollie en se tournant vers moi. Tu peux être à l'aéroport à onze heures ?

— Moi ?

Je n'ai même pas cherché à dissimuler ma surprise.

— Ruben a également fait le trottoir à Edmonton. Tu penses que dans l'Ouest elle avait davantage l'instinct maternel ?

— Votre médecin légiste doit bien avoir des experts sous la main.

— Son bureau rencontre certaines difficultés.

— La SQ ne prendra jamais les frais de déplacement de Tempe à sa charge, a commenté Ryan.

— La GRC le fera. Je vais lui faire établir un contrat de MC temporaire. Membre civil.

— Merci pour la traduction, a déclaré Ryan avec un sourire glacial.

— Bon. Tu en es ? a demandé Ollie en braquant sur moi un regard flegmatique.

Dans mon esprit, un défilé d'images : de petits yeux pleins de vers, de minuscules mains momifiées, une boulette de papier hygiénique. Coup d'œil à ma montre, j'ai acquiescé et hoché la tête.

— Si vous ne pouviez pas vous libérer, détective, je comprendrais, a lancé Ollie, sans même se tourner vers Ryan.

— On se retrouve à l'aéroport, a répondu celui-ci.

Au douzième étage, pas de nouveau dossier pour l'anthropologue que j'étais. Après avoir fait le point sur mon soudain changement de programme avec LaManche, je suis rentrée chez moi.

J'avais à peine franchi la porte de mon appartement que mon iPhone a sonné. Le vol de midi était complet, nous devrions prendre celui de treize heures. Une heure de rabe ! Je l'ai mise à profit pour me doucher, imprimer ma carte d'embarquement et passer un coup de fil de politesse au médecin légiste d'Edmonton. Il m'a assuré que son service serait à ma disposition si besoin était.

À midi vingt, j'ai retrouvé Ryan et Ollie à la porte d'embarquement de l'aéroport Pierre-Elliott-Trudeau. Le vol 413 d'Air Canada était affiché « retardé ». Nous partirions maintenant à treize heures quinze. Information qui ne m'a guère rassurée. D'après l'hôtesse au sol, c'était un problème mécanique. Ben voyons.

Nous avons fini par décoller à quinze heures quarante-cinq. Nous avions donc manqué la correspondance à Toronto. Par bonheur, le vol suivant pour Edmonton décollait à dix-sept heures. Grâce à une traversée au galop de tout l'aéroport, nous avons réussi à monter à bord à temps. Ô joies du transport aérien !

Ryan a de nombreuses et précieuses qualités – il est intelligent, spirituel, gentil, généreux. Comme compagnon de voyage, c'est une plaie.

Et la présence d'Ollie n'a rien fait pour améliorer ce trait de caractère. À moins que ce soit moi. Ou le croque-monsieur mangé à la cafétéria. Bref, l'ambiance dans notre petite équipe était à peu près aussi chaleureuse que dans un squat de drogués lors d'une perquisition.

Après l'atterrissage, Ollie a proposé de nous conduire, mais Ryan a insisté pour louer une voiture. Ollie a suggéré que je monte avec lui. Il m'a paru plus diplomatique de rester avec Ryan.

Plus d'une heure pour les formalités, car nous n'avions pas de réservation. Inutile de demander pourquoi.

Edmonton est la jumelle canadienne d'Omaha. Solide, sans prétention et environnée d'un tas de trucs qui forment le néant. C'est un endroit qui vous fait penser à de grosses chaussures moches mais confortables.

Le trajet jusqu'au quartier général de la division K de la GRC nous a permis de découvrir une bonne partie de ce qui constitue la ville. Au début, me fiant aux indications du GPS de mon portable, j'ai proposé de tourner ici ou là, mais Ryan n'a ni suivi ni seulement fait mine de prendre en compte mes suggestions d'itinéraires. Tant et si bien que j'ai fini par me concentrer sur le monde qui défilait derrière la vitre de mon côté et sur les façades en brique qui s'y encadraient. Il y en avait un bon paquet.

Il était dix heures moins vingt quand nous nous sommes enfin engagés dans la 109ᵉ Rue. Mon estomac me reprochait amèrement de ne pas avoir grignoté un sandwich avec Ryan. J'ai refusé de prêter l'oreille à ses jérémiades.

Présentation de nos papiers d'identité et longues explications sur le but de notre visite à un vigile campé dans une attitude de sévérité quasi absolue, avant de nous voir remettre des badges à clip barrés d'un grand « T ». Ainsi marqués du sceau de l'infamie au point de nous sentir nous-mêmes devenus des individus temporaires et indignes de confiance, le détective Tout-Sourire et moi-même avons suivi un caporal dans un ascenseur. Montée dans un silence absolu.

Arrivé devant un bureau marqué « programme KARE », notre cicérone nous a signifié de continuer tout seuls.

Ryan a ouvert la porte et s'est effacé pour me laisser passer. J'ai attendu ostensiblement qu'il la franchisse en premier.

Décor à peu de chose près identique au camp de base de Ryan au Wilfrid-Derome. Pas vraiment le quartier général d'une brigade selon la nomenclature de la GRC, plutôt un bureau. Mais qu'importe. Où qu'ils se trouvent, ces endroits, comme les crimes qui nécessitent leur existence, ont tous la même uniformité déprimante. Mêmes postes de travail, même café imbuvable, mêmes objets souvenirs.

Et à dix heures du soir, les lieux étaient déserts.

Le bureau d'Ollie se trouvait sur un côté de la salle. Le sergent s'y trouvait déjà, un téléphone coincé entre l'oreille et l'épaule. En entendant la porte, il a levé les yeux et nous a fait signe d'approcher. Avec son pied, il a tiré une chaise à côté de celle qui se trouvait déjà devant son bureau. Il avait l'air en rogne. Ryan s'est assis, j'en ai fait autant.

Ollie a poursuivi sa conversation sur un rythme kalachnikov :

— Quand ? Où ?

Et finalement :

— Merde ! Bon, reste sur le coup.

Il a raccroché brutalement.

— Ils l'ont perdue.

Nous avons attendu qu'il s'explique.

— Ruben a poireauté au Tim Hortons jusqu'à midi. Et elle est allée au Northlands.

Je l'ai arrêté :

— C'est quoi, ça ?

— Disons que c'est un complexe de loisirs. On y trouve des machines à sous, et on y organise des événements sportifs, des courses de chevaux, des rodéos, des salons professionnels.

— Version moderne de l'opium du peuple, a commenté Ryan.

— C'est une façon de voir les choses.

Je me suis souvenue qu'Ollie aimait le rodéo et les courses de chevaux.

— Des lieux privilégiés pour le commerce sexuel, a insisté Ryan.

— C'est un quartier à problèmes.

D'un ton sec. Ollie tripotait un stylo. La plume, agitée de secousses, a tapoté le buvard.

— Ruben a dormi sur un banc de Borden Park pendant la majeure partie de l'après-midi. À cinq heures, elle est retournée à la boutique à beignets. À sept heures, elle est allée à pied au Rexall Place.

— Pourquoi ne l'ont-ils pas arrêtée ?

— Parce que telles n'étaient pas leurs directives.

Manifestement, Ryan s'apprêtait à balancer une autre pique. Je lui ai coupé l'herbe sous le pied.

— Et le Rexall Place, qu'est-ce que c'est ?

Ollie m'a regardée et a eu son fameux petit mouvement du menton.

— Eh, les Edmonton Oilers, tu connais pas ?

— L'équipe de hockey sur glace locale, a traduit Ryan d'une voix rigoureusement atone.

— Le Rexall Place est une salle de sport utilisée

parfois pour des concerts, a repris Ollie. Nickelback s'y produit ce soir, justement.

— Et c'est là que vos gars l'ont perdue.

— Je ne me suis pas bien fait comprendre, détective. Nickelback est *le* groupe de rock de l'Alberta. Le coin grouillait de monde. De milliers de gens.

— Suivre quelqu'un dans une foule n'est pas donné à tout le monde, a susurré Ryan.

— On va la retrouver, a fait Ollie, comme s'il écrasait des glaçons entre ses dents.

— Plus vite que vous l'avez perdue ?

Le stylo que torturait Ollie s'est immobilisé.

J'ai fait les gros yeux à Ryan et déclaré :

— Apparemment, Ruben cherchait à rencontrer quelqu'un.

— Probablement, a confirmé Ollie.

— Susan Forex ?

— J'attends d'être fixé sur ses allées et venues.

— Ruben a un maquereau ? a demandé Ryan.

— Un petit connard tordu, du nom de Ronnie Scarborough. On l'appelle Scar. Tout le charme d'une aiguille contaminée.

— Ce qui veut dire ?

— Il est laid, violent et a un sale caractère.

— Ce qui ne fait pas bon ménage.

— Son surnom n'est pas l'abréviation de son nom de famille mais rappelle la balafre – *scar* – de la taille d'une main qu'il a laissée un jour sur le visage d'une fille. Avec un tisonnier chauffé au rouge.

— Tu crois que Ruben aurait pu vouloir se raccrocher à lui ? ai-je demandé.

— Je crois qu'elle aurait d'abord essayé avec Forex. Mais va-t'en savoir ?

— Et maintenant ? ai-je demandé, sans m'adresser à personne en particulier.

— Maintenant, on attend que mes gars retrouvent la trace de Ruben. J'ai retenu deux chambres au Best Western, à une rue d'ici. Vous préférez y aller tout de suite, ou vous voulez manger un morceau avant ?

— J'ai une faim de loup, ai-je répondu.

— Gastronomique ou bon marché ?

— Rapide.

— Un burger, ça te dit ?

— Parfait.

Au Burger Express, à vingt-deux heures trente, il n'y avait que deux autres clients : un vieux schnock qui avait probablement mendié son repas, et un ado avec un sac à dos et des yeux qu'on n'arrivait pas à voir.

Le jeune qui faisait le service donnait l'impression de sortir tout juste d'une cure de désintox'. Des dents délabrées, des cheveux comme de l'étoupe, des boutons plein le museau, un vrai cauchemar.

Il en aurait fallu davantage pour me couper l'appétit. J'ai commandé le Maousse Burger, ou quel que soit le nom qu'on donnait à ce mastodonte. Des beignets d'oignons. Un Coca light.

Tout en mangeant, Ollie nous a parlé de Susan Forex.

— Après sa main courante à propos de Ruben, elle a été arrêtée deux fois. La première, au cours d'un ramassage – ce coup-là, elle s'en est sortie. La seconde, pour racolage – et là, elle a écopé d'un an de mise à l'épreuve.

— Et puis elle est revenue à la vraie vie, a lâché Ryan d'un ton dégoûté.

— Quelque chose comme ça, a commenté Ollie sur

un ton aussi chaleureux qu'un sachet de petits pois surgelés.

— Sans doute que les vernissages et les soirées chics lui manquaient.

— Forex n'est pas comme la plupart des filles qui font le trottoir.

— Ce qui veut dire ?

— Laissez tomber.

Ryan s'est tourné vers moi.

— Un café ?

— Non, merci.

Je commençais à regretter le menu que j'avais choisi. Et la rapidité avec laquelle je l'avais englouti.

Ryan s'est levé pour aller chercher sa dose de caféine. Ou peut-être pour aller en griller une. Il avait arrêté de fumer depuis des années, mais récemment j'avais senti l'odeur du tabac sur ses vêtements et ses cheveux. Ça, plus le fait qu'il était bizarrement hargneux – il était complètement à cran.

Nous étions en train de fourrer les emballages dans les sacs en papier graisseux quand le portable d'Ollie a sonné. Pendant qu'il prenait l'appel, je suis allée fourrer nos détritus dans une poubelle qui débordait d'ordures.

Quand j'ai regagné notre table, Ollie ressemblait à un gamin qui aurait retrouvé son petit chien après l'avoir cherché des heures.

— Ils ont localisé Forex dans un bar près du Coliseum.

— Ruben est avec elle ?

— Elle est toute seule. Et elle tapine.

— Tu penses à une visite surprise ?

— Débouler pendant ses heures, ça pourrait la rendre plus coopérative.

Nous avons échangé un sourire et je me suis levée. J'étais à mi-chemin de la porte quand une main m'a attrapé le bras. Je me suis retournée.

Ollie. Avec la tête typique du mâle sur le point de se transformer en macho.

— Tu penses souvent... à nous ? (Avec un petit geste désignant sa poitrine et la mienne.)

— Jamais.

— Tu parles !

— Il n'y a jamais eu de... « nous » (J'ai accompagné ma déclaration de guillemets tracés dans le vide avec mes doigts.)

— On s'est quand même payé du bon temps.

— Tu te comportais comme un vrai crétin les trois quarts du temps.

— J'étais jeune.

— Alors que maintenant, tu es vieux et sage.

— Les gens changent.

— Tu as une petite amie, Ollie ?

— Pas pour le moment.

— Pourquoi ça ?

— Je n'ai pas trouvé chaussure à mon pied.

— L'amour de ta vie.

Il a haussé les épaules. J'ai repris :

— On devrait y aller.

— Tu ne veux pas faire attendre le sergent Trouduc.

— Qu'est-ce que ça veut dire ?

— Ce type n'est pas un compagnon très agréable.

— Tu fais tout pour le provoquer.

— C'est un connard.

— Ollie, ai-je commencé en rivant sur lui un regard d'où avait disparu toute trace de plaisanterie, as-tu parlé de... nous avec le détective Ryan ? (Et j'ai imité son geste de tout à l'heure.)

— J'ai peut-être dit en passant que je te connaissais.

Son regard fuyant était la meilleure des confirmations.

Espèce de salaud sans scrupules !

Je n'ai pas eu le temps d'en dire plus. Ollie m'avait plaquée contre sa poitrine et me soufflait à l'oreille :

— Tu sais ce que tu voudras quand on aura résolu cette affaire : moi !

Des deux mains, je l'ai repoussé avec force et me suis dégagée.

— Ça ne risque pas d'arriver !

J'ai fait volte-face, propulsée par le dégoût.

Ryan était planté devant la porte et il nous regardait à travers la vitre. À la lumière atroce des néons, son visage avait l'air crispé et émacié.

Et merde, merde, merde !

Ne sachant trop ce qu'il avait vu de cette scène, j'ai levé les deux pouces en lui adressant un grand sourire. Bonne nouvelle !

Il s'est enfoncé dans l'ombre, les traits tellement tirés qu'on les aurait dits peints sur les os de sa face.

10.

Ollie était au volant, moi à la place du mort, Ryan à l'arrière.

Il s'était mis à pleuvoir doucement. Le battement des essuie-glaces rythmait notre parcours dans la ville comme un métronome. De mon côté défilait un kaléidoscope d'ombres et de couleurs indistinctes.

Au bout de dix minutes, Ollie a tourné dans une rue bordée de bars, de boîtes de strip-tease et de fast-foods éclairés et prêts à accueillir les clients. Les reflets des néons éclataient en fragments sur les trottoirs, éclaboussaient les enseignes, les voitures, les taxis.

Quelques petites boutiques tentaient de défendre leur position : un magasin de pièces automobiles, un prêteur sur gages, un marchand de vins et spiritueux. Leurs devantures obscures étaient équipées de barreaux pour les protéger contre le vandalisme et les vols.

Une poignée d'hommes en sweat-shirt et coupe-vent allaient et venaient, la tête rentrée dans les épaules. Quelques fumeurs, abrités dans des entrées d'immeuble, bravaient les éléments pour absorber leur dose de nicotine.

Ollie s'est arrêté le long du trottoir devant une maison de brique à un étage. Sur le côté, quelqu'un avait peint : « *XXX VIDÉOS POUR ADULTES* ». Hormis la plus grande collection de films et d'images du monde, l'entreprise proposait des peep-shows à vingt-cinq cents, vingt-quatre heures sur vingt-quatre, et sept jours sur sept.

— Tout ce que votre cœur désire, moyennant espèces sonnantes et trébuchantes, a dit Ollie en englobant le décor miteux d'un large geste de la main. Drogue, femmes, jeunes gens, armes. Vous cherchez un homme de main ? Vous le trouverez probablement aussi.

— Et Susan Forex ? ai-je demandé.

— On va voir ce qu'on peut faire.

Ollie a appuyé sur la touche d'un numéro abrégé et porté son téléphone à l'oreille.

J'ai entendu une voix à l'autre bout de la ligne, mais impossible de saisir ce qu'elle disait.

— Devant le Trois-X, a dit Ollie quelques secondes plus tard.

Un silence.

— Combien de temps ?

Silence.

— Et Ruben ? Du nouveau ?

Silence.

— Rappelle-moi aussitôt, a-t-il conclu et il a coupé la communication. On a de la chance. Elle n'a pas beaucoup de succès ce soir.

Nous sommes tous descendus de voiture. Dehors, ça sentait l'huile de friture, l'essence et le béton mouillé. Ollie a actionné le verrouillage centralisé des portières pendant que j'enfilais un blouson tiré de ma petite valise à roulettes. Une vibration assourdie provenant d'une bâtisse, sur notre droite est devenue soudain une musique tonitruante lorsqu'un client en est sorti puis s'est de nouveau estompée quand la porte s'est refermée.

Ollie nous a conduits à une cinquantaine de mètres de là vers une baraque à la façade crépie, audacieusement baptisée Western Saloon. L'enseigne au néon représentait une cow-girl vêtue, en tout et pour tout, d'un énorme Stetson.

— Laissez-moi lui parler, a dit Ollie à l'intention de Ryan. Elle me connaît, elle se sentira moins menacée.

Ryan n'a pas répondu.

— Vous êtes d'accord avec ça, détective ?

— Je suis d'accord avec ça, sergent.

Ollie est entré dans le bar. Je lui ai emboîté le pas, Ryan fermant la marche. Nous nous sommes arrêtés à peine l'entrée franchie.

Au prime abord j'ai été frappée par l'odeur agressive, mélange pestilentiel de bière aigre, de fumée de cigarette, de hasch, de désinfectant et de sueur. Je me suis efforcée d'oublier la puanteur tout en laissant mes yeux s'adapter à la pénombre.

De la gauche, dans une salle séparée par des demi-portes battantes, provenait un bruit de boules de billard entrechoquées. Droit devant nous se dressait un bar en bois sculpté avec son miroir gravé et ses tabourets.

Au milieu du bar, un homme en chemise unie était en train de tirer la bière avec un robinet à long manche. Un visage couvert de vilains grains de beauté. Ses yeux qui tressautaient d'une chose à l'autre se sont posés sur nous l'espace d'une nanoseconde avant de passer à autre chose. Sur la droite, une dizaine de tables dépareillées. Aux murs des affiches encadrées de Gene Autry, de John Wayne et du Cisco Kid.

Willie Nelson s'égosillait dans un jukebox, derrière les tables. À côté, un piano offrait un spectacle de champ de bataille avec son couvercle fendu, sillonné par les brûlures de cigarette.

L'idée qui avait présidé à la décoration, au départ, devait être un repaire de cow-boys. Aujourd'hui, on aurait plutôt dit un relais routier miteux à Yuma. Miteux et mal éclairé.

La moitié des tables et tous les tabourets du bar étaient occupés. La clientèle, principalement masculine, était surtout constituée d'ouvriers. Les rares femmes présentes étaient visiblement des tapineuses : cheveux peroxydés, tatouages, tenues conçues pour exhiber le maximum de chair.

Entre les tables naviguait une serveuse en bustier rouge et jean taille douze ans, collant comme un coup de soleil. Les cheveux cramés et maquillée à la truelle.

Ollie a eu un mouvement de tête en direction d'une grande femme tout en angles, à l'extrémité du bar.

— On dirait que notre chérie s'est mise sur son trente et un, ce soir.

J'ai contemplé Susan Forex. Elle avait les cheveux blonds, longs, une blouse paysanne artistiquement drapée de façon à révéler une épaule, une micro-minijupe en jean, un ceinturon et des chaussures à talons aiguilles avec des lanières enroulées autour de la cheville.

Elle discutait avec un gros bonhomme chaussé de bottes western et coiffé d'un énorme chapeau de cow-boy qui sifflait une bière. Elle, elle buvait quelque chose qui ressemblait à un whisky *on the rocks*.

Se rapprochant de Forex autant que le lui permettait son chapeau à large bord, le cow-boy lui a dit quelque chose à l'oreille. Elle a fait courir son ongle long et rouge vers le haut du bras du type. Ils se sont mis à rire.

Nous avons traversé la salle, tous les sens en alerte.

Le barman nous observait, ses yeux naviguaient de notre groupe à la porte, à la serveuse, aux tables et à ses clients au bar. D'autres regards se sont tournés vers nous, mais la plupart des clients nous ont ignorés.

— Salut, Susan.

En entendant son nom, Forex s'est retournée. À la vue d'Ollie, son sourire s'est effacé.

— Des amis à toi ? a fait le cow-boy en portant son attention sur nous, un sourire d'ivrogne affiché sur sa trogne pâteuse.

— Fous le camp, a fait Forex en congédiant son client potentiel comme on chasse une mouche, d'un mouvement de poignet.

— Ben quoi, poupée, j'croyais qu'on allait...

— Barre-toi, j'te dis, a lancé hargneusement Forex.

Le cow-boy a d'abord froncé les sourcils, l'air troublé, puis, comprenant qu'elle l'envoyait promener, il s'est crispé.

— Ton verre, tu te le paieras toute seule, salope !

Sur cette réplique finaude, il est descendu de son tabouret. Debout, chapeau compris, il ne devait pas être plus grand que moi.

Ollie a attendu que le cow-boy soit hors de portée de voix. Ça n'a pas pris longtemps. C'était une soirée de *poor lonesome cow-boy* qui attendait notre Roy Rogers du pauvre.

— On n'est pas là pour t'embêter, Foxy.

Forex a levé les yeux au ciel et croisé les jambes. Des jambes spectaculaires.

Le barman s'est rapproché, en prenant bien garde à ne pas nous regarder.

Ollie est allé droit au but.

— Tu as déposé une main courante concernant la disparition d'Annaliese Ruben.

Forex s'est soudain figée. Comme si elle s'apprêtait à une mauvaise nouvelle ? Ou comme si elle préparait un mensonge pour couvrir son amie ?

— Ça va, Foxy ? a demandé le barman, juste assez fort pour se faire entendre par-dessus le vacarme de la musique.

— Ça va, Minus.

— T'es sûre ?

— Elle en est sûre, a dit Ollie en lui montrant sa plaque.

Minus a battu en retraite et entrepris d'astiquer frénétiquement le bar.

De près, on voyait que la blonde Forex avait des racines tout ce qu'il y a de plus noires. Ses dents jaunes étaient bien plantées et régulières. D'où j'ai déduit qu'elle avait vécu, étant enfant, dans un milieu assez aisé pour lui offrir des séances d'orthodontie. Elle avait la peau lisse, et elle était maquillée avec soin. Sous cet éclairage, on lui aurait donné aussi bien trente ans que cinquante.

— On pense que Ruben a habité au Québec au cours des trois dernières années, a poursuivi Ollie. Il semblerait qu'elle soit revenue à Edmonton.

— Tant mieux. Elle m'a carotté la moitié de son dernier mois de loyer, cette petite saleté !

Pendant qu'Ollie interrogeait Forex, j'ai regardé les deux hommes assis à quelques tabourets de là. Leur langage corporel me disait qu'ils nous écoutaient. L'un des deux était une vraie baraque avec des cheveux noirs et de petits yeux sombres qui ressemblaient à des raisins secs. L'autre, plus petit, avait des bracelets de cuir et les deux bras ornés de tatouages bleus faits en prison.

— Allez, Foxy, tu sais où elle est.

Ollie n'avait pas l'air conscient de l'intérêt que suscitait notre conversation.

— Elle t'a escroquée, pas vrai ? Elle t'a demandé un coin où elle pouvait poser son sac ?

— J'aime bien cette petite pluie de printemps. Pas vous, sergent ?

— Ou bien elle a appelé Scar ?

— Qui ça ?

— Tu sais très bien de qui je veux parler.

Forex a repris son verre et fait tourner le glaçon dans le liquide. Elle avait les ongles bien faits, et n'avait pas de taches de nicotine sur les doigts.

— Aide-moi un peu, Foxy.

— Ruben était trop jeune pour vivre dans la rue. Je l'ai prise chez moi. Ça ne veut pas dire que j'aie acquis les droits sur sa biographie.

Cela ne collait pas avec la déclaration du médecin des urgences de Saint-Hyacinthe.

— Je pensais qu'elle était plus âgée que vous, ai-je dit.

Le regard de Forex a glissé jusqu'à moi. Pendant un instant, elle n'a rien dit. Et puis :

— Joli, le blouson.

— Ruben a déclaré qu'elle avait vingt-sept ans, ai-je insisté.

— La gamine était à peine assez vieille pour se raser les jambes. Elle aurait dû être à l'école. Mais j'ai compris pourquoi ce n'était pas son truc.

— Ah bon ? Et pourquoi ?

Foxy a reniflé.

— Vous l'avez vue ?

118

— Juste en photo.

— Alors, on sait toutes les deux que ça sera pas la prochaine Miss America.

L'épaule dénudée s'est haussée, est retombée.

— Les gamins peuvent être cruels.

Du coin de l'œil, j'ai vu Z'Yeux-de-Raisin-Sec pousser son pote du coude. Son visage, éclairé par le néon d'une enseigne représentant une grenouille qui proclamait : « Faisons la fête », était d'un vert glacial.

— Où habitait Ruben avant de s'installer chez toi ? a demandé Ollie.

Il n'avait apparemment pas encore repéré les deux gars du bar. Contrairement à Ryan, qui a incliné imperceptiblement la tête sur le côté. J'ai acquiescé tout aussi discrètement.

— Hé, je suis quoi ? Son amie sur Facebook ? a répliqué Forex.

— Pourquoi Ruben mentirait-elle sur son âge ? ai-je demandé.

— Pff, a soufflé Forex en haussant les sourcils. Pourquoi une gamine en fuite ferait-elle une chose pareille ?

Bien vu. Question stupide.

— Et qu'est-ce qu'elle aurait fui ? a demandé Ollie, rebondissant sur la phrase de Forex.

— Je n'en ai pas la moindre idée, a-t-elle répondu d'un ton catégorique.

Manifestement, elle n'en dirait pas plus long.

— On aimerait bien la retrouver les premiers, a poursuivi Ollie. Et l'empêcher de reprendre contact avec Scar.

— Vous n'avez pas écouté ce que je vous ai dit ? La gamine n'est restée chez moi que quelques mois. C'est à peine si je la connaissais.

— Tu tenais suffisamment à elle pour signaler sa disparition.

— Je ne voulais pas avoir d'ennuis.

— Je sais comment tu fonctionnes, Foxy. Ruben n'est pas la seule gamine que tu aies prise sous ton aile.

— Ouais, je suis une putain de mère Teresa.

— Monique Santofer, a fait Ollie d'une voix soudain radoucie. Quel âge avait-elle ?

Nouveau haussement d'épaules.

— Qu'est-il arrivé à Santofer ?

— Quand je l'ai trouvée, elle était raide déf' et dégueulait tripes et boyaux.

— Et toi, tu as des principes, c'est ça ? Pas de drogue chez toi ?

— Chez moi, c'est moi qui commande.

— Bon, reprenons du début : où habitait Ruben avant que tu la recueilles ?

— À Buckingham Palace.

— Elle a laissé quelque chose chez toi ?

— Un tas de bordel.

— Tu l'as gardé ?

Forex a hoché la tête.

— Il se pourrait qu'on ait besoin d'aller faire un tour chez toi, a fait Ollie, retrouvant le ton flic dur à cuire. Je sais que tu n'auras rien contre.

— Et comment que j'aurai quelque chose contre !

Ollie s'est fendu d'un sourire.

— La vie est pleine de contrariétés.

— Vous avez un mandat ?

— Tu sais que je pourrais en avoir un.

— Eh bien, obtenez-en un.

— Compte sur moi pour ça.

Forex a étréci les paupières.

— Vous ne me dites pas tout. Il y a quelque chose derrière tout ça...

— On dirait que tu n'as pas confiance en moi.

— Dit le chat à la souris.

— Scouic, scouic, a répliqué Ollie, avec un clin d'œil.

Je n'ai pas pu m'empêcher d'esquisser la même grimace que Forex.

Ollie a pris une carte dans son portefeuille.

— Appelle-moi si tu as des nouvelles de Ruben.

Forex a vidé son verre et l'a reposé bruyamment sur le bar.

— Et merde !

— Tu es une vraie vedette, Foxy.

— Bien trop vieille pour ce merdier.

Sur quoi elle a récupéré son sac et s'est éloignée sur ses talons vertigineux.

Tournant légèrement l'épaule, j'ai chuchoté à l'oreille d'Ollie :

— Tu as apporté la photo de Ruben ?

Le visage neutre, il a tiré un papier d'une poche et me l'a tendu. Sous les yeux de Ryan et d'Ollie, je me suis approchée de Z'Yeux-de-Raisin-Sec et de son copain, le long du bar.

— Je n'ai pas pu faire autrement que de remarquer que vous vous intéressiez à notre échange, ai-je commencé en leur présentant la photo. Connaissez-vous cette fille ?

Les deux visages sont restés obstinément tournés vers leur bière.

— Vous voyez le monsieur, là-bas ? Il est policier. Et très performant. Lui, il prend son pied en arrêtant les gens. Juste au cas où ils auraient pu faire quelque chose d'illégal, vous voyez ? Il est pour une politique de prévention.

Z'Yeux-de-Raisin-Sec a pivoté sur son tabouret, m'expédiant dans les narines une vague d'odeur corporelle. J'ai agité le tirage d'imprimante. Il a étudié la photo avec ostentation.

— Dans la rue, on raconte qu'elle aurait pu travailler dans le coin, ai-je ajouté.

— Et elle faisait quoi ? Elle vendait ses miches ? Cette gosse ressemble à une boulangerie à elle toute seule.

Z'Yeux-de-Raisin-Sec a rigolé de sa propre vanne.

— T'en penses quoi, Harp ?

Harp a eu un ricanement.

— Un esquimau à la vanille, ouais !

— Vous ne la reconnaissez pas ?

— Moi, je n'reconnais pas les crèmes glacées, je les suce.

Un sourire huileux.

— Et toi, ma choute ? Si je t'en mettais un coup dans les baguettes, ça te dirait ?

Z'Yeux-de-Raisin-Sec n'a pas eu le temps de comprendre ce qui lui tombait dessus. Fonçant à mes côtés, Ryan lui a fait une clé au cou, lui a relevé le coude et l'a fait pivoter en arrière d'un seul mouvement, fulgurant. Plus Z'Yeux-de-Raisin-Sec se tortillait, plus Ryan resserrait sa prise.

Harp a foncé vers la porte. Minus a amorcé un pas dans notre direction.

— Évitons de faire des choses que nous pourrions regretter, l'a averti Ollie.

Minus a maintenu la position, les poings serrés sur ses hanches. Quelques clients du bar se sont prudemment dirigés vers la sortie. Les autres sont restés là à regarder, en faisant semblant de ne rien voir. Ollie nous a rejoints mais il n'est pas intervenu.

— Vous me cassez le bras !

Z'Yeux-de-Raisin-Sec avait la figure rouge comme une betterave.

— Fais des excuses à la dame.

— C'est elle qui...

Ryan a resserré la pression.

— Espèce de fils de pute ! Ça va, ça va...

— Je commence à perdre patience, a constaté Ryan d'un ton menaçant.

— Et merde. Mes excuses.

Ryan a relâché la prise. Z'Yeux-de-Raisin-Sec a basculé vers l'avant, la main gauche frottant son épaule droite.

— Votre nom ? a demandé Ryan.

— Putain, qui c'est qui le demande ?

— C'est moi.

Une voix tranchante comme une lame d'acier.

— Shelby Hoch.

— C'est un bon début, Shelby.

Ryan m'a fait signe de lui remontrer la photo. Ce que j'ai fait. Ollie a continué à regarder la scène sans mot dire.

— Bon, on va reprendre du début, a dit Ryan. Vous connaissez cette personne ?

— Je l'ai vue dans le coin.

— Quand ça ?

— Hier soir.

— Où ça ?

Hoch a eu un geste du pouce en direction de la serveuse au bustier rouge.

— Elle sortait d'un motel avec l'autre connasse, là-bas.

11.

Nous nous sommes retournés tous les trois comme un seul homme.

Maquillage plâtreux et lèvres géranium, la serveuse qui naviguait dans la salle d'une table à l'autre nous observait. Elle risquait de réagir avec une vitesse inattendue, à la manière des animaux de grande taille quand ils ont peur. Et de fait, elle a reposé son plateau avec fracas et foncé vers une porte à droite du bar.

On s'est lancés à sa suite, Ollie, Ryan et moi. La porte donnait sur une ruelle. Au moment où je l'ai franchie, la serveuse, pliée en deux, reprenait sa respiration après son sprint de quelques secondes. Quant à mes compagnons, ils s'étaient déjà distribué les rôles de gentil flic et méchant flic. Ollie la tenait ferme par l'un de ses bras rondouillards, tandis que Ryan lui passait une main rassurante dans le dos.

Il pleuvait sérieusement, maintenant. La pluie tambourinait sur les bennes à ordures et les casiers de bière vides empilés à côté. Un sac en plastique détrempé qui voletait le long de l'immeuble, gonflé par le vent, s'est retrouvé plaqué contre la brique humide.

Petit moment d'attente, le temps que la fille ait récupéré son souffle. Dans la lumière saumon du réverbère, sa peau paraissait pâle et molle, enrobée qu'elle était d'un petit gras de malbouffe. Le haut d'une culotte noire dépassait de la ceinture de son jean bien rempli.

Enfin, elle s'est redressée. Encore haletante, elle a sorti un paquet de Marlboro d'une de ses poches arrière, l'a secoué pour en extraire une cigarette qu'elle a attrapée avec ses lèvres.

— Ça va ? a demandé Ryan en retirant sa main.

Les yeux obstinément baissés, elle a extirpé la pochette d'allumettes glissée sous la cellophane du paquet, en a enflammé une, puis a allumé sa cibiche et inhalé la fumée jusqu'au plus profond de ses poumons.

— Alors, beauté, t'avais vraiment besoin de jouer les lapins ? (Ollie, en flic vachard.) T'as des choses à cacher ? Du genre qu'on devrait pas savoir ?

Deux cônes argentés se sont formés sous ses narines quand elle a relâché la fumée.

— Hé, j'te cause !

Le bout de sa cigarette a brillé de nouveau, baignant son visage clownesque d'une douce lueur orangée.

— T'as un problème d'audition ?

Elle a exhalé comme la fois d'avant et balancé son allumette au loin, les yeux toujours rivés au sol.

— Bon, ça va comme ça ! a jeté Ollie en décrochant des menottes de son ceinturon.

Gentil flic a fait un geste d'apaisement en direction de méchant flic.

— Comment vous vous appelez, madame ?

— Phoenix. (D'une voix à peine audible.)

— Puis-je vous demander votre nom de famille ?

— Phoenix Miller. Mais on m'appelle juste Phoenix.

— Une de mes villes préférées.

— Ouais. J'ai entendu dire que c'était joli, l'Arizona.

— Moi, je suis le détective Ryan et mon ami un peu bourru, là, c'est le sergent Hasty.

D'un ongle ébréché, Phoenix a fait tomber la cendre de sa Marlboro. Laquelle a atterri dans une flaque irisée.

— On aimerait vous poser quelques questions, Phoenix.

— À quel sujet ?

— Un gentleman assis au bar dit qu'il vous a vue avec Annaliese Ruben, hier soir.

— Shelby Hoch n'est pas un gentleman. C'est une limace qui parle comme un charretier.

— Merci pour cette analyse de caractère tout à fait perspicace. (Ollie, en prince du sarcasme.) Annaliese Ruben, on disait ?

— Qu'est-ce que vous lui voulez ?

— Je suis son dentiste et j'm'inquiète. Des fois qu'elle ferait l'impasse sur le fil dentaire.

— Tu parles !

— Hoch dit qu'il vous a vues toutes les deux dans un motel. C'est quoi, ce palace, chérie ? L'hôtel du Poux nerveux ?

Phoenix a fixé sa Marlboro comme si elle en attendait un conseil sur la conduite à tenir. La cigarette tremblait entre ses doigts.

— Ta copine y est toujours ?

— Qu'est-ce que j'en sais ?

— Qui se ressemble s'assemble...

— J'en ai fini avec cette vie.

— C'est vrai, a grogné Ollie. Tu baisses plus ton slip pour vingt dollars ou un rail de blanche.

La bouche s'est arrondie, rond géranium entourant

126

un trou noir, sous cet éclairage surréaliste. Aucun son n'en est sorti.

— Nous ne nous intéressons pas à votre vie privée, a déclaré Ryan, nous voulons seulement trouver Ruben.

— Elle a des ennuis ? a demandé Phoenix et, pour la première fois, elle s'est autorisée à établir un contact visuel avec son interlocuteur.

Ryan a soutenu son regard.

— Nous voulons l'aider, a-t-il affirmé – manière à lui d'esquiver la question.

— C'est juste une pauvre gamine stupide.

— Qui s'fait tirer au Radada Inn. (Signé Ollie.)

— C'est pas ça du tout, je vous dis !

— C'est quoi, alors ?

— Ils me filent la chambre gratis en échange d'heures de ménage, a expliqué Phoenix, les yeux exclusivement rivés sur Ryan comme pour se rassurer.

— C'est là que vous habitez, dans ce motel ?

Elle a hoché la tête.

— Comment s'appelle-t-il ?

— Le Paradise Resort.

— Sur la 111 ? a précisé Ollie.

— Vous z'allez pas me foutre dans la merde, j'espère ? J'ai besoin de mes pourboires ! (Ses yeux ont fait des allers-retours de Ryan à Ollie.) C'est un bon plan pour moi.

— Mme Ruben y est toujours ? a insisté Ryan.

— J'espère que non. Je lui ai dit qu'elle pouvait rester une nuit seulement.

— À cause de son chien ?

La question m'a échappé sans que j'y réfléchisse. J'étais obsédée, ou quoi ?

Les yeux lourds de mascara se sont décalés sur moi.

— M. Kalasnik, le propriétaire, veut pas d'animaux.
Et vous, d'abord, qui vous êtes ?

— Comment est-ce que Ruben vous a trouvée ? est
intervenu Ryan.

— Tout le monde le sait, que je travaille au Western Saloon.

— Pourquoi vous ?

— La môme avait pas trop le choix.

— Est-ce qu'Annaliese a quelqu'un d'autre qu'elle
pourrait contacter ? a voulu savoir Ryan.

— J'sais pas.

— Elle a de la famille à Edmonton ?

— Je suis sûre qu'elle n'est pas d'ici.

— D'où, alors ? (Ollie.)

— J'sais pas.

— Quand a-t-elle débarqué à Edmonton pour la
première fois ?

— J'sais pas.

— Tu t'répètes !

— On n'a pas parlé de son passé.

— Sauf que tu t'étais mis en tête de la faire changer de vie.

— J'ai jamais dit ça.

— Vous faites une sacrée équipe, Foxy et toi. Sainte
Susan et sainte Phoenix. (Méchant flic jouant la pro-
vocation dans l'espoir que la fille explose et déballe
des renseignements intéressants.)

— Dieu sait que je suis loin d'être une sainte, mais
j'suis pas née de la dernière pluie. Les filles comme
elle, j'en ai vu des centaines. (Elle a hoché lentement la
tête.) J'en ai soupé de ces gamines qui feraient mieux
de s'inquiéter de leurs boutons et de leurs problèmes
de maths. Au lieu de ça, à peine descendues du bus,
elles se retrouvent direct sur le trottoir.

128

Je savais exactement de quoi elle parlait. Elles sont des dizaines tous les jours, ces adolescentes de Spartanburg, Saint-Juvite ou Sacramento, à partir de chez elles dans l'espoir de trouver la célébrité comme mannequin ou rock star à Charlotte, Montréal ou Los Angeles. Ou simplement pour fuir la monotonie, la violence ou la misère de leur quotidien. Et tous les jours, des proxos font le pied de grue au train ou à la gare routière. Oh, ils savent parfaitement repérer les sacs à dos et les visages pleins d'attente, ces animaux. En bons prédateurs, ils s'avancent tout frétillants, proposent aux filles de faire une séance de photos, de venir avec eux à une fête, ou ils leur payent à bouffer au Taco Bell du coin.

La plupart finissent junkies ou prostituées, leurs rêves d'Hollywood transformés en une vie d'horreur : dealers, doses quotidiennes, passes et panier à salade. Si elles sont vraiment nées sous une mauvaise étoile, elles finissent à la morgue, les pieds devant.

Chaque fois que je croise une de ces gamines, je rage de mon impuissance. Je hais la destruction de l'homme par l'homme. Je sais que je ne peux pas arrêter ce carnage, n'empêche, je continue de m'inquiéter pour ces filles. Elles m'inspirent de la compassion, un vrai chagrin, et ce sentiment ne me quittera jamais.

Retour sur Phoenix, en train de parler :

— ... trois ans plus tôt. Je me disais : soit Annaliese s'est fait descendre par un de ces tordus qui détestent les femmes, soit elle a réussi à s'en sortir. (Phoenix a craché un brin de tabac qu'elle avait sur la langue.) Et voilà qu'il y a deux jours, elle débarque, la gueule de travers, me demandant un endroit où s'écrouler. La laisser dans la rue... pff, autant la jeter en pâture à des loups. Si c'est un crime que de l'avoir hébergée, alors arrêtez-moi.

— Elle est toujours au Paradise Resort ?

Un haussement d'épaules évasif.

— Annaliese a besoin d'aide, a dit Ryan sur un ton qui élevait la sincérité à un niveau inédit. Une aide d'un genre que vous ne pouvez pas lui apporter.

— Je ne finis pas mon service avant deux heures du matin. Faut bien que je me fasse mes pourboires.

Ryan a regardé Ollie, qui a baissé le menton. Et il a repris :

— On a juste besoin que vous nous autorisiez à pénétrer dans votre chambre.

— Vous n'y prendrez rien ?

— Bien sûr que non.

— M. Kalasnik, il aime pas les ennuis.

— Il ne saura jamais qu'on est passés.

Un klaxon a retenti. Un autre lui a répondu. Plus loin dans la ruelle, le sac en plastique s'était décollé du mur et s'élevait en spirale en claquant légèrement.

Phoenix a fini par se décider. Elle a retiré une clé accrochée à la boucle de sa ceinture, et l'a tendue à Ryan.

— Numéro 14, tout au bout du bâtiment. Laissez-la dans la chambre, j'ai un double.

— Merci. (Ryan, avec un sourire quasiment séraphique.)

— Lui faites pas de mal, hein ?

Dans une gerbe d'étincelles, sa Marlboro a atterri sur la chaussée mouillée. Elle l'a écrasée du talon.

Pendant des années, la ville d'Edmonton a pu s'enorgueillir de l'honneur discutable de compter le taux d'homicides le plus élevé de toutes les grandes villes du Canada. En 2010, elle a reculé au troisième rang. Tout en roulant le long de ces rues tortueuses et mal éclairées, je me suis demandé si cette baisse de popularité avait fait naître chez les habitants d'Edmonton le désir de remettre en question le surnom de « ville des champions » que s'est officiellement attribué leur cité.

En route vers le Paradise Resort, nous avons discuté – ou du moins essayé de discuter – du cas Susan Forex. En fait, mes deux compagnons se sont surtout bouffé le nez.

— Elle nous cache des choses, a déclaré Ryan.

— Oh ! Et pourquoi ça ?

— Probablement parce qu'elle veut écrire ses mémoires. Elle se dit qu'en déflorant le sujet, elle ferait baisser la valeur du produit.

— C'est juste qu'elle gare ses miches ! a décrété Ollie.

— Vous croyez vraiment que c'est aussi simple que cela ?

— Que veux-tu dire, Tempe ?

Ne le sachant pas très bien, j'ai marqué un temps de réflexion. Sans grand résultat. J'ai fini par lâcher :

— Susan Forex et Phoenix Miller essayent toutes les deux de protéger Annaliese Ruben.

— Elles doivent admirer la façon dont elle assume son rôle de mère, a laissé tomber Ryan sur un ton acide.

— Même les prostituées détestent les tueurs de bébés. (Manière d'Ollie de souscrire à mes propos.)

— Mais alors, pour quelle raison lui viendraient-elles en aide ? ai-je insisté.

Personne n'avait la réponse.

— Tu vas vraiment obtenir un mandat de perquisition pour la maison de Forex ?

Ollie a secoué la tête.

— Y a peu de chances. Il faudrait que j'arrive à convaincre le juge que Ruben est une fugitive, qu'elle s'y trouve bel et bien, qu'elle fait l'objet d'une enquête criminelle au Québec, et que nous n'avons pas le temps d'obtenir un mandat d'arrestation de là-bas.

Le motel Paradise Resort, *home sweet home* de Phoenix Miller, était un bâtiment à un étage en forme de L d'une trentaine de chambres desservies par une coursive. Le panneau signalant cette villégiature paradisiaque était écrit en lettres d'un kilomètre de haut. Une flèche clignotante dirigeait les clients potentiels jusqu'à la réception en les faisant passer sous un portique protégé par un auvent. De part et d'autre de la porte, les jardinières croulaient sous un enchevêtrement de plantes crevées.

Il était clair que l'endroit n'était pas le jardin des délices que laissait espérer son nom. « Dépotoir » lui aurait mieux convenu. Ou alors « Dernière Demeure ».

Çà et là, des voitures et des camionnettes occupaient la bande de béton le long du bâtiment. Plus loin sur la gauche, quelques camping-cars et même un « dix-huit roues ».

Dans la plupart des motels, vous réfléchiriez à deux fois avant d'effectuer une visite surprise au beau milieu de la nuit. Au Paradise Resort, vous ne couriez aucun risque : un noir d'encre à la réception, pas l'ombre d'un vigile, pas une âme qui vive à l'horizon.

Le silence s'est établi dans la voiture dès qu'Ollie s'est engagé le long du bâtiment. La chambre 14 se trouvait tout au bout de la partie du L parallèle à la 111e Rue. La porte était à demi bouchée par un escalier en fer et béton menant à l'étage. Pas de voiture devant cette entrée ni devant celle d'à côté.

Ollie a éteint les phares, s'est garé devant la chambre 13 et a coupé le moteur. Nous sommes descendus de voiture et avons fermé les portières le plus doucement possible.

Le silence était seulement troublé par les flonflons en provenance d'un restaurant mexicain à une cinquantaine de mètres, de l'autre côté d'une petite voie de desserte. Et aussi par le roulement continu des voitures sur l'autoroute voisine.

Nous nous sommes dirigés en procession vers la chambre de Phoenix Miller. Ollie s'est positionné d'un côté de la porte, Ryan de l'autre, en me faisant signe de rester derrière lui.

Pas un rai de lumière, ni sous la porte ni entre les rideaux. Pas non plus de scintillement bleuté indiquant une télé allumée.

Ollie a annoncé notre présence en frappant à la porte.

Pas de réponse.

Il a recommencé.

Pas le moindre bruit en retour.

Tambourinade du plat de la main.

Rien que les mariachis et le roulement incessant des voitures et des camions.

Ryan a fait un pas en avant et introduit la clé dans la serrure.

12.

Une pièce sombre et paisible.

Arrêt sur le seuil, l'oreille tendue.

Aucun signe de présence humaine, mais des relents de désinfectant et de ce même Febreze que j'utilise chez moi. Bruine et pluie des prés.

À côté de moi, Ryan palpait le mur. Déclic d'interrupteur. Une lumière jaune blafarde est tombée d'un plafonnier qui remplissait en outre la fonction de sépulture pour insectes.

La chambre 14 faisait à peu près la taille de ma baignoire. Murs pêche, maigre moquette marron, crasseuse et criblée de brûlures de cigarettes.

Mes yeux ont fait le tour de la pièce dans le sens des aiguilles d'une montre. À gauche, un bureau esquinté soutenant une télé portable à l'antenne entourée de papier d'argent. Plus loin, des rayonnages en métal accueillant une maigre collection de vêtements, les uns pendus sur des cintres, les autres bien empilés sur les étagères du bas.

Le lit, face à la porte, avec des draps bien tirés et une courtepointe à fleurs rouge et blanc, tout droit sortie d'un catalogue Target spécial pensionnaires. Des carrés de tissu rouge posés bien au centre de chaque oreiller.

À côté du lit, dans le coin gauche de la pièce, une table de chevet en plastique blanc avec une lampe rouge en plastique. Au-dessus de la tête de lit vissée au mur, une litho bon marché représentant un vase de tulipes rouges.

Devant, un peu sur la droite, une porte fermée donnant probablement sur la salle de bains. À côté de cette porte, dans le coin droit de la pièce, un meuble encastré avec un micro-ondes, une plaque chauffante et un mini-réfrigérateur.

Une petite table et deux chaises en plastique blanc sous l'unique fenêtre de la chambre, à droite de l'entrée. Au centre de la table, un mini-cactus dans un petit pot en céramique. Sur les deux chaises, un coussin rouge.

J'ai senti mon cœur se serrer. On reconnaissait là, derrière ce mobilier minable, l'œuvre d'une main attentive. Les oreillers assortis au couvre-lit. La lampe. Le mobilier en plastique. Les plantes. Les coussins. Bien qu'ayant du mal à joindre les deux bouts, Phoenix Miller s'était donné du mal pour apporter un peu de gaieté à cet intérieur déprimant.

— Annaliese Ruben ? a appelé Ollie.

Pas de réponse.

— Mademoiselle Ruben ?

Rien. Pas le moindre son indiquant un mouvement.

Comme tout à l'heure avant d'entrer, nous nous sommes décalés, Ryan et moi, sur un même côté de la porte, Ollie sur l'autre, et il a tourné la poignée.

La salle d'eau était véritablement minuscule, à peine aussi grande qu'une cabine d'essayage. Quand la porte était ouverte, impossible d'entrer dans la douche.

Des produits de maquillage et des laits pour le corps s'alignaient sur le réservoir des toilettes, une chemise de nuit rose pendait à un crochet à côté. Le porte-serviettes accueillait des draps de bain rouges et blancs soigneusement pliés, rangés en alternant les couleurs. Le rideau de douche en plastique était rouge, évidemment. Quant au carrelage, au miroir et au lavabo, ils étaient nickel.

— Madame est proprette, a fait remarquer Ollie, non sans condescendance.

À quoi j'ai répliqué :

— Elle fait de son mieux pour donner un peu de chaleur à cet endroit.

— Pas facile dans ce trou à rat.

Ollie a ouvert l'armoire à pharmacie et commencé à en examiner le contenu. Ses façons m'ont agacée.

— On est venus chercher Annaliese Ruben. Elle n'est pas là, on s'en va !

— T'es pressée ?

— Ce n'est pas Miller qui nous intéresse. Aucune raison de s'immiscer dans sa vie privée.

Sourire hyper-patient d'Ollie à mon adresse, mais il a quand même refermé l'armoire.

Le bruit d'un rideau de douche qu'on pousse m'est parvenu juste au moment où je rejoignais Ryan dans la chambre. Puis Ollie est réapparu.

— Et maintenant, quoi ? lui ai-je demandé.

Il a vérifié son téléphone portable, apparemment sans rien y trouver d'intéressant.

— Maintenant, dodo ! Pendant ce temps-là, je fais mettre cette crèche sous surveillance ainsi que Miller.

— Quelqu'un devrait repasser ici demain pour interroger le propriétaire, a dit Ryan.

— Tiens, j'y avais pas pensé !

La mâchoire de Ryan s'est crispée, mais il n'a pas pipé.

Ollie a mis le cap sur la penderie de fortune. Il a déplacé les cintres, fouillé dans les piles de vêtements, puis, un genou à terre, a glissé un œil sous le lit.

— Je vérifie le micro-ondes ? a lancé Ryan en laissant choir la clé de la chambre sur le bureau.

Ollie a ignoré le sarcasme.

— On y va !

Et on a mis les voiles.

Au Best Western, Ryan a disparu dans sa chambre sitôt les formalités d'enregistrement achevées.

— Je t'accompagne, a dit Ollie quand j'ai reçu la clé de ma chambre.

— C'est inutile, je te remercie.

— J'insiste.

— Je refuse.

— C'est une ville dangereuse.

— Je suis dans un hôtel.

Ollie s'est emparé de mon bagage. J'ai voulu le reprendre. Il l'a fait pivoter et a monté la poignée pour le tirer lui-même. Puis il m'a fait signe de passer devant.

Ollie sur les talons, j'ai traversé les deux hectares du lobby d'un pas furieux, les roulettes de ma valise cliquetant sur le carrelage. J'ai ouvert ma porte dans un silence glacial.

— Disons huit heures demain matin, a déclaré Ollie.

— Tu appelles avant, s'il se passe quoi que ce soit.

— Oui, m'dame.

Comme il ne semblait pas décidé à lâcher la valise, je la lui ai arrachée des mains. J'ai fait deux pas en arrière, et je lui ai claqué ma porte au nez.

La chambre était du plus pur style motel nord-américain. Un lit *king size*, une commode, un bureau avec une chaise rembourrée. Rideaux et couvre-lit assortis comme il se doit, et sélectionnés dans la section vert clair du nuancier. Des lithos encadrées sur tous les murs. Une décoration qui avait peu de chance de faire la couverture d'*Architectural Digest*, mais qui était quand même à des années-lumière de celle que nous venions de quitter, au Paradise Resort.

Enfin, qu'importe. Toilette, brossage des dents et au lit !

Quelques minutes plus tard, l'hymne national irlandais me tirait du sommeil. En tendant le bras vers la table de nuit, j'ai fait tomber mon iPhone une fois de plus. Il en aurait fallu davantage pour couper le sifflet aux petits chanteurs.

Récupération de l'appareil à tâtons dans le noir.

— Brennan. (En essayant d'avoir l'air vif, mais sans y parvenir, en ce milieu de la nuit.)

— Je ne vous réveille pas, j'espère ?

À l'autre bout de la ligne, une femme, et qui me parlait en français.

— C'est Simone Annoux.

À moitié endormie, j'ai fouillé ma mémoire. Sans succès.

— Du département d'ADN.

— Oui, bien sûr, Simone. Quoi de neuf ?

En mettant l'appel sur haut-parleur, j'ai vu que les chiffres à l'écran indiquaient six heures vingt. Huit heures vingt, à Montréal. Je n'avais pas dormi quatre heures. Je me suis rallongée, le téléphone posé sur la poitrine.

— Vous nous avez soumis des échantillons concernant une affaire de mort suspecte de nourrisson à Saint-Hyacinthe ? Quand nous en avons parlé, vous avez dit que l'identification posait problème ?

Simone est un petit bout de femme aux cheveux

poil de carotte, affublée d'épaisses lunettes et dotée de l'assurance d'un moucheron. Cette timidité excessive a pour conséquence que la plupart de ses phrases ressemblent à des questions. Ça me rend chèvre.

— Oui.

— Nous avons essayé un test un peu controversé. J'espère que ça vous conviendra.

— Controversé ?

— J'ai pensé que vous voudriez en connaître le résultat ?

— Quel genre de test, Simone ?

— Vous connaissez l'ABG ?

— L'aéroport Ben-Gourion ?

— L'ascendance biogéographique.

— Ah oui, Tony Frudakis.

— Lui et bien d'autres. Mais je crois que M. Frudakis a laissé tomber les recherches dans ce domaine, non ?

Au début des années 2000, alors qu'un tueur en série sévissait à Baton Rouge, en Louisiane, et que les enquêteurs recherchaient un jeune homme blanc, s'appuyant sur un profil établi par le FBI ainsi que sur la déclaration d'un témoin oculaire, ils ont fini par s'adresser à un biologiste moléculaire, le fameux Tony Frudakis.

À cette époque, l'ADN récupéré sur une scène de crime ou sur une victime ne pouvait être utilisé que pour des comparaisons avec les échantillons enregistrés dans le CODIS, Combined DNA Index System, une base de données regroupant près de cinq millions de profils. Quand les enquêteurs avaient un spécimen, mais pas de suspect, ils pouvaient vérifier si leur échantillon figurait dans cette base de données.

Le CODIS permet donc de relier des suspects

inconnus à des individus fichés pour activité criminelle. En revanche, il n'est d'aucune utilité pour ce qui est de déterminer l'ascendance ou les caractéristiques physiques. Et cela pour des raisons bien précises. En effet, lorsque le comité consultatif de la Banque nationale de données génétiques a sélectionné les marqueurs génétiques pouvant être utilisés par le CODIS – c'est-à-dire les séquences d'ADN aisément détectables grâce à leur emplacement connu sur un chromosome, il a délibérément exclu de la liste les marqueurs associés aux caractéristiques physiques ou aux origines géographiques. Pas question d'offenser un quelconque groupe ethnique ! Je ne ferai pas de commentaire sur cette logique politique.

DNA Witness – « témoin-ADN » –, le test mis au point par Frudakis et utilisé dans l'affaire de Baton Rouge, prenait au contraire en compte un ensemble de marqueurs, sélectionnés justement parce qu'ils donnaient des renseignements sur les caractéristiques physiques. Certaines de ces caractéristiques se retrouvaient principalement chez les individus d'origine indo-européenne, d'autres surtout chez les personnes d'origine africaine, amérindienne, ou sud-asiatique.

Frudakis fit savoir à la Multi-Agency Homicide Task Force de Louisiane, la brigade criminelle en charge de l'affaire, que le coupable recherché était à quatre-vingt-cinq pour cent d'origine africaine subsaharienne et à quinze pour cent d'origine amérindienne. Au bout du compte, le tueur en série, relié par son ADN à sept des victimes de Baton Rouge, s'est avéré être un Noir de trente-quatre ans, du nom de Derrick Todd Lee.

— ... la répartition de ces marqueurs génétiques est associée à de larges zones géographiques. Résultat, la valeur du test ABG a été reconnue, et reconnue aussi l'utilisation des marqueurs en tant que composants génétiques essentiels dans l'étude de l'origine ethnique. Toutefois, il convient de garder à l'esprit que la diversification de ces marqueurs s'est encore complexifiée au cours des millénaires en raison des événements historiques – des mouvements migratoires, par exemple.

Pendant que je pensais à Frudakis, Annoux était passée en mode lecture pour parler science et, du coup, elle avait laissé tomber ses points d'interrogation tellement exaspérants.

— Les gens bougent, ai-je fait remarquer.

— Oui. Les paléoanthropologues estiment que tous les êtres humains vivants de nos jours descendent de populations qui ont émigré hors d'Afrique il y a deux cent mille ans à peu près. Ces populations se sont d'abord installées dans le Croissant fertile, puis elles se sont scindées en groupes qui ont divergé peu à peu dans toutes les directions. Certains d'entre eux se sont retrouvés en Amérique après avoir traversé le détroit de Béring. L'accroissement de la distance entre les différents groupes a entraîné l'isolement reproductif, lequel a provoqué la divergence des bassins génétiques.

— Qu'est-ce que ça a à voir avec mon bébé mort ? ai-je demandé.

Ce n'était pas une heure à discuter de biologie moléculaire évolutive.

— On peut utiliser les marqueurs ABG pour déterminer quel pourcentage d'ADN un individu partage avec les Africains, les Européens, les Asiatiques ou les Amérindiens. Cette technique a été employée dans plusieurs enquêtes criminelles très médiatisées. Dois-je vous expliquer le processus ?

— Oui, mais dans les grandes lignes.

— Ce test recherche la présence de cent soixante-quinze SNP, appelés MIA, ou marqueurs informatifs d'ascendance. Vous me suivez ?

Un SNP, ou polymorphisme nucléotidique, est la variation d'une simple paire de bases du génome entre individus d'une même espèce, ou de deux chromosomes sur un segment donné par une seule paire de bases. En termes méga-sursimplifiés, ça signifie qu'un gène peut avoir plusieurs formes. Des millions de SNP ont été répertoriés dans le génome humain. Certains sont responsables de maladies comme la drépanocytose, d'autres sont simplement des variations normales.

— Oui...

— Par rapport à d'autres espèces animales, l'*Homo sapiens* présente une diversité génétique minuscule. C'est parce que nos liens communs sont très récents. Sur le plan de l'ADN, les hommes sont identiques les uns aux autres à quatre-vingt-dix-neuf virgule neuf pour cent. C'est ce tout petit dixième de pour cent riquiqui qui fait de nous des êtres différents.

Une série de bips. Sur l'écran du téléphone le nom d'Ollie. Malgré ma curiosité, j'ai tapé sur « Ignorer l'appel ».

— ... selon Frudakis, et ils sont plusieurs à partager cet avis, environ un pour cent de ce dixième de pour cent résulte de nos différences historiques. La méthode mise au point par Frudakis pour trouver les différences distinctives susceptibles de déterminer l'ascendance génétique exploite précisément ce zéro virgule zéro zéro un pour cent. De nos jours, plusieurs entreprises effectuent ce genre d'analyse à des fins généalogiques, d'autres offrent leur savoir-faire aux services médico-légaux, comme la Sorenson Forensics, qui exploite un programme appelé LEADSM. J'ai dans cette boîte une amie très chère...

Je l'ai interrompue, pressée de rappeler Ollie.

— Les marqueurs génétiques du bébé de Saint-Hyacinthe ont été comparés à ceux trouvés dans des populations spécifiques ?

— Oui. À en croire les résultats, cette petite fille serait d'origine amérindienne à soixante-douze pour cent et originaire d'Europe de l'Ouest à vingt-huit pour cent.

Ce point a capté mon attention. J'ai voulu en savoir plus.

— Ses parents seraient amérindiens ?

— Le père ou la mère pourrait être classé dans cette catégorie. Mais la race est un sujet si complexe...

— Merci infiniment. Vos renseignements me sont vraiment précieux. Désolée, mais je vais devoir prendre un autre appel.

J'ai raccroché et composé le numéro d'Ollie. Il a répondu à la première sonnerie.

— C'est Brennan. Tu m'as appelée ?

— Bonjour, mon rayon de soleil. Excuse-moi de t'avoir réveillée.

— Je l'étais déjà.

Je lui ai rapporté ma conversation avec Simone Annoux.

— Il s'agit d'une méthode un peu controversée.

— En quoi ?

— Tu sais bien, les tests ADN au service du profilage racial...

— C'est vrai. Donc, Ruben est indienne.

— Amérindienne. Elle ou le père du bébé.

— Ou les deux.

— Oui. Qu'est-ce que tu voulais me dire ?

— J'ai une bonne nouvelle.

— Tu as mis la main sur Ruben ?

— Non, pas aussi bonne que ça. Susan Forex vient de m'appeler. Elle n'aime pas la dernière en date de ses colocs et veut qu'elle se tire.

— Elle ne peut pas la mettre à la porte, tout simplement ?

— La nana refuse de décaniller.

Ce qu'impliquait la chose a fini par faire mouche dans mon cerveau embrumé, et je me suis écriée :

— C'est encore mieux qu'un mandat !

— Bien mieux, a renchéri Ollie.

13.

À la fin du XVIIIe siècle, stimulée par la concurrence dans la traite des fourrures, la Compagnie de la baie d'Hudson a étendu son réseau vers l'ouest de ce qui allait devenir le Canada. L'un des postes établis le long des grands fleuves, celui d'E-town situé sur la partie nord de la rivière Saskatchewan, allait jouer par la suite, sous le nom d'Edmonton, un rôle essentiel au moment de la ruée vers l'or du Klondike dans les années 1890, puis, après la Seconde Guerre mondiale, lors du boom pétrolier. Aujourd'hui, c'est la capitale de l'Alberta.

Edmonton possède une Assemblée d'État, édifice impressionnant par son architecture, une université, un conservatoire, un musée de l'Histoire vivante et une multitude de parcs et de jardins. Tous ces sites attirent des milliers de touristes, mais aucun d'eux ne saurait rivaliser avec le West Edmonton Mall.

Ce centre commercial de cinq cent mille mètres carrés regroupe plus de huit cents boutiques. C'est le plus vaste de toute l'Amérique du Nord et le cinquième dans le monde par la taille.

Loin d'être seulement consacré au shopping, ce monstre propose toutes sortes de divertissements : un parc aquatique géant, un lac artificiel, une patinoire, deux terrains de mini-golf, vingt et une salles de cinéma, un casino, un parc d'attractions et d'innombrables sources de réjouissances, aussi diverses que variées.

Susan Forex vivait à un jet de pierre de là, un tout petit jet de pierre. Nous avons débarqué dans le quartier à huit heures moins le quart, après un petit déjeuner avalé dans la voiture. Ollie avait acheté du café et des beignets. Comme je n'aime pas ceux qui sont fourrés à la confiture et qu'ils l'étaient presque tous, j'avais fait main basse sur les trois qui étaient recouverts d'un glaçage au chocolat.

Boostée par ce solide apport de sucre et de caféine, j'ai étudié le voisinage. Les maisons, quasiment collées les unes aux autres, étaient plus ou moins toutes bâties sur le même modèle : une véranda qui pouvait être d'une taille imposante ou réduite à un perron ; un vide sanitaire dissimulé au choix par des pots de fleurs ou par des plates-bandes, et un bout de gazon qui descendait jusqu'au trottoir. Çà et là, une bicyclette ou un jouet gisant dans l'herbe.

Ollie s'est garé devant une maison d'un étage à bardage gris et volets noirs, avec un perron décalé sur la gauche et une véranda qui courait sur toute la longueur de la façade. L'endroit était tout sauf ce à quoi je m'attendais.

— Plus « *american way of life* », tu meurs ! s'est exclamé Ollie.

On ne pouvait que souscrire à ce commentaire.

— Rentrée chez elle, Jolie Madame préfère oublier le turbin, a-t-il ajouté.

— Comme la plupart d'entre nous, a déclaré Ryan.

— Je vous fiche mon billet que les voisins n'ont pas la moindre idée du métier qu'elle pratique.

— Parce que vous parlez boutique avec votre voisin par-dessus la clôture ? (Ryan, sur un ton parfaitement plat.)

— Je vis en appartement.

— Vous voyez ce que je veux dire.

— Mon boulot, c'est pas de sucer des queues dans une ruelle sombre.

— *Mon Dieu*, je ne vous savais pas si à cheval sur la morale.

— Mea culpa. En fait, Forex est probablement du genre à organiser la fête des voisins, tous les ans.

— Et pourquoi pas ?

— À condition que ça se passe dans la journée...

— C'est l'avantage de l'auto-entreprise, on est seul juge de ses horaires !

— Je les vois d'ici, Forex et ses copines du trottoir, passant la salade de chou à la ronde.

Leur joute hostile commençait à me gonfler.

— Que sait-on de la coloc ?

— Elle s'appelle Aurora Devereaux. Nouvelle en ville. Jusqu'à présent, elle a réussi à rester sous le seuil de détection des radars.

— Tu as vérifié auprès du fichier central ? a demandé Ryan.

Ollie s'est donné une tape sur le front.

— Merde, on en a de la chance de vous avoir ! J'y aurais jamais pensé...

— Comme connard, vous vous posez là, a lâché Ryan sur un ton polaire.

Ce coup-ci, la coupe était pleine.

— Ça suffit, vous deux ! me suis-je écriée en jetant un regard noir à Ollie puis à Ryan assis à l'arrière.

147

Ma patience a des limites. Je ne sais pas quel est votre problème, mais vous allez la mettre en veilleuse !

Ollie a articulé le mot « hormones ». Je me suis retenue pour ne pas le gifler.

— Devereaux, tu disais ?

— C'est le tout nouveau pseudo de la dame, qui en a déjà une belle collection. Pour de vrai, elle s'appelle Norma Devlin. Elle a vingt-deux ans, est originaire de Calgary et a atterri à Edmonton il y a quatre mois de ça. À en croire les flics de Calgary, elle a un dossier plutôt épais. Des affaires datant principalement de l'époque où elle était mineure, donc impossible de le consulter sans autorisation du juge. Cela dit, rien de très grave. Essentiellement vol à l'étalage, racolage et trouble à l'ordre public. Nombreuses mises à l'épreuve, mais aucune peine d'emprisonnement.

— Ce qui a déclenché la colère de Forex, ce n'était donc pas de la prostitution ? ai-je demandé.

— Non, a répliqué Ollie tout en détachant sa ceinture de sécurité. Eh bien, allons-y. J'adore les expulsions !

Forex a répondu au coup de sonnette en deux secondes à peine. Elle était vêtue d'un jean et d'une chemise de coton bleu qui flottait par-dessus. Les cheveux tirés en arrière et sans maquillage, elle avait l'air plus âgée qu'au Saloon. Et fatiguée. L'air aussi de la maman qui vient de déposer son gamin au foot.

— Vous en avez mis, du temps ! a-t-elle chuchoté, mais assez fort.

— Bonjour, Foxy. Oui, on va très bien, merci, et toi ?

Le regard de Forex a glissé sur Ollie pour inspecter la rue derrière lui et elle a aussitôt reculé en nous tenant la porte grande ouverte.

— Tu nous demandes de te suivre à l'intérieur ? a lancé Ollie qui tenait à recevoir de Forex une invitation à entrer en bonne et due forme.

— Oui, a-t-elle riposté entre ses dents.

— Tous autant qu'on est ?

— Oui, a-t-elle répété tout en nous faisant signe d'avancer en repliant rapidement les doigts plusieurs fois de suite.

Ollie a obtempéré, puis Ryan, et enfin votre humble servante. Et Forex s'est dépêchée de refermer la porte.

Coup d'œil autour de moi. Nous étions dans un salon encombré de meubles qui donnait sur une salle à manger, elle aussi bourrée à craquer. Des buffets noirs, lourds et sculptés, comme il y en avait chez ma grand-mère. Une moquette vert mousse, un canapé vert d'eau avec des rayures plus foncées, des fauteuils turquoise qui juraient avec le reste.

À gauche, un escalier menant à l'étage. Deux marches, un palier, puis un quart de tour et tout droit. Aux murs, accrochées de manière à former une ligne parallèle à la rampe, les photos souvenirs habituelles : bébés, remise de diplôme, jeunes mariés.

Droit devant, une cuisine et, dans un renfoncement, un Mac avec une feuille de calcul affichée à l'écran. De part et d'autre de l'ordi, des livres et des tirages papier éparpillés sur le comptoir. Au-dessus, sur une étagère, des classeurs à feuilles mobiles noirs.

— Tu fais de la compta à tes moments perdus ? a demandé Ollie, à qui ce poste de travail n'avait pas échappé.

— Oui, pour deux ou trois sociétés. C'est parfaitement légal.

— Tu leur racontes quoi, aux voisins ? Que tu es comptable ?

— Ce que je dis aux voisins ne vous regarde pas !

— Tu as des compétences. Pourquoi tu fais le tapin ? a questionné Ollie, sincèrement curieux de le savoir.

— Parce que ça me plaît, a-t-elle répliqué sur un ton défensif. Bon, vous allez me débarrasser de cette salope, oui ou non ?

— Dis-moi d'abord pourquoi tu veux la virer.

— Pourquoi ? Je vais vous le dire, pourquoi ! Parce qu'y a des règles à respecter, ici, et qu'elle a abusé de ma confiance.

— Aurora Devereaux ?

— Ouais. Je lui ai ouvert ma porte pour quasiment pas un rond.

— Elle n'a pas payé sa part du loyer ?

— C'est pas ça. Moi, j'ai joué cartes sur table dès le départ : si t'habites chez moi, t'es plus clean que Doris Day. Pas d'hommes, pas d'alcool, pas de drogue ! (Devenant de plus en plus rouge à chaque mot.) Et comment elle me remercie, c'te salope ? Elle se shoote à mort tous les soirs. Une fois, ça passe, j'peux fermer les yeux, on fait tous des conneries. Mais elle, c'est une junkie de chez junkie. Elle fait ses saloperies ici même, sous mon toit. Qu'elle sniffe, se shoote, fume ou se bourre de n'importe quoi, je veux pas le savoir !

Ollie a tenté d'endiguer le flot. Peine perdue, Forex était lancée.

— Je rentre du Western et vous savez comment je la trouve ? Assise dehors, cul nu sur la pelouse ! Et c'est pas tout ! Elle braille à tue-tête ! s'est-elle exclamée en se frappant la poitrine du plat de la main. Un vrai karaoké dans le jardin. Et que je te pousse la chansonnette à deux heures du matin !

— Qu'est-ce qu'elle chantait ? s'est informé Ollie.

— Quoi ?! s'est offusquée Forex dans un cri de rage et d'épuisement mêlés.

— Je m'interrogeais sur ses goûts musicaux.

Là, elle a levé les deux mains en l'air.

— Mais qu'est-ce que ça peut foutre, bordel !

Sa tête, tendue en avant, a fait saillir les tendons de son cou.

— Moi, dans ces cas-là, j'ai un faible pour la chanson de Queen, tu sais, *Fat Bottom Girls*, « Les filles à gros culs ».

— « Putain ce qu'elle me hait », a jeté Forex, les bras levés au ciel, en mettant tout l'accent sur le verbe.

— Faudrait voir à t'endurcir le cuir, Foxy ! a conseillé Ollie.

Visiblement, la référence musicale de Forex lui avait échappé. Je suis intervenue.

— C'est dans une chanson des Puddle of Mudd, oui, les « Flaque de boue ».

Trois visages ont pivoté dans ma direction.

— Un groupe de Kansas City. La chanson c'est *She Hates Me*, si je me souviens bien.

— Z'êtes normaux, tous les trois ? s'est exclamée Forex en laissant retomber ses bras. J'vous parle d'une cinglée qui joue les naturistes sur ma pelouse, et vous, crétins que vous êtes, vous trouvez pas mieux que de jouer à « Fa Si La chanter » !

Coup d'œil à Ryan. Il s'était détourné, mais j'ai vu qu'un fantôme de sourire flottait sur ses lèvres.

— Donc, t'as demandé à Devereaux de se tirer ? a dit Ollie, revenant à la raison première de notre présence.

— J'y ai d'abord ordonné de couvrir son gros cul. Elle m'a envoyée chier et s'est claquemurée dans sa chambre. C'est pour ça que je vous ai appelés.

— Elle y est toujours ?

— En tout cas, sa porte est toujours fermée à clé.

— T'as pas un double ?

— J'ai pas envie qu'elle me démonte la gueule.

— OK. Voici ce qu'on va faire. On l'interpelle, mais toi, pendant ce temps-là, tu disparais. Pas un mot, pas un geste. Tout simplement, tu t'en mêles pas ! Compris ?

— Faites du bien à un vilain, il vous fait caca dans la main !

— Bon, si tu le prends comme ça, on se casse !

Ollie a fait un pas en direction de la porte.

— OK. OK, a accepté Forex en le retenant par le bras. Elle est dans la chambre au-dessus du garage.

— La crèche que t'avais donnée à Annaliese Ruben ?

— Ah ouais, d'accord. Y a toujours un moment où il faut payer l'addition.

Elle a pris une clé dans le tiroir d'un guéridon et l'a jetée à Ollie.

— Inutile de foutre le bordel. Tout ce qu'Annaliese a laissé est regroupé dans un sac de sport, dans le placard.

Forex nous a précédés jusque dans la cuisine. La porte de service ouvrait sur un petit patio qui donnait sur une pelouse bien entretenue.

— Devereaux a une arme à feu ? a demandé Ryan, ses premiers mots depuis qu'il était entré dans la maison.

— Pas que je sache. C'est contraire à mes règles. Mais après tout, qu'est-ce que Son Altesse en a à foutre ?...

Nous étions presque dehors quand Forex a ajouté dans notre dos :

— Méfiez-vous, quand elle déplane, c'est un serpent, cette saleté.

Pour accéder au garage en voiture, il fallait emprunter la ruelle derrière la maison. En revanche, quand on était à pied, il fallait suivre une allée en dalles de béton. C'est ce que nous avons fait.

La porte du garage n'était pas verrouillée, nous sommes donc entrés.

À l'intérieur, une odeur d'huile et d'essence, et des relents d'ordures en décomposition. Au centre, une Honda Civic gris métallisé qui occupait presque tout l'espace. Le long des murs, les outils de jardin habituels, des bacs de recyclage et les poubelles. Droit devant nous, juste après une minuscule remise, une série de marches menant au premier étage. Nous les avons grimpées.

Arrivés en haut, nous nous sommes déployés selon notre technique habituelle et Ollie a frappé à la porte.

— Madame Devereaux ?

Pas de réponse.

— Aurora Devereaux ?

— Dégage ! (Voix étouffée et pâteuse.)

— Police. Ouvrez !

— Tirez-vous !

— Ça risque pas.

— J'suis pas habillée.

— On va attendre.

— Si c'est pour voir mes nichons, ce sera vingt dollars.

— Habillez-vous.

— Z'avez un mandat ?

— Je préférerais régler ça à l'amiable.

— Si vous avez pas de mandat, allez vous faire mettre.

— Comme vous voudrez. On peut parler ici ou au commissariat.

— Allez vous faire foutre !

— C'est toi qui va te faire foutre. Au trou. Pour racolage. Y a des témoins.

— Témoins, mon...

— ... cul ! a terminé Ollie. Mais c'est pas pour ça qu'on est là.

— Ah ouais ? Et qu'est-ce qui me vaut cette chance ?

— Un pote t'a entendue chanter. Il m'a demandé de te déposer un contrat pour un enregistrement.

Un choc sourd de l'autre côté de la porte et le bruit d'un objet rebondissant sur le sol. Bruit de verre brisé.

Ollie s'est tourné vers nous, un sourcil levé. Puis :

— Je vais entrer de force.

— À votre bon cœur. Les lampes, c'est pas ça qui manque.

Ollie a introduit la clé dans la serrure et l'a tournée.

Rien n'est venu se fracasser contre la porte. Aucun bruit de cavalcade ne nous est parvenu. Se tenant de biais, Ollie a repoussé le battant aussi loin qu'il le pouvait. Ryan et moi, on s'est plaqués le plus possible contre le mur.

Aurora Devereaux était assise toute droite au beau milieu d'un foutoir d'oreillers, de draps et de couvertures.

Non sans mal, j'ai réussi à cacher mon ahurissement.

14.

Devereaux avait des yeux bleus époustouflants et des cheveux d'un vilain blond platine plantés bas sur le front. Ses sourcils noirs décrivaient un arc assez haut et retombaient pour former un petit endroit poilu à la racine du nez. Assez court celui-ci, et se terminant en pied de marmite. Ses lèvres minces révélaient des dents mal plantées et très espacées.

Un ensemble de traits caractéristique du syndrome de Cornelia de Lange, une maladie génétique causée par une altération chromosomique.

Inexplicablement, un nom auquel je n'avais pas pensé depuis près de quarante ans m'est venu à l'esprit : Dorothy Herrmann, mon amie d'enfance. Nées à six jours d'intervalle de deux mères qui vivaient à Beverly, dans le South Side de Chicago, Dorothy et moi avions été inséparables dès l'instant où nous avions su marcher, et cela jusqu'à l'âge de huit ans, quand ma famille avait déménagé en Caroline du Nord. Nous nous appelions l'une l'autre Rip et Rap. Dorothy peuple la totalité de mes plus anciens souvenirs d'enfance.

Sa jeune sœur, Barbara, était atteinte de ce syndrome. Sur de vieilles photos, on la voit parmi d'autres enfants du quartier, portant un de ces affreux pulls de Noël trop long pour ses bras, ou déguisée en bergère de dessins animés pour Halloween. Son visage disgracieux est perpétuellement divisé en deux par un sourire qui révèle ses dents écartées à la façon des traditionnelles citrouilles qu'on sculpte à cette occasion.

À l'exception de la teinture ratée et de l'agressivité, Barbara Herrmann aurait pu être la jumelle d'Aurora Devereaux. Si elle avait atteint son âge. Hélas, elle s'était suicidée.

J'étais déjà à l'université quand j'avais appris la nouvelle. Je n'avais jamais perdu le contact avec Dorothy, mais, enfermée dans mon égocentrisme d'adolescente, je n'avais pas pris la mesure de ce que mon amie me confiait par allusions sur la dépression croissante de sa sœur. Ou bien j'avais choisi de l'ignorer, préférant voir la vie en rose. Barbara souriait tout le temps, elle était heureuse. Tout allait bien.

Aurais-je dû réagir ? Des visites, des lettres, des appels téléphoniques de ma part auraient-ils pu empêcher Barbara de se tuer ? Bien sûr que non. Sa famille elle-même n'avait rien pu y faire. Et pourtant, mon manque de sensibilité continue de me hanter.

Devereaux était assise, ses petites mains posées sur ses genoux relevés. Au vu de la longueur de son torse et de ses jambes, elle devait avoir la taille d'une écolière de sixième.

Comme Barbara Herrmann, les personnes atteintes de ce syndrome souffrent souvent d'une capacité intellectuelle inférieure à la normale. Pour Devereaux, ce n'était probablement pas le cas, à en juger par son dialogue avec Ollie.

— On va entrer, maintenant.

La voix d'Ollie avait perdu un peu de sa rudesse

156

de flic. À voir son expression, il était clair qu'il était sous le choc, lui aussi.

Idem pour Ryan, mais lui, il cachait mieux sa réaction.

Devereaux nous a regardés en silence franchir le seuil et contourner la lampe écrasée sur le rectangle de carrelage devant la porte.

La pièce faisait dans les quatre mètres sur quatre. En plus du lit, il y avait une table en bois et deux fauteuils pivotants, une commode, et des étagères croulant sous un fouillis de vêtements, de sacs à main, d'articles de toilette et de magazines. Au mur, une télé comme dans les chambres d'hôpital.

Sur le côté droit de ce salon-chambre à coucher, une kitchenette avec un réfrigérateur taille minibar, un évier et un réchaud, alignés le long du mur. Sur le sol de cet espace cuisine, le même carrelage que devant la porte d'entrée, contrairement au reste de la pièce recouvert de moquette. De la vaisselle sale, des canettes vides et des restes de malbouffe s'entassaient dans l'évier et sur le minuscule comptoir.

De la cuisine, un petit couloir menait à un placard et à une salle de bains. Les deux portes en étaient ouvertes, et les deux plafonniers allumés. Un vrai champ de bataille. Des vêtements, des draps, du maquillage, du linge sale, des chaussures et tout un fatras d'objets non identifiables, jetés pêle-mêle sur les étagères, suspendus aux luminaires ou accrochés n'importe comment aux poignées, porte-serviettes, tringles de placard ou rideau de douche.

Ollie a ramassé sur une chaise une robe d'un vert éclatant et l'a jetée sur le lit. Côté Devereaux, pas de réaction.

— Foxy n'est pas contente, a-t-il commencé.

— Elle râle tout le temps, cette emmerdeuse !

— Elle dit que tu as fait une sacrée bringue, hier soir.

— Et alors ? a répliqué Devereaux, en haussant une épaule dénudée en même temps qu'elle levait la main, paume offerte.

— Foxy veut que tu te tires.

— Elle veut beaucoup de choses, Foxy.

— Tu as un bail ?

— Bien sûr. Je le garde au coffre, avec mon testament.

— Dans ce cas, aux yeux de la loi, tu n'es pas autorisée à habiter ici.

Pas de réponse.

— Faut partir, Aurora, a dit Ollie sur un ton presque compatissant.

Devereaux a attrapé une petite fiole en plastique sur la table de nuit. Le menton levé, elle s'est fait tomber une goutte d'antihistaminique dans une narine, puis dans l'autre. Processus bruyant.

En attendant qu'il prenne fin, j'ai examiné les lieux plus en détail. Aucun objet personnel. Pas de photo, d'aimants sur la porte du réfrigérateur, de bibelots ou de porte-plantes en macramé.

En plus de l'antihistaminique, la table de chevet accueillait un flacon à demi vide de Pepto et un monticule de mouchoirs en papier froissés.

Souvenir d'un autre symptôme propre à cette maladie : le reflux gastrique, qui peut rendre l'absorption de nourriture particulièrement désagréable. J'ai ressenti un élan de pitié envers cette femme sur le lit qui avait la taille d'un enfant.

Pendant qu'elle se mouchait avec un soin qui appelait l'admiration, je me suis déplacée le plus discrètement possible en direction du couloir pour jeter un coup d'œil au placard.

Mon mouvement n'a pas échappé à notre agressive hôtesse.

— Où est-ce qu'elle va ?

— T'occupe pas d'elle ! a répondu Ollie.

— T'occupe, mon cul ! J'aime pas que des inconnus viennent foutre leur nez dans mes petites culottes.

J'ai jugé bon d'expliquer :

— Mme Forex a laissé un sac de sport dans le placard. Nous avons sa permission pour l'emporter.

Les néons bleus ont basculé sur moi. Des cils recourbés. Les plus longs peut-être que j'aie vus de ma vie.

— Mme Forex a l'intelligence d'un sandwich au salami, a craché Devereaux avec un rictus.

— Elle a tout de même été gentille avec vous.

Ses sourcils épais sont remontés presque jusqu'au front.

— Gentille ! C'est comme ça que vous appelez ça ? En fait, je suis la dernière en date de ses tocades dans le charité business.

— Charité business ?

— Ben ouais, accueillir sous son toit les mochetés pour faire de leur vie un bonheur permanent.

— Et Annaliese Ruben, c'était une mocheté ? ai-je demandé, en sentant ma pitié tourner à la détestation.

— Sûr que c'était pas Miss America, a répondu Devereaux avec un vilain reniflement de morve diluée par les gouttes.

— Vous l'avez rencontrée ?

— J'en ai entendu parler.

— Où est son sac ? a dit Ollie sèchement, car la moutarde commençait à lui monter sérieusement au nez.

— Aucune idée.

— Fais un petit effort, Aurora, comme à l'école.

— Pas de mandat, pas de réponse.

— Hé, gamine, je m'efforce encore d'en appeler à tes bons sentiments.

— J'en ai pas, de bons sentiments.

— Très bien. On essaie autre chose. J'ai une dame propriétaire qui se plaint de la présence de substances illégales chez elle. Qu'est-ce que tu dirais qu'on fouille ta piaule ? Tu préfères ça, comme mise en bouche ?

Ollie a ramassé un sac à bandoulière par terre, près du lit. Un truc en métal, avec une frange à faire pâlir d'envie l'épouse de Roy Rogers.

Devereaux s'est penchée en avant, le bras tendu.

— Donnez-moi ça !

Ollie a reculé hors de sa portée.

— Espèce de salaud !

Avec un sourire, Ollie s'est mis à balancer le sac comme un pendule.

— Connard !

Ollie a désigné la robe.

— Allez, tournez-vous !

Je me suis exécutée, Ryan aussi. Pas Ollie.

Des bruits de mouvements, des bruissements de tissu, et un cliquetis de clous au moment où le sac a atterri sur le lit.

— Parfait.

Au commentaire d'Ollie, nous nous sommes retournés.

Devereaux était assise de biais au bord du lit, les jambes pendantes, ses orteils ne touchaient pas le sol. Elle avait enfilé sa robe et arborait toujours un air genre « allez vous faire foutre ».

Ollie a répété sa question :

— Où est le sac de Ruben ?

— Dans le placard, sur l'étagère.

— Je crois que tu as des valises à faire ?

— Plutôt bouffer de la merde de chien que de passer un jour de plus dans ce trou à rat !

Son sac à main serré sur sa poitrine, Devereaux s'est projetée en avant et s'est laissée tomber du lit. Attrapant un short et un haut parmi le fouillis des étagères, elle s'est dirigée vers la salle de bains et a claqué la porte derrière elle.

Nous lui avons emboîté le pas.

Le placard était un mini-dressing avec, d'un côté, une longue tringle à hauteur de tête, et de l'autre, deux tringles plus courtes. Les robes, hauts et jupes accrochés aux cintres étaient pour la plupart de couleurs vives et, dans l'ensemble, assez tape-à-l'œil.

Par terre, un océan de chaussures et de vêtements sales jusqu'à hauteur de cheville. Dans les moindres recoins, une odeur de sueur, sirupeuse. Au-dessus des tringles, des deux côtés, une seule planche en forme de L. Bourrée à craquer de papier toilette, de rouleaux d'essuie-tout et de boîtes de chaussures, en plus d'une imprimante, d'un mixer pour la cuisine, d'un ventilateur et de tubes en plastique au contenu mystérieux.

Le sac de sport était fourré tout au fond, dans l'angle du L. C'est moi qui l'ai repéré. Vert olive, en polyester, avec des poignées noires et une poche sur le devant, fermée par une glissière.

Pour faire un peu d'espace dans cette pagaille de vêtements au chic incendiaire de supermarché, j'ai poussé une série de cintres sur le côté et découvert un escabeau. Je m'en suis emparée. Ce faisant, mon regard a accroché un détail sur le mur, quelque chose d'à moitié caché par une grande valise. Mon pouls s'est accéléré.

Plus tard.

Ayant écarté les vêtements, j'ai positionné l'escabeau. Puis, Ryan guidant mes pas, j'ai gravi les échelons.

En trois secousses, le sac a été libéré du fatras. Vu son poids, il ne devait pas contenir grand-chose.

Je l'ai passé à Ryan, qui l'a remis à Ollie, et nous sommes retournés dans la grande pièce. À en juger par l'eau qui coulait dans la salle de bains, Devereaux n'avait pas terminé sa toilette.

D'un geste, Ollie m'a accordé l'honneur insigne d'ouvrir le sac. J'en ai écarté les poignées et j'ai tiré sur la languette de la fermeture à glissière.

À l'intérieur, quatre choses en tout. Des lunettes de soleil bon marché, monture en plastique avec un verre fêlé. Une boule à neige contenant un panda et des papillons. Un rasoir Bic rouillé. Une sandale en pneu datant probablement de l'ère Woodstock.

— Eh bien voilà qui va grandement nous faciliter la tâche.

Avec Ryan, on s'est contentés de fixer Ollie.

— Elle ne va pas revenir chercher ces joyaux, je veux dire.

L'humour d'Ollie est tombé à plat.

— Et la poche avant ? a suggéré Ryan.

J'ai vérifié. Elle était vide.

Nous étions plantés là, rendus muets par la déception, quand la porte de la salle de bains s'est ouverte. Nous nous sommes retournés comme un seul homme.

Les cheveux blonds étaient maintenant coiffés en chignon et cimentés à la laque. Quant au visage, il n'avait rien à envier à la palette de Gauguin. Paupières vert et lavande. Joues roses. Lèvres vermillon. Copie conforme des gamines qui participent aux concours de mini-miss. Du plus haut comique si Devereaux n'avait pas été atteinte de ce mal.

Elle a traversé la pièce sans nous prêter attention, s'est agenouillée par terre et a tiré une valise de sous le lit. Elle a entrepris d'y balancer rageusement les vêtements entassés par terre et sur les étagères. En boule, en vrac. Sa priorité n'était pas d'empêcher les fringues de se chiffonner.

Discrètement, j'ai fait part à mes compagnons de ce que j'avais vu dans le placard, derrière la valise.

— Amovible, ce panneau ? a voulu savoir Ryan.

— J'ai l'impression.

— Il doit permettre d'accéder à la tuyauterie de la salle de bains.

— Vous pensez qu'il pourrait cacher un autre bébé ? a demandé Ollie sur un ton sinistre.

Mon regard a dévié sur Devereaux. Elle vidait un tiroir de la commode, sans s'inquiéter de ce que nous disions.

De la tête, j'ai désigné le placard.

En silence, nous y sommes retournés. Ryan a extrait la valise de derrière les vêtements.

Le panneau de trente centimètres carrés était vissé au mur.

Un panoramique de 360° m'a permis de repérer une paire de hauts talons orange. J'en ai attrapé un et je l'ai passé à Ryan.

Coinçant le bout du talon sous le bord du panneau, il a tiré avec le corps de la chaussure. Les vis ont lâché sans opposer de résistance.

C'était parti pour une réédition de ce que nous avions vécu à Saint-Hyacinthe.

Retenant mon souffle, j'ai regardé Ryan introduire ses doigts sous le panneau pour faire levier, puis tirer à lui la plaque de bois. Un trou béant, noir et menaçant, est apparu.

Ollie a tendu une mini-lampe torche à Ryan. Un petit rond de lumière a troué l'obscurité et illuminé des tuyaux, comme on pouvait s'y attendre. Des tuyaux sombres, enveloppés d'isolant effiloché.

Poursuite de l'exploration. Le faisceau a glissé jusqu'à une colonne de ventilation. A franchi un joint à bride. A suivi une traverse horizontale.

Des bangs en provenance du couloir m'ont appris que Devereaux en était aux tiroirs et placards de la kitchenette.

D'autres bangs, dans mes oreilles, m'ont fait savoir que mon pouls était devenu fou.

Le rond lumineux est revenu en arrière, a poursuivi vers la droite, puis a commencé à sonder plus bas.

Quelques secondes se sont écoulées. Une éternité.

Finalement, un paquet. Coincé au fond d'un piège en forme de U.

J'ai cru que j'allais vomir.

La serviette était bleue, avec une broderie sur le côté. Elle était bien serrée, le bout le plus gros tourné vers nous.

— On appelle le médecin légiste ? a demandé Ryan.

Ollie a secoué la tête.

— Vérifions d'abord. Qu'on ne le fasse pas venir pour rien.

Dans ma tête, une voix s'évertuait à nier la réalité brutale que mes yeux percevaient. *Non, Seigneur, non !*

Ryan a déposé la torche par terre pour prendre une série de photos avec son iPhone.

— C'est bon, a-t-il dit après les avoir visionnées.

Le laissant attraper le paquet, j'ai écarté les habits qui jonchaient le sol et aménagé un espace. Puis, sous le regard de mes deux compagnons, je me suis laissée tomber à genoux et j'ai pris une profonde inspiration.

Le tissu, très abîmé, se déchirait facilement. Les différentes couches de tissu s'étaient collées ensemble sous l'action de fluides qui avaient depuis longtemps séché et durci.

Les doigts tremblants, j'ai essayé de pratiquer une ouverture sans causer trop de dégâts.

Le tumulte d'émotions qui se bousculaient en moi a étouffé jusqu'au dernier son et un silence mortel s'est abattu sur le monde alentour.

Le tissu-éponge a fini par céder. J'ai roulé les deux parties, chacune sur un côté.

Des os, petits et bruns, rassemblés autour d'un crâne en plusieurs morceaux.

— Nom de Dieu !

J'ai relevé les yeux.

Le teint d'Ollie avait viré couleur bouillie d'avoine. Je me suis rendu compte à cet instant seulement qu'il n'avait pas vu les autres bébés morts.

J'ai refermé la serviette en mettant dans mes gestes la plus grande délicatesse.

— Ça en fait quatre, maintenant, à notre connaissance, a dit Ryan et il a effectué une dernière exploration du trou.

— Cette salope de meurtrière a laissé derrière elle une traînée de cadavres d'enfants du Québec à l'Alberta, et nous ne sommes pas foutus de lui mettre le grappin dessus !

Écœuré, Ollie avait parlé bien trop fort.

— On va la retrouver, a juré Ryan.

Je me suis relevée à mon tour et j'ai posé une main apaisante sur le bras d'Ollie.

— Appelle le légiste.

15.

À une heure et demie, en compagnie d'un Ryan vêtu comme moi de la tenue réglementaire, je me tenais près de la table en inox où reposait notre dernière petite victime. Nous avions déjà les photos et les radios du corps. Le Dr Dirwe Okeke, l'une des toutes nouvelles recrues engagées par le médecin examinateur de l'Alberta, avait déjà mesuré les os. Je les avais ensuite soigneusement brossés à sec et replacés selon la disposition anatomique pendant qu'il mettait par écrit ses premières observations.

Okeke ressemblait plus à un jeune sportif décidé à défendre les couleurs de son collège qu'à un médecin pathologiste. En cas de contestation, personne dans l'équipe adverse n'aurait songé à lui réclamer son extrait de naissance. Il devait mesurer pas loin d'un mètre quatre-vingt-dix et peser dans les cent vingt kilos. Si je l'avais croisé dans la rue, je lui aurais donné tout au plus dix-huit ans.

Quand j'avais téléphoné au bureau du médecin examinateur, la réceptionniste avait exigé de connaître mille et un détails sur les raisons de mon appel avant de me transférer sur le poste d'Okeke. Celui-ci avait écouté sans m'interrompre toute l'histoire des bébés retrouvés morts au Québec et de celui découvert chez Susan Forex.

Comme on pouvait s'y attendre, Okeke avait tenu à constater la situation en personne. Il avait débarqué sur les lieux à bord d'une Cadillac Escalade dont le siège conducteur avait été spécialement aménagé pour accueillir une baleine. Deux techniciens suivaient dans un fourgon.

En voyant Okeke, Devereaux avait effectué un virage à cent quatre-vingts degrés, devenant la douceur même. Comment le lui reprocher ? Le bon docteur semblait appartenir à une autre espèce, immense et noir à côté d'elle si petite et si pâle. Okeke n'avait nul besoin de bouger ou de parler pour donner l'impression de remplir la pièce à l'en faire éclater.

Il avait posé quelques questions, regardé les petits restes en silence. Puis il avait interrogé Devereaux. Celle-ci avait juré ses grands dieux qu'elle ignorait tout de ce bébé. Elle n'avait jamais rencontré Ruben, ni eu la moindre raison de retirer le panneau.

Forex ne savait rien non plus. Du moins l'affirmait-elle. Et son expression sidérée portait à croire qu'elle disait la vérité.

Ollie avait attendu que Devereaux entasse toutes les merveilles du placard dans la seconde valise, puis il l'avait lui-même conduite dans un foyer pour femmes. Beau geste sans doute suscité par la compassion, mais plus encore, à mon avis, par la crainte d'entrer en trop grande proximité avec ce nouveau-né assassiné.

Sous le regard attentif du trio que nous formions, Ryan, Okeke et moi-même, les techniciens avaient élargi à la scie électrique l'ouverture dans le mur, et sondé l'intérieur. Leurs efforts n'avaient abouti qu'à déloger des cafards de leur nid. Point barre.

Laissant les techniciens achever leur travail, Okeke avait transporté les restes du bébé jusqu'au bureau du ME, dans la 116ᵉ Rue. Ryan et moi avions fait la route avec lui, dans son Escalade. En chemin, Okeke nous avait dit qu'il venait du Kenya et avait étudié la médecine en Grande-Bretagne. Rien de plus. Le gars n'était pas du genre bavard.

Voilà comment nous étions arrivés dans cette salle d'autopsie.

Comme le bébé des combles de Saint-Hyacinthe, ce nourrisson était réduit à l'état de squelette et à quelques fragments de tissus desséchés. Privés de la chair qui les aurait retenus, les os du crâne s'étaient éparpillés et se présentaient maintenant comme sur l'illustration d'un manuel d'anatomie.

— S'il vous plaît, vous pouvez préciser ?

Okeke avait une voix profonde et un phrasé typique de la langue des Massaï mais remodelé par des années de scolarité britannique.

— Le bébé en était à au moins sept mois de gestation au moment de son décès.

— Il n'est pas né à terme ?

— C'est difficile à dire. Si oui, il était dans un très faible centile, pour ce qui est de la taille. Cela dit, il était viable, sans aucun doute, même si ce n'était encore qu'un fœtus.

Okeke a pris en note mes mesures et mes observations à mesure que je les lui expliquais. Dans sa main énorme, la planchette ressemblait à un jouet.

— Le sexe ?

— Impossible à établir à partir des os seuls.

Okeke a hoché la tête et l'on a pu voir la peau de son crâne faire des plis dans son cou.

— Des traumatismes ?

— Aucun. Pas de fractures ou de signes indiquant de mauvais traitements.

— Cause de la mort ? a-t-il demandé après avoir encore griffonné dans son calepin.

— Ni les os ni les radios ne font apparaître de signe de malnutrition, de maladie ou de déformation. Aucune présence non plus d'un quelconque corps étranger, ai-je ajouté en pensant au bébé de la banquette.

— Et pour l'ascendance ?

— Les pommettes peuvent avoir été assez larges, mais c'est difficile à dire avec des os dépourvus d'articulation. Toutefois, j'ai peut-être noté une légère forme en pelle sur une incisive de la mâchoire supérieure.

— Ce qui suggérerait ce qu'on appelait autrefois l'origine raciale mongoloïde.

— Oui.

Je lui ai alors parlé des découvertes de Simone concernant l'ADN du bébé du meuble de toilette.

— Donc, ce bébé-ci pourrait être d'origine autochtone, lui aussi ?

— À considérer qu'il soit bel et bien le frère ou demi-frère du bébé testé.

— Douterait-on que ces enfants soient tous nés de la même mère ?

Je me suis tournée vers Ryan. Okeke aussi.

— Nous n'en avons aucune preuve, a déclaré Ryan, mais nous pensons cependant que c'est bien Annaliese Ruben qui a donné naissance à ces quatre bébés.

— Pourquoi une mère tuerait-elle ses enfants ?

Effectivement. À l'évidence, Okeke était nouveau dans le métier.

— Et pourtant, ça arrive.

— Où est cette femme, maintenant ? a demandé Okeke, et ses yeux noirs se sont encore assombris.

— Nous sommes à sa recherche, a répondu Ryan.

Okeke s'apprêtait a poser une autre question quand la sonnerie stridente d'un téléphone lui a coupé le sifflet.

— Excusez-moi.

Deux pas lui ont suffi pour atteindre une table à côté d'un évier, dans le fond de la salle d'autopsie, quand il m'en aurait fallu cinq.

Okeke a retiré un de ses gants, appuyé sur un bouton et décroché le combiné.

— Oui, Lorna. (Pause.) Je choisis de ne parler à personne pour le moment.

Lorna a dit quelque chose. Ce devait être le cerbère qui avait pris mon appel.

— C'est qui, ce type ? (Nouvelle pause, plus longue.) Et où ce M. White a-t-il obtenu l'information ?

Tout en écoutant la réponse de Lorna, Okeke a reporté les yeux sur moi.

— Passez-le-moi.

Lorna s'est exécutée.

— Dr Okeke.

White était doté d'un organe plus puissant que Lorna et sa voix a franchi la barrière de l'écouteur sous forme d'un bourdonnement plaintif.

— Je ne peux rien divulguer, monsieur.

Le bourdonnement suivant s'est terminé sur une note située dans le haut de la gamme, ce qui laissait supposer une question.

— Je suis désolé, c'est confidentiel.

Impatiente de procéder à l'analyse, je me suis avancée vers la paillasse pour m'occuper de la serviette qui avait enveloppé le bébé. C'était comme dans *Un jour sans fin*. Salle d'autopsie n° 4, une fois de plus.

Mêmes gestes soigneux pour défaire et tirer. Même angoisse à l'idée d'abîmer ce que je manipulais.

Je me suis concentrée sur ma tâche sans plus me soucier de la conversation d'Okeke, essayant d'introduire mes doigts sous le tissu que je tordais et soulevais, les glissant plus loin et soulevant encore.

La couche de crasse cédait, un millimètre après l'autre, dégageant peu à peu les plis.

J'ai vaguement noté qu'au fond de la pièce les réponses d'Okeke étaient de plus en plus hachées. Pour ma part je continuais à titiller et tirailler le tissu.

Finalement, la serviette s'est retrouvée quasiment à plat. Ne résistait plus qu'un seul coin. J'ai tiré délicatement dessus. Les dernières fibres se sont décollées avec un *scratch* de bandes Velcro qu'on sépare.

Eh oui, *Un jour sans fin*, me disais-je. Sauf que cette fois, ma trouvaille n'a pas été un sac de gravillons et de petits cailloux verts, mais un bout de papier.

Collé sur la face interne du coin qui ne voulait pas se détacher. Du bout d'un de mes doigts gantés, j'ai essayé de dégager un des bords. Sans résultat. Le papier ne faisait qu'un avec le tissu-éponge.

J'ai ajusté la lampe Luxo et je me suis penchée pour voir ce qui était écrit. Des lettres majuscules, noires sur fond bleu. Et, au-dessus, quelque chose qui aurait pu être une bordure blanche.

Dans l'espoir de trouver un sens au message, j'ai fait pivoter la serviette. « AL MONFWI », ai-je réussi à déchiffrer.

J'imaginais toutes sortes de significations possibles en ajoutant les lettres aux deux bouts, lorsqu'une phrase d'Okeke m'a arrachée à cette tâche. J'ai relevé la tête brusquement.

— On m'a dit que vous appeliez pour nous communiquer des informations sur Annaliese Ruben.

Ryan a regardé dans ma direction, en haussant légèrement les sourcils. J'ai répondu par une mimique identique.

Nouveau bourdonnement de paroles, puis Okeke s'est enquis :

— Puis-je savoir pourquoi cette affaire vous intéresse, monsieur ?

Côté bourdonnement, une longue explication qu'Okeke a fini par interrompre.

— Êtes-vous journaliste, monsieur White ?

Le bourdonnement a recommencé ses litanies. Mais cette fois, Okeke a coupé court en raccrochant bruyamment le combiné.

Il a essayé d'écrire quelque chose dans son bloc-notes, a secoué son stylo puis, exaspéré, l'a jeté sur le bureau. Le stylo a rebondi et roulé sur le carrelage. Okeke ne s'est pas penché pour le ramasser. J'ai demandé :

— C'était un journaliste ?

— Un dénommé White. Si c'est réellement son nom.

— Qui travaille pour...?

— Aucune importance, a répliqué Okeke. Mais ce que je voudrais savoir, moi, c'est comment il a appris l'existence de ce bébé, a-t-il ajouté avec un geste vif de son bloc-notes en direction des tristes petits os. Et des autres, d'ailleurs.

— Parce qu'il était au courant pour les bébés du Québec ? me suis-je exclamée, incapable de dissimuler ma surprise.

— Oui, absolument, a confirmé Okeke, et ses yeux

se sont vrillés dans les miens avec une colère intimidante.

— En tout cas, ce n'est pas de moi qu'il tient ses informations ! Ni de Ryan ! ai-je rétorqué sèchement, piquée au vif par son accusation implicite.

— Ni le Dr Brennan ni moi-même ne mentionnons jamais quoi que ce soit à la presse sur des enquêtes en cours.

Okeke a reporté sur Ryan son regard furieux.

— Et pourtant, il était au courant...

— Les renseignements sur le bébé d'ici n'ont pu venir que de Devereaux ou de Forex, a dit Ryan d'une voix égale, quoique étouffée. Ou encore d'un de vos techniciens. Mais cela n'explique pas qu'il ait été au courant du volet québécois de l'affaire.

Ollie aussi était au courant de tout, ai-je pensé par-devers moi.

— Pourquoi quelqu'un de chez nous ferait-il une chose pareille ?

Faisant passer son pouce d'un doigt sur l'autre pour compter, Ryan a énuméré les raisons possibles :

— Quelqu'un appelle White, prétendant avoir des informations de première main sur une femme qui abandonne derrière elle des cadavres de bébés d'un bout à l'autre du Canada. Il dit qu'il vendra son scoop au plus offrant. White se dit que l'histoire pourrait bien tenir debout, et il allonge la monnaie.

— C'est vraiment se complaire dans le sordide ! a réagi Okeke en secouant la tête, écœuré. C'est comme l'histoire de vos fameux Butterbox Babies. En faire un livre et même un film, ça me dépasse !

Okeke faisait allusion à la maternité Ideal Home, à Nova Scotia, un centre pour futures mères célibataires, dirigé de 1928 à 1945 par le couple Young. William

Peach Young, chiropracteur de son état et clergyman non ordonné de l'église adventiste du septième jour, et sa femme, Mercedes, qui était sage-femme, mettaient les bébés au monde. Ensuite, ils se chargeaient de leur trouver une famille d'adoption. Après des années d'exercice, le taux élevé de mortalité infantile ainsi que les nombreuses accusations de profit illégal avaient amené la police à y regarder de plus près.

L'enquête avait révélé que les Young tuaient délibérément les bébés « invendables », pour la seule raison qu'ils constituaient pour eux un manque à gagner. Les nourrissons atteints d'un handicap ou d'une maladie grave, de même que ceux qui avaient la peau trop sombre, étaient donc condamnés à mourir de faim.

Leurs petits cadavres étaient enterrés dans la propriété, enfermés dans des cartons d'épicerie généralement utilisés pour les produits laitiers, d'où le terme : « bébés boîte à beurre ». D'autres avaient été jetés à la mer ou brûlés vifs dans la chaudière de cette maternité « idéale ». On estime entre quatre et six cents le nombre de nouveau-nés qui auraient connu ce triste sort.

— Je veux savoir qui a fait ça ! s'est écrié Okeke, furieux.

Une veine palpitait sur sa tempe droite.

— Eh bien, nous aussi, ai-je affirmé.

— Vous allez en parler au sergent de la GRC qui était présent avec vous sur les lieux ?

— Mmm.

Un robinet mal fermé gouttait paresseusement dans l'évier en inox. Okeke a fini par faire le tour de son bureau pour ramasser son stylo.

— J'ai trouvé quelque chose dans la serviette, ai-je annoncé.

Les deux hommes m'ont suivie jusqu'à la paillasse et se sont penchés sur le message tronqué.

— Il manque le début du premier mot et la fin du dernier, ai-je fait remarquer.

— Pas nécessairement, a déclaré Ryan.

Je m'apprêtais à lui demander ce qu'il entendait par là quand mon iPhone s'est lancé dans une interprétation originale de l'hymne national irlandais.

Ollie.

J'ai ôté l'un de mes gants et accepté l'appel, pendant que Ryan et Okeke poursuivaient leur étude du bout de papier.

— Tu es où ? a demandé Ollie.

— Toujours avec Okeke.

— Ces os t'apprennent quelque chose ?

— Que Ruben n'aimait pas l'idée d'être mère. Quoi de neuf de ton côté ?

— Après avoir déposé Devereaux à la WIN House, une partie de plaisir que j'espère ne jamais revivre, je suis passé au bureau pour voir s'il y avait du nouveau. J'avais un message d'un gendarme du nom de Grolard. Ça ne s'invente pas.

— Sérieux ?

— Tu veux l'entendre ?

— Je te mets sur haut-parleur, pour que Ryan l'entende aussi.

J'ai appuyé sur le bouton idoine et suis restée bêtement à fixer le téléphone.

— ... un type génial pour tout foirer. Quoi qu'il en soit, j'ai diffusé la photo de Ruben et demandé aux agents de la montrer dans la rue. Et c'est ce qu'a fait mon Grolard.

La réception était mauvaise, la voix d'Ollie était entrecoupée de silences. J'ai levé les yeux sur Ryan pour voir s'il prêtait attention à la conversation. Il tapait un numéro sur son portable.

— Un employé de la gare Greyhound s'est souvenu qu'une femme qui ressemblait à Ruben voulait absolument acheter un billet pour Hay River.

— Quand ça ?

— Hier.

— C'est où, Hay River ?

— Sur la rive sud du Grand Lac des Esclaves. Dans les Territoires du Nord-Ouest.

— Médaille d'or pour la géographie

— Le préposé est sûr que c'était Ruben ?

— Non, mais écoute ça : le type a commencé par refuser de lui vendre un billet à cause du chien.

Mon cœur a loupé un battement.

— Elle avait un chien avec elle ? me suis-je écriée.

— Ouais. Or la Greyhound n'accepte pas les animaux de compagnie. Une seule exception à la règle, les chiens d'aveugle.

— Elle n'est donc pas montée à bord ?

— Si, le gars l'a finalement prise en pitié.

J'ai réfléchi un instant. Ça se tenait, il y a une forte population de Dénés dans les Territoires du Nord-Ouest. C'est ce que je m'apprêtais à dire quand Ryan a créé la surprise :

— Je sais où Ruben est allée.

16.

Okeke a regardé Ryan d'un air sceptique. Moi aussi.

— Elle essaie d'aller à Yellowknife.

— Qu'est-ce qu'il raconte ?! a râlé Ollie au bout du fil.

De ma main libre, j'ai fait signe à Ryan de s'expliquer.

— La dernière suite de lettres, « Monfwi », c'est un mot complet.

J'ai considéré le bout de papier déchiré d'un œil neuf.

— C'est une circonscription des Territoires du Nord-Ouest. Pour les élections à l'Assemblée législative.

— Et comment le savez-vous...?

— Il y a deux ans, à Montréal, j'ai épinglé un gamin de Monfwi qui dealait du crack devant la station de métro Guy-Concordia, a expliqué Ryan sans lever les yeux. Il se trouve que le petit con avait des relations. Je l'ai laissé passer son coup de fil, et vingt minutes plus tard, c'est moi qui en recevais un de son MAL.

Comprendre : membre de l'Assemblée législative.

— Qu'est-ce qu'il raconte ? a répété Ollie.

Sa question s'est échappée de mon téléphone sous

178

forme de crachotis. Ryan s'est contenté de lire le texte affiché sur l'écran de son iPhone :

— La circonscription de Monfwi est constituée de Behchoko, Gamèti, Wekwèeti et Whatì.

— Des communautés dénées.

— Plus exactement, des terres tlichos. En gros, les Dénés se divisent en cinq groupes : les Chipewyans, à l'est du Grand Lac des Esclaves ; les Yellowknives au nord, les Slaveys au sud-ouest, le long du fleuve Mackenzie ; les Tlichos entre les Grands Lacs des Esclaves et de l'Ours, et les Sahtus, dans la partie centrale des Territoires du Nord-Ouest.

— Médaille d'or d'ethnographie.

Réplique piquée à Ollie. Ryan y a répondu en brandissant son portable.

— Google. Tu l'aimes ou tu le quittes.

Je me suis de nouveau concentrée sur le bout de papier.

— Et ce « AL », ce serait les dernières lettres de « MAL » ?

— C'est probablement un bout de tract ou d'affiche, un de ces papiers que les politicards distribuent aux électeurs pour les convaincre qu'ils méritent bien leurs émoluments. Ces torchons, c'est tous les mêmes.

— La circonscription de Monfwi est du côté de Yellowknife ?

Ryan a acquiescé.

— Et le siège de l'Assemblée législative se trouve à Yellowknife.

— Bon, mais ça ne prouve pas que ce soit la destination de Ruben.

— Mais qu'est-ce qu'il raconte, enfin ? a vociféré Ollie.

— Je te rappelle.

J'ai coupé la communication.

— J'ai vérifié les horaires des cars, a expliqué Ryan en agitant une fois de plus son téléphone. Pour aller d'ici à Yellowknife, il faut prendre un bus Greyhound jusqu'à Hay River et, là-bas, prendre un car de la Frontier Coach Line.

— Pas de liaison directe ?

Ryan a secoué la tête.

— Et en partant de Hay River, on peut aller ailleurs qu'à Yellowknife ?

— Pas vraiment.

J'ai réfléchi un instant. Tout ça se tenait. Selon toute vraisemblance, Ruben était d'origine amérindienne, du moins en partie. D'après Ralph Trees, Roberts/Rogers/Rodriguez parlait anglais avec un accent. Phoenix Miller pensait que Ruben n'était pas née à Edmonton. Une femme qui ressemblait à Ruben avait insisté pour prendre un car allant à Hay River. Avec un chien. Et d'après Trees, Roberts/Rogers/Rodriguez avait un chien. Ce que semblait confirmer le bol d'eau dans l'appartement de Saint-Hyacinthe. Enfin, un bout de papier vraisemblablement déchiré d'une feuille de chou de la région de Monfwi avait été emballé avec le bébé découvert chez Susan Forex.

Et d'ailleurs, c'était la seule piste que nous ayons.

J'ai rappelé Ollie.

Yellowknife se trouve à quinze cents kilomètres environ au nord d'Edmonton. En voiture, il faut rouler toujours en direction du nord jusqu'au soixantième parallèle, ce qui nous fait entrer dans les Territoires du Nord-Ouest près d'Enterprise. Après quoi, il faut prendre vers l'ouest jusqu'à Fort Providence et, là, traverser le Mackenzie à bord d'un ferry. On longe ensuite une vaste réserve de bisons, en tâchant d'éviter les *Bovinae* en quête de liberté qui colonisent les chaussées, et à Behchoko on coupe vers le sud-est pour atteindre la rive nord du Grand Lac des Esclaves.

Le trajet prend près de dix-huit heures. La plupart des sites de voyage conseillent de faire la route de jour, et de prévoir une bonne cargaison de bombes d'anti-moustiques.

Sauf si vous le faites en hiver. Dans ce cas-là, votre ennemi, ce sera le verglas.

Aucune raison pour que votre Brennan chérie s'inflige pareille torture. Pas question. Ça non !

En avion, le choix concernant l'itinéraire était tout aussi limité.

Ollie nous a retenu des places sur un vol Canadian North qui partait à vingt heures trente. La mauvaise nouvelle, c'était qu'il serait plus de dix heures du soir quand nous nous poserions à YZF, l'aéroport de Yellowknife. La bonne nouvelle, c'était que le soleil se coucherait des heures plus tard.

Ollie a passé le reste de l'après-midi et le début de la soirée à retourner sur le gril le guichetier de la Greyhound, et à téléphoner à Hay River, à Yellowknife et à je ne sais combien d'autres endroits dont je n'avais jamais entendu parler.

Ronnie Scarborough, le maquereau, avait fini par refaire surface, et Ollie l'avait invité à venir tailler une bavette avec lui. Nous devions les rejoindre à dix-huit heures, Ryan et moi.

Dans l'intervalle, pour tuer le temps, nous avons fait le tour des bars et des hôtels préférés des petites dames d'Edmonton, en nous servant d'une liste fournie par Ollie. En comparaison de certains de ces établissements, le Western Saloon paraissait le summum du chic.

Nous avons montré la photo de Ruben à la ronde en demandant si quelqu'un la connaissait ou l'avait vue. Nous avons aussi posé des questions sur le gros client qu'elle était censée rencontrer le soir où elle avait filé au Québec.

Nous avons compris deux choses : d'abord, que dans les bas-fonds, trois ans, c'est beaucoup, *beaucoup* trop long pour que qui que ce soit se souvienne de quoi que ce soit. Ensuite, que notre visite suscitait la même sympathie qu'une invasion de cafards.

En arrivant au QG de la GRC, nous avons découvert qu'Ollie en avait appris autant que nous. C'est-à-dire que dalle. Ce qui le mettait de très, très mauvais poil.

Ronnie « Scar » Scarborough poireautait dans une salle d'interrogatoire. Ce qui le mettait, lui aussi, dans une humeur de chien.

Ollie a avancé qu'il vaudrait peut-être mieux qu'il mène l'interrogatoire tout seul. Ce que nous avons accepté, et il a fait en sorte que nous puissions suivre la conversation à distance.

C'est donc sur un moniteur que nous avons regardé Ollie entrer dans une petite pièce et s'asseoir en face d'un gars qui aurait pu nous être envoyé par une agence de casting pour jouer un truand du New Jersey. Un type nerveux, avec un museau de fouine, de vilains boutons d'acné, des yeux enfoncés et un nez crochu qui surplombait une lèvre supérieure marquée d'une cicatrice. Des gourmettes aux poignets et un collier en or. Un veston gris, brillant, sur un T-shirt noir moulant qui mettait bien en valeur sa toison pectorale. Des chaussures noires à bout pointu. Seul détail décalé, le tatouage enroulé sur sa nuque. On aurait dit un oiseau stylisé qui se serait enfui d'un totem.

Scar était assis, les jambes étendues devant lui, les chevilles croisées, le bras droit passé autour du dossier de sa chaise.

— Alors, Scar, ça biche ?

Le regard de Scar a glissé vers Ollie.

— Joli, le T-shirt. Content de voir que tu assumes ta sexualité.

— Putain, qu'est-ce que je fous là ?

— Je me suis dit qu'on pourrait discuter de ton orientation de carrière.

— Je veux mon avocat.

— Tu n'es pas en état d'arrestation.

Scar a ramené ses pieds sous sa chaise et s'est levé.

— Dans ce cas, je m'en vais.

— Tu te rassieds.

Il est resté debout, les traits crispés par le mépris.

Ollie a flanqué une photocopie de la photo d'Annaliese Ruben sur la table et l'a tournée vers Scar. Les yeux de fouine sont restés braqués sur Ollie.

— Vise un peu la photo, ducon.

Le regard de Scar a dévié vers le bas pour se relever aussitôt. Il n'a pas prononcé un mot.

— Tu sais qui c'est ?

— Tu diras à ta sœur que je sors déjà avec quelqu'un.

— Annaliese Ruben. Et d'après mes renseignements, tu étais son maque.

— Je mets un point d'honneur à ignorer les rumeurs sans fondement.

— Ruben est sur la liste du programme KARE. On pense qu'elle aurait pu se faire tuer.

Ce qui n'était pas faux. Sur un point au moins.

— La vie a de ces cruautés, parfois.

— Alors je vais t'expliquer la situation, Scar. Vu qu'on ne sait pas très bien si Ruben est vivante ou morte, on se dit que ça vaudrait peut-être le coup de s'intéresser à ceux qui l'ont vue en dernier.

Scar a alors réussi la performance de hausser une seule épaule. Fascinant.

— Et d'abord, son proxénète. Logique, non ?

Nouveau mouvement d'épaule. La même.

— En commençant par un mandat de relevé des appels sur son portable.

— Vous ne pouvez pas faire ça.

— Oh que si, je peux.

Ollie a relevé le doigt en direction de la photo.

Avec un soupir, Scar s'est laissé tomber sur sa chaise et a jeté un coup d'œil vers la photo.

— OK. D'accord. C'est peut-être la grosse fille qui traînait parfois dans le coin.

— C'est drôle, comment ça fonctionne, les méninges.

— Ouais, bon, j'l'avais oubliée. J'ai été très pris.

— Par tes activités d'enfant de chœur ?

— C'est ça.

— À moins que tu n'aies déployé tes talents du côté des terminus de bus. À l'affut de chair fraîche, si tu vois ce que je veux dire ?

Troisième haussement de l'épaule, moins arrogant cette fois.

— On devrait peut-être discuter avec ta main-d'œuvre ; vérifier quelques identités. Voir combien de bougies ces filles vont souffler à leur prochain anniversaire.

— C'est du harcèlement !

— Quel âge elle avait, Ruben, quand tu l'as mise sur le trottoir ?

La bouche de Scar s'est relevée en un demi-sourire visqueux.

— C'était pas du tout ça.

— C'était quoi, alors ?

— Je voulais l'aider.

— Bien sûr. Tu étais son mentor.

Scar a hoché lentement la tête.

— Z'en tenez vraiment une couche ! Vous êtes complètement à côté de la plaque.

— C'était toi, le papa du bébé ?

— Ruben n'a jamais eu de bébé !

— Eh si.

— Eh ben, j'étais pas au courant.

— Tu l'as aidée à le tuer ?

— Vous êtes dingue !

Plus je le regardais, plus il me paraissait répugnant, avec son museau de fouine.

— Où est-ce qu'elle est ?

— Je l'ai pas vue depuis trois ans, cette garce.

— Vraiment ?

— Ouais.

— Pourquoi ?

— Elle a déménagé.

— Avec qui ?

— Tom Cruise, bordel. Comment vous voulez que je le sache ?

— Ça t'a mis en rogne, qu'elle te plaque comme ça ?

— On vit dans un pays libre.

— Ruben faisait la mule pour toi, Scar ? C'est ça ? Son départ a créé une brèche dans ton système de distribution ?

— C'te conne, elle avait pas assez de cervelle pour se curer le nez toute seule.

— Ou bien, c'était le manque à gagner ? Une pute de moins à te payer pour avoir le droit de faire des pipes dans les ruelles ?

— Cette fille, c'était une grosse vache, elle valait pas tripette.

— Tu l'as butée ? Histoire d'envoyer un message ?

— Vous savez quoi ? vous êtes vraiment dingue.

Sentant une ligne de faille dans ses rodomontades de caïd, Ollie a gardé le silence.

— Écoutez, j'espère qu'il lui est rien arrivé, à cette môme. Franchement. Je regrette de pas pouvoir vous aider.

Ollie s'est laissé retomber sur son dossier et a croisé les bras.

— Eh bien, dis-moi ce que tu sais sur elle.

Manifestement, la question laissait Scar perplexe.

— Ruben est francophone ? Anglophone ? D'origine indienne ?

— Elle parlait anglais.

— D'où est-ce qu'elle venait ?

Scar a secoué la tête. De la sueur a brillé sur sa lèvre supérieure.

— Où est-ce qu'elle habitait ?

— Chez une poule appelée Foxy, à ce que j'ai entendu dire.

— Si Ruben a quitté Edmonton, où est-ce qu'elle a pu aller ?

Scar a levé les mains et les yeux au ciel.

— Et comment elle y serait allée ?

— Bon sang, mec. Je vous l'ai dit, j'en sais rien ! Je me mêle jamais de la vie privée des filles.

La goutte d'eau qui fait déborder le vase ! Je me suis mise à fulminer.

— Cette saloperie d'avorton de merde qui file de la

drogue à des gamines pour les rendre accros ! Qui les met sur le trottoir pour qu'elles puissent se payer leur came, qui les brutalise et les exploite ! Et il appelle ça ne pas s'occuper de leur vie privée ?

Ryan a bloqué ma main au moment où j'allais la balancer dans l'écran. L'espace d'un instant, nos regards se sont croisés. Il a détourné les yeux le premier. Je me suis dégagée et j'ai laissé retomber mon bras sur le côté.

Et ça a continué sur le même ton, Ollie posant des questions, Scar prétendant ne rien savoir, et moi luttant contre l'envie de tendre la main à travers le moniteur pour lui tordre le cou, à ce saligaud.

À sept heures, Ollie a servi à Scar la rengaine sur la nécessité de rester à la disposition de la justice, puis il s'est levé abruptement et a quitté la pièce.

Scar lui a balancé des injures pendant qu'il s'éloignait.

— Vous en tenez une telle couche qu'votre cul réfléchirait mieux qu'vous !

Cette dernière tirade adressée à la porte.

Sur ce, le moniteur s'est éteint.

En route vers l'aéroport, nous n'avons pas dit grand-chose, ni d'ailleurs pendant l'enregistrement, pas plus que pendant la brève attente qui a suivi. Par on ne sait quel miracle, l'embarquement s'est fait à l'heure. Un dieu malicieux avait voulu que j'écope du siège à côté d'Ollie.

Nous avions déjà bouclé notre ceinture et nous éteignions nos portables quand la voix du pilote s'est fait entendre. J'ai tout de suite compris que ce n'était pas pour nous annoncer une bonne nouvelle.

Un problème mécanique. Trente minutes de retard.

— Sainte mère de Dieu, a râlé Ollie. Jamais foutus de décoller à l'heure, ces avions !

Comme il ne servait à rien de répondre, j'ai économisé ma salive.

— Toujours un bon prétexte. Quand ce n'est pas la météo, c'est la mécanique qui déconne, un membre de l'équipage qui ne s'est pas réveillé, ou encore une autre merde.

À quoi bon faire dans la dentelle avec un type comme Ollie ? Je me suis plongée dans mon roman de Ian Rankin. Ce gros balourd n'a pas saisi l'allusion.

— C'est un phénomène, ce Scar, pas vrai ?

Mes yeux sont restés rivés sur ma page.

— On pense qu'il essaie d'étendre son réseau vers le nord, de distribuer sa came dans les Territoires.

J'ai tourné une page. Bon sang, pas moyen de continuer à lire les aventures de l'inspecteur Rebus.

— Ce salaud est plus malin qu'il n'en a l'air. Il se débrouille pour qu'il y ait toujours un intermédiaire entre la rue et lui. Impossible de lui coller quoi que ce soit sur le dos.

Rien de rien !

Ollie a momentanément renoncé à baratiner mon oreille droite. Plusieurs minutes ont passé, qu'il a consacrées à feuilleter le magazine de la compagnie et les instructions de sécurité. Il a fini par les remettre dans la pochette devant ses genoux, avec un soupir théâtral.

— Je pense que Scar en sait plus qu'il ne le prétend sur Ruben.

Ce coup-ci, Ollie a réussi à capter mon attention. J'ai refermé mon livre et me suis légèrement tournée vers lui.

— Comment ça ?

— Tu te souviens d'où il tient son nom, ce salopard ?

— Il a marqué une fille au fer rouge.

— On raconte qu'il l'aurait suivie jusqu'à Saskatoon. Histoire d'envoyer un avertissement.

— À qui ?

— Aux filles qui voudraient le plaquer.

— Il y a déjà trois ans que Ruben a quitté Edmonton. Pourquoi attendre si longtemps ?

— C'est grand, Montréal. Et loin. En plus, Ruben a changé de nom, et elle l'a joué profil ras de terre, justement à cause de Scar. Et brusquement la voilà qui reviendrait sur son territoire ? Non, il y a autre chose. Un détail que tu ignores, parce que je ne te l'ai pas dit...

J'ai attendu la suite.

— Scar est originaire de Yellowknife.

— Comment tu le sais ?

— On le sait. Ça fait des années qu'on essaie de l'épingler, ce petit merdeux.

— Tu crois qu'il aurait pu se lancer aux trousses de Ruben ?

— Il paraît qu'il essaie de pénétrer le marché, làhaut. Pour ça, il doit prouver aux gars en place qu'il n'hésitera pas à utiliser la manière forte.

Subitement, j'ai eu l'impression qu'un hérisson de glace s'était niché au creux de mon estomac. Je me suis calée contre mon dossier et j'ai fermé les yeux. D'où me venait cette appréhension ? Voilà que je m'en faisais pour Ruben ! Pour une femme qui selon toute vraisemblance avait tué ses bébés. Avait abandonné leurs petits cadavres sans un regard en arrière...

Mais était-ce bien ce qui s'était passé ? Avait-elle vraiment agi selon sa volonté ? Et si c'était quelqu'un d'autre qui avait commis ces crimes ? Si on l'y avait obligée ? À Montréal, ce ne pouvait pas être Scar. Alors qui ? Cette personne l'aidait-elle maintenant ?

Ça n'avait aucun sens.

Forex et Scar s'accordaient à dire que Ruben n'avait pas inventé le percolateur à hublot. Pourtant, elle avait réussi à gagner le Québec et à y vivre incognito pendant trois ans. Elle avait dissimulé ses grossesses, mis au monde au moins quatre enfants, qu'elle avait ensuite assassinés. Elle avait échappé aux équipes du programme KARE. Idem avec la GRC et la SQ, qui étaient toujours à sa recherche.

Mais comment ? Grâce au soutien de tout un réseau ? À l'aide d'une seule personne ? À la solidarité et à la débrouillardise qui font la force de ce milieu ? À la chance, tout simplement ?

Je me suis tournée vers Ollie.

— Scar a dit que tu étais complètement à côté de la plaque. Pourquoi ?

— Fanfardise et vantarderie !

— Joli !

— J'ai téléchargé une application qui t'envoie une expression nouvelle tous les jours.

Son humour ne me faisait pas rire, même si j'ai embrayé.

— Ils ne t'ont jamais envoyé « en tenir une couche » ?

— Il parle pour ne rien dire. La dernière chose dont il a envie, cet animal, c'est que j'aille mettre le nez dans ses affaires.

— Il l'a pourtant dit deux fois.

— Peut-être que je devrais lui envoyer le lien de l'application.

Notre vol a fini par décoller à dix heures et quart,

sans que nous ayons reçu d'informations sur le mystérieux problème mécanique.

De l'aéroport de Yellowknife, je n'ai retenu qu'une chose : l'ours polaire empaillé qui veillait sur la zone de récupération des bagages. Et aussi le vide, tout partout. Alors que nous sortions du terminal, le vent nous a soufflé en pleine figure un mélange de pluie et de neige. Il faisait un froid de loup.

Un certain sergent Rainwater nous a servi de chauffeur sur la courte distance qui nous séparait de la ville. Je me suis installée à l'arrière avec Ryan. Des bribes de la conversation qui se déroulait à l'avant, j'ai déduit que Rainwater avait effectué des investigations pour Ollie, le genre de chose que nous avions essayé de faire à Edmonton, comme de montrer la photo de Ruben et d'interroger les gens. Avec le même résultat.

Nous sommes arrivés à l'hôtel Explorer juste après minuit. De ce que j'en ai vu, il était situé tout en haut d'une colline, au bout d'une longue allée incurvée. Un *inuksuk* – un empilement de pierres typiquement inuit – de deux mètres cinquante de haut en gardait l'entrée principale.

Les formalités ont été miséricordieusement rapides. Et tout aussi miséricordieusement, Ollie n'a pas manifesté le désir de m'escorter jusqu'à ma chambre.

Laquelle se trouvait au troisième étage. Lit *king size*, minibar avec un four à micro-ondes, écran plat et vue sur une étendue d'eau dont je me suis promis de demander le nom le lendemain matin.

J'ai déposé mon iPhone sur le socle du radio-réveil et programmé un bruit de vagues. Le sommeil m'a emportée en moins de cinq minutes.

17.

Le bébé tendait les bras, les doigts écartés, tremblant de tous ses membres, implorant de l'aide. Mon aide.

J'aurais voulu courir vers lui, mais mes pieds s'enfonçaient de plus en plus dans le sable.

Zoom avant sur la scène.

Le bébé était assis sur une longue plage noire, dans un creux du sable, sur fond de vagues tempétueuses et de ciel menaçant, assombri par des nuages d'orage violacés.

Sous mes yeux, le nimbe vaporeux qui formait un halo autour de sa tête s'est épaissi jusqu'à former une couronne de boucles blondes. Les petits traits se sont cristallisés en un portrait familier. Les iris sont passés du bleu au vert.

Katy !

J'ai essayé de crier. Essayé, essayé encore.

Aucun son ne s'échappait de ma gorge.

Je fournissais des efforts désespérés pour atteindre ma fille.

Mes jambes s'étaient changées en plomb.

Katy avait maintenant de l'eau jusqu'au-dessus du ventre.

La mer montait !

Le cœur battant à se rompre, j'ai accéléré mon allure.

La distance qui nous séparait ne faisait que s'allonger

Une silhouette s'est matérialisée sur la plage. Indistincte. Le visage flou. Impossible de dire s'il s'agissait d'un homme ou d'une femme.

J'ai tenté de l'appeler.

Aucune réaction.

J'avais beau mettre toutes mes forces dans la bataille, mes efforts restaient vains.

Katy avait maintenant la poitrine entièrement submergée.

J'ai crié encore, les joues baignées de larmes.

La scène vibrait comme un mirage dans le désert.

L'eau atteignait à présent le cou de Katy.

J'ai mobilisé les dernières fibres de mon être.

Poussé un hurlement.

La scène s'est désintégrée. Dissoute comme des confettis dans le brouillard.

J'ai battu des paupières, complètement perdue.

J'étais assise, toute droite, dans mon lit, le cœur cognant contre mes côtes, la peau luisante de sueur, les mains crispées sur des draps réduits en deux boules compactes.

Le réveil indiquait cinq heures quarante-deux. Une lueur grise, celle qui précède l'aube, pénétrait par les fenêtres, dont j'avais oublié de tirer les rideaux en me couchant, cinq heures plus tôt.

Dehors, l'averse de neige avait cessé, mais l'ovale de l'étendue d'eau sans nom paraissait sombre et glacée. À l'intérieur, il faisait un froid polaire.

Je me suis obligée à décrisper les doigts, me rallonger et remonter la couette sous mon menton.

Ce n'était qu'un rêve.

Juste un rêve.

Après ce mantra, je me suis livrée à ma tâche post-cauchemar habituelle : la déconstruction. Pas besoin de compétences psychanalytiques élaborées pour cela ; mon subconscient n'est pas créatif à ce point. Mon bon vieux Ça se contente de recracher un remix des événements récents.

Un bébé en danger. Pas de quoi téléphoner à Sigmund.

Katy, ma fille. Une semaine que je ne l'avais pas eue au téléphone.

La plage. Mon iPhone émettait encore un bruit de vagues censé me procurer un sommeil paisible.

La silhouette indécise. Celle-là, elle requérait un semblant de dissection.

Annaliese Ruben, qui avait assassiné ses enfants ? Ronnie Scarborough, qui menaçait peut-être Ruben ? Ryan, qui avait tiré un trait sur notre relation ?

Ma mère, qui avait essayé de me mettre trop tôt sur le pot ?

N'importe quoi.

Repoussant les couvertures, je suis allée sur la pointe des pieds prendre dans ma valise un jean, un T-shirt à manches longues, mon sweat à capuche Lululemon, des tennis et des chaussettes. En juin. Bienvenue dans les régions subarctiques. Ou dans la toundra. Ou tout autre intitulé géographique correspondant à l'endroit où nous nous trouvions, peu importe.

Une giclée d'eau sur la figure. Deux coups de brosse sur les dents. Les cheveux relevés en queue-de-cheval.

Six heures à la pendule. Je suis descendue en faisant plusieurs vœux : qu'il y ait un restaurant à l'hôtel, qu'il soit ouvert...

Coup de chance ! Le Trader's Grill pouvait faire des œufs. Ou du moins, s'y apprêtait. Une femme disposait des couverts en inox sur une rangée de tables enjuponnées, le long d'un des murs. En m'entendant approcher, elle s'est retournée et a fait un geste en direction d'une table pour deux près de la fenêtre. Nellie, d'après le badge épinglé sur sa poitrine.

Elle avait une tresse de cheveux noirs qui lui descendait jusqu'au milieu du dos. Sa blouse de coton et sa longue jupe rouge enrobaient un corps bâti sur le modèle engin de travaux publics.

J'ai pris place à l'endroit indiqué et cherché le menu. N'en voyant pas, je me suis calée au fond de ma chaise et j'ai promené les yeux sur les environs.

Nous n'étions pas, Nellie et moi, les seules lève-tôt. Deux hommes occupaient une table à côté d'une cheminée surmontée d'une hotte de cuivre. Le feu était à présent éteint. Deux gars en jean, grosses bottes et chemise à carreaux. Leur barbe n'aurait pas volé un coup de ciseaux.

Nellie a disparu pour réapparaître un moment plus tard avec une cafetière en inox et un gros mug en porcelaine. Après avoir abreuvé les deux émules de Paul Bunyan, le célèbre bûcheron du folklore américain, elle s'est approchée de moi.

— Désolée. La cuisine n'ouvre qu'à sept heures.

Elle a soulevé la cafetière dans un geste interrogateur. Ses grosses joues et sa peau cuivrée suggéraient une ascendance amérindienne.

— Oui, s'il vous plaît.

Nellie a posé le mug devant moi et l'a rempli.

— Je peux vous préparer un petit déjeuner. Quelque chose de simple.

— Des œufs et des toasts, ce serait génial.

— Brouillés, les œufs ?

— Parfait.

Nellie est repartie.

J'ai trempé mes lèvres dans le café. Il était tellement fort qu'on aurait pu faire flotter une enclume dessus.

La fenêtre donnait sur un décor plutôt zen. Des empilements de roches, des plantes rabougries bravant un semis de gravier, des tuyaux de caoutchouc serpentant sur le sol. Impossible de dire si le projet paysager était en cours d'élaboration, ou s'il agonisait, faute d'entretien.

À la limite du jardin de pierres, deux énormes oiseaux noirs décrivaient des cercles juste au-dessus d'un bouquet de pins d'une hauteur surréaliste. Tout en suivant du regard leurs lentes arabesques, j'ai laissé vagabonder mes pensées vers mon rêve.

Pourquoi Katy ne m'avait-elle pas appelée ?

J'ai vérifié le réseau sur mon iPhone. Quatre barres. Pourtant, ni message vocal ni texto de ma fille.

J'ai vérifié mes e-mails. Vingt-quatre dans la boîte depuis que j'avais quitté Edmonton. J'en ai ignoré ou supprimé la plupart. Notifications de l'opérateur. Pubs pour l'élongation assurée d'un organe que je ne possède pas, pour des produits pharmaceutiques ou des crèmes de soin, pour des villas de vacances. Des propositions d'investissement à la rentabilité infaillible.

Un mot de Pete m'informant que Birdie allait bien et faisait tourner en bourrique Boyd, son chow-chow.

Ma sœur, Harry, m'annonçait qu'elle sortait avec un astronaute à la retraite, qui s'appelait Orange Curtain. « Rideau Orange » ? J'ai espéré que c'était une facétie de la saisie automatique.

Katy m'avait envoyé un lien vers un site de cartes électroniques sur lequel une de ses amies avait posté une invitation à ses fiançailles. Bon, tout allait bien. Elle était juste débordée.

Un message d'Ollie, intitulé « À garder sur ton iPhone ». Pas de texte, juste une pièce jointe. Intriguée, j'ai téléchargé le document.

La photo d'Annaliese Ruben, scannée et agrandie. Un peu floue, mais le visage était parfaitement reconnaissable.

Bien pensé, sergent Hasty. Depuis le temps, mon tirage d'imprimante était un peu « mâchuré ».

J'ai étudié la photo. Des cheveux châtain foncé. Des joues rondes. Un visage qu'on aurait pu voir dans les rues de Dublin, de Dresde ou de Dallas.

— J'espère que vous n'êtes pas végétarienne.

J'étais tellement absorbée par la contemplation de Ruben que je n'avais pas entendu approcher Nellie.

— Je vous ai mis un peu de bacon.

— Très bien, le bacon.

J'ai reposé mon téléphone et me suis effacée pour permettre à Nellie de poser l'assiette devant moi.

Les œufs et le bacon voisinaient avec des toasts, une galette de pommes de terre et un petit truc brun d'une nature équivoque.

— Ça ira ? a-t-elle demandé.

J'ai fait oui de la tête.

Elle a tiré la note de la ceinture de sa jupe.

— Je vous remets du café ?

— S'il vous plaît.

Comme elle se penchait sur la table, son regard est tombé sur mon portable. Le visage de Ruben était encore affiché à l'écran.

Nellie a eu un mouvement de recul comme si elle avait pris une décharge électrique. Du café a éclaboussé la nappe. Elle a eu une brève inspiration, s'est redressée et a reculé.

J'ai relevé les yeux.

Les lèvres pincées, elle évitait mon regard.

Était-ce la photo de Ruben qui la troublait à ce point ? Est-ce que je m'imaginais des choses ?

— Désolée.

Un marmonnement.

— Je vais chercher de quoi nettoyer.

— Pas la peine.

Soulevant mon iPhone, j'ai épongé le café répandu avec ma serviette.

— Il a l'habitude. Je lui en fais vraiment voir de toutes les couleurs !

La bouche de Nellie est restée crispée.

— Ça pourrait vous intéresser, ai-je dit sur un ton faussement dégagé en désignant des yeux la photo. Je crois que cette femme est originaire de Yellowknife.

J'ai levé le téléphone vers Nellie pour qu'elle voie mieux l'écran. Elle a gardé les yeux rivés sur ses chaussures.

— Elle s'appelle Annaliese Ruben.

Pas de réponse.

— Vous la connaissez ?

Silence radio.

— Il se pourrait qu'elle soit revenue à Yellowknife récemment. Elle venait d'Edmonton.

— Il faut que je retourne au travail.

— Il est important que je la retrouve.

— Je dois encore préparer le buffet avant de partir.

— Je pourrais peut-être l'aider à résoudre un problème.

De l'autre côté de la pièce, les deux Paul Bunyan se sont levés. Nellie les a regardés sortir.

Quelques secondes ont passé.

Nellie savait qui était Ruben, c'était sûr et certain. Peut-être même où elle était. J'allais tenter une autre approche quand elle a demandé :

— Quel genre de problème ?

— Je suis désolée. Je m'en voudrais de trahir sa confiance.

Nellie a fini par relever les yeux sur moi. Manifestement, elle essayait de déchiffrer mes pensées.

— Ce serait pas à cause d'Horace Tyne ?

— Que savez-vous de Tyne ?

Un coup de bluff. Comme si je savais moi-même de qui il s'agissait.

Peine perdue.

— Et vous, qu'est-ce que vous savez de lui ?

Du calme, Brennan. Ne l'effarouche pas.

— Écoutez, Nellie. Je me rends bien compte que vous n'avez aucune raison de me faire confiance. Mais je cherche vraiment à aider Annaliese. Je ne lui veux pas de mal.

— Vous êtes flic ?

— Non.

Le visage tourné vers moi s'est fermé hermétiquement, comme le judas à l'entrée d'un bar clandestin.

Quelle idiote j'étais ! Dans un si petit hôtel, le téléphone arabe devait fonctionner à mort. Nellie avait dû entendre les rumeurs sur Ollie et Ryan.

— Mais j'accompagne deux policiers, ai-je ajouté dans l'espoir de rattraper ma gaffe. Ils ne savent pas que je vous pose ces questions.

— Pourquoi sont-ils là ?

— Nous pensons qu'Anneliese aurait pu se fourrer dans le pétrin.

— Et les flics veulent lui venir en aide ?

— Oui.

Sans un mot, Nellie a tourné les talons et s'est éloignée.

Tout en mangeant mes œufs, froids désormais, j'ai repassé dans ma tête mes prouesses matinales. Je m'étais laissé terroriser par un rêve pour ensuite effectuer une autopsie amateur de son contenu. J'avais abattu mon jeu concernant Annaliese Ruben, et je m'étais mis à dos une informatrice potentielle.

Enfin, j'avais obtenu un nom. Horace Tyne.

Génial. Ryan proposerait probablement ma candidature à l'examen d'inspecteur.

Du bout de ma fourchette, j'ai tapoté le truc marron. Qui avait peut-être été un légume à un moment de son existence.

Une autre serveuse est apparue. La préparation du petit déjeuner a repris, non sans fracas et bruits de vaisselle entrechoquée.

Je soulevais ma chope pour finir mon café quand mon bras s'est arrêté à mi-chemin entre la table et mes lèvres.

Nellie avait dit qu'elle devait préparer le buffet. Qu'elle ne pouvait pas partir avant d'avoir fini.

Où était-elle donc passée ?

J'ai signé la note. Le temps d'y ajouter le numéro de ma chambre et de gribouiller mon nom, et je me suis ruée hors du restaurant.

Courant presque, Nellie franchissait déjà la porte d'entrée de l'hôtel.

Appeler Ryan ? Ollie ?

Nellie allait rapidement disparaître dans les méandres de l'allée.

Je me suis lancée à sa poursuite.

18.

Une brume matinale aussi épaisse que du saindoux tournoyait dans le halo lumineux projeté par l'enseigne de l'hôtel. Sous ces latitudes, à cette époque de l'année, le soleil ne se couche jamais tout à fait, mais il semble quand même s'organiser pour créer une nouvelle aurore.

En d'autres termes, la visibilité était minable.

Toutefois, j'avais l'avantage de la position élevée. De plus, bien que Nellie ait revêtu une veste grise matelassée qui se fondait dans le brouillard, elle était facile à repérer avec sa jupe rouge vif.

Au moment où j'émergeais de dessous la marquise de l'hôtel, la tache rouge a disparu à un détour de l'allée. Je me suis mise à courir.

Il y avait peu de chance pour que Nellie s'aperçoive qu'elle était suivie, cependant je me suis efforcée de rester sur le côté intérieur des virages pour ne pas me faire repérer. J'étais arrivée à mi-parcours de l'allée quand ma cible s'est évanouie. J'ai pressé l'allure. Arrivée au pied de la colline, j'ai regardé d'un côté, puis de l'autre. La jupe rouge oscillait le long de Veterans Memorial Drive, qui était quasiment désert à cette heure matinale.

J'ai suivi la même direction, en regrettant déjà de m'être lancée à l'aventure sans prendre le temps de me couvrir. Mon haleine formait des nuages de buée devant mes lèvres.

Le centre de Yellowknife ressemblait à tout point de vue à un décor de cinéma qu'on aurait livré par camion et monté à la va-vite. Pensez à *Bienvenue en Alaska*, mais mettez à la puissance trois ou quatre les bars, fast-foods, boutiques, bureaux quelconques et autres bâtiments administratifs.

J'ai suivi Nellie jusqu'à la 50ᵉ Rue, marchant le plus vite possible pour me réchauffer, mais assez lentement pour maintenir une distance prudente entre nous. Ce qui n'était pas facile. Malgré ses jambes courtes et sa masse imposante, cette femme était une rapide.

Yellowknife ressemble beaucoup à Charlotte pour ce qui est des noms de rues. Pour faire court, la 50ᵉ Rue croisait la 50ᵉ Avenue. Et vive la créativité !

Nellie a traversé le carrefour au vert. Par prudence, j'ai attendu un instant avant de l'imiter et je me suis tapie dans un renfoncement, devant une boutique de souvenirs.

Un demi-pâté de maisons plus loin, un auvent orange courait sur toute la longueur d'un bâtiment de trois étages qui avait connu des jours meilleurs. Une flopée de jours meilleurs. Les inscriptions sur l'auvent et sur la façade au niveau du premier étage l'identifiaient comme le Gold Range Hotel. Sans hésiter, Nellie a poussé la porte d'entrée et s'est glissée à l'intérieur.

J'ai vivement sorti mon iPhone de la poche de mon jean et appuyé sur le numéro abrégé de Ryan. Ma main tremblait si fort à cause du froid que j'ai raté mon coup et dû recommencer.

Messagerie vocale.

« Rappelle-moi. Tout de suite. »

Les yeux filant du Gold Range à mon portable, j'ai appelé Ollie.

Même résultat. Même message. Texte et ton urgent.

Encore en train de pioncer, ces emplâtres, le portable sur silencieux ? Étaient-ils déjà levés et sortis ? Peu probable après moins de six heures de sommeil.

Les bras serrés contre ma poitrine dans l'espoir illusoire de me protéger du froid, j'ai examiné le Gold Range. Un affreux auvent, des volets sculptés, une corniche en faux style Tudor aux étages supérieurs et un bardage en bois sombre au niveau de la rue. Bref, un motel mâtiné de chalet suisse.

Nellie y habitait-elle ? Et Ruben, se pouvait-il qu'elle y soit en ce moment ?

J'ai envisagé les trois solutions possibles : entrer et essayer de repérer l'une ou l'autre ; attendre, mais combien de temps ? Laisser tomber toute cette chierie et rentrer à l'Explorer ?

Sous mon sweat et mon malheureux T-shirt en coton, j'avais la chair de poule, la peau d'un porc-épic. Je me suis frotté les bras. J'ai sauté d'un pied sur l'autre.

Bon sang, qu'est-ce qu'ils foutaient, mes deux lascars ?

Bref examen de la boutique derrière moi. Des posters, des ours polaires en plastique, tout l'attirail kitsch pour touristes. Et aussi : des sweat-shirts et des blousons proclamant « J'♥ Yellowknife ».

Les heures d'ouverture étaient indiquées sur la porte. Du lundi au vendredi, de neuf heures du matin à huit heures du soir. Des bosseurs. Ça me faisait une belle jambe. De toute façon je n'avais emporté ni argent ni carte de crédit quand j'étais descendue prendre mon petit déjeuner.

Coup d'œil à ma montre. Sept heures dix.

J'ai regardé le Gold Range. L'hôtel m'a rendu mon regard. Ses fenêtres étaient silencieuses et noires dans la brouillasse d'avant l'aube.

Sept heures quatorze.

En grelottant, j'ai réessayé de joindre Ryan et Ollie. Pas de réponse. D'aucun des deux.

Bon. J'allais attendre sept heures et demie, après quoi je prendrais l'hôtel d'assaut.

Si je n'étais pas morte de froid avant, congelée sur place.

Re-frottage des bras en battant la semelle.

Peu à peu, le brouillard glacial changeait de nuance. Vers le haut de la colline, derrière l'Explorer, les longs nuages d'étain qui planaient à l'horizon se coloraient de rose et de jaune.

Sept heures dix-sept.

Calme plat au Gold Range. Dans la lumière de plus en plus vive, on distinguait derrière une vitre des torsades de tissu réunies à la façon d'un hamac. Bel effort de déco.

Après un laps de temps qui m'a paru durer une heure, j'ai regardé ma montre.

Sept heures vingt.

On aura beau dire, être en planque n'a rien à voir avec l'expérience exaltante qui hante l'imagination populaire.

Je m'apprêtais à passer à la troisième des options envisagées quand la porte de l'hôtel s'est ouverte. Le dos rond, Nellie est sortie sur le trottoir et s'est dirigée droit sur moi.

Je l'admets : mon bon vieux muscle cardiaque a quelque peu accéléré ses battements.

Avant d'arriver au coin, Nellie a traversé la 50ᵉ Rue en diagonale et tourné à droite dans la 50ᵉ Avenue.

Mon soupir de soulagement s'est transformé en cône de buée. À présent, Yellowknife frémissait d'activité. Traduction : trois personnes s'étaient matérialisées dans la rue principale.

Devant l'A&W, un fleuron de la restauration rapide, deux hommes ont interrompu leur conversation pour me suivre du regard, le visage à peine visible sous la capuche de leur parka. Au Kentucky Fried Chicken, j'ai croisé un gamin en jogging rouge et blouson de mouton retourné noir, coiffé d'un bonnet de tricot à pompon – en québécois, une *tuque* – orange, qui trimbalait un skateboard jaune sous le bras. À chaque fois, j'ai souri et dit bonjour. M'attirant par deux fois un regard hostile pour toute réponse.

Bon, eh bien tant pis.

Quelque part après la 44ᵉ Rue, la 50ᵉ Avenue changeait de nom pour s'appeler Franklin. Dans le plus pur style Charlotte. Tout en hâtant le pas, je mémorisais les noms de rues et les tours et détours que je faisais.

Plusieurs rues après School Draw Avenue, Nellie a pris à droite dans Hamilton, puis à nouveau dans une allée non goudronnée. Une pancarte fixée à un rocher annonçait Ragged Ass Road. Littéralement, la « rue du Cul-Loqueteux », c'est-à-dire de la misère noire.

Ça, vous ne risquez pas de le voir à Charlotte, la ville de la reine.

Nellie a foncé dans Ragged Ass, toujours inconsciente de ma présence. Je l'ai laissée prendre un peu d'avance au coin de la rue, craignant d'être trahie par le bruit de mes pas sur le gravier, et j'ai effectué une série de petits coups d'œil à droite puis à gauche, pour me familiariser avec l'environnement. Le soleil, plus haut maintenant, dissipait le brouillard. Les détails étaient plus nets.

Un quartier dévolu à l'habitation ; entre maisons et chaussée, une herbe brûlée par le soleil mais cramponnée à la vie, disséminée çà et là, en touffes ; des fils électriques accrochés à faible hauteur ; une odeur d'eau salée et de boue saumâtre. Il devait y avoir un lac dans le coin.

Une architecture de style macédoine nordique. Les maisons les plus récentes donnaient l'impression d'avoir été assemblées à partir de kits achetés sur catalogue : profilés en aluminium, blocs-fenêtres en préfabriqué, portes et persiennes faussement coloniales.

Les plus anciennes faisaient penser aux baraques sans confort des communautés hippies avec leurs façades en bardage décorées de fresques ou d'images inspirées de la nature ; cheminées et gouttières en métal, petits moulins, animaux en plastique et nains de jardin dans les courettes ou sur la crête des palissades.

Chaque maison avait au moins une dépendance, un réservoir rouillé et une montagne de bois de chauffage. Et, me disait mon petit doigt, leurs occupants ne devaient pas aimer voir des inconnus débarquer à l'improviste.

Des chiens ? J'ai repoussé cette image inquiétante.

En tant qu'artère, Ragged Ass n'avait pas usurpé son nom. Deux pâtés de maisons tout compris.

Sans un regard en arrière, Nellie a foncé jusqu'au bout de la ruelle et tourné dans une allée en terre battue menant à une construction dont les propriétaires devaient être des partisans acharnés du mode de vie spartiate mentionné plus haut.

Ragged Ass somnolait, indifférente à l'intrusion matinale de l'inconnue que j'étais.

La peau me brûlait. De froid et d'appréhension. Pour autant, je suis allée de l'avant, toujours en tapinois.

Aucun rottweiler ne s'est mis à aboyer. Aucun pitbull n'a foncé sur moi.

Et voilà. J'étais de nouveau en planque.

La maison dans laquelle Nellie était entrée était à peine mieux qu'un hangar – structure en bois d'environ quatre-vingts mètres carrés. Sur la façade, des chiffres réfléchissants : 7243.

Sur un côté de la maison, une serre bricolée avec du plastique et des tasseaux de bois ; sur l'autre, un auvent marron délabré abritant une table et des fauteuils en plastique ainsi qu'un barbecue rouillé.

Pas de véhicule garé dans la courte allée ou sous l'abri à voiture.

Bon, et maintenant ?

Jusque-là, attendre m'avait assez bien réussi. Autant continuer sur cette lancée.

J'ai donc repris mon observation, tapie sous un petit appentis de l'autre côté de la route.

Comme tout à l'heure dans la 50ᵉ Rue, le temps avançait à la vitesse d'un glacier.

Sept heures cinquante, indiquait mon portable. Pas de message vocal, ni de SMS. Pas d'e-mail non plus.

J'ai composé le numéro de Ryan et lui ai laissé une mise à jour de mes coordonnées géographiques.

Sur le plan thermique, ma nouvelle planque était nulle. Le soleil avait eu beau atomiser le brouillard et faire monter la température d'un cran, un sale petit vent m'envoyait par rafales régulières l'humidité générée par ce plan d'eau invisible.

J'ai croisé les bras, coincé mes mains sous les

aisselles. Ma respiration ne formait plus de cônes de buée, mais c'était tout juste.

Pendant une éternité, les seuls mouvements dans Ragged Ass ont été ceux des corbeaux qui se chamaillaient pour une place sur les fils téléphoniques au-dessus de ma tête. Puis, subitement, une portière a claqué, et un moteur a démarré.

J'ai vivement tourné la tête vers la gauche. À une trentaine de mètres au nord, un pick-up rouge reculait dans une allée. Je l'ai regardé manœuvrer, s'arrêter et prendre la direction de la rue Hamilton.

À huit heures et quart, mon enthousiasme pour les planques était tombé plus bas que ma température corporelle. Un million d'arguments en faveur de l'abandon me tournicotaient dans la tête.

Cette maison n'avait peut-être rien à voir avec Ruben. Peut-être que c'était celle de Nellie, laquelle était bien au chaud dans son lit, tandis que Ruben était au Gold Range. Peut-être que Nellie était passée à l'hôtel prévenir Ruben de notre présence à Yellowknife. Peut-être que Ruben avait de nouveau mis les bouts et que j'avais tout gâché une fois de plus.

Bon sang, j'avais l'adresse, maintenant ! On pourrait revenir plus tard et voir si Ruben était là.

Il m'arrive de me donner de bons conseils. Et même, parfois, de les suivre. Ça n'a pas été le cas cette fois-ci. Malheureusement.

Avant de laisser tomber, j'ai décidé de jeter un petit coup d'œil vite fait. Non, ce n'est pas tout à fait ça. Je n'ai pris aucune décision. En fait, ce sont mes pieds à moitié gelés qui ont commencé à se déplacer vers la maison.

Après une rapide vérification à droite puis à gauche, j'ai traversé Ragged Ass, remonté l'allée et atteint la maison par le côté de l'auvent. Après avoir contourné le barbecue avec le maximum de discrétion, du moins l'espérais-je, je me suis plaquée dos au mur à côté d'une double porte coulissante en verre.

Bloquant ma respiration, j'ai tendu l'oreille.

De l'intérieur me parvenait le ronronnement assourdi d'un débat télévisé, ou d'une émission de radio. Dehors, autour de moi, rien d'autre que le silence total. Le silence et l'immobilité.

Tout doucement, j'ai décollé du mur mon épaule droite et pivoté vers la gauche.

Manœuvre inutile : les deux panneaux vitrés étaient masqués de l'intérieur par de minces stores vénitiens en métal, parfaitement jointifs et fermés à l'aide d'une clenche.

J'ai réédité l'opération à droite, sur une fenêtre dont le rebord m'arrivait à hauteur de l'épaule. Là encore, des volets fermés.

J'étais sur le point de renoncer quand s'est fait entendre à l'intérieur un bruit qui ressemblait à un jappement. Le chien de Ruben ?

Survoltée, je me suis dirigée à pas de loup vers l'arrière de la maison.

Là, dans le jardin, à droite, une corde à linge courait du mur de la maison jusqu'à un chicot de bouleau, à six ou sept mètres de là. Plus loin, de l'autre côté du bouleau, un bout de terrain vague et ensuite un hangar en alu. À côté, une benne à ordures en bois vermoulue, au couvercle pentu, monté sur charnières.

Sur la façade arrière de la maison, au centre, une porte précédée de trois marches en bois affaissées. De part et d'autre des marches, sur le côté le plus éloigné de moi, une jardinière en céramique craquelée. Lui faisait pendant une table en bois branlante. Le plateau maculé de taches et le couteau oublié là suggéraient qu'elle servait à vider et nettoyer le poisson.

Entre le coin gauche de la maison, où je me trouvais, et les marches, il y avait une fenêtre légèrement plus haute que l'autre et également obturée par des stores. De ma place, une variation dans les ombres donnait l'impression que ces stores ne descendaient pas jusqu'à l'appui de fenêtre mais s'arrêtaient vingt centimètres au-dessus.

Tous les sens en état d'alerte maximale, j'ai passé l'angle de la maison et commencé à longer le mur en essayant de me fondre dans le décor. Un corbeau perché sur le bouleau a croassé et s'est envolé.

Je me suis figée.

Rien.

J'ai repris ma progression.

Huit pas, et j'ai atteint la fenêtre. En dessous et juste au milieu, il y avait un trou peu profond, manifestement creusé par la main de l'homme et doublé d'une bâche en plastique noir. Sur le pourtour du trou, des pierres. Et de ces pierres partait un tuyau d'arrosage qui serpentait jusqu'à un robinet fixé au mur de la maison. Entourée de gadoue et remplie d'une eau verte, irisée et opaque sur une hauteur d'environ douze centimètres, cette sorte de cuve ressemblait à un bassin à poissons tout droit sorti de l'enfer.

Debout au bord du bassin, face à la maison, j'ai essayé de jeter un coup d'œil à l'intérieur. Las, depuis cet endroit, impossible de rien voir par l'interstice sous le store.

Entre le bord du bassin et le mur de la maison, il devait y avoir une cinquantaine de centimètres. Pas génial, mais suffisant pour poser les pieds.

Les deux mains bien à plat sur le bardage pour

m'assurer un appui, j'ai progressé le long du mur, lentement, en marchant comme un crabe. La boue, glissante, produisait des bruits visqueux sous les semelles de mes tennis.

Deux pas de plus et j'ai atteint l'encadrement de la fenêtre. Le rebord du bas m'arrivait pile au ras du nez. M'y cramponnant de mes doigts engourdis par le froid, je me suis hissée sur la pointe des pieds.

Pas de lampe allumée à l'intérieur, mais une lumière crépusculaire qui permettait de distinguer différentes choses. Le haut d'un réfrigérateur. Une pendule murale en forme de poisson. Un serpentin de papier tue-mouches très performant.

Je m'apprêtais à effectuer un pas de plus sur la gauche quand quelque chose de dur m'a heurté le tibia. Douleur fulgurante jusqu'en haut de la jambe.

J'ai étouffé un cri.

Avais-je été mordue ? frappée ?

Je n'ai pas eu le temps de vérifier : des tentacules s'étaient enroulés autour de mes chevilles et les serraient maintenant avec une force inouïe.

Mon pied gauche s'est dérobé sous moi.

Un mélange iridescent de noir et de vert m'a sauté au visage.

19.

Mes pieds m'ont lâchée. Je me suis affalée sur les coudes et le menton.

Les tentacules puissants et invisibles m'ont traînée en arrière dans la boue et ensuite sur les pierres du pourtour du bassin.

Mon visage a plongé dans une eau fétide. J'en avais plein les yeux, le nez, la bouche, je n'y voyais plus rien. Impossible de respirer.

Terrifiée, j'ai essayé de me cramponner. Mes mains ont trouvé le rebord. Je m'y suis agrippée farouchement. Mon torse a continué de glisser dans cette gadoue pleine de trucs infects, je ne voulais même pas savoir quoi. Enfin ma tête a refait surface.

Hoquetant, cherchant de l'air, encore aveuglée, j'ai essayé de me hisser sur l'étroite bande de terre d'où j'avais basculé. J'ai senti une résistance. Quelque chose me serrait les chevilles.

Je m'efforçais désespérément d'y comprendre quelque chose quand mes pieds ont bondi vers le ciel, me tordant complètement le dos au niveau des lombaires. Des flèches de douleur m'ont transpercé le cerveau.

Mon corps a fait un bond en arrière. J'ai perdu prise

et tout contact avec la maison. Mon menton a raclé les pierres, et ma tête est repartie sous l'eau. Mes bras ont suivi, les doigts griffant le plastique couvert de limon.

On me traînait hors du bassin comme un poisson au bout d'une ligne, par les pieds. Enfin, on m'a laissée tomber dans l'herbe.

Le cœur battant, je me suis redressée sur les avant-bras, essayant de reprendre mon souffle. Et de m'expliquer ce qui se passait.

Une nouvelle traction m'a soulevé les pieds en l'air et aplati le reste du corps. J'ai vainement tenté de rouler sur moi-même. Une botte entre mes omoplates m'a recouchée sur le ventre. Plaquée sur l'herbe boueuse et glacée.

— Vous vous croyez où ?

Une voix masculine, bien que haut perchée. Et résolument hostile.

— Je cherche quelqu'un, ai-je hoqueté.

— Qui ça ?

— Annaliese Ruben.

Pas de réponse.

— Je pensais qu'elle pouvait être dans cette maison.

D'une voix hachée. Le cœur battant à se rompre, et la respiration encore saccadée.

Silence.

— J'ai des informations importantes.

Du coin de l'œil, j'ai vu au-dessus de moi une silhouette sombre qui occupait la moitié du ciel.

— Il faut que je la retrouve.

— C'est comme ça que vous vous y prenez pour retrouver les gens ? En regardant par leurs fenêtres ?

— Je voulais juste...

— Vous êtes quoi, une voyeuse ?

— Hein ?

— Vous essayez de surprendre les gens cul nu ?

— Non ! Je vérifiais que j'étais à la bonne adresse.

— Et de frapper à la porte, ça vous est pas venu à l'esprit ?

Là, il m'avait coincée.

— Je ne pensais pas à mal.

— Comment je peux savoir que vous ne venez pas cambrioler ?

— J'ai l'air d'une voleuse ?

— Assez pour moi.

Je ne voyais pas son visage, mais je sentais que l'homme avait les yeux braqués sur moi.

— Vous me faites mal au dos.

L'instant d'après, la pression sur mon dos s'allégeait. Un frottement de nylon, et la silhouette a disparu de mon champ de vision.

J'ai roulé sur les fesses. Les doigts tremblants, j'ai chassé l'eau boueuse de mes yeux.

Le personnage qui m'avait capturée était de taille moyenne, musclé, vêtu d'un jean et d'un coupe-vent bleu marine. Il avait la peau cuivrée et les yeux de la couleur du café de la veille. Ses cheveux plaqués à la gomina lui faisaient un casque noir et luisant.

J'ai remarqué ses mains calleuses et sa peau dure comme du cuir. De la gauche, il tenait une sorte de corde avec une boucle à un bout et trois longues lanières à l'autre, auxquelles étaient attachés des tronçons d'os coupés en diagonale. C'était ces lanières qui étaient enroulées autour de mes chevilles.

— Joli, votre *kiipooyaq*.

— Alors comme ça, vous parlez un peu inuit. Très impressionnant.

— Juste trois mots.

En effet. Pendant mes études, j'avais dû suivre un cours d'initiation à l'archéologie circumpolaire.

Les yeux noirs comme du café ont scruté mon visage, cherchant à évaluer le danger que je représentais.

— Je peux ? ai-je demandé avec un geste en direction de mes jambes.

L'homme a eu un petit hochement de tête.

Les doigts gourds, j'ai commencé à dénouer les bolas.

— Je vous ai demandé ce que vous faisiez ici.

— Je vous l'ai dit. Je cherche Annaliese Ruben. Vous la connaissez ?

— Vous pensez jamais à téléphoner avant ?

— Je n'ai pas son numéro.

Pas de réponse.

— Vous pourriez peut-être m'aider à la trouver.

— Essayez les renseignements.

— Elle n'est pas dans l'annuaire. Ce qui la rend difficile à joindre.

— Les gens se font pas mettre sur liste rouge sans raison.

— Annaliese habite ici ?

— Si la dame voulait que vous ayez son adresse, elle vous l'aurait donnée, voilà ce que je me dis.

— Vous la connaissez ?

— Vous, je vous connais pas. Ça, au moins, je le sais.

J'ai débobiné la dernière lanière et libéré mes pieds. Pendant que je me relevais, l'homme a enroulé les lanières autour de sa main en boucles régulières.

— Papiers.

— Hein ?

Et merde.

— Permis de conduire ? Carte de Sécu ? Quelque chose avec une photo.

— Je n'ai rien sur moi.

— Je reçois une plainte me signalant que quelqu'un regarde par les fenêtres dans Ragged Ass Road. Je sors, je vous trouve le nez collé à la vitre, et maintenant vous me dites que vous n'avez pas de papiers sur vous.

— Je suis descendue à l'Explorer. Et je n'avais pas prévu de quitter l'hôtel.

— Sauf que vous êtes là.

— Je m'appelle Temperance Brennan. Je suis anthropologue judiciaire. Je suis à Yellowknife pour une enquête officielle, ai-je ajouté en claquant des dents.

— Et cette enquête vous oblige à espionner les citoyens à leur insu ?

Aucune idée de qui pouvait être ce gars, mais je n'avais pas le choix. Et j'étais gelée. Je lui ai fourni une version modifiée de la situation. Ollie. Ryan. Annaliese Ruben et la menace que Ronnie Scarborough pouvait faire peser sur elle.

Le type m'a écoutée sans montrer la moindre réaction.

— J'ai mon portable. On pourrait appeler le détective Ryan ou le sergent Hasty. Ou le sergent Rainwater. Il est de la division K de la GRC, ici, à Yellowknife.

Je commençais à bredouiller. Comme il n'émettait pas d'objection, j'ai tiré mon iPhone de la poche de mon jean et, d'un pouce tremblant, appuyé sur la touche de mise en marche.

Rien.

J'ai ré-appuyé.

Et recommencé.

J'avais beau tapoter et secouer l'appareil, l'écran refusait obstinément de s'allumer.

Et merde, merde, merde !

J'ai relevé les yeux sur l'Inuit. Son visage était indéchiffrable.

— Il est foutu.

Pas de réponse.

— Il a dû prendre l'eau dans le bassin.

Son regard noir rivé sur moi, le type a tiré un portable de sa ceinture et appuyé sur une touche de raccourci.

— Zeb Chalker. Rainwater est là ?

Une pause.

— Je fais aller. Vous connaissez un sergent Hasty, de la division K ?

Une pause.

— Pourquoi est-il en ville ?

Une longue pause.

— Il est venu seul, ce Hasty ?

Une pause.

— *Marsí.*

Chalker a rengainé son portable dans l'étui à sa ceinture, a croisé les bras et m'a regardée très longuement. Puis, finalement :

— Voilà le deal en ce qui vous concerne. Retour illico à l'Explorer. Et vous lâchez plus vos potes. Pigé ?

L'attitude de ce Chalker m'agaçait au plus haut point. Qui était-il pour me donner des ordres ? Mais je n'avais qu'une idée : regagner ma chambre et prendre une douche très chaude. Et je n'étais pas en position de protester.

J'ai acquiescé.

Sans un mot de plus, Chalker a tourné les talons.

— Ne vous en faites pas pour moi, ai-je marmonné dans son dos. Je prendrai un taxi.

Le temps que je me retrouve dans la rue, Chalker n'était plus en vue. Tout en trottinant le long de Ragged Ass, je me suis interrogée sur le personnage. Pourquoi m'avait-il immobilisée avec ses bolas ? Faisait-il partie d'une milice de quartier ? Était-il parent avec la propriétaire de la maison ? Était-ce une espèce de flic ?

Chalker connaissait Rainwater. Il avait même son numéro abrégé. Cela dit, on était à Yellowknife. Population : moins de vingt mille habitants. Tout le monde devait se connaître, non ?

Peu importait. Chalker n'avait rien révélé.

Décidément, ce n'était pas mon jour. Je tournais au coin de Hamilton, tête baissée et au petit trot, quand une bicyclette m'est rentrée dedans.

Je suis partie en vol plané. Le vélo a continué à descendre la pente en oscillant dangereusement, me laissant sur les fesses, la respiration coupée.

Pendant un instant, je n'ai eu qu'une seule pensée : reprendre mon souffle.

Je m'efforçais frénétiquement de me remplir les poumons d'air quand j'ai entendu un crissement de pas sur le gravier, et quelqu'un hurler très fort.

Le gamin du Kentucky Fried Chiken, cinq mètres plus bas ! Juché sur une vieille bicyclette rouge toute déglinguée, du genre à être sortie de l'atelier de fabrication quelque part dans les années cinquante. Son skateboard jaune dépassait d'un panier métallique fixé au pare-chocs arrière.

— Ha ha ha !

Le gamin tendait un doigt maigre dans ma direction, en rigolant.

— On dirait ma grand-mère quand elle est tombée dans l'auge à cochons !

— Et toi, on dirait que tu es trop petit pour retirer les stabilisateurs à ton vélo !

Le gamin était grand pour son âge, une douzaine d'années. Il m'arrivait peut-être au menton. Sous le jogging trop grand pour lui, il était d'une maigreur squelettique. À tout casser, vingt-cinq kilos tout mouillé.

— Ah ouais ? J'ai quel âge, d'après vous ?

Mes poumons étaient trop secoués de spasmes pour que je réponde.

Je me suis relevée. Le gamin s'est rapproché. Il avait des yeux sombres très écartés et des cheveux noirs qui pendouillaient sous sa tuque. La cicatrice sur sa lèvre supérieure racontait un problème de fente palatine résolu par voie chirurgicale.

— Ben mon vieux, z'avez vraiment une sale gueule.

Là, il marquait un point. J'avais le menton à vif. Les cheveux et les vêtements trempés et couverts de boue.

— Et vous puez la merde, en plus.

— Au jardin d'enfants, ils ne vont pas s'inquiéter de ton absence ?

Puéril. Mais ce petit con ne l'avait pas volé.

— Si vous cherchez l'asile de vieillards, ma grand-mère pourrait peut-être vous aider.

— Ta grand-mère aurait pu t'apprendre les bonnes manières, ouais.

— Ça changerait quoi ? Vous seriez toujours plus vieille que les dinosaures.

Je suis repartie au petit trot dans Hamilton, le gamin pédalant à côté de moi.

— Je vous ai vue, tout à l'heure, dans la 50e.

— Bravo. Mais je n'ai plus de sucettes.

— Vous suiviez Mme Snook.

Nellie Snook. J'ai noté son nom de famille.

— Qu'est-ce vous f'siez ici, dans la vieille ville ?

— Je cherchais une amie.

— Comment ça s'fait qu'vous êtes couverte de merde de cochon ?

— Je suis tombée.

— Ça doit être la maladie d'Alzheimer.

— Toi, d'ici dix ou douze ans, tu auras probablement besoin d'un dentier.

— Et vous, vous pisserez dans des couches.

J'ai ralenti jusqu'à marcher au pas pour mieux l'examiner. Il avait l'air sûr de lui, mais pas méchant.

— Le nom de mon amie, c'est Annaliese Ruben.

— Pourquoi vous la cherchez ?

— J'ai quelque chose pour elle.

— Donnez-le-moi. Je le lui porterai.

— Tu le balancerais par-dessus une palissade, direct.

— Bah, ça coûtait rien d'essayer.

Le gamin s'est fendu d'un grand sourire plein de trous entre des dents mal plantées.

— Alors comme ça, tu connais Nellie Snook ?

— J'ai jamais dit ça.

— Tu connais Annaliese Ruben ?

— C'est une vieille peau comme vous ?

— Comment tu t'appelles ?

— Binny.

— Binny comment ?

— Binny C'est-pas-vos-oignons.

J'étais sûre que Binny me lâcherait quand je tournerais dans Franklin. Mais pas du tout. Nous étions arrivés au milieu du pâté de maisons quand j'ai eu une idée.

— Hé, la crevette.

— Hé, mémé.

— Tu connais un dénommé Horace Tyne ?

— Qui le connaît pas, Horace.

— Ah bon ? Et pourquoi ça ?

— C'est un environnementalien.

— Un environnementaliste ?

Touché. Il a eu, l'espace d'une seconde, l'air vaguement penaud.

— Des tas de gens deviennent écolos. Qu'est-ce qu'il a de tellement spécial, cet Horace ?

— Il fait des trucs, et les gens en font tout un plat.

— Comme quoi ?

— Comme essayer de sauver les caribous, des trucs comme ça.

— Et comment il veut sauver les caribous ?

— En créant une réserve. Personne peut plus faire chier les animaux quand ils sont dans une réserve.

— Ta grand-mère ne dit rien quand elle t'entend dire des gros mots ?

— Et les gens, ils disent rien quand ils voient vos grosses rides ?

— Pourquoi tu n'es pas à l'école ?

— J'ai la varicelle.

Je persistais à penser que le gamin allait finir par s'en aller. Je me trompais encore.

Tout en marchant, je retournais dans ma tête la conversation avec Nellie. Elle voulait savoir si c'était à cause de Tyne que je cherchais Ruben. Et ce gamin connaissait Tyne.

— Dis, la crevette, le KFC était ouvert tout à l'heure, quand tu étais là-bas ?

— Non, grand-mère.

— Il est ouvert, maintenant ?

— J'crois pas.
— Tu sais manger des crêpes ? Tu es assez grand ?
— C'est vous qui payez ?
— On pourrait parler d'Horace Tyne ?
— Alors branchez votre sonotone.

20.

J'avais presque atteint la 43ᵉ Rue, toujours en compagnie de Binny, quand un bruit de moteur qui se rapprochait nous a surpris. Je me suis retournée.

Ryan, au volant d'une Toyota Camry blanche, arrivant dans notre dos et ralentissant le long du trottoir.

Je me suis arrêtée. Binny a hésité, m'a regardée et a mis un pied à terre pour se stabiliser.

Ryan a stoppé à côté de nous. À travers le pare-brise, je l'ai vu mettre le sélecteur de vitesse en position « parking ». Sans douceur.

Je me suis approchée de la Camry. Binny m'a suivie des yeux, un pied posé sur une pédale.

Je me suis penchée avec un grand sourire et j'ai tapoté la vitre côté passager. Au lieu de la baisser, Ryan a tiré brutalement sur la poignée de sa portière. Descendu précipitamment de voiture, il en a fait le tour par l'arrière.

— Mon vieux, ce que je suis contente de te voir !

En souriant toujours.

— Dans quel merdier tu es encore allée te fourrer, Brennan ?

Sur les traits de Ryan, un étrange mélange de colère et de soulagement.

— Je me pèle le cul.

Avec un sourire vacillant, mais qui tenait bon.

— Bon sang, où étais-tu passée ?

Les coudes de Binny se sont relevés et ses doigts se sont refermés sur les poignées du guidon. Comprenant que le gamin allait filer, j'ai opté pour l'humour, histoire de dissiper la tension.

— Je joue au détective.

Et j'y suis allée du petit jeu des sourcils qui est la spécialité de Ryan dans les moments embarrassants.

— Tu te crois drôle ?

— Ben, un petit peu, non ?

Et d'écarter les bras pour lui montrer dans quel état j'étais.

— Tu te fiches du monde ?

— Tu n'as pas eu mes messages ?

— Bien sûr que si ! J'en ai la peau du doigt arrachée à force d'appuyer sur « Rappel » !

— Du calme, muchacho.

Je n'avais jamais vu Ryan aussi à cran.

— Pourquoi tu ne répondais pas ?

— Mon téléphone a un peu pris la flotte.

J'ai de nouveau écarté les bras. Enfin, Ryan a bien voulu s'intéresser à mon aspect. Normalement, il m'aurait fait tout un numéro comique sur les femmes et les bassins à poissons, mais là, il a continué à tempêter :

— C'est de l'amateurisme, Brennan.

De l'amateurisme ? Cette fois, la coupe était pleine. Mon sourire s'est effrité.

— Tu m'accuses de manquer de professionnalisme ?

— D'être irréfléchie. Stupide. Irresponsable. D'agir en dilettante. Tu veux que je continue ?

— J'aurais pu trouver Ruben.

Ryan était lancé. Il n'entendait pas un mot de ce que je disais.

— On n'est pas venus ici pour participer à un jamboree de boy-scouts. Scar et ses acolytes ne rigolent pas. Ce sont de vrais durs.

— Arrête de te la péter, Ryan.

— Quoi, j'ai bien entendu ? Tu dis que je me la pète ?

— Fais-moi grâce de ton cinéma.

— La police de Yellowknife tout entière est à ta recherche. C'est du cinéma pour toi ?

C'est le moment qu'a choisi Binny pour filer en pédalant comme un fou de ses petites jambes maigrichonnes. Arrivé au coin de la rue, il a tourné à droite et disparu.

— S'il y a quelque chose qui n'est pas professionnel, c'est bien ça ! ai-je jeté à Ryan en le foudroyant du regard à mon tour.

— Monte dans la voiture.

Passant derrière moi, il a ouvert la portière à la volée.

— Ce gamin avait peut-être des informations intéressantes.

— Monte, je te dis !

Je me suis laissée tomber sur le siège passager, j'ai claqué la portière, bouclé ma ceinture et croisé les bras sur ma poitrine.

Ryan s'est assis au volant. Profonde inspiration, soupir d'un kilomètre de long. Puis crispation et relâchement réitérés de la mâchoire, avant de taper sur une touche de son portable.

— Je l'ai retrouvée.

Il a attendu une réponse.

— Ça, c'est sûr ! On rentre à l'Explorer.

Son portable remisé dans sa poche, il a bouclé sa ceinture, mis le contact et s'est glissé dans la circulation sur la 50e.

— N'oublie pas d'annuler les hélicos et les chiens policiers.

Les yeux rivés sur la route, j'ai laissé retomber les commissures de mes lèvres.

Silence glacé, côté Ryan.

Très bien. J'étais furieuse aussi. Et humiliée. Rainwater avait manifestement parlé à Ollie après sa conversation avec Chalker. Ollie avait appelé Ryan. À la seule idée de la quantité de gens qui avaient pu être mis en alerte, j'avais les joues en feu.

Dieu du ciel...

Ryan ne s'est décidé à ouvrir le bec qu'une fois arrivé à l'Explorer.

— Appelle-moi quand tu seras prête.

Retour dans ma chambre, et très longue douche très chaude. Ryan pouvait toujours poireauter. Qu'il aille se faire voir !

Après m'être essuyée, je me suis séché les cheveux tout en me regardant dans la glace. Des cheveux moyennement épais, ni longs ni courts, ni blonds ni bruns. Quelques fils gris envoyés en éclaireurs.

Examen plus attentif tout en m'appliquant du mascara. Pas encore de bajoues. Des yeux verts furibards entre des paupières encore fermes en haut et en bas.

Le temps de mettre du rouge à lèvres et du blush, mon reflet paraissait presque avoir retrouvé son calme.

Mon menton, c'était une autre histoire. Il avait abandonné pas mal de peau sur les pierres du bassin à poissons.

J'ai fait un paquet de mes vêtements, rempli la

liste pour le service de nettoyage et appelé Ryan. Son ordre : le rejoindre au restaurant.

Quand j'y suis arrivée, il était au téléphone, assis à la table que j'avais occupée quelques heures plus tôt. Vu les six sachets de sucre utilisés à côté de son mug, il végétait là depuis un bon moment.

Tandis que je prenais place en face de lui, la serveuse qui avait remplacé Nellie ce matin-là est apparue avec un mug et une cafetière. En réponse à mon hochement de tête, elle m'a servie. J'ai vaguement songé à lui poser des questions sur Nellie et puis je me suis ravisée.

Des paroles de Ryan, j'ai déduit qu'il discutait avec Ollie.

Sa communication achevée, il s'est mis à touiller son café avec un zèle admirable.

Trouvant que le silence avait assez duré, j'ai demandé :

— C'était Ollie ?

Il a acquiescé, sans cesser pour autant de martyriser sa cuiller.

— Vous parliez des aspirations professionnelles de Scar à Yellowknife ?

Nouveau hochement de tête et accélération du touillage.

— Et des figurants locaux ?

— En effet.

Ryan a étudié le jardin zen en gestation à travers la baie vitrée.

— Je peux faire valoir mon droit à l'information ?

— Les principaux protagonistes sont Tom Unka et Arty Castain. Unka a un casier épais comme un annuaire. Castain s'est mieux débrouillé.

— Ils sont associés ?

227

— Oui.

— Qu'est-ce qu'ils trafiquent ?

— Principalement de la cocaïne, de l'herbe et un peu d'amphets.

— Et Unka et Castain voient d'un mauvais œil la perspective d'une concurrence ?

Ryan en est convenu, avant d'ajouter :

— Et d'après radio-trottoir, ils seraient l'un comme l'autre des tueurs que rien n'arrête.

J'ai attendu la suite.

— Il y a quelques années, un dealer de Jasper a imaginé de se mettre à son compte dans le coin. Unka puis Castain lui ont envoyé un message en tuant son collie. Pour ajouter à l'avertissement une touche de délicatesse, ils lui ont envoyé par la poste les oreilles du chien. Le type a continué à dealer. Trois mois plus tard, un pilote de brousse repérait son cadavre qui flottait sur le ventre dans Back Bay.

— Sans les oreilles.

— Tu as pigé.

— Si Scar veut développer son business à Yellow-knife, c'est le genre de gars qu'il devra intimider.

En faisant du mal à Ruben. Mais ça, je ne l'ai pas dit.

— Ainsi que leur clientèle, a ajouté Ryan.

Il a bu une gorgée de son café avant de poursuivre :

— L'histoire de Ruben est dans toute la presse du pays.

Si vite ? J'en suis restée un instant sans voix.

— Quoi ?

— White.

Mon visage a dû lui télégraphier mon incompréhension, car il a précisé :

— Le connard qui a piégé Okeke.

— Le journaliste qui a téléphoné à la salle d'autopsie ? ai-je demandé, horrifiée. Il a écrit un article sur le nouveau-né d'Edmonton ?

— Dans le *National Post*. Et pas seulement l'édition d'Edmonton. Les quatre du pays. L'histoire a contaminé tout le Canada comme un virus, a fait Ryan en soulevant son mug en un salut sarcastique. Rien de tel que les meurtres de bébés pour booster le lectorat et l'audimat.

— Attends...

Ça n'avait aucun sens.

— Par qui White a-t-il eu accès à des informations confidentielles ?

— Par nous.

— *Hein ?*

— Aurora Devereaux. Elle a surpris ce qu'on se disait chez elle et a flairé la bonne occase. Elle ne l'a pas laissée passer. Comme tu l'as suggéré à Okeke, elle a probablement vendu son scoop au plus offrant.

— Ah, la salope !

— Comme tu dis, a approuvé Ryan.

Nous avons contemplé le jardin pendant un long moment.

— Tu vas enfin me dire quelle mouche t'a piquée ce matin ?

— Ne me parle pas sur ce ton, Ryan.

— Très bien.

Il a dardé sur moi un regard incendiaire, plus bleu qu'une flamme de butane.

— Comment s'est déroulée votre matinée, docteur Brennan ?

Je lui ai raconté mes exploits. La photo de Ruben. Nellie. Le Gold Range. La maison dans Ragged Ass Road. Chalker.

— Ce type t'a fait tomber avec des bolas ? a

demandé Ryan l'air radouci, une esquisse de sourire aux lèvres.

— C'est une arme formidable. À l'époque préhistorique, c'est avec ça qu'on chassait le mammouth.

Vérité quelque peu enjolivée, mais ça sonnait bien.

— Et c'est aussi avec ça qu'il t'a repêchée du bassin à poissons ?

À mon expression, il a dû comprendre que je n'étais pas d'humeur à lui servir de tête de Turc dans son numéro de *stand up*.

— Où étais-tu quand je t'ai appelé, bon, disons trois fois ?

Ignorant ma question ou, au contraire, pour lui apporter une réponse, Ryan a feuilleté quelques pages de son calepin.

— La maison de Ragged Ass est au nom de Josiah Stanley Snook.

— Nellie Snook. C'est le nom de la serveuse que j'ai suivie.

— C'est vraiment bizarre que cette femme soit rentrée chez elle avant la fin de son travail ici.

— Je t'ai dit qu'elle était partie précipitamment parce que je l'avais interrogée sur Ruben. Normalement, elle aurait dû préparer le buffet.

— Hum, hum. Tu dis que Snook est d'abord passée au Gold Range. C'est probablement là que Ruben se terre. C'est le quartier général des prostituées, ça devrait se trouver dans sa zone de confort.

— Avec un chien ?

— Mais qu'est-ce que tu as avec ce chien ?

— Ralph Trees a dit que Ruben avait un chien.

— Si on se fonde sur le pedigree de cette femme, le clébard a sûrement disparu du paysage depuis un bon moment.

Ryan a repris son téléphone et composé un numéro. Encore une fois, je n'ai eu droit qu'à sa part de la conversation.

— Mieux. Excepté le menton.

Super.

— Ça a donné quoi, au Gold Range ?

J'ai vérifié mon portable. Toujours HS.

— Hasty est encore avec Unka et Castain ?

Une pause.

— Tu m'étonnes !

Une pause.

— On peut la croire ?

Une pause.

— D'accord. Tenez-moi au courant.

Ryan a coupé la communication et demandé la note.

— Ollie fait surveiller l'hôtel par ses gars ?

— Par Rainwater, pendant qu'il s'occupe d'Unka et de Castain.

— Il en a tiré quelque chose ?

— Ces petits gars de la région ne sont pas très bavards.

— Tu as parlé de quelqu'un qu'on pouvait croire. Qui ça ?

— Une prostituée qui prétend avoir vu un type correspondant au signalement de Scar. Chez Bad Sam, vers trois heures du matin.

— Bad Sam ?

— La taverne du Gold Range. Les gens du coin l'appellent le Strange Range.

— Les petits coquins. Alors, on peut se fier à elle ou non ?

— Quand elle n'a pas bu.

— Zut. On ne devrait pas y aller ?

— Rainwater est sur le coup. Il appellera si Ruben est là-bas.

— Et maintenant ?

— Maintenant, on attend.

— Mais...

— Brennan, je suis un représentant de l'ordre en déplacement. Tu sais ce que ça veut dire ? Ça veut dire que je suis en dehors de ma juridiction. Un visiteur. En tant que tel, je fais ce que mes hôtes me disent de faire.

— J'ai entendu un chien aboyer chez les Snook.

— Et c'est reparti avec ce satané clebs !

— Suppose que Ruben ne soit pas au Gold Range ? Suppose qu'elle soit chez les Snook ? Si Scar est vraiment à Yellowknife, combien de temps tu crois qu'il lui faudra pour lui mettre le grappin dessus ?

Ryan n'a pas répondu.

— On ne peut pas rester là, comme ça, les bras croisés.

— Mais on fait quelque chose. On attend des nouvelles de Rainwater. Je te rappelle que nous n'avons pas de mandat d'arrêt du Québec contre Ruben, où elle est un suspect recherché pour interrogatoire. Le seul mandat que nous ayons à son encontre, c'est celui d'Edmonton. Pour non-présentation à un procès.

— Si on allait faire un tour dans Ragged Ass ? On n'est pas obligés de frapper à la porte ou quoi que ce soit. On peut se contenter d'observer depuis la voiture. Au cas où quelqu'un entrerait dans la maison ou en sortirait. Quel mal y aurait-il à ça ?

La serveuse s'est approchée. Ryan a signé la note. Puis il a levé les yeux sur moi et finalement s'est décidé.

— Allons-y.

21.

Nous étions stationnés dans Ragged Ass depuis une demi-heure quand Ryan a reçu un appel de Rainwater. Au Gold Range, il avait interrogé les employés de jour et ceux de nuit, consulté le registre et parlé avec tous les clients qui avaient accepté de répondre à ses questions. Bref, il avait fait tout ce qui était en son pouvoir en l'absence de mandat. Il était quasiment sûr que Ruben ne se trouvait pas dans cet hôtel et doutait fortement qu'elle y ait jamais mis les pieds.

Juste après cette conversation, la porte d'entrée de chez les Snook s'est ouverte. Nellie. Portant sa même veste grise, mais un jean et non plus sa jupe rouge.

Coup d'œil à Ryan. Il l'avait remarquée : ses lunettes de soleil étaient braquées sur elle.

Nellie n'avait pas noté notre présence. Elle a sifflé tout en se tapotant la cuisse. Un petit chien gris a bondi par la porte, sauté à bas du perron et s'est lancé dans une ronde effrénée sur la pelouse. Un vrai derviche tourneur.

— Qu'est-ce que je te disais !

J'ai brandi un poing victorieux.

— En Amérique du Nord, deux familles sur trois ont un chien.

— Tu viens de l'inventer !

— Oh, je ne suis sûrement pas très loin du recensement officiel.

— Allez, Tank, a lancé Nellie. Fais pipi !

Tank ?! De mon point de vue, ce petit cabot ressemblait plutôt à un yorkshire mâtiné de gerbille. Quoi qu'il en soit, il a poursuivi son carrousel insensé.

— Tank, arrête tout de suite et fais tes besoins !

Loopings encore plus frénétiques.

— Tu n'auras pas de biscuits ! a repris Nellie en secouant un sachet.

Le petit chien a pilé net et fixé Nellie, les oreilles dressées, la tête penchée sur le côté.

Rassuré à la vue du sachet, il a reniflé deux-trois endroits avant de s'accroupir et, là, il a tenu la pose un temps incroyablement long.

Soulagé, Tank s'en est revenu au petit trot vers Nellie pour recevoir sa récompense.

Elle l'a ensuite soulevé du sol, porté jusque dans la maison et l'a laissé tomber par terre avec un flop, avant de refermer la porte sur lui.

Le verrou dûment tourné, Nellie a disparu sous l'auvent et réapparu bientôt, tirant un caddie.

— On dirait qu'elle part au marché.

— Possible, a répondu Ryan.

— On pourrait en profiter pour faire le tour du propriétaire. Peut-être...

— Ça ne t'a pas tellement réussi, ce matin.

— Très bien. Tu gardes l'œil sur la maison pendant que je lui dis deux mots.

— Ça non plus.

Il commençait à me taper sur les nerfs, le Ryan. Déjà que j'étais frustrée d'attendre sans rien faire et encore boostée par la quantité de caféine que j'avais ingurgitée ce matin.

— Tu sais quoi ? Pour poser quelques questions, je n'ai pas besoin de mandat. Ni de ta permission.

Sur ce, j'ai sauté hors de la voiture et foncé sur le chemin à la suite de Nellie. Les rebonds du caddie sur le gravier ont étouffé mes pas. Ou alors Nellie était sourde comme un pot. J'ai attendu d'être à deux mètres d'elle pour l'interpeller.

— Nellie !

Elle s'est retournée. Son expression est passée de la surprise à la confusion, pour finalement se stabiliser sur l'inquiétude.

— Vous avez deux minutes, s'il vous plaît ?

— Vous avez déjà essayé de vous introduire chez moi.

— Introduire ? C'est un grand mot.

— Je vous ai vue. J'ai appelé mon cousin. Il a rappliqué et vous a trouvée dans la cour.

— Je n'avais pas l'intention d'entrer par effraction !

— Pourquoi vous me harcelez ?

— Je vous l'ai dit au restaurant : je m'inquiète pour Annaliese Ruben.

— Je me demande bien pourquoi vous vous souciez d'elle.

Bonne question : pourquoi, en effet ? Une femme qui avait très certainement tué quatre bébés ! Quel était vraiment mon mobile : la protéger ou la faire inculper pour assassinat ?

— Je n'aime pas voir souffrir les gens.

Ma réponse a paru la détendre un peu.

— Est-ce qu'Annaliese est chez vous ?

— Je vous l'ai déjà dit : je ne la connais pas.

— Est-ce qu'elle est au Golden Range ?

Ses doigts se sont crispés sur la poignée du chariot.

— Pourquoi y êtes-vous passée ce matin ?

— Mon mari travaille là-bas.

— Josiah ?

— Mais laissez-moi tranquille, à la fin !

La peur s'était rallumée dans ses yeux.

— Vous pouvez me dire pour quelle raison vous êtes allée au Golden Range ?

— Si je vous le dis, vous arrêterez de m'embêter ?

— Oui.

Elle a eu un moment d'hésitation. Pesant le pour et le contre ? Cherchant la meilleure échappatoire ?

— J'avais oublié la clé de la maison. Comme mon mari en a une...

Je n'étais pas vraiment convaincue. Ça n'expliquait pas son départ précipité de l'Explorer. Mais aucune autre question ne me venait à l'esprit.

Le nom d'Horace Tyne, qu'elle avait laissé échapper ce matin, m'avait laissé l'impression d'une petite victoire. D'une piste à suivre. D'un moyen possible de remonter jusqu'à Annaliese Ruben. En réalité, à part ce nom qui n'avait peut-être rien à voir avec toute l'affaire, je n'avais rien découvert de nouveau. Et ça, c'était exaspérant !

Fidèle à ma parole, je lui ai tendu ma carte sans poser d'autres questions.

— Je m'appelle Temperance Brennan. Il se peut qu'Annaliese soit en danger. Si elle vous appelle, soyez gentille de me prévenir à l'Explorer.

Retour à la Camry. Ryan m'a accueillie avec un regard interrogateur derrière ses lunettes. Enfin, j'en ai eu l'impression. J'ai secoué la tête.

— Ollie a demandé à Rainwater de nous rejoindre ici.

— Ah.

Et, de nouveau, inspection des environs en silence, pendant cinq bonnes minutes.

— Dis donc, ce n'est pas le garçon qui était avec toi tout à l'heure ?

J'ai suivi la ligne de mire de Ryan. Oui, c'était bien Binny. Assis en tailleur sur un rocher, tout au bout de Ragged Ass, son vélo dans l'herbe à côté de lui. Il avait les yeux rivés sur nous.

J'ai baissé la vitre pour lui faire signe. Pas de coucou en retour.

— Il s'appelle Binny.

— Il a une drôle de dégaine.

— Il me plaît bien. Il a du cran.

— Y donnait pas l'impression d'en avoir tant que ça quand il s'arrachait le cul à remonter la 50ᵉ à vélo.

— Tu lui as foutu une de ces trouilles à m'engueuler comme tu le faisais.

Nouveau signe à Binny, qui est remonté en selle et a décanillé.

Peut-être que Ryan avait raison et que je n'étais pas si douée que ça pour juger les gens.

— À quoi est-ce que tu pensais quand tu as dit que ce gamin pourrait nous être utile ?

— À quelqu'un dont Nellie a laissé échapper le nom quand je l'interrogeais à propos de Ruben. Horace Tyne. Binny prétend le connaître.

« Allez, accouche ! » m'a signifié Ryan d'un geste de la main.

— D'après Binny, Tyne serait un écoactiviste.

— Quoi encore ?

— C'est tout. Il a flippé en te voyant aussi en colère.

Les lunettes relevées sur son front, Ryan a composé un numéro sur son portable.

Pas de réseau.

Il a recommencé. Idem.

— OK. Faisons dans la facilité.

Il a tapé sur plusieurs touches. Un bon paquet. Puis, sans relever les yeux du petit écran :

— Et voilà !

— Merci, Google ?

Ryan n'a pas prêté attention à ce que je disais.

— Je chauffe ?

— Tu grésilles. Horace Tyne dirige une association qui s'appelle Les Amis de la toundra. Selon leur site, qui est merdique, ils ont pour but la préservation des espèces végétales et animales propres à l'écosystème de la toundra dans les Territoires du Nord-Ouest.

Il poursuivit sa lecture pour lui-même en faisant défiler les pages, avant d'ajouter :

— Apparemment, ce Tyne cherche à mettre en place une sorte de réserve.

— Il y a un contact d'indiqué ?

— Une adresse où envoyer les dons.

— Ici, à Yellowknife ?

— Dans un bled appelé Behchoko.

Pendant que Ryan cherchait à localiser l'endroit sur Google, une voiture de patrouille de la GRC s'est garée derrière nous. Au volant, Rainwater, qui nous a fait un signe de la main.

Ryan lui a rendu son salut puis a fait retomber ses lunettes sur le nez.

Et nous avons pris la route.

Behchoko est une communauté dénée d'environ deux mille âmes qui s'appelait autrefois Rae-Edzo. Dieu sait pourquoi elle a changé de nom en 2005. Et Dieu seul sait à qui ou à quoi renvoyait Rae. Car Edzo, lui, c'était un chef indien, d'après les informations portées sur la carte de la région éditée par la compagnie de location de voitures et rangée dans la boîte à gants comme il se devait.

Inutile de posséder un GPS pour choisir son itinéraire. Une seule route menait là-bas : le Yellowknife Highway.

Dans la bataille pour le volant, victoire de Ryan : la voiture était louée à son nom, ce qui faisait de lui le capitaine. Une fois de plus, je serais condamnée à admirer le paysage. Mais sans un Ollie lançant ses piques depuis la banquette arrière. Toujours ça de gagné. Qu'il prenne donc Castain et Unka pour têtes de Turc, puisque leur interrogatoire n'était pas achevé.

Notre destination se trouvait à soixante-dix kilomètres environ, au nord-ouest de Yellowknife.

La carte disait aussi qu'après Behchoko, la route goudronnée traversait Deh Cho et le Frank Channel, et se poursuivait encore sur une cinquantaine de kilomètres. Au-delà, les camions desservant la mine utilisaient, à la saison froide, les pistes tracées sur la glace. Pour le transport de l'or, ai-je traduit.

J'ai fait profiter Ryan de ma science. En temps ordinaire, j'aurais eu droit à quelques mesures de *Livin' on the Edge*. Aujourd'hui, Aerosmith est resté au placard.

Le trajet a pris en gros une heure. Pendant laquelle nous n'avons pas vu une seule voiture. Juste des arbres et encore des arbres.

Behchoko consistait en un amas de bâtiments enserrant un rivage désolé parsemé de rochers. Lequel n'était autre que le littoral nord du Grand Lac des Esclaves, m'a encore appris la carte.

Le long de la grand-rue : une école avec des balançoires à montants de bois dans la cour de récré ; un appentis sans fenêtre hébergeant un distributeur de billets ; des maisons à ossature en bois de couleurs différentes, acajou, marron, gris, bleu, mais toutes détériorées par les intempéries ; des dizaines de poteaux électriques bizarrement penchés. Une végétation réduite à quelques carrés d'herbe et des bouquets d'arbres çà et là. Quant aux rues du village, aucune n'était goudronnée.

Ryan s'est garé devant une petite cabane en rondins. La GRC locale, à en juger par la pancarte en français et en anglais clouée sur la porte.

Dans le bureau : une table, un fauteuil, deux ou trois classeurs métalliques et quasiment rien d'autre.

Le fauteuil était squatté par un caporal du nom de Schultz, d'après son insigne. À notre entrée il a levé les yeux, mais n'a pas dit un mot.

Proche de la trentaine, petit et trapu, avec des joues de hamster qui adoucissaient ses traits.

Comme il gardait les yeux vrillés sur Ryan en m'ignorant totalement, j'ai laissé le capitaine mener la conversation.

— Bonjour, caporal. (Ryan, en retirant ses lunettes de soleil.)

— Bonjour. (Si Schultz était surpris de nous voir, il ne l'a pas montré.)

— Nous sommes à la recherche des Amis de la toundra.

Schultz a penché la tête et s'est gratté l'arrière du cou.

— Horace Tyne..., a précisé Ryan.

— Ouais. Le congelé du bulbe, a répondu Schultz en pointant quatre doigts sur la porte dans notre dos. Au bout de la grand-rue, à la maison bleue au hangar vert, vous tournez à gauche. Quatre portes plus loin, la maison rouge entourée d'une clôture. Rouge avec une porte blanche. C'est là.

— Vous connaissez Tyne ?

— Je le croise ici et là.

Petite attente pour laisser à Schultz le temps de développer. Il n'en a rien fait. Nous nous sommes apprêtés à partir.

— Vous venez de Yellowknife ?

— Oui.

— Vous êtes de sa famille ? (Sur le ton reconnaissable entre tous du flic qui la joue sympa.)

— Non.

— De Greenpeace ?

— Qu'est-ce que vous savez de son association ?

— Pas grand-chose. Je suppose que ça l'occupe.

— Ce qui veut dire ?

— Le gars est sous-employé depuis la fermeture des mines d'or.

— Ça remonte à quand ? (Première intervention de ma part.)

— Au début des années quatre-vingt-dix. Avant moi.

— Il a l'air assez baraqué.

Schultz a haussé les épaules.

— Il joue volontiers des poings, et il a pas besoin de picoler pour ça.

— Ça veut tout dire ! a renchéri Ryan en remettant ses lunettes.

— Merci de votre aide.

Les indications du caporal étaient exactes. Nous avons trouvé l'endroit facilement. La maison était petite, rouge canneberge, avec, sur le toit, deux tuyaux métalliques en guise de cheminée. La clôture était faite de planches brutes espacées de cinq centimètres. Un bouleau rabougri ombrageait la cour en terre battue. Un pick-up gris était garé dans l'allée.

— C'est moins classieux que la Trump Tower, a fait Ryan tout en détaillant les lieux.

— Il n'a peut-être besoin que d'un ordinateur.

— Ça lui fait moins de frais généraux.

— Ça lui laisse plus de fric pour les caribous.

Ryan a ouvert le portail. Nous sommes allés jusqu'au perron.

Petits coups à la porte.

Rien.

Re-petits coups, plus fort.

Une voix a aboyé quelque chose et la porte s'est ouverte.

J'ai eu beau fouiller dans mes archives mentales.

Nan. Ça, c'était une première.

22.

Un pagne en peau de léopard, des perles de couleur, un élastique dans les cheveux. Voilà à quoi se résumait la tenue de Tyne.

Un crâne chauve luisant comme le cuivre, divisé en deux par une bande de longs cheveux noirs – une douzaine au grand maximum, réunis en queue-de-cheval – qui partait du front et lui enveloppait toute la tête. La bande de cheveux comme la queue-de-cheval brillaient de graisse ou d'humidité. Difficile de dire si c'était pour ce gars une façon d'honorer ses ancêtres ou s'il sortait tout simplement de sa douche.

— Comment allez-vous, monsieur Tyne ? (Ryan, en tendant la main.) J'espère qu'on ne vous dérange pas.

— Je n'achète que ce que je vais chercher moi-même, exclusivement. Ce qu'on n'a pas besoin d'aller chercher, c'est probablement qu'on n'en a pas besoin.

— Nous ne sommes pas des représentants de commerce.

— D'une église, alors ?

— Non, monsieur.

Tyne a serré la main de Ryan, la mienne, et s'est flanqué une claque sur la poitrine du plat de la main.

— Je m'apprêtais à suer un peu. C'est bon pour la circulation.

— Moi, c'est Andy et voici Tempe. C'est Nellie Snook qui nous a donné votre nom. (La tactique de Ryan : le laisser croire à une certaine proximité entre nous tous.) Nous sommes des associés d'Annaliese Ruben.

Le temps de plusieurs battements de cœur sans que Tyne nous gratifie d'un mot. Je pensais déjà qu'il allait nous éconduire quand il a esquissé un sourire.

— Annaliese ? OK. Admettons.

— Pardon ?

— De gentilles filles, toutes les deux. Je les connais depuis qu'elles sont nées. Ainsi que leurs familles. Assez douées pour se fourrer dans le pétrin. Annaliese est partie d'ici il y a déjà plusieurs années. Ça me plairait bien de savoir comment elle va.

— Nous pensons qu'elle est retournée à Yellow-knife.

— Sérieusement ?

Est-ce le fruit de mon imagination, ou les yeux de Tyne se sont-ils plissés un tant soit peu ?

— Annaliese vivait à Edmonton. D'où nous venons. Nous connaissons son ancienne propriétaire, Mme Forex, et lorsqu'elle a su que nous passions par Yellow-knife, elle nous a donné des affaires oubliées chez elle par Annaliese. C'est pour ça que nous aimerions la retrouver avant de partir.

Chaque phrase, prise séparément, était la stricte vérité.

— Entrez donc ! a répondu Tyne en nous cédant le passage. Vous me dites ce que vous savez, je vous dis ce que je sais.

Nous l'avons suivi d'une entrée mal éclairée à un

salon meublé standard, sur catalogue. Le lino du sol essayait de ressembler à de la brique. Ça sentait l'oignon et le bacon.

Tyne a désigné le canapé. Nous y avons pris place. Il a proposé du café. Nous avons refusé.

Tyne s'est laissé tomber dans un fauteuil en face de nous, ses genoux osseux écartés en un V qui nous offrait une vision privilégiée sur Miss Quéquette et les deux orphelines.

Coup de bol, je n'avais pas encore déjeuné.

— N'hésitez pas à aller mettre des vêtements plus chauds, a suggéré Ryan avec un sourire. Ça ne nous dérange pas du tout d'attendre.

— Je m'en voudrais de distraire madame avec mes roubignoles, a répondu Tyne avec un clin d'œil appuyé.

Ryan a souri.

J'ai souri.

Tyne est sorti de la pièce pour y revenir l'instant d'après en jean et sweat-shirt.

— Eh bien, réunissons nos têtes !

Image presque aussi indécente que la vue sur ses roubignoles.

— Tout d'abord, a commencé Ryan, merci d'accepter de parler avec nous. Nous ne vous prendrons pas trop de temps.

— Ça, c'est quelque chose dont je ne manque pas.

— Un luxe, de nos jours.

— Pas quand les factures s'accumulent.

— Vous êtes au chômage, monsieur ?

— J'ai travaillé quinze ans à la Giant. Et du jour au lendemain, ils en ont arrêté l'exploitation. « Désolé, mec. T'es viré. » J'ai fait un peu de jalonnement, de camionnage. Y a pas beaucoup d'activité par ici.

— La Giant, c'est une mine d'or ? ai-je demandé.

— C'était. L'or a été la pierre angulaire de toute l'économie de la région pendant des décennies.

— Ah, je ne le savais pas.

— Évidemment, tout le monde a entendu parler de la ruée vers l'or du Klondike. Eh bien, Yellowknife a eu aussi son époque de splendeur.

— C'est vrai ? s'est exclamé Ryan qui n'en avait rien à carrer, je le savais, mais qui cherchait à mettre Tyne en confiance.

— Mille huit cent quatre-vingt-dix-huit. Un chercheur d'or en route pour le Yukon a de la chance. En l'espace d'une nuit, la ville connaît un boom fulgurant.

Tyne est parti d'un rire qui a sonné comme un hoquet.

— Je veux dire que la population a grimpé jusqu'à un millier d'habitants. Mais il a fallu attendre le siècle suivant pour que l'exploitation minière connaisse un véritable impact économique.

— Il y avait beaucoup de mines en exploitation dans le coin ?

— Celle de Con a ouvert en 1936 et fermé en 2003. La Giant a ouvert en 1948 et fermé en 2004. Épuisement des réserves, coûts de production trop élevés. Toujours le même baratin. Les bénéfices sont en baisse, alors vous, les gogos, trouvez-vous un autre emploi.

— C'est navrant, est intervenu Ryan.

— Vous pouvez le dire ! Con, c'était vraiment quelque chose. Les galeries descendaient jusqu'à cent soixante mètres et s'étendaient sous la plus grande partie de Yellowknife et de la baie, presque jusqu'à Detah. Et la Giant n'était pas en reste. En 1986, c'était l'une des rares à sortir ses dix mille lingots d'or. Au niveau mondial, je veux dire.

M'est revenu en tête un autre événement ayant contribué à la célébrité de la mine Giant : l'assassinat, en 1992, de neuf mineurs par un de leurs collègues, furieux d'apprendre que le piquet de grève avait été forcé. La bombe avait démoli leur wagonnet, alors qu'ils étaient à deux cents mètres sous terre. Le crime le pire de toute l'histoire du mouvement ouvrier canadien.

— Je crois que vous vous intéressez de près à la conservation de l'environnement, n'est-ce pas ? ai-je demandé.

— Il faut bien que quelqu'un prenne position.

— En faveur des caribous ?

— Des caribous, des lacs, des poissons. Ces putains de mines de diamant vont détruire tout l'écosystème.

— De diamants ?

— Le trésor de la toundra ! s'est écrié Tyne dégoulinant de mépris. La mort de la toundra, plutôt.

Sur un regard en coin de Ryan me signifiant : « Assez tourné autour du pot », je suis revenue à nos véritables préoccupations :

— Vous connaissez la famille d'Annaliese Ruben, disiez-vous ?

— Son père, et assez bien. Quel foutu caractère il avait, ce Farley McLeod !

— Il avait ?

— Il est mort. On travaillait tous les deux pour Fipke.

— Fipke ?

— Non, sérieusement ?! s'est exclamé Tyne en me dévisageant comme si je lui avais demandé à quoi sert le savon.

— Sérieusement.

— Chuck Fipke ? Le gars qui a découvert les diamants dans l'Arctique. En réalité, ils étaient deux. L'autre, c'est Stu Blusson. Tout le monde pensait qu'ils étaient fous à lier. L'avenir a montré que pas du tout. Et maintenant, les caribous en prennent plein les miches, grâce à ces deux-là.

— Parce que les diamants ont remplacé l'or dans les Territoires ? ai-je demandé.

— Sérieusement ?!

Visiblement, Tyne aimait la formule. Cette fois-ci, j'ai évité de jouer les perroquets, moi aussi.

— Combien de mines y a-t-il ?

— Ekati a ouvert en 1998, Diavik en 2003, Snap Lake en 2008. C'est la seule exploitation souterraine.

— Où est-ce qu'elles se trouvent ?

— À plusieurs centaines de kilomètres au nord. Snap Lake est la première mine exploitée par la De Beers hors d'Afrique. Maintenant, ils essaient d'en développer une autre à ciel ouvert. Gahcho Kué. Quand ces salauds auront réussi leur coup, il ne restera plus un seul caribou.

Ma connaissance de l'industrie du diamant était tout à fait limitée. Non, j'exagère encore. Tout ce que je savais, c'est que la De Beers avait été fondée par Cecil Rhodes à la fin des années 1800, qu'elle était basée à Londres et à Johannesburg et qu'elle extrayait soixante-quinze pour cent de la production mondiale de diamants. Je savais aussi que des pays comme l'Angola, l'Australie, le Botswana, le Congo, la Namibie, la Russie et l'Afrique du Sud possédaient d'importantes ressources. J'ignorais complètement que le Canada était dans la course, lui aussi.

— Vous avez dit que vous aviez fait du jalonnement. Qu'est-ce que c'est, exactement ?

— Ça consiste à poser des jalons.

— Pour délimiter les terrains et les enregistrer ?

— Vous êtes une rapide, petite madame.

— Ouais, sérieusement !

Tyne a de nouveau émis un hoquet en guise de rire,
deux doigts pointés sur moi.

— Du jour où Fipke a mis la main sur son filon,
l'enfer tout entier s'est déchaîné. En comparaison, la
ruée vers l'or avait été une garden-party. Mais ça,
c'est de l'histoire ancienne. Aujourd'hui, pas un centimètre carré de toundra qui n'ait été arpenté par un de
ces crétins qui rêvent de faire fortune. Et les grandes
compagnies ont récupéré toutes les terres intéressantes,
Rio Tinto, BHP Billiton, la De Beers.

— Ça se présente comment, un filon ? ai-je voulu
savoir.

— Je croyais que c'était Annaliese Ruben qui vous
intéressait ? a répliqué Tyne, le regard vide de toute
expression.

— Absolument, est intervenu Ryan. Est-ce qu'elle
vivait avec son père ?

— Farley, il n'était pas du genre papa. Plutôt
comme la carpe : j'engendre et je laisse tomber.

— Annaliese vivait avec sa mère, alors ?

— Micah Ruben. Après, elle a changé de nom pour
s'appeler Micah Lee. Je ne crois pas qu'elle se soit
jamais mariée. Ces deux-là, elles ont toujours aimé
changer de nom.

— Ah oui ?

— Ouais. Micah avait appelé sa mouflette Alice.
Puis c'est devenu Alexandra, Anastasia. Elles trouvaient que ça faisait mieux.

— Et Micah, qu'est-ce qu'elle est devenue ?

— Elle buvait. Un voisin l'a retrouvée dans la neige, transformée en glaçon, il y a de ça cinq ou sept ans.

Pensant à l'ADN, j'ai demandé :

— Micah, c'était une Indienne ?

— De la tribu dénée.

— Et Farley ?

— Un bon vieux blanc, tout ce qu'il y a de plus ordinaire. Farley n'a pas tardé à suivre Micah dans la tombe. En 2007, si je me souviens bien.

— Quel âge avait Annaliese à ce moment-là ?

Tyne a donné l'impression de devoir réfléchir un peu.

— Je crois qu'elle venait d'entrer au lycée. Ce qui lui faisait quoi ? Quatorze ans ? Quinze ? Bien sûr, ce n'était pas la plus maligne de la classe, alors peut-être qu'elle était plus âgée.

— De quoi est mort Farley ?

— Son Cessna s'est écrasé dans le lac La Martre. Un chasseur l'a vu descendre en piqué. On a bien retrouvé des débris du zinc, mais pas le corps de Farley...

Tyne a marqué une pause avant de reprendre :

— Peut-être qu'à cette époque Annaliese vivait avec lui puisqu'elle n'avait plus sa mère.

— Où ça ? ai-je demandé en ressentant une sorte d'excitation.

— À Yellowknife, dans une baraque merdique. Farley, il était du genre cigale, a ajouté Tyne en secouant la tête. Et quand il n'a plus eu d'argent sur son compte, la gamine s'est retrouvée à la rue, orpheline ou pas. Comme aucun de ses frères et sœurs ne se pointait pour lui tendre la main, je l'ai laissée s'installer chez moi pendant un moment. J'habitais en ville à l'époque.

— Et ensuite ?

Un beau jour, elle est partie.

— Pour faire quoi ?

Tyne a haussé les épaules.

— Elle a bien dû trouver un moyen de survivre.

— Comme la prostitution, a déclaré Ryan.

— Je ne fais que supposer. En me référant à sa mère.

— Vous avez tenté d'intervenir ? ai-je demandé, en sentant mon excitation se transformer en dégoût. De faire en sorte qu'elle retourne l'école ?

— Je n'avais pas mon mot à dire. Je ne suis pas de la famille.

— Elle était...

Sentant l'hostilité me gagner, Ryan a jugé bon de s'interposer :

— Vous dites qu'elle avait des frères et sœurs.

— Un demi-frère et une demi-sœur, pour autant que je sache. (De nouveau ce rire saccadé.) Mais ils sont sûrement tout un peloton. Farley savait y faire avec les dames...

« Qui se laissent éblouir par les roubignoles », mais ça, je l'ai gardé pour moi.

— C'est qui, le demi-frère ?

— Un dénommé Daryl Beck. Il était un peu plus vieux qu'Al... qu'Annaliese.

— Il est mort, lui aussi ? est intervenu Ryan, à qui l'imparfait employé par Tyne n'avait pas échappé.

— Trop de lignes d'un coup, je suppose. Sa maison a brûlé jusqu'aux fondations. Il paraît qu'ils ont eu du mal à identifier ses restes.

— Il se droguait ?

— Je ne sais que ce qu'on raconte.

— Ça remonte à longtemps ?

— Trois ou quatre ans.

— Il y a eu enquête ?

— Les flics ont essayé.

— Ce qui veut dire ?

— Les gens d'ici ne sont pas du genre causant.

— Annaliese était proche de son frère ? ai-je demandé.

— Je n'en sais rien du tout.

— Et lui, Beck, il avait une famille ?

— Même réponse.

— Il n'est jamais venu la voir pendant qu'elle était chez vous ? Ne lui a pas téléphoné ?

— Non.

— D'autres l'ont fait ?

Tyne s'est contenté de me regarder fixement.

— Où est-ce qu'Annaliese est allée vivre, après être partie de chez vous ?

— Elle n'a pas laissé d'adresse, la gamine.

Là encore, le chatouillement.

— Vous avez essayé de vous renseigner ?

Les yeux de Tyne scrutaient mon visage. À l'évidence, il cherchait à décrypter mes pensées.

— Vous vous êtes quittés en mauvais termes ? ai-je insisté.

— Je n'apprécie pas vos sous-entendus, et je trouve que vous posez bien des questions pour des gens qui veulent seulement transmettre un colis.

Tyne s'est mis debout. Fin de l'entretien.

— Merci beaucoup de nous avoir reçus, a dit Ryan, et il a fait descendre ses lunettes de soleil sur son nez.

Arrivée à la porte, j'ai encore demandé :

— Pour quelle raison Annaliese a-t-elle quitté Yellowknife ?

— Ce n'était pas mes oignons.

— Si elle est revenue, vous savez où elle aurait pu aller ? Qui elle aurait pu contacter ?

— Peut-être sa demi-sœur.

— Vous avez son nom ?

La réponse nous a pris de court. Non, sérieusement ?!

23.

Demi-sœurs ! Nellie Snook et Annaliese Ruben !

Pendant tout le chemin de retour à Yellowknife, je me suis efforcée de me faire à cette idée. Ni Ollie ni personne à la division K n'avait découvert leur lien de parenté.

— Le nom de Snook n'est jamais apparu quand on a vérifié l'identité de Ruben ?

— Aucune raison pour ça.

— Une ville qui ne compte même pas vingt mille habitants, et personne ne savait qu'elles étaient demi-sœurs ?

J'avais du mal à le croire.

— Et pourtant, c'est comme ça !

Ryan a garé la Camry sur une bande de terre devant une cabane bleu vif et nous sommes descendus de voiture.

— Et pas une seule des personnes interrogées n'en avait la moindre idée ?

— Comme Tyne le dit : les gens d'ici ne sont pas du genre causants.

Des bois de caribou, des raquettes et une palette de forme irrégulière étaient accrochés au-dessus de la porte de la cabane. À côté, une pancarte disait :

« Défense de pleurnicher ». Ryan me l'a désignée en haussant les sourcils. J'ai répliqué :

— Je ne pleurniche pas.

Ce qui était la vérité pure. En effet, je fulminais.

Ryan m'a montré un autre panneau avant d'ouvrir la porte. « La bière est chaude, la bouffe dégueu et le service nul, mais bienvenue quand même ! » Un carillon a annoncé notre entrée.

À gauche, une tête d'orignal empaillée faisant office de portemanteau. En face de l'incarnation de Bullwinkle, l'animal bien connu des amateurs de dessin animé, un comptoir de bistrot, une caisse enregistreuse et une plaque de cuisson. À côté, une femme en casquette Mao noire, chemise à carreaux et jean, raclait la plaque à l'aide d'une spatule. Dans le reste de la salle, des tables en bois et des chaises à dossier haut, les unes toutes simples, les autres sculptées.

En entendant les clochettes, Mao s'est retournée.

— Vous avez réservé ?

Une voix de fumeuse invétérée.

On en est restés babas, Ryan et moi. Il était trois heures de l'après-midi et l'endroit était vide.

— J'vous ai bien eus, hein ?

Son rire a révélé des trous dans sa bouche aux endroits jadis occupés par les molaires. De sa spatule, elle nous a indiqué de nous asseoir où bon nous semblait.

Nous avons opté pour une table balafrée de graffitis près d'une fenêtre ombragée par des stores vénitiens. À travers les lamelles, on distinguait des arbres et des tables de piquenique bleues. Le mur à côté était couvert de photos et de cartes de visite dont un bon nombre étaient devenues illisibles, l'encre s'étant effacée avec le temps.

— Heureusement que je ne suis pas une de ces bonnes femmes qui répètent tout le temps : « Je te l'avais bien dit », parce que c'est justement ce que je serais en train de te dire en ce moment.

— Encore à voir !

Mao est venue prendre la commande. Fish and chips pour nous deux sur le conseil de Rainwater. C'est lui qui nous avait indiqué cet endroit, le Bullock, en précisant que tout dans le menu venait directement du lac.

— Espérons que nous n'arriverons pas trop tard.

— Une fois de plus ! ai-je répondu, quand Mao est repartie vers sa plaque de cuisson.

— D'après Rainwater, personne n'est entré ou sorti de la maison depuis que Snook est revenue des courses.

— Ollie lui a demandé de jeter un œil à l'intérieur de la baraque ?

— Oui, il y a à peu près dix minutes. Mais si elle refuse, il ne pourra pas entrer de force.

Mao a apporté nos boissons. Coca light pour moi. Une bière Moosehead pour Ryan. En espérant que l'élan accroché au mur ne serait pas vexé de se voir représenté sur l'étiquette de la bouteille.

Ollie est arrivé juste au moment où Mao apportait les plats. Les traits tendus, les joues marbrées de taches rouges asymétriques. Et un air que je lui avais déjà vu et qu'on pouvait traduire par : la chasse est ouverte, je vais prendre un pied d'enfer.

Il est apparu qu'Ollie et Mao se connaissaient. Mao, de son vrai nom Marie.

— Qu'est-ce que tu as préparé de bon aujourd'hui, ma belle ? (Question assortie du fameux sourire avec mouvement de la mâchoire.)

— Morue, truite et brochet.

— Qu'est-ce que tu me conseilles ?

— Tout.

— Le brochet, alors.

— Excellent choix.

Ollie a attendu qu'elle ne soit plus à portée de voix pour m'asticoter.

— Bravo. Peu de femmes ont le cran d'afficher le look menton au hamburger.

— J'ai fait mannequin pour Chanel dans le temps.

— Vraiment ?

— Non. Tu connais un certain Zeb Chalker ?

Grand sourire d'Ollie.

— Le type qui t'a attrapée avec ses bolas, à ce qu'il paraît.

Il a dû comprendre à mon expression pincée que je ne trouvais pas ça drôle.

— Chalker appartient à la MED.

J'ai levé les deux mains en un geste interrogateur.

— Municipal Enforcement Division. Police municipale. La brigade doit compter à peu près six hommes. Plus deux superviseurs, voitures de patrouille et motoneiges. Ils s'occupent surtout de la circulation, des animaux et du contrôle des foules. Et, bien sûr, des bassins à poissons.

— À crever de rire. Et Scarborough ?

— Il est en ville, c'est exact. Hébergé chez un de ses potes des bas-fonds.

— Unka et Castain savent qu'il est là ?

Ollie a reporté son regard sur Ryan.

— Ils prétendent l'un et l'autre ne pas connaître ce monsieur.

— Ils nient que Scar essaie de s'infiltrer dans leur business ? ai-je demandé.

— Ils nient surtout toute implication dans un quelconque business illégal. Ils ne comprenaient rien à mes questions. À les en croire, ce sont d'honnêtes citoyens qui gagnent leur vie en proposant aux touristes des activités de plein air. Castain voulait même m'emmener observer les oiseaux.

Arrivée de Marie avec une bière de racinette pour Ollie.

— Autrement dit, vous avez fait chou blanc, a résumé Ryan quand elle est repartie.

— Ce qui est sûr, en tout cas, c'est que Castain et Unka ne m'apprécient pas plus l'un que l'autre.

— Sans blague ?

— J'ai eu droit à toutes sortes d'appellations aimables. Unka s'est montré de loin le plus créatif.

— Vous les avez relâchés ?

— On sait où les retrouver.

— Quelqu'un les file ?

— Zut alors, on n'y a pas pensé.

— Scarborough aussi ?

— Là non plus, on n'y a pas pensé.

Je me suis interposée. La journée avait déjà été assez longue. Je n'étais pas d'humeur à supporter leur joute alimentée à la testostérone.

— Pitié, ça suffit maintenant ! Vous allez arrêter, à la fin !

J'ai saucé mon assiette, Ryan a fait de même. Silence tendu jusqu'à ce que Marie apporte le brochet d'Ollie. Pendant qu'il mangeait, je lui ai raconté plus en détail notre visite chez Horace Tyne.

— D'après le fichier, a-t-il dit ensuite, Snook, c'est son nom de femme mariée. Son nom de jeune fille, c'est Nellie France. Née à Fort Résolution.

— Où est-ce ?

— Sur la rive sud du Grand Lac des Esclaves. Là où s'arrête la chaussée goudronnée.

— Au sens propre du terme ?

— Absolument.

— Alors en fait, les gens de Yellowknife pourraient très bien ignorer le lien de parenté qui unit Snook et Ruben.

— Possible, mais Chalker, lui, devrait être au courant.

Sur ce, Ollie a plongé une frite dans sa mayonnaise avant de l'ingurgiter.

— Rainwater est avec Snook en ce moment ?

— Il va essayer la manière douce. Si ça ne marche pas, il demandera un mandat. Qu'est-ce que tu penses de Tyne ?

— Une vermine, mais une vermine consciente des problèmes d'environnement.

— Les Amis de la toundra..., a dit Ollie en lapant une autre frite dégoulinant de sauce. Inconnus au bataillon.

— Je suis tombée des nues en apprenant que les diamants, c'était un gros business par ici.

— Tu n'as pas vu les bannières accrochées aux lampadaires ? Yellowknife, la capitale du diamant de toute l'Amérique du Nord, a récité Ollie, accompagnant ses mots d'un geste de la main digne d'un marquis saluant le roi. La ville a même un caillou mahousse en guise de logo officiel.

— Au fait, tu as entendu parler d'un certain Fipke ?

— Tu plaisantes, s'est écrié Ollie en me dévisageant avec la même incrédulité que Tyne. Chuck Fipke, mais c'est une légende, ici !

— Très bien. Je lirai un bouquin sur lui.

— Tu en trouveras dans toutes les boutiques de souvenirs. Sinon, tape « Fipke » dans Google.

— Est-ce que Tyne a raison de s'inquiéter pour les troupeaux de caribous ?

— Certains habitants du cru, les Indiens notamment, prétendent que l'extraction des diamants perturbe les voies migratoires des caribous. C'est une question brûlante ici. Quand la De Beers a voulu ouvrir Snap Lake, plusieurs chefs indiens se sont regroupés pour qu'on reporte le projet. Qu'on fasse d'abord des études d'impact sur l'environnement et le reste. Maintenant, la De Beers veut ouvrir une autre mine à ciel ouvert. J'ai oublié le nom.

— Gahcho Kué.

— C'est ça, a fait Ollie en froissant sa serviette et en la jetant sur la table. Interroge Rainwater. Il en sait plus que moi sur cette controverse.

J'avalais ma dernière gorgée de Coca light quand le téléphone d'Ollie a sonné. La conversation a duré moins d'une minute. Je n'ai pas tiré grand-chose de ce qu'il disait. Juste qu'il était contrarié.

— Snook fait de l'obstruction, a-t-il déclaré en rengainant l'appareil dans l'étui à sa ceinture. Rainwater va demander un mandat au juge.

— Et maintenant ?

— Maintenant, on attend que quelqu'un fasse une connerie.

Résumé des trois heures suivantes, passées dans ma chambre : sieste pas prévue au programme, message de Katy pour m'annoncer qu'elle avait des nouvelles trop importantes pour m'en faire part par e-mail, recherche sur Chuck Fipke et l'exploration des sols – résultat : une montagne d'infos.

Je savais déjà, avant de brancher mon ordinateur portable, qu'un diamant n'est jamais que du carbone transformé en minéral sous l'effet d'une hausse de température et de pression extrêmes, et aussi que ce minéral est le plus dur et le plus pur de tous ceux que l'on trouve sur terre. En raison de la structure rigide des atomes qui le composent et qui forment un tétraèdre, c'est-à-dire une pyramide composée de quatre triangles équilatéraux, un diamant ne peut être taillé que par un autre diamant ou par un rayon laser.

Je savais enfin que ces petites pierres scintillantes valent une fortune, et qu'elles en jettent plein la vue. En gros, c'est tout.

Toutes les demi-heures, j'interrompais mes recherches pour appeler Katy. J'étais chaque fois redirigée vers sa messagerie vocale, et je me replongeais dans Internet avec une sensation de malaise.

Entre tous ces coups de fil, voici ce que j'ai appris.

La transformation du carbone en diamant exige une pression allant de quarante-quatre à cinquante kilobars, associée à une température supérieure à mille degrés Celsius.

Pour ce qui est de la température, c'était facile à comprendre. En revanche pour les kilobars, j'étais dans le flou total, cette mesure de pression équivalant à mille fois la pression atmosphérique. Apparemment, une telle combinaison entre chauffage et broyage s'était produite voilà plusieurs milliards d'années, à des profondeurs comprises entre cent trente et cent soixante kilomètres, et cela à l'intérieur de formations rocheuses appelées « cratons », qui sont d'anciennes dalles de très forte densité appartenant à l'ancienne croûte continentale.

Plus tard, des volcans souterrains ont transpercé ces cratons et rejeté à la surface de la terre du magma, ou roche en fusion, constitué de minéraux, de fragments de roche et parfois de diamants. Ce mélange bouillonnant s'est répandu tout en se refroidissant et a formé tantôt des pipes en forme de carotte, ou dia-trèmes, tantôt de vastes structures souterraines plates, appelées dykes.

Ce mélange s'est ensuite solidifié en une roche appelée kimberlite. La plupart des kimberlites diamantifères se trouvent dans des cratons datant de l'ère archéenne, c'est-à-dire de la première partie du Précambrien, quand la Terre était bien plus chaude qu'elle ne l'est aujourd'hui. Beaucoup *beaucoup* plus chaude. Quantité de ces pipes en kimberlite sont situées sous les lacs peu profonds qui se sont formés à l'intérieur des cratères de volcans inactifs, appelés « caldeiras ».

Bon. Facile, direz-vous. Pour trouver des diamants, il suffit de localiser une pipe s'élevant au-dessus d'un craton vraiment vieux. Eh bien, vous vous gourez complètement. Ces bougres de pipes sont incroyablement difficiles à repérer. Et c'est là que Chuck Fipke et Stu Blusson entrent dans la danse.

Sachant que le craton des Esclaves, qui sous-tend les Territoires du Nord-Ouest depuis le Grand Lac des Esclaves, au sud, jusqu'à la baie du Couronnement, dans l'océan Arctique, est l'une des formations rocheuses les plus anciennes de la planète, ils ont appliqué une technique d'exploration tout à fait efficace.

Fipke avait compris l'importance des minéraux indicateurs, c'est-à-dire des roches qui accompagnent les diamants dans leur remontée. Dans la kimberlite, on trouve du carbonate de calcium, de l'olivine, du grenat, de la phlogopite, du pyroxène, de la serpentine, de la roche provenant du manteau supérieur, et toute une variété d'oligoéléments.

Il s'est intéressé au tiercé gagnant : la chromite, l'ilménite et les grenats G10, pauvres en calcium mais à haute teneur en chrome.

Blusson, quant à lui, avait compris l'importance des mouvements des glaciers au cours de la dernière période glaciaire. Il s'est dit que, après avoir érodé une pipe en kimberlite, un glacier, en reculant, pouvait abandonner derrière lui un chemin fait de débris susceptibles de contenir ces fameux minéraux indicateurs de diamants. Remontez le chemin jusqu'à sa source, pensait-il, et vous tomberez sur la pipe.

Fipke et Blusson passèrent dix ans à écumer la toundra, à la cartographier, à la mesurer, à en extraire des carottes et à rassembler, quand la température le permettait, toutes sortes d'échantillons qu'ils analysaient ensuite dans leur labo, quand le froid était trop vif.

Dans le monde minier, on les prenait pour des fous.

Jusqu'à ce qu'un jour, de sa propre initiative, Fipke survole le lac de Gras, où la rivière Coppermine prend sa source. Ayant repéré un esker, une corniche tortueuse constituée de gravier et de sable laissés par les eaux de fonte d'un glacier en recul, il ordonna au pilote de se poser sur une péninsule appelée Pointe de Misère. L'esker en question protégeait un petit lac dont le rivage sablonneux était traversé par une strie plus sombre. Il préleva un peu de ce sable et le conserva dans une pochette marquée G71. Ce devait être le dernier des prélèvements qu'il effectuerait au cours de cette exploration gigantesque qui avait duré plus de dix ans.

Pointe de Misère se trouvait à la fracture glaciaire. De là, la glace avait migré à l'est en direction de la baie d'Hudson, au nord vers les îles du Nord, au sud vers le centre du Canada, et à l'ouest dans le fleuve Mackenzie et le lac Blackwater. Fipke avait échantillonné la totalité du territoire qui s'étendait vers l'ouest, d'une superficie de plus de cinq cent vingt kilomètres carrés.

De retour dans son laboratoire, Fipke essaya de déchiffrer le modèle tiré de ses échantillons. Un à un, il examina tous ses sachets au microscope à balayage électronique. Il reporta ses résultats sur de grandes cartes d'état-major.

Tout cela pour aboutir à la conclusion que la piste comportant les minéraux indicateurs commençait à Blackwater Lake, s'étirait vers l'est et s'arrêtait près du lac de Gras, à trois cent vingt kilomètres au nord-est de Yellowknife.

Arrivé au sachet d'échantillon étiqueté G71, il vit qu'il contenait plus de mille cinq cents diopsides de chrome et six mille grenats pyropes.

Fipke avait trouvé sa pipe. Ou ses pipes.

Il se mit à poser des jalons comme un fou.

Ramassant toujours plus d'échantillons, refaisant d'autres analyses.

Jusqu'à confirmation des premiers résultats.

Fipke baptisa ce site Point Lake, en partie pour des raisons géographiques, en partie pour tromper les concurrents. Car il existait un autre Point Lake au nord-ouest du site qu'il avait découvert.

L'étape suivante consistait à déterminer l'emplacement exact des diamants. Et pour ça, il fallait un paquet de fifrelins.

Mais maintenant que l'existence des pipes en kimberlite avait été confirmée, Fipke et Blusson pouvaient enfin se mettre en chasse d'investisseurs fortunés. En 1990, la Dia Met, société fondée par Fipke en 1984, et le BHP, conglomérat minier australien, signèrent un accord de joint-venture pour l'exploitation de mines de diamant dans les Territoires du Nord-Ouest. Le BHP acceptait de financer l'exploration des sols en échange de cinquante et un pour cent du capital et des futures participations. Le reste des parts se répartissait entre la Dia Met (29 %), Fipke (10 %) et Blusson (10 %).

En 1991, la Dia Met et le BHP annoncèrent avoir trouvé des diamants à Point Lake, le site découvert par Fipke. La nouvelle déclencha une ruée vers les Territoires du Nord-Ouest, ainsi que l'arpentage de terres le plus intensif et le plus frénétique jamais constaté depuis l'époque du Klondike.

Lac de Gras, en français ; Ekati, en langue dénée ; Fat Lake compréhensible par tous.

En 1998, Ekati devint la première mine de diamants du Canada. L'année suivante, elle produisait un million de carats. Aujourd'hui, elle atteint les quatre cents millions de dollars par an et recrache quatre pour cent de tous les cailloux découverts sur la planète.

Rien que du gras, en effet.

En 2003, la mine Diavik, détenue par une joint-venture entre la Harry Winston Diamond Corporation et la Diavik Diamond Mines Inc., filiale du groupe Rio Tinto, est entrée en exploitation. C'est la seconde du Canada par la quantité produite. Elle est située à trois cents kilomètres au nord de Yellowknife. Elle comporte trois pipes en kimberlite réparties sur vingt kilomètres carrés situés sur une petite portion de terrain viabilisé près du lac de Gras que les gens du cru appellent l'île de l'Est. Diavik est l'un des plus gros fournisseurs du « joaillier des stars », autrement dit Harry Winston.

En 1997, on a découvert de la kimberlite à Snap Lake, à deux cent vingt kilomètres au nord-est de Yellowknife. La De Beers Canada en a acquis les droits miniers à l'automne 2000. En 2004, des permis de construction et d'exploitation lui ont été accordés.

Contrairement à la plupart des gisements de kimberlite diamantifère qui se présentent sous forme de pipe, le gisement du lac Snap est un dyke de deux mètres et demi d'épaisseur qui plonge sous le lac à partir de la rive nord-ouest. Snap Lake est ainsi la première mine de diamants entièrement souterraine du Canada.

La mine de Snap Lake a ouvert ses portes officiellement en 2008. D'après le site de la De Beers, à la fin de l'année 2010, près d'un milliard et demi de dollars avaient été investis dans la construction et l'exploitation de la mine. Sur ce total, un milliard soixante-dix-sept millions de dollars avaient été versés aux entrepreneurs et fournisseurs basés dans les Territoires du Nord-Ouest, dont six cent soixante-seize millions aux entreprises et joint-ventures autochtones.

L'article sur Snap Lake se terminait sur une déclaration de la De Beers soulignant son engagement à promouvoir le développement durable au sein des communautés amérindiennes, et les accords portant sur la répercussion des bénéfices signés avec la première nation des Dénés Yellowknives, le gouvernement tlicho, l'Alliance des Métis et des Esclaves du Nord et la première nation des Dénés Lutsel K'e et Kache.

Transparaissait entre ces lignes l'hostilité des autochtones vis-à-vis de l'exploitation minière, à laquelle Ollie avait fait allusion.

Commençant à m'inquiéter sérieusement pour Birdie, je rappelais Katy pour la dix millionième fois, quand un coup puissant a ébranlé ma porte. Je suis allée regarder par le judas.

Ryan.

Il y avait quelque chose qui clochait.

24.

— Castain est mort !

Ryan est passé devant moi et s'est mis à faire les cent pas dans ma chambre.

— Quoi ?

— On lui a tiré dessus.

— Quand ça ?

— Il y a une heure.

— Où ?

— Trois balles dans la poitrine. Merde, c'est si important ?

— Non.

Mais parler à un type qui bouge sans cesse n'aidait pas à la compréhension.

— Je voulais dire : où était Castain quand c'est arrivé ?

— En train de cogner sa copine.

— Mais arrête de tourner comme un lion en cage. Autant flûter dans un violon !

— On tient l'assassin ?

— Non.

— Je croyais qu'il était sous surveillance.

Reniflette méprisante de Ryan.

— La filature, pour Rainswater, ça consiste à jouer

les balles de ping-pong entre les cibles. Trois, en l'occurrence : Snook, Unka et Castain.

— Quel con !

— Il prétend qu'il n'a pas assez d'effectifs pour planquer en trois endroits différents.

— C'est peut-être vrai.

— Putain, il n'avait qu'à le dire ! On se serait occupés de Snook. Ou ton sergent Tête de Nœud aurait pu se la faire.

Je n'ai pas relevé.

— Autrement dit, en ce moment, personne ne surveille la maison de Ragged Ass ?

— Tu sais combien il y a d'homicides par an, à Yellowknife ?

J'ignorais la réponse, bien sûr.

— Si peu que tous les crétins munis d'un badge vont s'arracher un bout de celui-là.

— Unka est considéré comme suspect ?

— Parmi bien d'autres.

— Où est-il ?

— Envolé.

— Et Scar ?

— Idem.

— Merde !

— C'est rien de le dire ! Je file sur les lieux...

J'ai attrapé ma veste, et j'ai couru à sa suite vers la Camry.

Ryan a allumé une cigarette. Sans s'inquiéter de savoir si ça me dérangeait. Il fumait, point barre.

J'ai baissé ma vitre.

Trajet effectué en frissonnant et en respirant le moins profondément possible sans avoir la tête qui tourne.

La copine de Castain était strip-teaseuse et s'appelait

Merilee Twiller. Heureusement, elle n'habitait pas trop loin de l'Explorer.

Le chemin indiqué par Ollie nous a conduits jusqu'à Sunnyvale Court, une rue en fer à cheval bordée de bungalows minuscules construits sur des bouts de terrain riquiqui. Quelques-uns étaient plus ou moins bien entretenus, mais la plupart étaient décrépis ou même barricadés avec des planches et abandonnés. Un bon bout de temps que ce « vallon ensoleillé » faisait mentir son nom.

Twiller habitait à l'autre bout, sur le côté nord de la courbe. L'endroit aurait mérité un bon coup de peinture, de nouvelles moustiquaires et de tout un seau, que dis-je ? d'un camion-citerne de désherbant. Le voisin de Twiller avait deux poubelles sur son perron et une voiture sur parpaings agrémentait son allée.

Sur les lieux, l'animation habituelle. La porte d'entrée était ouverte et toutes les lumières allumées, dedans comme dehors. Partout dans l'herbe, des lampes balises bleu et jaune signalaient des éléments pouvant servir de pièces à conviction, peut-être même des bouts du corps de Castain.

Un cadavre recouvert d'un drap gisait sur un sentier qui conduisait à une véranda entourée d'une balustrade en fer rouillé. Un ruban de scène de crime délimitait, entre la rambarde et deux pins rabougris, un triangle sur lequel se concentraient les faisceaux de plusieurs lampes halogènes portatives.

Sur l'autre côté du cul-de-sac, un second ruban parallèle au trottoir retenait les badauds sortis contempler la misère d'autrui, et peut-être des représentants des médias.

Ryan ne s'était pas trompé. À croire que tous les représentants de l'ordre avaient rappliqué. Il y avait là des voitures de patrouille de la GRC et du MED, un corbillard, un fourgon et une bonne douzaine de voitures et de pick-ups, la plupart dotés de gyrophares sur le toit ou le tableau de bord. Les radios ajoutaient les crachotis de leurs parasites au tumulte des voix qui se répondaient.

Un peu à l'écart du brouhaha, Ollie parlait avec une femme à la robe trop courte et trop étroite pour ses cuisses solides et les bourrelets qui entouraient son soutien-gorge. Merilee Twiller, certainement.

Ryan s'est garé au bout de la file de véhicules. Un caporal de la GRC s'est approché de sa portière. Le badge de Ryan a fait office de sésame.

Tout en marchant vers Ollie, j'ai observé Merilee. La quarantaine, mais refusant de l'admettre. Un maquillage épais qui ne suffisait pas à cacher les poches sous les yeux, les rides profondes et les capillaires éclatés sur les ailes du nez.

— Vous y avez jeté un œil ? a lancé Ollie sans daigner nous introduire auprès de Twiller.

Ryan a répondu pour nous deux.

— Pas encore. Qu'est-ce que vous avez, pour le moment ?

— Vers sept heures, Castain a débarqué ici pour une partie de jambes en l'air avec l'amour de sa vie, ici présente.

Mouvement du pouce pour désigner Twiller. Laquelle a répliqué :

— Comme connard, tu te poses là !

— Castain est parti vers huit heures. Sauf qu'il a jamais atteint les limites de la propriété.

— Des témoins ? a demandé Ryan.

— La copine endeuillée prétend avoir entendu des

coups de feu, puis un crissement de pneus. L'a pas réussi à voir le tireur ou la voiture.

— C'est comme ça que ça s'est passé ! (Twiller, sur un ton défensif.)

— Et l'amoureux, où est-ce qu'il allait, après ?

— Je te l'ai d'jà dit, a lâché la fille brutalement sans quitter Ollie des yeux.

— Explique encore. J'suis pas un rapide.

— Arty m'a dit que dalle.

— Et tu lui as pas demandé ?

— Nan.

— Je suppose qu'il partait faire ses livraisons. C'est pour ça qu'il s'est établi dans le coin, non ? Tu te piques, pas vrai, princesse ?

— Tu sais où tu peux te les carrer, tes questions à la con ?

— Ça te dirait un petit tour au bloc ?

— Parce que mon copain s'est fait tirer dessus ?

— À ton avis, sur quoi on risque de tomber, dans la baraque ?

— Sur une caisse à crottes pleine de poils de chat.

Twiller disait vrai. Elle avait forcément fait le vide avant d'appeler les flics, et Ollie le savait. La colère lui a fait saillir les muscles situés sous ses tempes.

À l'évidence, la brutalité d'Ollie nous menait droit dans le mur. J'ai chopé le regard de Ryan et dévié les yeux vers la maison. Son menton a plongé. Il était d'accord. S'adressant à Ollie, il a proposé :

— Bon, si tu nous présentais plutôt la victime ?

Ollie a acquiescé. Et dit à Twiller de ne pas bouger.

Je les ai regardés se frayer un chemin dans la mêlée de flics et de techniciens qui avait envahi l'impasse. Je me suis tournée vers Twiller.

— Mes condoléances pour le deuil qui vous frappe.

271

Premier regard dans ma direction. Dans la lumière rouge clignotante, sa bouche m'est apparue crispée, ses joues creusées.

— Ouais.

C'était un peu laconique. J'ai enchaîné :

— Vous avez une idée de la personne qui aurait pu souhaiter faire du mal à Arty ?

Twiller a posé son bras droit sur son ventre et appuyé le coude gauche dessus afin de ronger plus confortablement la cuticule de son pouce qui était déjà à vif.

Derrière nous, j'ai vu Ollie et Ryan rejoindre une femme plantée au-dessus de Castain. Grâce à la lumière puissante des projecteurs, le logo sur sa veste n'était pas difficile à identifier.

Dans les Territoires du Nord-Ouest, les morts subites font toujours l'objet d'un examen de la part du service du coroner, lequel dépend du ministère de la Justice. Ce service possède une antenne générale à Yellowknife et compte près de quarante coroners dans toute la région. En revanche, les TNO ne disposent pas d'un lieu spécifique où pratiquer les autopsies.

Le coroner en chef adjoint était une femme du nom de Maureen King, m'avait-on dit. À coup sûr, c'était elle que je fixais en ce moment. Et d'un instant à l'autre, elle allait ordonner le transport du corps de Castain à Edmonton, pour autopsie.

— Arty s'était disputé avec quelqu'un ? S'était fait des ennemis ?

Twiller a secoué la tête.

— Avait-il reçu des coups de fil bizarres, des visites impromptues ?

— Je l'ai déjà dit à l'autre flic. On sortait pas tant que ça.

— Est-ce qu'Arty fréquentait d'autres femmes ?

— Entre nous, c'était pas du vrai sérieux, si c'est votre question... Il méritait pas ça, a-t-elle ajouté en plaquant ses deux mains sur ses joues.

— Je sais.

— Vraiment ? Qu'est-ce que t'en sais, d'abord ?

— Je suis désolée.

À dix mètres de nous, King a soulevé un coin du drap. Ryan s'est accroupi pour regarder Castain de plus près.

— C'est ce salopard d'Unka.

Dit tellement bas que j'ai failli ne pas entendre.

— Pardon ?

— Unka pensait qu'Arty s'en mettait à gauche.

— C'est Arty qui vous l'a dit ?

— J'ai surpris une conversation. Quand il est fâché, il est vraiment mauvais.

— Unka ?

Elle a fait signe que oui.

— Assez mauvais pour tuer ?

— Il a filé un coup de poignard dans le ventre de sa mère et, juste après, il s'est fait livrer une pizza.

Il était dix heures du soir quand le corbillard est finalement parti. Ollie est resté sur place pour aider les collègues à interroger le voisinage. Pas parce qu'il prenait ce meurtre à cœur, mais parce qu'il espérait en dégotter quelque chose sur Scar.

Avec Ryan, on est rentrés à l'Explorer. Trajet en silence. J'ai regardé par ma vitre ces arbres dénudés qui s'échinaient à produire des bourgeons, la neige tombée la nuit précédente qui s'accrochait de toutes ses forces. Et j'ai ressenti tout ce que cela représentait de frustration.

C'est Ryan qui a rompu le silence.

— Pour les interrogatoires, ton pote est aussi nul qu'une limace.

— Ce n'est pas mon pote.

— Il l'a été.

— Mais où tu veux en venir ?

— Nul, a répété Ryan, et il s'est mis à tapoter les poches de sa veste.

— Ne fume pas !

J'ai eu droit à un regard mauvais, mais il a quand même reposé sa main sur le volant.

— Vous vous comportez comme de vrais connards, tous les deux.

— Moi, je n'aurais jamais agi avec autant de brutalité.

— Il avait l'impression qu'elle lui cachait des choses.

— Tu le crois aussi ?

— Oui.

Pendant que nous nous engagions dans l'allée qui se terminait en boucle devant l'hôtel, je lui ai rapporté les paroles de Twiller à propos d'Unka. Sa réaction :

— Quand je te dis qu'il est nul !

On est descendus de voiture.

— Cette affaire commence vraiment à lui prendre la tête, ai-je observé en marchant vers l'hôtel, sans vraiment savoir pourquoi je défendais Ollie.

Ryan a haussé un sourcil dubitatif.

— Il en a marre de la violence. D'être constamment confronté à des pouffes qui vous donnent envie de vous passer le corps entier à la Javel.

— Tu parles du connard ou de toi-même ?

Là, il ne m'avait pas loupée. Je ne lui ai pas fait le plaisir de l'admettre.

— Tu te doutes comme moi que Castain a dû mettre

Ruben en veilleuse, a-t-il repris. Peut-être même qu'il l'a définitivement expulsée de la scène.

En temps ordinaire, cette image bancale m'aurait amusée. Mais pas là.

— Cette affaire est vraiment trop frustrante, ça fait chier.

Sur ce, je suis partie vers l'ascenseur.

— On va la retrouver.

Je me suis retournée.

— Sauf que maintenant on va devoir compter sur nous-mêmes.

— Et sur le connard, ai-je ajouté.

— Et sur le connard.

Une trêve. En quelque sorte.

De retour dans ma chambre, nouvelle tentative sur mon iPhone. Ô surprise, un scintillement apathique. Je l'ai mis à charger en espérant que ses composants avaient juste besoin de sécher.

J'ai appelé ma fille insaisissable sur la ligne de l'hôtel. Toujours aussi insaisissable. J'ai laissé un énième message.

J'étais épuisée. Juste un brin de toilette, et je me suis écroulée dans mon lit. Mais mon esprit ne l'entendait pas de cette oreille. Mille questions me tournicotaient dans la tête. Arty Castain. Qui l'avait tué ? Pourquoi ? Était-ce vraiment Unka, ou était-ce Scarborough qui avançait ses pions ? La mort de Castain était-elle la première de toute une série qui ne faisait que commencer ? Quels secrets Castain avait-il emportés dans la tombe ?

Où était Tom Unka ? Et Ronnie Scarborough ?

Qu'avait voulu dire Scarborough quand il avait dit à Ollie qu'il se gourait complètement sur Annaliese Ruben ? Scar avait-il été plus qu'un souteneur pour elle ? Savait-il des choses qui ne nous avaient même pas effleuré l'esprit ?

Ryan avait raison. Les flics locaux allaient se concentrer sur le meurtre de Castain, sur la lutte de pouvoir à venir pour le contrôle du trafic de drogue dans les Territoires. Alors que moi, j'étais toujours obsédée par Ruben. Cette femme qui avait tué quatre bébés.

Les gens l'avaient décrite comme n'étant pas très maligne. Scarborough. Forex. Tyne. Comment avait-elle pu échapper si longtemps à toutes les recherches ? Aller de Saint-Hyacinthe à Edmonton et de là à Yellowknife ? Savait-elle seulement qu'elle était recherchée ? Oui, certainement. Mais est-ce que Scar l'inquiétait plus encore que la police ?

Scar avait-il aidé Ruben ? Ou Nellie Snook l'avait-elle fait ? Ruben se cachait-elle dans la maison de Ragged Ass ? Était-elle partie ailleurs ? Chez un demi-frère dont nous ignorions tout ? Chez un policier de la région qui était peut-être son cousin ou autre chose ?

Son père s'appelait Farley McLeod. Sa mère Micah Lee.

Micah était dénée. Le réseau familial de Ruben s'étendait-il à des lieux inaccessibles aux étrangers ?

Et Horace Tyne ? Il avait travaillé avec le père de Ruben. Il avait au moins trente ans de plus qu'elle. Sa relation avec elle était-elle strictement celle d'un père avec sa fille ?

Et ça tournait, et ça tournait dans ma tête. Images. Suppositions. Questions.

Questions, surtout.

Je venais à peine de m'endormir quand le téléphone a sonné. Pensant que c'était Katy, j'ai décroché. Ce faisant, j'ai aperçu du coin de l'œil les chiffres affichés à l'écran de mon réveil. Onze heures cinquante-cinq.

— Allô, Temperance Brennan ? Une voix douce. Enfantine.

— Oui.

— Il faut que je vous voie.

Un léger accent, mais pas celui de Binny.

— Qui est à l'appareil ?

La réponse a propulsé mon rythme cardiaque jusque dans la stratosphère.

25.

— Je suis dans les bois.

— Quel bois ?

— Derrière l'hôtel.

— OK.

— Venez seule.

— Mais je...

— S'il y a quelqu'un avec vous, je m'en vais.

— Je serai là dans dix minutes.

— Cinq !

Coupé.

J'ai bondi de mon lit. Sauté dans les vêtements que je venais de jeter sur une chaise.

Attrapé ma veste, une lampe de poche, la clé de ma chambre et mon portable. Fourré dans ma poche par habitude. J'étais déjà dans le couloir, trépidant sous l'effet de l'adrénaline.

Oublié, l'ascenseur ! L'escalier à fond de ballon et traversée du hall ventre à terre. Il y avait sûrement une sortie sur l'arrière, mais où ? Pas le temps de chercher ! Mieux valait la jouer sûre. La porte d'entrée est retombée sur moi.

La nuit était froide, mais pas assez pour qu'il neige. Une bruine faisait déraper l'herbe sous les pieds.

Examen de la situation, tout en contournant le bâtiment au pas de course. Ruben en avait-elle assez d'être en cavale ? Voulait-elle se rendre ? M'attirer dans un guet-apens ?

Se débarrasser de moi ?

L'idée m'a fait piler net.

Ruben était-elle quelqu'un de dangereux ? Elle avait quand même tué ses propres enfants ! Pouvait-elle constituer une menace pour moi ? Qu'avait-elle à gagner à me faire disparaître ?

J'ai vérifié mon iPhone. Réponse un peu plus enthousiaste que tout à l'heure, sauf qu'il n'avait pas assez de jus pour fonctionner normalement.

Tant pis ! Il fallait que je retrouve Ruben.

Nouveau stop, arrivée au jardin zen. Le zen et l'art d'assassiner des nouveau-nés. Curieuse corrélation, mais c'est celle que m'ont envoyée mes cellules grises.

La lune était une faucille cotonneuse qui projetait sur les galets mouillés de douces répliques des rochers empilés et des plantes mortes.

Devant moi une pénombre poussiéreuse. Je l'ai scrutée. Je n'ai distingué que des formes diffuses qui n'étaient autres que celles des pins. Évidemment.

J'ai allumé ma torche. Pas seulement pour m'éclairer, mais aussi pour annoncer mon arrivée à Ruben.

Je suis repartie d'un pas vif, osant à peine respirer. J'avais presque atteint la lisière des arbres quand une silhouette solitaire a émergé des ombres. Indistincte, ses contours rendus flous par la bruine.

Elle demeurait immobile, le visage ou plutôt un ovale blafard tendu dans ma direction.

Cajolerie, persuasion, contrainte ? Comment l'aborder au mieux ?

M'avancer tranquillement et lui dire : « Qu'est-ce

que vous préférez, Annaliese ? Que je vous aide ou que j'appelle la grosse artillerie ?? »

J'ai continué d'avancer. Sous cette bruine, la lumière de ma torche avait quelque chose de pétillant.

Seigneur, s'il vous plaît. Faites qu'elle ne soit pas armée !

Je suis entrée dans le sous-bois.

Ruben a fait un pas dans la lumière, les deux bras levés en l'air. À croire qu'elle avait lu dans mes pensées.

Elle était petite et indubitablement obèse selon les critères médicaux. Elle avait les cheveux longs, noirs, et un joli visage aux rondeurs enfantines.

Tank était assis à ses pieds.

Le message était clair : elle n'était pas armée, et elle ne me voulait aucun mal.

Deux paires d'yeux ont suivi mon avancée.

Je n'ai pas eu le temps d'ouvrir la bouche que Ruben tournait lentement sur elle-même, les bras écartés, tandis que Tank se roulait en boule à ses pieds, comme pour montrer que lui non plus n'était pas une menace.

Ruben a bouclé sa boucle et m'a fait face. Tank s'est dressé sur les pattes arrière et a posé ses pattes avant sur son genou. Elle ne s'est pas baissée pour lui donner une caresse.

— On vous recherche depuis longtemps, Annaliese.

— On m'a dit ça.

— Il faut que nous discutions.

— Vous avez fait peur à ma sœur.

— Je suis désolée.

— Il faut que vous arrêtiez.

— Je le ferai à condition que vous acceptiez d'aller à la police.

— Non.

— Pourquoi ?

— Ils diront que j'ai fait des choses pas bien.

— Et c'est vrai ?

— Je ne le fais plus maintenant.

— Vous pouvez baisser les mains, vous savez.

À peine l'a-t-elle fait que Tank lui a sauté dans les bras.

— Parlez-moi de vos bébés.

— Les bébés ?

Son air d'incompréhension ne m'a pas paru feint.

— C'est à cause d'eux qu'on vous recherche.

Des rides se sont creusées sur son front. Elle a baissé les yeux sur le chien. Il a levé les siens vers elle. Elle l'a gratté derrière l'oreille.

— Je croyais que c'était à cause des hommes.

— Quels hommes ?

— Les hommes qui m'ont donné de l'argent.

Manifestement, elle pensait qu'on la recherchait pour mauvaise conduite.

— La police veut savoir ce qui est arrivé à vos bébés.

Silence.

— C'est vous qui les avez tués ?

Avec des gestes nerveux rapides, Ruben s'est mise à raplatir le pelage humide du chien qui s'était séparé en épis et en touffes sous la pluie.

— Vous avez fait du mal à vos bébés ?

Le mouvement de ses doigts s'est accéléré.

— Nous en avons trouvé quatre, Annaliese. Trois à Saint-Hyacinthe et un à Edmonton.

— Ah, vous avez trouvé les bébés. (Dit sur un ton dénué de toute émotion.)

— Oui.

— Ils sont morts.

— Comment ça ?

— Il le fallait.

— Pourquoi ?

— Ils ne pouvaient pas vivre.

— Pourquoi ?

— Je leur avais donné quelque chose de mauvais.

— Annaliese ! ai-je dit sévèrement.

Elle a cessé de tirer sur les poils du chien pour le serrer contre son cœur.

— Regardez-moi.

Sa tête s'est relevée lentement, mais elle a gardé les yeux baissés.

— Je les ai enveloppés dans des serviettes.

— Comment ça, vous avez donné à vos bébés quelque chose de mauvais ?

— Quelque chose à l'intérieur.

Je ne comprenais pas, mais j'ai préféré la laisser parler. On verrait ça plus tard.

— Vous savez qui sont les pères ?

— S'il vous plaît, ne le dites pas à Nellie, a-t-elle répondu, les yeux toujours vrillés sur le chien.

— C'est à la police qu'il faut que vous expliquiez ça.

— Je ne veux pas.

— Vous n'avez pas le choix.

— Vous ne pouvez pas m'y obliger.

— Si. Je peux.

— Je ne suis pas quelqu'un de mauvais.

Et c'est là, sous la bruine au clair de lune, que j'ai soudain pris conscience de la triste vérité : Annaliese Ruben n'était pas un monstre, elle était juste simple d'esprit.

— Je sais, ai-je répondu doucement.

Je tendais le bras vers elle quand quelque chose

au-dessus de son épaule droite a attiré mon attention. Les aiguilles du pin avaient quelque chose de bizarre, comme si leurs bords se détachaient en plus clair sur les ténèbres environnantes.

Je me suis déportée d'un pas sur la gauche pour essayer de voir derrière elle.

Rien, et brusquement une lueur. On aurait dit qu'on avait allumé une lampe électrique pour l'éteindre aussitôt.

— Annaliese, ai-je dit tout bas. Vous êtes venue seule ?

Ma question n'obtiendrait jamais de réponse.

Un claquement étouffé a rompu le silence, assorti d'un flash.

La bouche d'Annaliese s'est ouverte. Une bille de sang a jailli de son front et un trou noir est apparu au-dessus de son sourcil droit.

Tank a bondi hors des bras de sa maîtresse avec un cri terrifié et s'est élancé dans les bois.

Je me suis aplatie au sol.

Une seconde détonation a fait trembler la nuit.

Le corps d'Annaliese a résisté, puis a pivoté vers moi avant de s'affaisser.

Plaquée à terre, je me suis traînée vers elle, en opérant une traction à l'aide de mes coudes et en poussant avec mes pieds.

Annaliese gisait les yeux grands ouverts, comme ébahie par ce qui lui était arrivé. Un flot noir serpentait de l'orifice de sortie de la balle jusqu'à la racine de ses cheveux.

J'ai posé mes doigts tremblants sur sa gorge. Aucune pulsation.

Non ! Non !

Je les ai enfoncés dans sa chair tendre, cherchant désespérément un signe de vie.

Néant.

Le cœur battant, j'ai tenté de réfléchir. Combien étaient-ils, là-bas ?

Et qui était la cible, Annaliese ou moi ?

Réfléchis !

Qu'attendait le tireur ?

Que je fuie ventre à terre ou que je reste pour porter les premiers secours ?

Ne fais ni l'un ni l'autre !

Restant à ras de terre, j'ai rampé jusqu'à l'endroit où je me trouvais au moment du coup de feu. Le contact avec le sol m'a fait prendre conscience de la présence d'un objet dur dans ma poche.

Je me suis retenue de le prendre, tous les sens en alerte. Pas de lumière. Pas un bruit, pas un mouvement alentour.

À tâtons, j'ai cherché ma lampe de poche parmi les aiguilles de pins qui tapissaient le sol. Enfin, mes doigts se sont refermés dessus. Je lui ai redonné vie en prenant soin de couvrir le verre avec ma main.

J'ai lancé la lampe vers le corps d'Annaliese, tout en maintenant l'ampoule pointée dans la direction opposée au tireur. Elle a atterri avec un plof assourdi, le faisceau lumineux à peine visible au-dessus du sol.

Je me suis figée.

Pas de coup de feu en réponse.

Pas un son, si ce n'est celui des gouttes de pluie s'écrasant sur la cime des pins.

Roulant sur le côté, j'ai extirpé mon téléphone de ma poche et je l'ai tenu tout près de mon ventre. Sans y croire, j'ai appuyé sur la touche située en dessous de l'écran.

Deux clignotements et l'écran s'est de nouveau éteint.

J'ai recommencé, en maintenant le pouce enfoncé sur la touche.

Plusieurs secondes.

Des heures.

J'allais abandonner quand les icônes sont apparues dans leur splendeur multicolore.

Pleurant presque de soulagement, j'ai tapé sur le symbole vert représentant un téléphone, puis sur un nom de ma liste de numéros abrégés.

— Ryan.

Il répondait d'une voix groggy, mais qui essayait de donner le change. Quant à moi, je me bornais à murmurer.

— Je suis dans le bois de pins derrière l'hôtel...

— ... tends rien...

— Les bois derrière l'hôtel...

— ... pète... vous avez dit...

— Ruben s'est fait descendre...

En murmurant plus fort.

— ... haché...

— Viens dans les bois derrière le jardin zen.

Mon murmure n'en était quasiment plus un. Trop risqué de parler plus fort.

— Raccroche... rap... sur le fixe.

— Je ne suis pas dans ma chambre. Il faut que tu viennes...

Coupé. Envoyer un texto ?

Ça n'a pas marché.

J'étais seule. Je ne pouvais compter que sur moi-même.

J'ai remis l'appareil dans ma poche.

Tendu l'oreille.

Silence total.

Et soudain, une pensée.

Tank.

Le petit chien aussi se retrouvait tout seul. Proie facile pour un coyote. Ou un loup. Ou n'importe quelle autre saloperie d'animal en chasse.

L'appeler ?

Trop risqué. Le tireur était peut-être encore dans le coin.

Une lueur jaune indiquait l'endroit où gisait Annaliese. Elle n'avait plus besoin d'être secourue. Pourtant, je n'avais que cette idée en tête : faire venir les secours. L'arracher à la pluie.

Et m'arracher moi à tout danger.

Ryan saurait-il tirer un sens de mes phrases hachées ?

Combien de temps attendre ?

Pas plus de dix minutes.

J'ai regardé autour de moi en quête de points de repère.

Ruben était couchée sous un grand pin noueux au tronc mangé par des lianes rabougries sur une hauteur d'un mètre cinquante. À sa gauche il y avait un pin plus petit, de forme asymétrique, dont une branche sur deux paraissait morte.

Rassurée, convaincue d'être en mesure de retrouver l'endroit, je me suis élancée.

26.

Ryan a ouvert la porte vêtu d'un jean. Rien qu'un jean. Les cheveux en bataille, mais l'air bien réveillé.

— Hé, pas besoin de démolir la porte !

Il a remarqué mes cheveux mouillés et les aiguilles de pin accrochées à mes vêtements. Son sourire s'est effacé.

— Qu'est-ce que...?

— Ruben. Elle est morte.

J'étais encore à bout de souffle. Tremblante. Au bord des larmes.

— Quoi ?

— Ce n'est pas un monstre, Ryan. Elle est retardée... Et merde ! On n'a pas le droit de dire « retardée ». Alors quoi ? Qu'est-ce qu'on peut dire maintenant ? Différemment douée ? Intellectuellement désavantagée ? Quel est le terme politiquement correct ?

Le choc de me retrouver enfin face à Ruben. La terreur en la voyant se faire tuer. Le soulagement de me retrouver à l'hôtel. Je bredouillais sans pouvoir me retenir.

— Elle n'a probablement jamais compris qu'elle était enceinte. Elle n'avait probablement même pas idée de ce que c'était que d'être enceinte. Elle n'avait pas idée de ce que c'était qu'une idée.

Sanglots éperdus. Je ne faisais aucun effort pour essuyer mes larmes.

— Je n'ai même pas vu le tireur.

— Du calme.

Ryan ne comprenait pas. Ou bien il n'entendait pas mes paroles à travers mes balbutiements.

— Deux coups. C'est probablement celui à la tête qui l'a tuée.

Dit très fort. Trop fort.

Ryan m'a attirée dans sa chambre. A refermé la porte. Pris une petite bouteille de Johnnie Walker dans son minibar. Me l'a tendue.

— Bois ça.

— Je ne peux pas. Tu sais bien que je ne peux pas.

Il a dévissé le bouchon et m'a fourré le scotch dans les mains.

— Bois !

J'ai bu.

L'embrasement familier dans la gorge. J'ai fermé les yeux. Le rugissement s'est étendu de mon ventre à ma poitrine, à mon cerveau. Mon tremblement s'est apaisé.

J'ai relevé les paupières. Ryan scrutait mon visage.

— Ça va mieux ?

— Oui.

Oh que oui, putain !

— Bon, a fait Ryan. Alors recommence.

— Ruben est morte. Son corps est dans les bois, derrière l'hôtel.

— *Tabarnac !*

— Le chien s'est enfui.

— Le chien ?

— Tank. Le petit...

288

— Oublie ce clebs. Raconte-moi ce qui s'est passé.

— Ruben m'a appelée vers minuit. Elle m'a dit qu'elle voulait me voir.

— Comment a-t-elle eu ton numéro ?

— Par Snook, sans doute.

Ryan a porté la main à ses cheveux. Traduction : il n'était pas content.

— Ruben m'a dit de venir seule.

— Bon sang, Brennan ! Si elle t'avait dit de te découper un sein en tranches, tu l'aurais fait ?

— C'était *moi* solo, ou on ne se voyait pas.

J'étais encore tendue, et la réaction de Ryan me mettait en rogne.

Il se contentait de me regarder.

— Je t'ai appelé. Ce n'est pas ma faute s'il n'y avait pas de réseau.

— Tu l'as retrouvée dans les bois, en pleine nuit.

— Oui.

— Tu n'aurais jamais dû y aller toute seule.

Ses yeux bleus de Viking bouillonnaient de rage.

— Je suis une grande fille, ai-je rétorqué sur un ton hargneux.

— Tu aurais pu te faire tuer !

— Je ne me suis pas fait tuer !

— Mais Ruben, si !

Les paroles de Ryan m'ont heurtée comme une gifle.

J'ai détourné les yeux. Pour dissimuler la douleur. Mais surtout, pour masquer ma culpabilité. Parce que, au fond de moi, je savais qu'il avait raison.

— Je ne voulais pas dire ça, a-t-il repris, un ton plus bas.

— Ravale-le, ai-je répliqué sèchement.

Ryan a récupéré son portable sur la table de nuit et composé un numéro. Il a prononcé quelques phrases en me tournant le dos. Ensuite, il a pêché un sweat-shirt dans son sac de voyage et l'a passé par-dessus sa tête. L'électricité statique n'a pas amélioré sa coiffure.

— Et alors ? ai-je demandé.

— Ils envoient une équipe.

— Il faut qu'on mette Ollie au courant.

Ryan a refait un numéro, parlé quelques instants et raccroché.

— Il est encore à l'endroit où Castain s'est fait descendre.

— Qu'est-ce qu'il a dit ?

— Il vaut mieux que tu ne le saches pas.

Il a inspiré profondément. Expiré à fond. Et lâché un commentaire qui a fait fondre ma hargne.

— Je suis désolé. Je n'aurais pas dû dire ça. Mais il y a des moments où tu penses avec tes tripes et pas avec ta tête. J'ai peur qu'un jour tu le payes très cher. S'il t'arrivait quelque chose, je ne pourrais pas le supporter.

Je suis restée impassible.

— Écoute, Tempe, ce n'était pas ta faute.

Oh si, ai-je pensé. *Si, c'était ma faute.*

L'équipe était dirigée par Zeb Chalker. Pas de véhicule de scène de crime. Pas de fourgon mortuaire. Juste Chalker. Apparemment, la mort d'une tapineuse ne méritait pas qu'on soustraie des enquêteurs d'un meurtre vraiment super.

Nous avons, Ryan et moi, retrouvé Chalker dans le hall de l'hôtel. Il n'avait pas l'air ravi d'être là.

Je lui ai décrit l'endroit où je pensais que le tireur se trouvait. Chalker a appelé une autre équipe pour fouiller ce secteur des bois et pour se rendre sur la portion de route qui jouxtait celui-ci.

— Quand nous y parviendrons, je passerai en premier. Aucun risque que le tueur soit encore sur les lieux, mais, tant que je ne saurai pas de quoi il retourne, je préfère prendre mes précautions.

Nous avons dûment accepté, et l'avons suivi au-dehors.

Chalker a pêché des Maglite et des survestes dans le coffre de sa voiture de patrouille et nous les a tendues.

Nous avons fait le tour du bâtiment en file indienne, traversé le jardin et nous sommes dirigés vers les pins. Chacun de nos pas creusait une large empreinte dans la boue et les aiguilles détrempées.

À l'orée de la pinède, je me suis arrêtée et j'ai indiqué où se trouvait le corps de Ruben.

— Elle est à trois mètres d'ici à peu près, droit devant.

Chalker a continué tout seul. Moins d'une minute plus tard, nous l'avons entendu appeler :

— La voie est libre.

Les pieds écartés, le faisceau de sa lampe braqué vers le sol, il nous a regardés approcher.

J'ai dirigé ma lampe sur le même point que lui.

Et j'ai étouffé une exclamation de surprise.

Le corps de Ruben avait disparu.

— C'est pourtant bien là qu'elle était !

J'ai éclairé le grand pin au tronc envahi de lianes ; en vain.

Chalker n'a rien dit.

— Elle était là, ai-je insisté en faisant aller et venir ma lampe au pied des arbres qui m'avaient servi de repères.

— Il fait assez sombre, miss. Peut-être que...

— Je ne suis pas idiote, ai-je répliqué, toujours boostée par l'adrénaline. Ou par le Johnnie Walker.

— Tu es sûre qu'elle était morte ? a demandé Ryan.

— Elle avait dans le front une blessure de sortie de la taille du poing !

— Elle a pu être emmenée par des animaux.

— Peut-être.

Mais je n'en croyais rien.

J'ai élargi le rayon de mes recherches en marchant lentement, m'écartant de plus en plus. Ryan et Chalker ont fait de même.

Dix minutes plus tard, nous nous sommes rejoints à notre point de départ. J'avais les mains tremblantes et mon sang bouillonnait dans ma poitrine.

Les deux hommes m'ont regardée. D'un air dubitatif.

— Je vous jure, elle était juste là.

Je me suis laissée tomber à genoux et j'ai effectué un mouvement de balayage systématique avec le faisceau de ma lampe.

Les aiguilles paraissaient uniformément humides. Aucune ne paraissait avoir été récemment brisée, déplacée ou retournée. Je n'ai repéré ni sang, ni cheveux, ni tissus, ni fragment d'os.

Pas un poil d'indice indiquant qu'un meurtre avait été commis à cet endroit.

Choquée, je me suis relevée et j'ai pointé ma lampe dans la direction d'où les tirs étaient partis.

— Il faut fouiller la zone à la recherche des douilles.

— Je pense qu'on a fini, ici.

— Sûrement pas !

Chalker a poussé un soupir accompagné d'une moue excédée. La patience faite homme.

— Écoutez, miss...

La coupe était pleine.

— Ne me faites pas ce numéro à la flic Murray !

Bordel, une femme s'est fait tuer ici ! J'ai vu son putain de cerveau gicler dans l'au-delà !

— Il faut vous calmer.

— Me calmer ? *Me calmer ?*

Je me suis jetée sur lui et lui ai gueulé sous le nez :

— Vous me prenez pour quoi ? Pour une cinglée préménopausée en quête de tragédie ?

Chalker a fait un pas en arrière. J'ai senti une main sur mon épaule. Peu importait. La rage me faisait délirer.

— Je vais vous dire une chose, constable Chalker. Je travaillais déjà sur des scènes de crime alors que vous traîniez encore en barboteuse. En combinant leur putain de génie, la GRC et la SQ n'ont pas réussi à retrouver Annaliese Ruben. Moi, si !

J'ai pointé un doigt tremblant vers ma poitrine.

— C'est moi que Ruben a appelée. Et un bordel d'enfoiré de merde lui a collé une balle dans le crâne !

— On a fini, ici.

Me frôlant au passage, Chalker est sorti des bois à grands pas, ses bottes faisant doucement bruisser le tapis d'aiguilles humides.

Je me suis tournée vers Ryan.

— Ce type m'a vraiment dans le nez...

— Allons-y, a-t-il dit gentiment.

— Je ne suis pas folle.

— Je te crois.

De retour à l'hôtel, j'ai enlevé mes vêtements trempés, pris une douche et enfilé un pull. Il était près de deux heures du matin, mais j'étais survoltée. Dopée par l'adrénaline et le scotch.

J'allumais mon ordi portable quand j'ai entendu frapper à la porte.

Comme la fois précédente, j'ai jeté un coup d'œil par l'œilleton.

Ryan portait toujours le même jean et le même sweat-shirt. Il tenait une boîte plate et carrée devant sa poitrine. J'ai ouvert la porte.

— Pizza ? a-t-il demandé.

— Y a des anchois ?

— Tu vas pas faire la fine bouche, maintenant ? a rétorqué Ryan en haussant les sourcils.

— Une fille n'est jamais trop regardante.

— Pas d'anchois.

— Proposition acceptée.

En mangeant, j'ai mis Ryan au courant de tous les détails dont je me souvenais, depuis l'appel de Ruben jusqu'au moment où je m'étais pointée dans sa chambre.

— Comment quelqu'un a-t-il pu nettoyer aussi efficacement une scène de crime ?

Je n'en revenais pas.

— Avec l'aide de la pluie.

— Ils ont fait vite.

— Très vite.

— Tu crois que c'est Scar qui a fait le coup ?

— J'ai hâte de lui poser la question.

Nous avons pris une deuxième part chacun.

— Tu vas leur dire de tout mettre en jeu pour retrouver le meurtrier de Ruben ?

— Compte sur moi.

— Merci.

— À une condition.

J'ai haussé un sourcil interrogateur.

— Tu m'expliques un truc.

La bouche pleine, j'ai acquiescé d'un battement de cils.

— Au nom du ciel, qui est le flic Murray ?

— Pardon ?

Je ne m'attendais pas à cette question.

— Le nom que tu as balancé à Chalker.

— Sérieux ?

Moue approbatrice de Ryan.

— Le trooper Stephen Murray, de Lincoln, dans le Maine. Tu n'as jamais vu la vidéo de son constat, quand il a arrêté cet automobiliste ?

Ryan a secoué la tête.

— Le clip est passé sur Court TV, YouTube. C'est devenu viral ! Murray a été qualifié de flic le plus patient d'Amérique.

Pas de réponse.

Ryan a tendu la main, pris une troisième part de pizza.

— Me fais pas croire que le numéro de sainte patience de Chalker ne t'a pas donné envie de vomir ?

— Ce type ne faisait que son boulot.

— Ce type se comportait comme un crétin arrogant !

— Mon petit doigt me dit que tu ne figures pas non plus en haut de son hit parade.

Nous avons mangé en silence pendant un moment. Ça paraissait facile. Comme au bon vieux temps.

Et puis une idée m'est venue à l'esprit :

— Si Scar voulait envoyer un message, dire qu'il ne reculerait devant rien, pourquoi aurait-il enlevé le cadavre de Ruben ? Pourquoi ne pas la laisser à un endroit où il était sûr qu'on la retrouverait ?

— Tu te souviens du dealer de Jasper ?

— Le type au collie ?

— Quelqu'un les avait éliminés, son chien et lui. Leur avait coupé les oreilles.

J'ai revu le visage de Ruben au clair de lune.

Et j'ai senti un frisson glacé remonter le long de ma colonne vertébrale.

27.

Le téléphone m'a tirée d'une mosaïque de rêves décousus. Ryan et moi en train de manger une pizza. Ruben dans un bus, faisant des signes. Ollie me criant des choses que je ne comprenais pas. Tank montrant les dents à un corbeau qui plongeait en piqué vers sa tête.

— Brennan.

— Salut, maman !

La voix de Katy ! Mon cœur a fait un bond dans ma poitrine. Ma joie a duré une trentaine de secondes.

— Ça va, ma chérie ?

— Je t'ai réveillée ? Tu as une drôle de voix. Oh, pardon ! J'avais oublié. Il n'est que sept heures, là-bas.

— J'allais juste me lever. Tu as parlé à ton père ? Birdie va bien ?

— En pleine forme.

La chambre était baignée de lumière, mais les vitres étaient entourées d'une bordure de givre. J'ai refermé les yeux et je me suis rallongée.

— Tu es assise ?

— Mmm.

— Je me suis engagée. Dans l'armée.

— Si je te disais ce que j'ai cru entendre, tu n'en reviendrais pas.

En bâillant.

— Tu as bien entendu. Je me suis enrôlée.

J'ai ouvert les paupières et me suis redressée d'un seul coup.

— Tu as fait *quoi* ?

— Je dois me présenter à Fort Jackson le 15 juillet.

J'en suis restée sans voix. Ma Katy, la petite fille qui aimait le rose et qui mettait un tutu pour aller chez le dentiste ?

— Tu es là ?

— Je suis là.

— Surprise ?

— Estomaquée. Quand as-tu fait ça ?

— La semaine dernière.

— Les recruteurs accordent une période de réflexion, un délai de rétractation ?

— Comme pour le crédit à la consommation ?

— Oui.

— J'irai jusqu'au bout, maman. J'y ai beaucoup réfléchi.

— C'est pour Coop que tu fais ça ?

Webster Aaron Cooperton était le petit ami de Katy. Il s'était fait tuer, au printemps précédent, en Afghanistan. Il travaillait dans l'humanitaire.

— Pas pour lui. Il est mort.

— À cause de lui ?

— En partie. Coop vivait pour aider les autres. Ce n'est pas mon genre.

— Et... l'autre partie ?

— Je déteste mon boulot. Dans l'armée, je me ferai de nouveaux amis. Je verrai du pays.

C'est ça, des pays où les gens se font exploser et tirer dessus.

— Coop n'était pas dans l'armée, ai-je rétorqué, la gorge serrée.

— Eh bien, moi, j'y serai.

Sur un ton résolu.

— Oh, Katy...

— Je t'en prie, je n'ai pas envie qu'on s'engueule pour ça.

— Je ne vais pas t'engueuler, bien sûr que non.

— Ce sera une aventure.

— Promets-moi juste de ne pas faire de folies, comme de te porter volontaire pour combattre.

— Les femmes ne peuvent pas participer aux combats.

Ouais. Officiellement. Mais je voyais beaucoup trop d'occasions pour les femmes de se retrouver en première ligne. Les pilotes de chasse. La police militaire. Le corps des marines. Le programme des lionnes.

— Tu sais ce que je veux dire.

— Je t'aime, maman.

— Katy ?

— Il faut que j'y aille.

— Je t'aime, chérie.

Je suis restée un instant assise, le téléphone serré sur mon cœur. Un million d'images tournoyaient dans ma tête : les deux ans de Katy, quand tout le monde avait chanté. Katy déguisée en elfe pour un récital de danse. Partant pour le bal de fin d'année avec le traditionnel bouquet autour du poignet. Un bouquet deux fois plus gros que son bras.

Je me sentais... comment dire ? Dubitative à l'idée qu'elle survive au camp d'entraînement ? Qu'elle se fasse à la vie militaire ? Angoissée à cette perspective ? Trahie qu'elle n'ait pas discuté de cette décision avec moi ? Horrifiée à l'idée qu'on l'envoie en zone de combat ?

Tout ça à la fois. Et autre chose encore.

Un peu coupable de ma réaction quand Katy m'avait annoncé la nouvelle. L'armée remplissait des services inestimables. Elle assurait la défense du pays, ce qui était une mission vitale. Toutes les branches avaient besoin de volontaires capables. Les fils et les filles des autres s'enrôlaient. Pourquoi pas la mienne ?

Parce que Katy était encore ma petite fille.

L'hymne irlandais s'est mis à vibrer sur mon sternum.

J'ai porté le téléphone à mon oreille.

— Brennan.

— J'ai entendu parler de ta petite aventure de cette nuit.

Ollie. N'étant pas d'humeur à me laisser chapitrer, je n'ai pas répondu.

— On ne peut pas dire que tu aies marqué des points auprès des gens du coin.

— C'est pour me dire ça que tu m'appelles ?

— Je t'appelle parce que j'ai besoin d'informations. Et tout de suite. Et s'il y a une chose dont je n'ai pas besoin, c'est bien de ce tissu de conneries.

J'ai attendu, trop énervée pour parler.

— Raconte-moi ce qui s'est passé avec Ruben.

Ce que j'ai fait.

Il y a eu un long silence. J'ai pensé qu'Ollie prenait des notes.

— Tempe, j'ai une question à te poser.

Le ton sur lequel il a dit ça m'a alarmée.

— Tu ne t'en serais pas envoyé quelques-uns, hier soir ?

— Pardon ?

— Tu m'as bien entendu.

— Pourquoi me demandes-tu ça ?

— Chalker dit que ton haleine sentait l'alcool.

J'ai senti mes joues s'embraser. La mignonette de whisky du minibar...

— Chalker est un crétin.

— On sait tous les deux que tu as eu ce problème.

— Et c'est pour ça que je ne bois plus.

— Il fallait que je te le demande.

— La scientifique en a terminé, à Sunnyvale ?

Ça, c'était pour changer de sujet.

— Il y a deux heures.

— Vous avez arrêté Scarborough ou Unka ?

— On a pincé Unka. Les flics d'ici sont en train de le cuisiner. Ryan et moi, on double la mise sur Scar.

Vraiment ? Un armistice ?

— Tu crois que c'est Scar qui a tué Ruben ?

— Il est capable de tout.

Un bref silence, puis :

— Un gars du central va passer à l'hôtel vers neuf heures. Je voudrais que tu lui exposes ta version des faits.

Ma version des faits ?

— Et je voudrais que tu remontes dans ta chambre et que tu restes assise sur ton joli petit cul. Pigé ?

— Dites, sergent Hasty, je pourrai aller acheter ce livre sur les diamants, allez, s't'euu plêêê ?

— Ouais. Ça, tu as le droit.

Je me suis habillée et j'ai pris un rapide petit déjeuner – pain perdu et bacon. Nellie Snook n'était pas revenue au restaurant.

L'agent Lake a appelé depuis la réception à neuf heures et quart. Il était blond, avec des taches de rousseur. Et visiblement épuisé. Il m'a suivie à l'autre bout du jardin, puis dans les bois, jusqu'à l'endroit où Ruben avait été tuée.

Même en plein jour, je ne voyais pas de trace de sang. Pas d'empreintes de chaussures ni de bottes. Pas un poil d'indice matériel. Les aiguilles de pin sont élastiques. Pas la moindre empreinte non plus de Chalker, de Ryan ou de moi.

— Rien que des aiguilles, a dit Lake après un coup d'œil à la ronde.

— C'est bien le problème. Le tireur a embarqué le corps et nettoyé la scène de crime. Pourquoi se donner ce mal ? Pourquoi ne pas se tirer vite fait bien fait, tout simplement ?

— D'où venaient les coups de feu ?

— De là, ai-je dit en tendant le doigt.

Lake m'a emboîté le pas. Nous avons effectué une nouvelle inspection.

— Pas de douilles, a-t-il dit.

— Bien sûr que non. S'il a pris la peine d'emporter le cadavre, normal qu'il les récupère.

Lake a acquiescé.

— Allons voir du côté de la route.

S'il y avait eu des traces de pneus ou des empreintes, elles avaient été depuis longtemps effacées par la pluie.

Lake m'a regardée longuement. Puis :

— Venez avec moi au central. On va mettre tout ça par écrit.

Le message était clair : il n'y aurait pas d'analyse plus approfondie de la scène de crime.

— Je vous suis.

Lake a haussé les épaules.

— Ce sont des choses qui arrivent.

Avant que j'aie eu le temps de lui demander ce qu'il

voulait dire par là, il a tourné les talons et repris la direction de l'hôtel.

Quelles étaient ces « choses qui arrivent » ? Que des gens se fassent tirer dessus ? Que des cadavres disparaissent ?

Que des poivrotes envoient des flics à la chasse au dahu ?

Les joues en feu, j'ai regardé Lake disparaître entre les arbres. Il ne s'est pas interrogé sur mon hésitation. N'a pas jeté de coup d'œil en arrière.

Un corbeau a croassé, au-dessus de moi.

Provoquant l'activation d'une synapse dans mes neurones.

Je me suis mise à hurler :

— Tank !

J'ai attendu.

— Tank, viens ici !

Je suis revenue sur mes pas en appelant ce fichu cabot.

Quelques écureuils ont détalé sur mon chemin.

Mais pas de chien.

De retour dans ma chambre, j'ai allumé la télévision et mon ordi portable.

Vingt minutes plus tard, je n'avais absolument aucune idée de ce qui pouvait bien se passer sur l'écran de l'ordinateur. Ou à la télé, d'ailleurs.

Je me sentais coupable envers Ruben. Je m'en faisais pour Katy. Je ruminais le commentaire étrange de Lake. Bon sang ! Combien de personnes s'imaginaient que j'avais picolé et rêvé les coups de feu ?

Et ce satané chien. Pendant que j'étais assise sur mon « joli petit cul », Ollie et Ryan couraient après Scar.

Et merde !

J'ai mis un dossier dans mon sac, enfilé un blouson, et je suis descendue dans le hall.

Devant l'entrée de l'hôtel, j'ai vu la Camry garée dans le parking, de l'autre côté de la route. Connaissant les habitudes de Ryan, je me suis dirigée vers la réception. L'employée de service s'appelait Nora, à en croire son badge.

— Excusez-moi, Nora. Le détective Ryan a appelé et m'a demandé de lui apporter un dossier de toute urgence. Je sais que c'est inhabituel, mais je me demande si vous pourriez me donner la clé de la 207 ?

— Je suis désolée, mademoiselle Brennan. Nous devons avoir une autorisation officielle pour permettre à un client d'accéder à une autre chambre.

— C'est bien le problème.

Je me suis penchée vers elle, telle une informatrice communiquant une information top-secret.

— Le détective Ryan est sur une scène de crime et ne peut pas être dérangé.

Comme je le soupçonnais, la nouvelle du meurtre de Castain s'était répandue dans Yellowknife ainsi qu'une traînée de poudre. Avec un hochement de tête de conspiratrice, Nora a passé une carte dans un lecteur et me l'a tendue.

— Merci, ai-je murmuré.

— J'espère que ça vous aidera, m'a soufflé Nora en retour.

Nous avons scellé la gravité de l'acte en nous regardant dans les yeux pendant une longue et solennelle seconde.

— Au fait, ai-je poursuivi, Nellie Snook est venue travailler, aujourd'hui ?

Nora a secoué la tête.

— Elle est de repos, le week-end.

Les clés étaient bien sur la table de nuit de Ryan.

Je me suis précipitée vers la Camry, j'ai mis le contact et descendu l'allée. C'était parti ! Et que c'était bon !

Quand je me suis garée dans Ragged Ass, Nellie Snook était sous l'abri de voiture, et changeait la litière du chat. Elle portait un col roulé noir informe et le même jean passé que la veille. Je suis descendue de voiture et me suis approchée d'elle.

En me voyant, elle a lâché le sac de litière, filé par la porte de côté de la maison et essayé de la claquer derrière elle. J'ai plongé et retenu le panneau d'une main.

— Allez-vous-en ! a-t-elle crié par l'interstice.

— Annaliese Ruben est morte.

— J'appelle la police !

— Quelqu'un l'a abattue.

— Vous mentez !

— J'y étais !

La seule réaction a été une pression accrue de l'autre côté de la porte.

— Est-ce qu'elle est rentrée, hier soir ? ai-je demandé.

Le silence m'a prouvé que ma question avait fait mouche.

— Je n'ai pas été franche avec vous, Nellie. Il est temps que je vous dise pourquoi je voulais retrouver votre sœur.

D'une main, j'ai sorti le dossier de mon sac et je l'ai glissé par l'entrebâillement de la porte. Je l'ai entendu tomber par terre.

— Maintenant, je vais lâcher la porte. Mais je vous demande de regarder ce qu'il y a dans le dossier.

J'ai fait un pas en arrière.

Le claquement de la porte a fait trembler les murs.

Un verrou s'est refermé.

En attendant, j'ai fini de remplir la caisse du chat, puis j'ai refermé le sac de litière et je l'ai appuyé contre le mur.

Finalement, le verrou s'est rouvert.

Le panneau de la porte a lentement pivoté vers l'intérieur.

28.

Snook avait les yeux perdus dans les ombres.

— Pourquoi est-ce que vous vous acharnez sur nous ?

— Vous me permettez d'entrer ?

— C'est quoi, ça ?

Elle a levé la chemise de papier bulle contenant les photos des bébés morts de Ruben.

— On peut en parler ?

Des rides verticales ont creusé son front, entre ses sourcils. Son regard a dérivé de moi vers la litière du chat pour revenir sur moi.

— C'est vous qui les avez prises ?

— Ce sont des photos officielles de scène de crime.

— Ce n'est pas ma question.

— Je ne suis pas officier de police.

Elle a relevé le menton.

— Ce n'est pas moi qui ai pris les photos. Mais j'étais là quand elles ont été prises.

Je m'attendais à ce qu'elle m'envoie promener. Au lieu de ça, elle a reculé.

Je suis entrée dans une petite pièce sombre, avec une vieille machine à laver séchante, et des bacs en plastique alignés le long d'un mur. L'air sentait la fumée de feu de bois, le détergent et les produits d'entretien.

Elle a refermé la porte derrière moi, tourné le verrou, et m'a conduite dans une cuisine baignée de soleil. Elle a posé le dossier sur un comptoir et m'a proposé du thé. J'ai accepté.

Pendant qu'elle remplissait une bouilloire au robinet et plaçait des sachets dans des mugs, j'ai parcouru la pièce du regard.

Des placards en pin noueux, agrémentés de ferrures en fer forgé, les portes décorées de photos d'animaux soigneusement découpées dans des calendriers ou des magazines. Un faucon, une chouette, un caribou, un rhinocéros. Au mur, un calendrier du WWF. Le réfrigérateur disparaissait sous les autocollants : la Fédération canadienne de la Faune, l'Alberta Wilderness Association, le Sierra Club, la Fédération des naturalistes de l'Alberta.

Un bocal à poissons rouges était posé sur une petite table pliante sous une fenêtre garnie de rideaux en vichy. À côté, un énorme chat tricolore somnolait sur une chaise à dossier à croisillons.

— Je vois que vous vous intéressez à la préservation des espèces, ai-je dit.

— Il faut bien que quelqu'un s'en occupe.

— C'est vrai.

— Entre l'agriculture, la déforestation, les mines et cette sacrée recherche du profit, plus de la moitié des espèces de la province sont menacées. Vingt pour cent sont en danger. Deux ont déjà disparu.

— Je suis vraiment désolée d'avoir endommagé votre bassin à poissons.

— C'est pour les grenouilles. Elles se reproduisent au printemps. J'essaie de les aider.

— Vous avez un beau chat, ai-je dit. (Pur mensonge, il était affreux.) Comment s'appelle-t-il ?

— Murray.

Il n'y avait pas un bruit dans la maison. M. Snook était-il dans une autre pièce à tendre l'oreille pour écouter notre conversation ?

— Je suis désolée de vous avoir dérangés, votre mari et vous.

— J'ai pas de mari.

La bouilloire a sifflé.

— Hier, au Gold Range, vous avez dit que votre mari vous avait donné une clé.

— J'ai menti.

— Pourquoi ?

— Ce que je fais ne vous regarde pas.

D'aaccoord...

Snook a versé l'eau bouillante dans les mugs.

— Il y a six ans, Josiah est parti acheter de la bière, il n'est jamais revenu.

— Je suis désolée.

— Pas moi.

Snook m'a tendu mon thé, et nous nous sommes installées devant une dînette de quelques générations plus récente que tout le reste de la pièce. Les sièges et le dessus de la table en bois de placage, les accoudoirs et les pieds blancs.

Pendant qu'elle sucrait son thé, j'ai examiné son visage, en essayant de trouver quelque chose à dire. Elle m'a prise de vitesse.

— Ma sœur est vraiment morte ?

— Je suis navrée.

— Quelqu'un l'a tuée ?

— Oui.

— Qui donc ?

— Je n'en sais rien.

— Pourquoi ?

— Je n'en sais rien.

— Pourquoi me montrez-vous ça ?

Avec un mouvement de tête vers le comptoir.

Je me suis levée et j'ai posé l'enveloppe sur la table.

— Ce sont les photos de la police et du légiste.

J'ai ouvert le dossier. Révélant une photo de treize par dix-huit centimètres sur papier glacé du bébé du meuble de toilette. Je l'ai tournée vers Snook et elle a réfléchi la lumière qui tombait par la fenêtre.

— Depuis trois ans, votre sœur habitait près de Montréal, dans une ville appelée Saint-Hyacinthe. Il y a six jours, elle s'est rendue à l'hôpital, aux urgences. D'après ses symptômes, le médecin de service a pensé qu'elle avait accouché récemment. Comme Annaliese avait nié avoir eu un bébé, ou avoir été enceinte, il a fait part de ses soupçons à la police. Le lendemain matin, ce nouveau-né a été trouvé sous le lavabo, dans la salle de bains d'Annaliese.

Snook avait les yeux rivés sur son thé.

— Regardez-le, Nellie.

Snook a posé sa cuiller sur la table et fait ce que je lui disais. Elle a regardé les yeux qui n'y voyaient pas, la bouche pleine d'asticots, le petit ventre gonflé. Ses épaules se sont affaissées, mais elle n'a pas fait de commentaire.

J'ai posé une deuxième photo sur la première.

— Ce nouveau-né a été trouvé dans un coffre-banquette.

Troisième photo.

— Celui-ci était dans des combles.

Quatrième photo.

— Celui-là, caché derrière un mur, dans l'appartement qu'elle occupait à Edmonton.

J'ai laissé le temps à Snook de digérer l'horrible réalité que je lui infligeais. Finalement, elle a levé les yeux sur moi, l'air impassible.

— Elle ne sait pas ce qu'elle fait.

Sur un ton dénué de toute expression.

— Ne *savait* pas.

Et moi, gentiment :

— Je m'en rends compte à présent.

Son regard s'est figé sur un point à mi-chemin de sa cuiller. À mi-chemin d'un autre lieu ou d'un autre temps, me suis-je dit.

Derrière Snook, Murray s'est étiré et a miaulé doucement.

— Vous avez une idée de qui peut être le père ? Ou les pères ?

— On essayait bien de s'occuper d'elle, avec mon frère. Elle avait la comprenette difficile, Alice.

Elle a eu un petit reniflement sans joie.

— Annaliese. Elle aimait bien essayer des nouveaux noms. Les docteurs avaient un nom pour ce qui clochait chez elle. Je ne saurais pas le prononcer. Mais elle était adulte, légalement. Et elle n'aimait pas qu'on lui dise ce qu'elle avait à faire.

— Sa mort, ce n'est pas votre faute, ai-je dit.

— Rien ne l'est jamais.

Drôle de commentaire, mais je n'ai rien répondu.

— La police a une piste ?

— Ils interrogent un suspect, et ils en recherchent un autre. Vous savez quelque chose qui pourrait nous aider ?

Snook a remué lentement la tête.

— Pourquoi Annaliese a-t-elle quitté Yellowknife ?

311

— Elle avait dix-sept ans. Il n'y avait rien pour elle, ici.

— Annaliese se droguait ?

Ses yeux noirs se sont rivés aux miens, embrasés par le ressentiment.

— Ça ne peut être que ça, hein ? Une Indienne, c'est forcément une alcoolique, ou une camée. Ils le disaient déjà de notre frère. Maintenant, ils le disent de moi. Il y a des choses qui ne changeront jamais.

— Vous faites allusion à Daryl Beck ?

— Vous êtes tenace, on ne peut pas vous le retirer !

— Vous voulez dire qu'il ne se droguait pas ?

— Il y a eu un moment où Daryl touchait pas mal à la bouteille et à la drogue. Il avait eu des débuts difficiles. Sa mère était partie quand il avait douze ans. Notre père s'en foutait pas mal.

— Farley McLeod.

— La seule chose que Farley ait jamais donnée pour ses enfants, c'est une giclée de sperme, vite fait, et un carré de terre sans valeur au milieu de nulle part. Sa façon à lui de soulager une conscience coupable, j'imagine.

— Vous voulez dire que votre frère ne buvait plus et qu'il avait cessé de se droguer ?

— Daryl était clean depuis neuf mois quand il est mort. Il bossait son examen de fin de scolarité.

De nouveau, ce reniflement sans joie.

— Il voulait faire quelque chose de sa vie.

Ça ne collait pas.

— Horace Tyne prétend que Daryl était un camé.

Snook a plissé davantage le front, mais elle n'a pas répondu.

— J'ai brièvement parlé à Tyne, après que vous avez mentionné son nom, ai-je ajouté.

Elle a secoué la tête, comme frappée par l'ironie de la situation.

— Alors c'est moi qui vous ai mise sur la piste d'Annaliese.

— En réalité, je la recherchais déjà avant de vous rencontrer. Vous n'étiez qu'une piste. Tyne m'avait dit qu'Annaliese avait habité cette maison après la mort de Farley.

— Je n'étais pas à Yellowknife, à l'époque.

— Tyne est un peu plus vieux que votre sœur.

— Ça oui.

— Vous aviez quelque chose contre ?

— En dehors de mon frère et de moi, Horace Tyne est la seule personne de cette ville qui s'intéresse un tant soit peu aux autres créatures. C'est un homme bien, et un bosseur. Quand il arrive à trouver du travail.

— Annaliese l'aimait bien ?

— Non. Mais elle était parfois comme ça.

— Comment, comme ça ?

Snook a eu un haussement d'épaules.

— Entêtée. Les docteurs disaient que son quotient intellectuel ne dépasserait jamais le niveau du CM1.

Le chat s'est assis, a tendu une patte et commencé à se lécher le ventre. Qui n'était pas très poilu.

— Vous savez pourquoi Annaliese est revenue à Yellowknife ?

— Je crois qu'elle avait eu peur de quelque chose.

— De quoi ?

— Je ne sais pas. Elle était très fatiguée, elle dormait presque tout le temps. Je n'ai pas voulu la bousculer, je me disais qu'on aurait tout le temps de parler.

Snook a soulevé son mug et soufflé sur son thé, alors qu'il était maintenant froid.

— Ça ne servait à rien de la bousculer.

— Vous connaissez une femme appelée Susan Forex ? Annaliese n'a jamais parlé d'elle ?

— Non.

— Et de Phoenix Miller ?

— Non plus.

— Nous pensons qu'Annaliese est allée d'Edmonton à Montréal avec un homme du nom de Smith. Elle avait signé le bail d'un appartement avec lui.

— Des Smith, j'en connais au moins vingt.

Bien vu.

— Et Ralph Trees ? Il se fait appeler Rocky.

— Ça ne me dit rien.

— Ronnie Scarborough ?

— Pourquoi vous me parlez de ces gens ?

— Ce sont des gens qui ont connu votre sœur.

Et j'ai ajouté, aussi doucement que possible :

— Ronnie Scarborough était son maquereau.

Snook a posé son mug sur la table. L'a bien serré dans sa main.

— Scarborough est le premier suspect du meurtre d'Annaliese, ai-je continué.

— Vous dites que vous n'êtes pas de la police, mais vous parlez comme les flics.

— Je suis médecin légiste et anthropologue.

— Qu'est-ce que ça veut dire ?

— J'examine les dépouilles qui sont... endommagées.

Un nouveau froncement de sourcils suggérant qu'elle ne comprenait pas bien ce que je lui racontais.

— J'aide les coroners et les médecins légistes à identifier les corps qui ne sont plus reconnaissables. Je contribue, par mon travail, à expliquer ce qui leur est arrivé.

Elle a paru réfléchir aux implications de mes paroles.

— Le coroner va autopsier ma sœur ?

Je me suis penchée et j'ai posé ma main sur la sienne.

— Celui qui a tiré sur Annaliese a emmené son corps.

Elle en est restée bouche bée.

— Nous retrouverons votre sœur, Nellie. Et les salauds qui l'ont tuée.

Murray a changé de patte. La clochette accrochée à son collier a tinté doucement.

— Qu'est-ce qui est arrivé à Tank ? a demandé Snook.

— Je l'ignore.

— Vous avez dit que vous y étiez.

— Il s'est enfui dans les bois.

Le menton de Snook est tombé sur sa poitrine.

Mes yeux se sont attardés sur le sommet de sa tête. Je me faisais l'impression d'être une voyeuse. Saurais-je être aussi stoïque, si j'étais confrontée à un tel chagrin ?

J'ai laissé mon regard errer de Murray aux poissons mal assortis qui tournaient dans le bocal, à côté de lui. Il y en avait un blanc cassé et un autre doré. Le soleil faisait étinceler le sable et les petits cailloux du fond de leur monde.

Un silence interminable s'est installé.

Puis Snook a dit une chose qui a bouleversé la vision que j'avais du meurtre d'Annaliese.

29.

— Ce n'est pas Ronnie qui a tué Alice. Annaliese.

— Qu'est-ce qui vous permet de l'affirmer ?

— Quand j'ai dit que mon frère s'occupait d'elle, ce n'était pas de Daryl que je voulais parler.

— Je ne vous suis pas.

— Je parlais de Ronnie.

— Attendez ! Quoi ? Scar est votre frère ?

— Ne l'appelez pas comme ça. Mais oui. J'avais trois ans quand John Scarborough a épousé ma mère, et cinq ans quand il m'a adoptée. Ronnie en avait dix.

Dieu du ciel ! Tout le monde était donc parent, dans cette ville ?

— Scar est un dealer et un proxénète, ai-je dit.

— Je ne lui parle jamais de ses affaires.

— Hum-hum.

— Ronnie essayait de tenir ma sœur à l'écart de tout ça. Il lui donnait de l'argent et un endroit où vivre.

— Pourtant, des témoins disent qu'Annaliese faisait le trottoir. Et elle est tombée enceinte, ai-je ajouté avec un geste en direction des photos.

— Ma sœur était influençable. Et elle voulait... des choses.

— Ce qui veut dire ?

— Elle voyait comment Ronnie vivait, et elle pensait qu'il avait une existence glamour. Chaque fois qu'il baissait la garde, elle disparaissait.

— Pour faire le trottoir.

— Elle était confiante, et douce, et elle voulait qu'on s'intéresse à elle.

— Si j'ai bien compris, votre frère règne pratiquement sur la pègre d'Edmonton. Pourquoi ne pas avoir fait savoir qu'il ne fallait pas toucher à Annaliese ?

— Vous croyez que Ronnie pouvait contrôler toutes les crapules de la ville avec sa bite et un dollar ? Pardon pour ma grossièreté.

— Où est-il, maintenant ?

— Franchement, je n'en sais rien.

— Il était au Gold Range, hier ? C'est pour ça que vous y êtes allée ?

Elle en est convenue.

— Mais je suis sûre que Ronnie n'aurait jamais fait de mal à Annaliese.

— Que fait votre frère à Yellowknife ?

— Je l'ai appelé pour lui dire qu'Annaliese était chez moi. Il était furieux. Il m'a dit qu'elle n'était pas en sécurité.

— Et pourquoi pas ?

— Je pense que ça avait quelque chose à voir avec ses affaires à lui. Mais comme je vous ai dit...

— Je sais. Vous ne lui posez pas de questions sur ses activités.

De retour au volant de la Camry, je suis restée un moment assise, les yeux dans le vide, en proie à un mélange de culpabilité, de confusion, de gêne et de frustration.

Snook avait été abandonnée par son père, qui était

317

mort dans un accident d'avion. Un de ses frères avait péri dans un incendie, sa sœur avait été abattue. Tout ça en moins de cinq ans. Je me demandais si je n'avais pas été trop cruelle en lui montrant les photos des cadavres de ses neveux et nièces.

Snook disait-elle la vérité à propos de Scar ? De Daryl Beck ? Sa version ne coïncidait pas avec celle d'Horace Tyne, qui prétendait que Beck se droguait. Se trompait-il ? Ou bien était-ce Snook qui infléchissait la vérité, dans l'espoir de présenter ses deux frères sous le meilleur jour possible ?

Je la croyais quand elle disait ne pas être au courant des grossesses de sa demi-sœur. Le choc qu'elle avait éprouvé en voyant les photos était réel. Tout comme sa peine quand elle avait appris son meurtre. Je ne pensais pas qu'elle aurait protégé l'assassin de sa sœur.

Même si le tueur était son frère ?

Enfin, pour moi, la chasse était terminée. J'étais venue à Yellowknife à la demande de la GRC. Sur l'insistance d'Ollie. Nous cherchions à retrouver Ruben ; et maintenant elle était morte. Au mieux, je reviendrais un jour pour témoigner au procès de son meurtrier.

Ce jour viendrait-il jamais ? L'assassin de Ruben serait-il recherché comme il le méritait ? Les flics croyaient-ils seulement qu'elle était morte ? Peut-être pensaient-ils qu'elle finirait par réapparaître ? Et sinon, que c'était juste une pute comme tant d'autres qui avait décidé de mettre les voiles ?

J'ai croisé mon regard dans le rétroviseur. J'avais l'air tourmenté. J'avais été obsédée par la traque d'une femme qui tuait ses bébés. Je savais maintenant que cette femme était elle-même une victime. Une enfant victime. Mon obsession s'était – elle déplacée vers la traque de son meurtrier ?

Si Snook disait vrai au sujet de Scarborough, alors qui avait tué Ruben ? Unka ? L'un de ses hommes de main ? Retrouverait-on le corps de Ruben horriblement mutilé ? Pour quelle raison Unka aurait-il bien pu faire une chose pareille ? Pour atteindre Scar ? Unka était-il au courant de ce lien de parenté entre Ruben et Scar ?

Scar était-il déterminé à commettre un véritable massacre si cela lui permettait de faire d'une pierre deux coups : venger la mort de Ruben et prendre à Unka le contrôle du trafic de drogue local ?

Tous ces tours et détours dans mes réflexions aboutissaient au même point navrant : mon passé me rattrapait, même ici, à Yellowknife. Les flics pensaient que j'étais soûle, que j'avais imaginé une scène d'horreur dans les bois, et j'avais été exclue de l'enquête.

Était-ce Ollie qui avait flingué ma réputation ? En tout cas, ce n'était pas Ryan.

Je n'avais pas oublié le sourire suffisant d'Ollie quand il m'avait serrée contre lui au Burger Express d'Edmonton. Et comment il s'était renfrogné quand je lui avais claqué au nez la porte de ma chambre d'hôtel.

Je me souvenais aussi de la voix d'Ollie quand il parlait de son travail pour le programme KARE. De sa compassion pour les femmes qui se faisaient tuer dans l'Alberta.

Ruben s'était trouvée sur la liste du programme KARE.

Même si Ollie m'en voulait, une femme-enfant s'était fait tuer de sang-froid, ça ne pouvait pas le laisser indifférent.

J'ai mis le contact. Les pneus de la voiture ont soulevé des gerbes de gravier tandis que je remontais Ragged Ass dans un rugissement de moteur.

C'est alors que j'ai failli m'encastrer dans un véhicule de la GRC.

J'ai pilé sec, au point que mon menton fraîchement râpé a heurté le volant.

Ollie a surgi comme une furie de la portière conducteur. Le passager, sans doute Ryan, est resté assis sur le siège avant.

J'ai entendu des parasites grésiller à la radio du véhicule de police tandis qu'Ollie fonçait vers moi à grands pas.

Je suis descendue de voiture à mon tour.

— Bordel, je t'avais dit de rester dans ta chambre !

Une veine palpitait sur son front. Il avait les joues en feu.

— Mmm, le rouge de la rage va très bien avec tes cheveux.

— On te cherchait dans toute la ville !

— Ben vous m'avez trouvée.

— Tu ne penses jamais que les règles s'appliquent à toi aussi, hein, Tempe ?

— Je ne triche jamais au Scrabble.

Ollie s'est fermement planté les deux mains sur les hanches.

— Mais qu'est-ce qui ne va pas chez toi ? Il faut toujours que tu coures derrière le grand frisson, quitte à faire n'importe quoi, hein ? T'as besoin de prendre des risques pour oublier la bouteille ? C'est ça ?

Quand je suis agacée, je balance des répliques spirituelles. Quand je suis en colère, vraiment furieuse, je deviens d'un calme glacé.

— Tu n'avais pas le droit de parler de mon passé. (Ceci lâché d'un ton polaire.)

— Parce que ça l'est ?

— Quoi donc ?

— Du passé ?

— Demande à Ryan ce qui est arrivé.

Il m'a raconté, pour le scotch.

— Alors au moins c'est clair.

— Ce qui n'est pas clair, c'est pourquoi tu es là, dehors, alors que je t'avais ordonné de rester dans ta chambre.

— Ordonné ? (Entre mes dents serrées.)

— La dernière fois que j'ai vérifié, tu n'avais pas de plaque.

J'ai inspiré profondément. Écouté l'air entrer et sortir de mes narines.

— Je viens d'informer Nellie Snook que sa sœur était morte.

— Tu n'avais aucune autorité pour le faire.

Là, il marquait un point.

— Je l'ai vue, Ollie. J'ai vu sa cervelle gicler et son corps s'effondrer.

Son regard était toujours rivé au mien.

— Tu me crois, d'accord ?

Il a scruté si longtemps mon visage que j'ai pensé un moment qu'il ne répondrait jamais.

— Je te crois.

— Alors, tu vas enquêter, hein ? Ruben était sur la liste du programme KARE.

— Par erreur.

— Peu importe. Maintenant, elle fait partie de tes statistiques.

Ollie a écarté les pieds et coincé ses pouces dans son ceinturon.

— Les gens d'ici sont complètement focalisés sur Castain, ai-je repris. Je ne veux pas que Ruben sombre dans les failles du système.

— Tout est lié.

— Je n'en suis pas sûre.

Ollie a eu une mimique du style « qu'est-ce que ça pourrait être d'autre ».

— D'après Snook, Ruben fuyait quelque chose qui s'était passé à Edmonton, ai-je repris.

— Quoi ?

— Elle ne sait pas.

— Hum-hum.

— Snook a confirmé que Ruben était handicapée mentale, ai-je dit.

— Comment se fait-il que personne ne l'ait mentionné ?

— Les gens pensaient qu'elle était seulement un peu amortie.

— Et le fait qu'elle se soit fait mettre en cloque quatre fois, personne ne l'a remarqué ?

— Ruben était obèse et portait des vêtements amples. Ça arrive souvent.

— Et elle n'a pas compris ce qui se passait quand les mômes sont apparus dans ses toilettes ?

— Même réponse.

— Et pourquoi est-elle allée aux urgences ?

— J'imagine qu'elle a eu peur du sang.

— Elle a menti au docteur.

— Il a dû lui faire peur.

Une illumination soudaine :

— Dans les bois, Ruben a dit que les bébés étaient morts parce qu'elle leur avait mis quelque chose de mauvais dedans.

— Tu as trouvé une boulette de papier hygiénique dans la gorge d'un des nourrissons.

— C'était peut-être ça.

— Pourquoi aurait-elle fait une chose pareille ?

— Si c'est elle qui l'a fait.

Nouveau jaillissement de parasites du côté de la radio des flics.

Snook jure que ce n'est pas Scar qui a tué Ruben.

— Ce sac à merde ne s'est pas gêné pour transformer cette gamine en l'une de ses fleurs de trottoir, mais quand il se serait agi de la descendre, il aurait tiré un trait ?

— Scar est le frère adoptif de Snook.

Ollie a haussé les sourcils en une expression de surprise.

— Et Snook est la demi-sœur de Ruben... Alors, ça fait quoi de Scar, par rapport à Ruben ?

— Je ne sais pas. Mais Snook jure que Scar essayait de la protéger des dures réalités de l'existence.

La portière s'est ouverte du côté de Ryan.

— Donc, Scar apprend que Ruben est à Yellowknife et remonte vers le nord pour la protéger ? a fait Ollie.

— C'est la version de Snook.

Ryan s'est approché de nous.

— On peut dire qu'ils n'auront pas fait le voyage pour rien. Scar tue Castain pour avoir les coudées franches ici, dans son petit commerce de drogue. Et pour se venger, Unka descend Ruben.

C'était un scénario que j'avais déjà envisagé.

— Et qu'est-ce que Snook a dit d'autre ? a demandé Ollie.

Je lui ai parlé de Daryl Beck.

— Quel rapport avec toute cette histoire ?

— Probablement aucun. Mais je n'aime pas les coïncidences. Il n'y aurait pas un rapport de police sur la mort de Beck ?

— Un type trouvé mort dans un incendie ? Peut-être. Mais le plus probable, c'est que le dossier se sera retrouvé direct chez le coroner.

Ryan nous a rejoints, le visage plus crispé que jamais.

— On a retrouvé Scarborough.

— Où ça ? a demandé Ollie.

— À la Territorial Health Authority de Stanton. Mort à l'arrivée. Deux pruneaux dans le ciboulot.

30.

Ollie est parti très vite, sirène hurlante. Nous l'avons suivi, Ryan et moi, dans la Camry, à une vitesse plus modérée.

Nous étions bien d'accord : aller à Stanton ne nous apporterait pas grand-chose. Mais ce n'était pas loin. Et nous n'avions rien d'autre à faire.

En cours de route, j'ai parlé à Ryan de Katy.

— C'est formidable, a-t-il répondu.

— Et s'ils l'envoient en zone de guerre ?

— Elle s'en sortira.

Je l'ai mis au courant de tout ce que j'avais appris de Snook. Puis nous avons continué en silence. Je commençais à en avoir l'habitude.

Nous avions raison de penser qu'il n'était pas très utile d'aller à l'hôpital.

En entrant aux urgences, nous avons croisé Rainwater qui en sortait. Il nous a raconté que le corps de Scar était déjà en route pour Edmonton, et qu'Ollie était parti pour la scène de crime. Alors qu'il nous donnait tous les détails de l'assassinat, je n'ai pu m'empêcher de penser qu'il aurait aussi bien pu décrire celui de Castain.

Scar s'était fait descendre en quittant l'appartement

d'une femme appelée Dorothea Slider. Elle n'avait rien vu. Les voisins n'avaient rien vu. La seule différence était le niveau de risque couru par les tueurs : ce coup-ci, ils avaient agi en plein jour.

M'ignorant ostensiblement, Rainwater a demandé à Ryan s'il voulait participer à l'enquête concernant Unka. Ryan a eu la courtoisie de me consulter d'un haussement de sourcil.

J'ai répondu présent.

Ryan m'a lâché les clés dans la main. Derrière lui, à l'autre bout d'un hall d'accueil carrelé, j'ai remarqué Maureen King, du service du coroner, qui parlait dans un téléphone portable. Elle nous tournait le dos. Un mètre cinquante-huit, environ, et cinquante kilos. Elle m'avait paru plus grande quand je l'avais vue penchée au-dessus de Castain.

Elle portait un jean noir, un col roulé blanc et le même coupe-vent que la veille au soir.

Elle a changé son portable d'oreille et fait passer la courroie d'une grande sacoche noire sur son autre épaule. Elle s'est retournée et m'a vue. Un peu surprise, elle m'a fait signe d'approcher. Ce que j'ai fait.

Elle a continué à parler, mais elle a levé un doigt comme pour me dire d'attendre. Quelques phrases encore, puis elle a coupé la communication et laissé tomber son appareil dans sa sacoche.

J'ai tendu la main.

— Temperance Brennan.

— Je sais qui vous êtes.

Avec ce qui ressemblait à un sourire.

Nous nous sommes serré la main.

King était également plus âgée que je ne l'avais tout d'abord pensé, probablement la quarantaine bien tassée. Elle avait les cheveux d'un blond oxygéné, qui poussaient beaucoup trop en arrière. Ce qui lui faisait un front immense qu'elle essayait de dissimuler sous deux longues mèches plaquées. Grosse erreur, compte tenu de leur maigreur et de leur manque de vigueur.

— Vous êtes anthropologue.

— Vous êtes coroner.

— Chef adjoint.

— Médecin légiste.

Nous avons échangé un sourire. Puis le visage de King a retrouvé sa gravité.

— Quand on tombe de cheval, il faut tout de suite remonter en selle.

— Pardon ?

Je n'avais pas idée de ce qu'elle racontait.

— En cas de besoin, je pourrai toujours vous trouver une salle de réunion.

Une vague de chaleur est montée de mon cou comme un geyser et a envahi mes joues.

— Je ne sais pas quelles rumeurs vous sont parvenues, madame King, mais...

— Maureen. Et ne me servez pas ces conneries. Je suis l'impératrice des conneries. Je les vois venir à trois kilomètres.

Je n'ai pas répondu.

— J'en suis à huit ans d'abstinence. Mais il y a encore des jours où je meurs d'envie d'aller dans une autre ville, trouver un petit bar bien sombre dans un coin où personne ne me connaît, et effacer tout ce monde de barges de ma vie, pendant quelque temps.

Ses paroles se sont déversées sur moi comme une benne à ordures. Non parce qu'elles ne tombaient pas juste. Parce qu'elles tombaient trop juste au contraire. Je savais exactement ce qu'elle voulait dire. Mais cette fois, je ne plaidais pas coupable. Je n'avais pas cherché l'évasion. Je n'avais avalé cette mignonette de scotch que parce que Ryan avait insisté.

— Tout ce monde de barges pense que j'étais ivre ?

— Certains le pensent.

— J'ai vu Annaliese Ruben se faire tuer. Elle était debout à moins de deux mètres de moi. Et c'est après seulement que j'ai avalé un scotch, pour me calmer les nerfs.

— C'est une autre raison pour laquelle nous faisons ça.

— Exact.

Nous nous sommes regardées dans les yeux. Les siens étaient aussi verts que les miens.

— Vous me croyez ? lui ai-je demandé.

— Le sergent Hasty dit que vous êtes fiable.

Vraiment ?

— J'ai cru comprendre que vous connaissiez Nellie Snook, a-t-elle poursuivi. Elle habite dans Ragged Ass.

— Elle raconte une histoire intéressante.

King m'a fait signe de poursuivre.

Je lui ai expliqué les bébés morts, la relation entre Snook et Ruben, entre Scarborough et Snook. Je lui ai raconté comment, d'après Snook, Scarborough protégeait Ruben. Elle m'a écoutée sans m'interrompre.

— Et maintenant, Ruben et Scarborough sont morts tous les deux, ai-je conclu.

— On dirait que c'est contagieux, dans la famille.

— C'est dur, ce que vous dites.

J'ai repensé au commentaire de Snook sur l'attitude des anglophones à l'égard des Amérindiens.

— Je ne voulais pas paraître cruelle. Je me contente d'énoncer un fait. L'autre demi-frère de Snook est aussi décédé de mort violente.

— Daryl Beck.

— C'est ça.

— Au moment de sa mort, il buvait, ou il se droguait ?

— Daryl avait des problèmes.

— Vous l'avez connu ?

— Il se peut que je l'aie vu de temps à autre.

Ses yeux étaient rivés aux miens. Je savais ce qu'elle voulait dire à mots couverts. Beck et elle avaient assisté aux mêmes réunions. Elle respectait le vœu de discrétion des Alcooliques Anonymes.

— Les services du coroner ont-ils enquêté sur la mort de Beck ? ai-je demandé.

— En effet. Il faut que vous compreniez. Beck avait passé des années à se réveiller dans son propre vomi ou à cuver sa gnôle en cellule de dégrisement. Tout le monde pensait que, cette nuit-là, il s'était explosé la tête à la fumette, et avait perdu conscience.

— Je suppose que le coroner en chef a conclu à une mort accidentelle.

— En effet.

Quelque chose dans la voix de King m'a fait penser que j'avais pincé la corde sensible.

— Et vous n'étiez pas d'accord ?

King a eu un sourire sans joie.

— Il ne restait pas grand-chose de Daryl à examiner, et nous ne croulions pas spécialement sous l'aide des anthropologues judiciaires. Et puis, qui aurait pu vouloir éliminer l'ivrogne de la ville ?

— Snook dit que Beck bûchait son examen de culture générale de fin d'études secondaires.

— Je pourrais vérifier ça.

Une hésitation. Et une décision.

— La communication que je viens d'avoir, c'était

avec Nellie Snook. On dirait que vous lui avez fait une forte impression.

— Vous me l'apprenez.

— Ouais. J'ai entendu parler du bassin à grenouilles. Les petites villes. Il faut s'y faire.

— Je peux savoir pourquoi elle vous a appelée ?

— Elle voulait que j'exhume son frère.

— Hein ?

J'étais sidérée.

— Pourquoi ? Elle soupçonne qu'il aurait été assassiné ? Tué dans un incendie volontaire ?

— Snook a toujours mis en doute les conclusions du coroner qui avait conclu à une mort accidentelle. Elle sait que vous êtes là, et elle comprend ce que vous faites.

— Vous avez l'autorité nécessaire pour ordonner une exhumation ?

— À la demande de la famille.

C'était absolument dingue. J'étais passée de bébés morts à une prostituée assassinée puis à une possible guerre des gangs de trafiquants de drogue. Et voilà qu'on me demandait d'examiner un corps qui avait passé quatre ans sous terre.

Enfin... ça valait toujours mieux que de rester les bras croisés. Je pouvais me rendre utile tout en maintenant la pression sur l'enquête concernant Ruben.

Et prouver que j'étais sobre.

— Vous pourriez me trouver une salle ? ai-je demandé.

— Qu'est-ce qu'il vous faudrait ?

— Que suis-je censée examiner ?

— Les restes tiendraient dans un bac en plastique.

— Ce n'est pas très encourageant.

— Non. De quoi avez-vous besoin ?

330

— Je peux procéder à une évaluation préliminaire, mais toutes les analyses au microscope ou nécessitant des techniques particulières devront être effectuées dans mon labo.

— C'est compris.

— Il ne me faut pas grand-chose, ai-je répondu. Une table de travail. Des gants, des masques, des tabliers. Un agrandisseur. Un pied à coulisse, de quoi faire des radios.

Elle a tiré un petit calepin et commencé une liste.

— Bon, à moi : obtenir le consentement signé d'un membre de la famille. Contacter le cimetière pour connaître l'emplacement de la sépulture. Réunir une équipe.

Elle écrivait tout en parlant.

— Organiser le transport du cercueil. Nous pourrons procéder à l'examen ici, a-t-elle ajouté tout en regardant autour d'elle. Mais ça prendra un moment.

Elle a rangé son carnet dans son sac et pris son téléphone.

Je lui ai tendu une de mes cartes.

— Mon numéro de portable.

— Snook n'a pas les moyens de s'offrir vos services. Et notre budget ne nous permet pas d'engager des consultants extérieurs.

— Alors ce sera pour moi.

— Allons le déterrer, a-t-elle dit.

— Allons le déterrer, ai-je répondu.

Normalement, le système judiciaire avance à la lenteur de la dérive continentale. En disant que ça prendrait « un moment », j'avais supposé que King voulait parler de quelques jours.

C'était sous-estimer la ténacité du coroner en chef adjoint de Yellowknife.

Je m'envoyais un *lo mein* – des nouilles chinoises avec de la viande et des légumes – au Red Apple de Franklin Street quand mon iPhone a sonné.

— Vous pourriez être au cimetière de Lakeview à six heures ?

— Dites-moi où c'est.

— Vous prenez la vieille route de l'aéroport vers le nord, et deux kilomètres après la sortie de la ville, vous tournez à droite vers Jackfish Lake. Vous ne pouvez pas le rater.

— J'y serai.

J'ai regardé ma montre : trois heures vingt. Il y avait à peine une quarantaine de minutes que nous nous étions quittées, King et moi.

Un vrai pitbull, cette femme.

Je l'adorais déjà.

J'ai appelé Ryan pour lui raconter ce que je faisais. Il a eu l'air surpris, mais n'a pas fait de commentaires. Il m'a surtout paru frustré.

— Le tuyau sur Unka était crevé. Ce sale con est toujours en vadrouille.

— Le corps de Ruben n'a pas réapparu, j'imagine ?

— Non.

— Quelqu'un essaie de la retrouver ?

— Je te tiens au courant.

Au Book Cellar, j'ai acheté un livre sur la recherche des diamants dans l'Arctique. Un autre sur les mines de diamant du Canada. Puis je suis rentrée à l'Explorer.

Avant de monter dans ma chambre, je suis retournée dans les bois pour chercher Tank de nouveau. Mais j'ai eu beau l'appeler et l'appeler encore, le cabot ne s'est pas montré.

Je suis restée là un moment, debout, à respirer l'odeur de terre noire et collante du sous-bois. À quoi bon me faire des illusions ? Le chien était mort.

Profondément chagrinée, j'ai regagné ma chambre.

Quatre heures de l'après-midi.

J'ai pioché dans mes vêtements les plus chauds et je les ai posés sur une chaise.

Quatre heures dix.

Pour tuer le temps, je me suis assise sur mon lit et j'ai ouvert le livre sur l'extraction minière. La perspective de l'exhumation me stimulait, et, en même temps, je commençais à ressentir l'effet du manque de sommeil. Par mesure de précaution, j'ai réglé l'alarme de mon téléphone sur cinq heures vingt.

La troisième de couverture du livre était une carte du Nunavut et des Territoires du Nord-Ouest.

Toute ma vie, j'ai été fascinée par les atlas et les globes terrestres. Quand j'étais petite, je fermais les yeux et je posais mon doigt au hasard sur un point. Puis je lisais le nom de l'endroit – ville, île ou désert, et j'imaginais la population exotique qui vivait là.

Cette carte était fascinante.

Et déconcertante.

Je pensais que Yellowknife était quasiment le point le plus au nord de la planète. J'en étais loin. Il y avait tout un monde au-dessus du soixantième parallèle.

Umingmaktok. Kugluktuk. Resolute. Fort Good Hope. Les noms reflétaient le choc des cultures qui s'était déroulé dans la région. Et nous connaissons tous l'issue du conflit.

J'ai repensé encore une fois à l'amertume de Snook sur les préjugés qui frappent les populations indiennes. Ils ont la vie dure. Je commençais à me demander si elle n'avait pas raison.

J'avais le choix, dans ma chambre, entre deux réglages de température. Sauf que le bouton du thermostat en plastique, cassé et à moitié arraché du mur, refusait d'obéir. Pour l'heure, le système était en mode tropique du Cancer.

Mes paupières s'alourdissaient. Ma tête est tombée, me réveillant en sursaut.

Je me suis de nouveau concentrée sur la carte. J'ai trouvé les mines de diamant d'Ekati et de Diavik, pratiquement sur la frontière entre le Nunavut et les Territoires du Nord-Ouest. Vers le sud-est, il y avait Snap Lake, et au sud, Gahcho Kué.

J'ai laissé dériver mes pensées.

Gahcho Kué. Anciennement Kennady Lake. La nouvelle mine projetée par la De Beers.

Mes paupières se sont une fois de plus refermées malgré moi.

Une image d'Horace Tyne a surgi de nulle part.

Horace Tyne, qui était opposé au projet Gahcho Kué. Qui prétendait que son existence menaçait les caribous.

J'ai vu un troupeau.

Une pancarte proclamant « Réserve naturelle ».

Un autocollant de l'Alberta Wilderness Association.

Deux poissons. Un presque blanc, l'autre doré.

Doré.

Horace Tyne. La mine d'or de Giant.

Une sonnerie de cloches d'église.

J'ai ouvert les yeux d'un seul coup.

Cinq heures vingt.

J'ai enfilé mon sweat-shirt et mon blouson, lacé mes chaussures, fourré mon iPhone dans mon sac à dos.

L'heure était venue d'exhumer Daryl Beck.

31.

Seul avantage de l'été dans le Grand Nord : le jour dure plus de vingt heures. C'est donc sous un ciel aussi clair qu'à midi que, en cette fin d'après-midi, je me suis lancée sur la route en lacets menant au cimetière de Lakeview.

Plusieurs voitures et camionnettes étaient déjà stationnées sur le parking. Je me suis garée à côté d'un corbillard au volant duquel était assis un enfant. Il n'a même pas levé les yeux de son jeu vidéo.

Inconvénient majeur de l'été dans le Grand Nord : les insectes mangeurs d'homme. J'avais à peine posé le pied par terre que les moustiques ont rappliqué et se sont empressés de télégraphier par vrombissements à leurs congénères qu'une nouvelle proie venait de faire son apparition. Le bonheur.

Dans ce cimetière, pas de dalles au ras du sol destinées à faciliter la tonte du gazon mais des stèles à la mode de l'ancien temps. Certaines étaient des œuvres d'art personnelles : une simple chaise en bois, une paire de wapitis sculptés, des bois de caribou, une pagaie gravée ; d'autres, plus traditionnelles, représentaient des croix ou des anges tenant des fleurs ou des harpes.

J'ai repéré King sur la droite, près d'une tombe

entourée d'une palissade blanche. Auprès d'elle, un homme en veste de tweed beaucoup trop grande pour lui. Trois mètres plus loin, une drôle de pelle excavatrice au godet bloqué en position verticale.

Je me suis dirigée vers eux, faisant fuir des prédateurs aussi gros que des pélicans. Malgré l'humidité ambiante, il faisait assez chaud. L'air embaumait le parfum *Eau d'exhumation* – senteurs d'herbe morte, de bois moisi et de terre fraîchement retournée.

L'équipe de King se composait de six hommes, tous autochtones. Ils avaient déjà retiré la couche arable et creusé à la pelleteuse sur une profondeur d'un mètre. Maintenant, ils poursuivaient à la main, armés de piques. On voyait dépasser leurs épaules à l'intérieur du trou. Ils travaillaient côte à côte en déblayant peu à peu la terre dégagée autour du cercueil de Beck.

King m'a présenté le type en veste de tweed. Francis Bullion, le représentant du département des services communautaires. C'était lui qui avait confirmé l'emplacement de la tombe de Beck.

Des cheveux gris, des lunettes sans monture, et une tête minuscule.

Échange de poignées de main.

— Comme tout le monde était là, j'ai pensé qu'on pouvait commencer, a déclaré King.

— Pas de problème.

— C'est un cas tellement extraordinaire, a dit Bullion.

Il avait une voix d'oiseau. D'oiseau très excité.

Je l'ai gratifié d'un sourire, et me suis retournée vers King.

— Vous êtes des rapides, par ici.

— Les gens ont besoin de boulot. Et Snook était tellement impatiente de savoir.

— Tout comme moi, a pépié Bullion. Ça ne me dérange pas du tout qu'aujourd'hui on soit samedi. Pas le moins du monde.

— Je vous remercie quand même de votre diligence, monsieur, ai-je répondu.

— J'ai déjà vu ça à la télé. Exactement comme maintenant.

— Oui, bien sûr.

L'équipe manifestait un enthousiasme identique. Et une belle efficacité. À dix-neuf heures quarante, le cercueil était exhumé ; à vingt heures, chargé dans le corbillard. Bullion a proposé de rester avec l'équipe. King l'a gentiment renvoyé chez lui.

King et moi, nous avons suivi le corbillard jusqu'à Stanton. À l'hôpital, une infirmière et deux aides-soignants nous attendaient près d'une entrée de service. Tous ensemble, le personnel hospitalier, King, le chauffeur-enfant et moi-même, nous avons transféré le cercueil sur un chariot d'hôpital. Après quoi, nous sommes restées entre filles.

L'infirmière se nommait Courtney. Une vingtaine d'années, de longs cheveux blonds et des yeux noisette. Elle appelait King par son prénom. Probablement parce qu'elle la connaissait bien. Ou alors elles étaient apparentées.

Courtney nous a conduites jusqu'à une grande salle fermée par des doubles portes battantes. Au sol, un carrelage vert ; au plafond, un éclairage au néon qui bourdonnait ; au mur, une pendule dont la trotteuse se déplaçait par petits bonds sonores. À quoi il faut ajouter un évier en inox, une paillasse et tous les objets réclamés rassemblés sur un plateau.

Un second chariot attendait au centre de la pièce.

Le cercueil a été placé le long d'un mur. C'était

un modèle peu coûteux, probablement en acier inoxydable, rose à l'extérieur et décoré d'orchidées. En bon état, pour un objet qui avait passé quatre ans sous terre.

En un instant, la salle a pris l'odeur du cercueil et de son contenu. Métal rouillé. Tissu pourri. Terre humide. Toutefois, absence totale de ces puanteurs organiques qui la plupart du temps vont de pair avec le contenu des sépultures quand elles sont exhumées.

King s'est débarrassée de son manteau, je l'ai imitée. Puis elle a placé une fiche indiquant le numéro du cas et commencé à prendre des photos. Enfin, notre belle équipe a enfilé des gants et mis des tabliers serrés au cou et à la taille.

J'ai tendu la main. King y a déposé un instrument métallique. Je me suis avancée vers le cercueil pour le déverrouiller. La partie supérieure du couvercle s'est levée facilement.

Niché parmi des coussins en velours rose moisis et affreusement tachés, un conteneur en plastique de taille réglable – « Le lit du repos éternel », pour reprendre le nom sous lequel il avait été jadis commercialisé.

Nouvelle série de photos.

Et transfert du conteneur sur le second chariot.

Courtney me regardait faire, les yeux écarquillés. Elle ne m'avait pas encore adressé la parole.

J'ai soulevé la partie inférieure du couvercle du cercueil. King m'a tendu une lampe de poche. J'ai supprimé le rembourrage ainsi que tous les tissus, et vérifié qu'il ne restait rien à l'intérieur, sondant avec mes doigts tous les plis et les creux.

Néant.

J'ai regardé King.

— On l'enlève, a-t-elle décidé.

J'ai retiré le couvercle du conteneur.

La coroner n'avait pas menti. L'incendie n'avait pas laissé grand-chose de Daryl Beck. Et les gens qui avaient œuvré dans les décombres ne possédaient certainement ni la compétence nécessaire pour distinguer les os gravement brûlés des autres vestiges, ni la patience pour les récupérer.

Ce lit de repos n'accueillait du squelette de Beck que les parties les plus épaisses et solides. Ou celles protégées par de grandes masses musculaires. Pas l'ombre d'une vertèbre ou d'une côte. Pas non plus d'omoplate, de clavicule ou de sternum. Rien appartenant au visage, aux mains ou aux pieds.

La chaleur avait tout endommagé. Le crâne avait explosé, et les fragments avaient brûlé. Ne restaient que deux petits morceaux de mandibule, tous deux proches de l'angle de la mâchoire. Des six os longs qui avaient survécu ne demeurait que la tige axiale. Le bassin se résumait à deux masses calcinées, dont l'une avait accueilli jadis une hanche et l'autre une partie du sacrum.

J'ai commencé par répartir les os selon la position anatomique. Le crâne. Le bras droit. Le bras gauche. La jambe droite. La jambe gauche.

Facile, jusqu'à ce que j'en arrive au bassin.

Là, je me suis arrêtée.

Abasourdie.

Saisissant une loupe posée sur la paillasse, j'ai réexaminé les os iliaques carbonisés.

Impossible.

Je les ai présentés l'un à côté de l'autre. Les ai interchangés. Ai recommencé. Encore une fois.

Impossible de chez impossible !

— Quoi ? a demandé King en remarquant mon agitation.

Ignorant sa question, je me suis intéressée aux fragments de mâchoire que j'avais gardés pour la fin.

Examen approfondi de l'un, puis de l'autre. L'angle goniaque. Le foramen. Le sillon mylo-hyoïdien. Les morceaux de branche ascendante et d'arcade dentaire.

Un bordel pareil ? Impossible !

Et pourtant, cela ne faisait pas l'ombre d'un doute !

Dans mes gants en latex j'avais les mains moites. J'ai mis de côté un fragment de pelvis et un autre de mâchoire, et j'ai ajouté leurs doublons à ma reconstruction.

— Qu'est-ce que ça veut dire ? a demandé King.

J'ai désigné les fragments écartés.

— Ce sont des parties de mâchoire et de bassin. Provenant toutes les deux du côté droit du corps.

Puis, sur le squelette incomplet recréé par mes soins j'ai montré l'emplacement des os correspondants.

— Ils viennent des mêmes endroits du corps, et surtout, ils viennent du même côté. Le droit.

— Conclusion ?

Mais son expression montrait qu'elle connaissait déjà la réponse.

— Nous avons ici deux individus.

— Vous vous fichez de moi !

— Comment a-t-on procédé à l'identification de Daryl ?

— Le contexte y est pour beaucoup. C'était sa maison et sa moto était devant. Un voisin l'avait entendu la rentrer dans le jardin, ce soir-là, mais pas repartir. Or elle faisait un boucan d'enfer.

— C'est tout ? On n'a pas confirmé avec les dossiers dentaires ?

— Daryl n'était pas un fana de l'hygiène buccale.

Et quand bien même, il n'aurait pas eu les moyens de se faire suivre régulièrement.

Le scialytique bourdonnait. L'horloge égrenait ses tic-tac.

— Alors, lequel des deux est Daryl ? a demandé King, sans lâcher des yeux le chariot.

— Bonne question, d'autant qu'il s'agit de deux individus de sexe masculin.

— Comment le savez-vous ?

— Il y a suffisamment de signes qui l'indiquent, ai-je répondu en brandissant les os iliaques. Sur les deux, les sillons sont profonds et étroits.

J'ai désigné une forme de croissant restée intacte sur les deux fragments :

— Ces zones rugueuses sont les endroits où les os s'articulaient avec le sacrum. Leur surface ne présente aucune surélévation. Elle arrive juste au ras des environnants. Et elle n'a pas non plus de rainure le long du bord.

— Et c'est un trait typiquement masculin ?

— Oui.

Comme l'infirmière s'était légèrement rapprochée, je lui ai demandé si elle voulait voir.

Elle a fait signe que oui. Je lui ai donc montré les caractéristiques décrites l'instant d'avant.

— Il reste un peu de cotyle gauche sur les deux fragments. Là où la hanche s'emboîte... Les diamètres sont incomplets, mais en y regardant de plus près, je crois pouvoir dire que ces deux hommes n'étaient pas de la même taille.

Je me suis emparée du pied à coulisse posé sur la paillasse et, sous le regard attentif des deux femmes, j'ai pris les mesures permettant de confirmer mes soupçons.

— Sur l'âge de ces individus, vous pouvez dire des choses ? a demandé King.

— Pas vraiment. (Prenant un fragment de l'un et de l'autre dans les mains.) Regardez la surface de l'articulation. Elle est plus houleuse ici, chez le plus grand, et l'os présente également une texture granulaire. Alors que sur l'autre, le plus petit, l'articulation paraît plus lisse et plus dense.

Ultra-simplifié, mais assez proche de la vérité.

J'ai relevé les yeux. King et Courtney avaient l'air vraiment déconcertées.

J'ai reposé les fragments sur la table, pris une lampe de poche et éteint le plafonnier.

— Regardez.

J'ai projeté le faisceau lumineux à l'horizontale et l'ai promené sur chacune des surfaces. Chez le plus grand on distinguait sur l'os de subtiles empreintes semblables à des ombres transversales.

C'est Courtney qui a repéré la première la différence.

— L'os du grand type a des sillons, et pas l'autre.

King l'avait-t-elle remarqué, ou non ? Toujours est-il qu'elle a demandé ce que cela signifiait.

— Le plus grand des deux était aussi le plus jeune, dans les vingt ans probablement. Le plus petit était plus proche de la quarantaine. Mais ce sont des chiffres très approximatifs. Pour le calcul de l'âge, cette technique ne donne que des fourchettes très larges. Et n'oublions pas qu'ici nous ne disposons que d'une partie de l'os. C'est peu pour une observation de sa surface.

— Daryl avait vingt-quatre ans, a déclaré King. Et mesurait un mètre quatre-vingt-huit.

L'aiguille des secondes a fait plusieurs bonds.

— Qui peut bien être l'autre type ? a demandé King, plus pour elle-même que pour nous.

Mes deux mains, paumes offertes, lui ont signifié : « Allez savoir ! »

— Est-ce que vous pouvez déterminer l'origine ethnique ? a-t-elle encore demandé.

— J'en doute. Sous l'effet d'une chaleur extrême, les fluides présents dans le cerveau augmentent de volume et font exploser la boîte crânienne. C'est après que les fragments prennent feu. C'est ce qui s'est passé ici.

— Y a-t-il des gens qui ont disparu au moment de l'incendie ?

Bonne question, infirmière Courtney.

— Vous resterez là, toutes les deux, si je m'en vais vérifier ? a demandé King sur un ton malicieux.

Courtney a acquiescé, moi de même.

— Qu'est-ce qu'ils sont noirs et friables, ces os ! s'est exclamé Courtney en fixant le squelette partiellement recomposé. Comment pouvez-vous être certaine de les avoir correctement positionnés ?

Une fois de plus, elle me rivait le clou puisque mon hypothèse de départ avait été que ces restes appartenaient à un seul individu. Erreur grossière, digne d'un amateur. Voilà où vous mènent les idées préconçues !

J'ai rallumé le scialytique et étudié un fragment de mâchoire sous grossissement. Du toast carbonisé !

J'ai pris l'autre en main. Et là, petit sursaut au niveau des tripes.

— C'est énorme !

— L'éclate totale, vous voulez dire !

J'ai relevé les yeux. Échange de sourires entendus.

— Ce fragment d'arcade dentaire de près de deux centimètres correspond à la partie arrière de la mâchoire, et il comporte deux alvéoles correspondant aux molaires. À l'intérieur, on distingue même des fragments de racines.

— En plein dans le baba !

— Prête à prendre des radios, mamzelle Courtney ?

J'ai eu droit à tous les acquiescements possibles et imaginables, sauf le salut militaire.

Tout en transférant les fragments de mâchoire sur le plateau je lui ai montré les angles de vue que je voulais.

— Pendant ce temps-là, je vais réexaminer tous les os. Ensuite, vous pourrez faire une vidéo des deux individus.

Les fragments de crâne provenaient pour la plupart du pariétal et de l'occiput. Tous les bords et surfaces en étaient carbonisés. Pas un seul détail ne subsistait des parties ecto-ou endocrâniennes. Seul l'ADN aurait permis de faire le tri. Mais je doutais fortement qu'il en reste une quantité exploitable.

Me fondant sur la taille, j'ai réussi à trier les os longs, ou ce qui restait de leurs tiges. Daryl s'est ainsi vu attribuer un fémur, un tibia et le cubitus. L'autre fémur et l'autre tibia ont été transférés à l'homme plus petit. Un humérus a rejoint les fragments crâniens encore affectés à aucun des deux sujets.

J'étais en train d'enregistrer mes observations dans mon ordinateur portable lorsque Courtney est revenue, poussant devant elle un négatoscope portable. Les fragments de mâchoire étaient posés au sommet d'une petite pile d'enveloppes marron, sur la tablette inférieure.

— Je pense que vous aviez raison, m'a-t-elle lancé, excitée comme une puce. Je crois que le type plus âgé avait subi des réparations dentaires.

J'ai sorti les clichés des enveloppes et fixé le premier sur le verre translucide de la boîte à lumière avant de l'allumer. Les fragments se sont éclairés en plusieurs tons de gris. Celui de droite n'a montré qu'un os trabéculaire amorphe.

— Ça appartient au plus jeune, a décrété Courtney. Daryl.

Les alvéoles, présentes sur le morceau d'arcade dentaire appartenant à l'individu plus âgé, ressortaient en sombre sur le gris spongieux du cliché. Au fond de chacune, on pouvait voir un petit cône blanc : un fragment de racine.

Au centre de ces cônes, on distinguait un filament blanc et brillant qui remontait à la verticale.

— Ce sont des canaux dévitalisés n'est-ce pas ? Ça ne pourrait pas faciliter l'identification ?

Elle avait raison. Sur les deux points.

Mais c'est autre chose qui m'a coupé le souffle.

32.

Le fragment donnait l'impression d'avoir essuyé une tempête de neige. Tout un nuage de pointillés blancs sur la lisière de la mandibule inférieure. D'autres répartis au petit bonheur la chance sur l'angle gonial et la branche montante.

— Qu'est-ce que c'est ? a demandé Courtney.

— Vous allez me radiographier tous les os, ai-je répondu sans rien révéler de mon exaltation. En commençant par Beck.

J'ai désigné le squelette incomplet. Puis, montrant la pile contenant le morceau d'os iliaque, le fémur et le tibia :

— Ensuite vous ferez l'autre individu. Et vous terminerez par ces os-là. (Le doigt pointé sur les fragments crâniens et l'humérus non affectés.) Le tout, séparément. Et en faisant bien attention à ne rien mélanger. Compris ?

— Compris.

— Beck, pour commencer.

J'ai retiré le fragment de mâchoire du squelette de Beck et je l'ai déposé sur le plateau, avec les autres ossements.

Courtney partie, j'ai appelé King. Elle a répondu dans l'instant.

— La victime la plus âgée a été abattue, ai-je annoncé.

— Non !

— Si. Sur la radio de sa mâchoire, les plombs font comme une tempête de neige.

Pas de réaction. J'ai expliqué :

— La rafale a traversé le corps. Sous l'effet de la vitesse, de très fines particules se sont dispersées partout.

— Rafale de fusil de chasse ?

— Du moins, c'est ce que je crois.

— Des victimes comme ça, j'en ai à la pelle. Qu'en est-il de Beck ?

— Pour l'heure, on fait des radios de tous ses os en notre possession. Et on vérifie aussi ceux que j'ai attribués à la victime plus âgée. Et vous, de votre côté ?

— J'ai consulté le certificat de décès de Beck. Sa mort a été enregistrée le 4 mars 2008. J'ai vérifié les dossiers des personnes disparues sur l'ensemble de cette année-là, en partant de cette date. Personne ne correspond à votre profil.

— Le type le plus âgé a des canaux dévitalisés sur deux molaires inférieures, a priori la deuxième et la troisième. Je pense que nous devrions montrer les négatifs à un dentiste médico-légal afin de lui faire préciser les choses avant d'enregistrer ces caractéristiques dentaires dans le fichier des personnes disparues.

— Vous en avez un sous le coude ?

— Oui, mais il est à Montréal, et on est au beau milieu de la nuit.

Et la souplesse n'était pas l'une des vertus premières de Marc Bergeron. Mais cela, je l'ai gardé pour moi.

— Beck est mort depuis déjà un certain temps, a rappelé King.

— Oui, il peut encore attendre.

À l'aide de mon iPhone, j'ai pris des photos des travaux dentaires pratiqués sur l'homme le plus âgé et je les ai transmises à Bergeron par courrier électronique. Comme ça, il les aurait déjà quand je l'appellerais dans la matinée.

Coup d'œil à ma montre. Minuit dix, et il faisait plein jour.

Comme Ollie était mobilisé par l'enquête sur le meurtre de Scar, j'ai appelé Ryan. Il se trouvait en compagnie de Rainwater dans un bar de la route 4 où les avait conduits une piste concernant Unka. On entendait de la musique dans le fond ainsi que le vacarme produit par un grand nombre de personnes réunies dans un espace réduit. Ryan était apparemment aussi fatigué que moi.

— Rainwater pense qu'on nous a refilé un tuyau crevé. Il a ordonné d'embarquer tout le monde et il compte bien faire transpirer ceux qu'il retiendra dans son filet.

J'ai parlé à Ryan des restes mélangés et des plombs dans la bouche d'une des deux victimes.

— Ils se sont fait descendre tous les deux ?

— Je le saurai bientôt. Le plus âgé a deux dents dévitalisées.

— Tu vas contacter Bergeron ?

— Dès demain. Je lui ai déjà envoyé mes photos.

— Tu as bien fait !

— Dès que tu as du neuf, inclus-moi parmi les *heureux élus* à prévenir.

— Pareil de ton côté.

Courtney est revenue juste au moment où je raccrochais. Pendant qu'elle allait faire des radios de ce qui restait de l'individu le plus âgé, j'ai examiné celles des fragments du squelette de Beck.

Son fémur et le morceau de bassin n'étaient qu'une tempête de neige. Ce qui répondait à une question. Mais en générait bien d'autres.

Beck et le type plus âgé avaient-ils été assassinés tous les deux ? Et si oui, pourquoi ?

L'un d'eux avait-il abattu l'autre, puis retourné l'arme contre lui-même ? Si oui, pourquoi ? Et dans quel sens ?

Beck et son compagnon s'étaient-ils battus après une nuit de beuverie, de défonce ou des deux ? Snook se trompait-elle en disant que son demi-frère ne buvait plus une goutte depuis quelque temps ?

Le scénario assassinat-suicide n'était pas convaincant. Les tirs face-à-face impliquent rarement un fusil. Je me suis fait une note pour penser à demander si les restes d'une arme avaient été retrouvés sur les lieux.

Beck, ou bien le type plus vieux, avait-il mis le feu à la maison volontairement ? Ou quelqu'un d'autre ? L'incendie était-il accidentel ?

Qui était ce type plus âgé ? Pourquoi est-ce que personne n'avait signalé sa disparition ? N'était-il pas d'ici ?

J'ai tourné les pages de mon calepin jusqu'à tomber sur une feuille vierge et j'ai commencé à établir une chronologie des faits. Farley McLeod était mort en 2007, Daryl Beck en 2008, Annaliese Ruben et Ronnie Scarborough hier. Tous étaient unis par des liens de parenté. Leurs décès étaient-ils liés ? De quelle manière ?

Castain aussi avait été tué hier. Il n'avait aucun lien de famille avec les autres. Alors, où se plaçait-il dans le tableau ?

Castain et Scarborough avaient été abattus par des tueurs en voiture. Ruben par un homme à pied, et presque certainement avec un fusil de chasse. Beck et son copain avaient été tués avec un fusil.

La même arme avait-elle été utilisée dans les cinq tirs ? Ou bien les coups de feu tirés à partir des voitures l'avaient-ils été avec un pistolet ?

McLeod s'était écrasé à bord d'un Cessna. Son corps n'avait jamais été retrouvé. Le corps de Ruben aussi avait disparu. Coïncidence ? Significative, ou non ? Je me sentais troublée. Trop de questions et trop peu de réponses. Et tout était tellement compliqué.

Trop compliqué.

Et puis ça faisait un bon paquet de victimes. Même en excluant les bébés.

Courtney est revenue avec les fragments de crâne et des radios. De la neige sur certains, mais pas sur tous. Et aucun signe distinctif permettant de décider si ces fragments venaient du squelette de Beck ou non.

Courtney braquait sur moi un regard avide de révélations. Je lui ai adressé un sourire hyper sincère.

— Merci beaucoup. Je ne sais pas comment j'aurais fait sans vous.

Elle a voulu dire quelque chose, je ne lui en ai pas laissé le temps.

— Vous auriez quelque chose où ranger les os non attribués ?

Elle a filé chercher une boîte. Elle était vexée, ça se lisait dans ses yeux noisette.

Je disposais les os de Beck dans l'évier quand elle est revenue avec deux serviettes en coton. J'ai enveloppé les fragments crâniens dans l'un, les restes de l'homme plus âgé dans l'autre, et j'ai posé ces deux paquets à côté de Beck avant de remettre en place le couvercle du cercueil en appuyant fort dessus.

— Qu'est-ce qu'on fait du cercueil ? (Sur un ton un tantinet boudeur.)

— Appelez les pompes funèbres. Ils viendront le chercher. Et je vous le dis encore : merci infiniment. Maureen sera très contente.

Courtney a hoché la tête, essayant sans y parvenir de cacher sa déception.

— Je suis désolée. Vous savez que je ne peux pas divulguer les détails d'une enquête.

— Je sais.

— D'ailleurs, gardez pour vous tout ce que vous avez vu ici. S'il vous plaît.

— Bien sûr.

— Vous feriez une excellente infirmière légiste, Courtney.

— C'est vrai ?

— Si vous voulez, je peux vous envoyer des renseignements sur le métier.

— Oui, s'il vous plaît. Et vous pouvez m'appeler à tout moment.

Marc Bergeron n'a pas eu la même considération que moi pour les fuseaux horaires. Son coup de téléphone m'a réveillée en fanfare à sept heures moins le quart.

— D'abord, je vais vous décrire ce que je vois sur les clichés. Ensuite, vous m'expliquerez pourquoi il faut que je regarde ça par un beau dimanche matin.

J'ai allumé mon ordinateur portable.

— Donc, ai-je dit, vous avez les photos.

— Reçues sur mon smartphone. Je les ai immédiatement transférées sur mon ordinateur.

Je me suis représenté Bergeron louchant à travers ses verres sales, ses cheveux en pétard éclairés à contre-jour par l'écran.

— C'est suffisamment net pour déterminer à quelles dents appartiennent ces obturations canalaires ? lui ai-je demandé.

— Ça ira. Je suppose qu'il s'agit d'une identification.

— Absolument. Ce fragment a été retrouvé dans une maison détruite par un incendie. Ça vient de la partie arrière droite, près de l'angle mandibulaire.

— Je vois ça.

Moi aussi j'avais transféré les images sur mon Mac. Pendant la pause qui a suivi, j'ai ouvert le fichier pour que nous soyons bien sur la même longueur d'onde.

— Je vois également la marque d'une blessure par balle, a déclaré Bergeron.

— C'est exact.

J'ai attendu un temps assez long.

— D'après la position des alvéoles par rapport à la branche montante, leur taille, leur courbure et la compression des racines proprement dites, je dirais que la dent mésiale est la quarante-sept et la dent distale la quarante-huit.

Je m'attendais à ce qu'il dise trente et un et trente-deux. Puis je me suis souvenue. Le fichier canadien CIPC utilise la numérotation de la Fédération dentaire internationale, alors que le fichier américain utilise le système universel. J'ai traduit :

— Oui, la deuxième molaire droite et la dent de sagesse.

— Elle est petite, ce qui est courant, mais la troisième molaire est bien formée et complètement sortie.

Ce qui a nécessité sa dévitalisation est survenu plus tard. C'est assez rare pour les troisièmes molaires.

— Génial. Merci. Écoutez, le coroner d'ici se casse la tête sur le fichier des personnes disparues dans la région de Yellowknife. Est-ce que vous pouvez me rendre le service de rentrer ces données dans le fichier canadien ?

— C'est un dossier qui dépend de notre laboratoire ? s'est enquis Bergeron, comme toujours très à cheval sur le règlement.

— Tout à fait.

Au sens très large du terme, puisque trois des bébés de Ruben avaient été découverts au Québec et que c'est là que ma participation à l'enquête avait débuté.

Je me suis représenté Bergeron fronçant les sourcils.

— J'aurais bien demandé à Ryan de s'en charger, mais je crains qu'il ne se plante dans le codage des dents.

— Le Dr LaManche est au courant de cette affaire ?

— Bien sûr. (Je me suis juré d'envoyer un e-mail au patron au plus vite.)

— Bon, eh bien, donnez-moi des détails, s'il vous plaît.

— Tout ce que nous savons, c'est que la victime est un homme d'une quarantaine d'années et pas très grand, décédé en mars 2008.

— Ce n'est pas grand-chose.

— Comme vous dites !

— S'il apparaît qu'il y a correspondance avec un individu déjà fiché, nous devrons obtenir les documents originaux.

— Bien sûr.

Après avoir envoyé un mot à LaManche, je suis descendue au rez-de-chaussée avec mes nouveaux livres.

Nouvelle aube au Trader's Grill. Les convives étaient un couple de personnes âgées passionnées de flore sauvage.

Comme je ne m'attendais pas à voir Snook, je n'ai pas été déçue. Ma commande passée, œufs et toasts, j'ai ouvert ma boîte mail. Plus par ennui que par curiosité. Il était trop tôt pour que Bergeron ait du nouveau à m'apprendre, et King ne devait pas avoir fait de découvertes géniales depuis minuit.

J'ouvrais le livre sur Fipke et ses potes quand Ryan a fait son entrée. Une tête de déterré. Des valises sous les yeux. Une tension dans la mâchoire qui lui donnait l'air décharné. M'ayant aperçue, il a traversé la salle jusqu'à ma table.

— Je peux ?

— Bien sûr.

Il s'est laissé tomber dans le fauteuil en face du mien et a promené les yeux sur la salle.

— Une chance d'avoir trouvé une place de libre.

— Surtout que ça ne va pas durer.

Ryan a haussé un sourcil.

— L'endroit est célèbre pour ses brunches du dimanche.

— Ils ne font pas de brunch tous les jours ?

— Je ne fais que répéter ce que j'ai lu.

La serveuse a apporté mes œufs et versé du café à Ryan. Il lui a passé la même commande que moi, et elle est repartie.

— Je ne t'ai pas beaucoup vue ces derniers temps, a-t-il fait remarquer.

— Ça ne va pas aussi bien que nous l'espérions...

Et les gens du pays pensent que je suis ravagée par l'alcool. Mais cela, je ne l'ai pas dit.

— Je te montre la mienne, tu me montres la tienne.

J'ai souri. C'était notre code quand nous voulions partager nos informations sur une affaire. Au temps de nos bons jours.

Je lui ai raconté l'exhumation, puis ma conversation avec Bergeron. Il m'a dit que Rainwater avait expédié plusieurs voyous liés à Unka se rafraîchir les méninges à la division K. Il devait d'ailleurs s'y rendre avec Ollie très prochainement.

La mise à jour achevée, nous sommes restés les yeux dans le vague, nous efforçant tous les deux de ne pas croiser le regard de l'autre.

Le petit déjeuner de Ryan est arrivé. Il s'est mis à manger.

À l'autre bout de la salle, les deux têtes blanches étaient penchées sur un livre. Comme ils avaient l'air heureux ! Je n'ai pu m'empêcher de penser qu'ils allaient très bien ensemble.

Les doigts de Ryan ont frôlé le dos de ma main, sont remontés vers mon poignet et se sont posés sur ma montre. J'ai senti ma peau frissonner dans le sillage de ce contact. Surprise, j'ai tourné la tête vers lui.

Il tenait les yeux vrillés sur mon visage. J'ai croisé son regard.

D'un bleu inouï. Et tourmenté. Comme le mien tout à l'heure, dans le rétroviseur.

— Lily est en prison, a-t-il dit à voix basse.

— Elle a replongé ? ai-je lâché, choquée par la nouvelle. Elle s'en sortait si bien.

— C'est une actrice née.

— Oh, Ryan. C'est tellement désolant. Comment...? J'ai laissé la question en suspens.

— Elle a renoué avec le salopard qu'elle voyait l'année dernière. Il lui a fourni des doses et l'a lâchée dans la nature. Des agents de la sécurité l'ont arrêtée pendant qu'elle essayait de voler un smartphone au Carrefour Angrignon.

— Le centre commercial, à LaSalle ?

— Ouais. Cette fois, je n'ai rien pu faire.

Ryan avait l'air si abattu que je l'aurais bien serré très fort dans mes bras. Pour sentir la griffure de sa barbe contre ma joue.

Pour respirer son eau de Cologne.

Au lieu de cela, je suis restée calée dans mon siège, revoyant mentalement ce cadeau tout relatif qu'était Lily. Me rappelant le récit que Ryan m'avait fait de l'entrée de sa fille dans sa vie.

Sa mère, Lutetia, originaire des îles Abacos, vivait en Nouvelle-Écosse à l'époque où Ryan menait une vie de bâton de chaise. À défaut d'être vraiment amoureux, ils étaient furieusement compatibles.

Un beau jour, Ryan avait pris un coup de couteau dans un bar au cours d'une rixe. À partir de ce moment-là, il avait changé du tout au tout. Renonçant au côté obscur de la vie, il était entré à la SQ. Lutetia et lui avaient chacun suivi leur bonhomme de chemin. Des années plus tard, ils s'étaient retrouvés, le temps d'un bonus enchanteur.

Entrée de Lily dans le paysage.

Comme elle voulait rentrer chez elle aux Caraïbes, Lutetia avait caché sa grossesse à Ryan, de peur qu'il ne la retienne.

Revenue au Canada douze ans plus tard avec sa fille, Lutetia n'avait pas cherché à réparer cet oubli.

Avance rapide sur quelques années, jusqu'à ce que se produise l'inévitable.

Lily s'était présentée à la porte de son papa. Âgée de dix-sept ans, en révolte contre le monde entier et, pour corser le tout, accro à l'héroïne.

Depuis, les cures de désintox s'étaient succédé. Chaque fois, Lily replongeait.

Comme tous les pères, Ryan voulait protéger son enfant de la douleur, la protéger de tous les maux du monde. Mais Lily rendait cela impossible. Pour Ryan, le tribut à payer était lourd. Victime collatérale de cette situation : notre relation.

Peu importe. Ryan aimait sa petite fille de toutes les fibres de son être.

Dieu du ciel ! Et moi qui m'inquiétais que Katy puisse entrer dans l'armée. Qu'était-ce, comparé à la fille de Ryan qui recommençait à s'injecter du poison dans les veines ?

— Est-ce qu'il y a quelque chose que je puisse faire ? ai-je demandé, un peu mal à l'aise.

— Écouter ?

— Bien sûr, c'est la moindre des choses. Tu sais que je suis toujours là.

— Où ça, là ? a répondu Ryan avec un sourire, fantôme de l'ancien Ryan.

— Pardon ?

— Là, à Yellowknife ? À l'Explorer ? Au Trader's Grill ?

J'ai levé les yeux au ciel.

— OK. Tu sais bien ce que je veux dire.

— Je le sais.

Ryan m'a caressé la main, puis a fait un geste en direction des livres.

— Tu projettes d'investir dans une mine de diamants ?

— J'essaie de me renseigner sur le contexte local.

— Et qu'est-ce que tu as appris de beau ? a répondu Ryan en faisant signe à la serveuse de remplir à nouveau sa tasse.

— J'ai appris pourquoi un caillou est si abominablement cher. D'abord, il faut en trouver. Ensuite, il faut faire une étude de faisabilité de la mine pour déterminer les coûts et les techniques de construction. Ensuite, il y a toutes les barrières administratives à lever : les accords environnementaux, les permis d'utilisation des terres, les licences pour l'eau, les ententes avec les populations locales sur les répercussions et les avantages, les accords socio-économiques. Et obtenir toutes ces autorisations, cela suppose de traiter avec le gouvernement fédéral, les différents territoires et les gouvernements autochtones de même qu'avec les organismes de réglementation, les propriétaires fonciers. Bref avec le monde entier, depuis le paysan du coin jusqu'au pape.

La serveuse a rempli la tasse de Ryan.

— Ensuite, il faut construire la mine, ce qui est un cauchemar, dans ce climat. Les sites sont tellement isolés qu'il faut tout transporter par avion ou par la route en hiver, employés et fournitures.

— Les fameuses routes de glace et leurs chauffeurs !

— Tu sais combien ça coûte de faire fonctionner une route de glace ?

— Aucune idée.

J'ai recherché une page précise de mon livre.

— La route de Lupin, qui va de Tibbitt Lake, à l'est de Yellowknife, jusqu'au site, dans le Nunavut, couvre presque six cents kilomètres. Sa construction et son entretien reviennent à environ six millions et demi de dollars par an ! Et ces routes de glace ne sont ouvertes que dix semaines par an, ai-je ajouté en regardant Ryan.

— Ça en fait, du pognon !

— Et c'est juste une ligne dans le budget. Il faut encore y faire entrer les pistes d'atterrissage, les centrales électriques, les ateliers d'usinage, l'évacuation des eaux usées et l'élimination des déchets, les usines de traitement des eaux, les réseaux téléphoniques, les entrepôts, les bureaux, les ateliers de transformation. Sans parler du logement, de la nourriture et des divertissements qu'il faut bien fournir aussi aux travailleurs puisqu'ils ne peuvent pas rentrer chez eux le soir. Un grand nombre de mineurs travaillent par rotation de deux semaines. Ça fait long quand on n'a rien à faire. Écoute ça ! ai-je ajouté sans lui laisser la possibilité d'objecter. La construction d'Ekati a coûté neuf cents millions de dollars. Celle de Diavik un milliard trois cents millions. J'ai bien dit un milliard. Ils ont dû assécher tout un lac !

— C'est bien le genre de chose qui exaspère Monsieur Tout-Beau-Tout-Gentil. À propos, je l'ai vu hier, ce Tyne, quand on est passé devant la mine Giant. Il était justement en train de sortir de la route qui y mène.

— Je croyais que la mine était fermée.

— Oui, mais il y a le problème de l'arsenic.

— De l'arsenic ?

— Héritage des mines d'or. Quand elles ont fermé, les propriétaires se sont tirés en laissant sur place des millions de tonnes de cette saloperie.

— Mais les sociétés minières ne doivent-elles pas dès le départ, avant même d'être autorisées à fonctionner, verser des millions de dollars pour couvrir les coûts de remise en état ?

— Ah, le bon vieux temps ! s'est exclamé Ryan, et il a lapé les dernières gouttes de son café. Si ça t'intéresse vraiment, parle donc à Rainwater. Son grand-oncle travaille au bureau des registres miniers.

Il sait absolument tout ce que l'on peut savoir sur la question.

— Ben voyons. Je vais juste aller me pointer là-bas un dimanche.

— D'après Rainwater, c'est un vieux fou qui vit pratiquement sur place. C'est un ancien prof de géologie. Le gouvernement lui a concocté tout exprès une sorte de boulot pour sa retraite. Ou quelque chose comme ça.

— Rainwater et toi, vous allez garder le contact après cette enquête ?

Ryan a haussé les mains et les sourcils.

— Qu'est-ce que tu veux ? On passe tant d'heures ensemble, il faut bien parler de quelque chose pour tuer le temps. (Il s'est levé.) On ne peut pas seulement regarder voler les mouches... Tu m'inclus...

— Oui, parmi les « heureux élus ».

Donc Lily avait replongé. Était-ce la raison pour laquelle Ryan était si distant avec moi ? Aussi sarcastique avec Ollie ? Ce ne serait donc pas une mesquine histoire de jalousie mais les soucis que lui causait sa fille ?

Mon téléphone m'a interrompue au milieu de mes réflexions. Bergeron. J'ai pris l'appel.

— J'ai un nom pour vous.

33.

— Les descripteurs n'ont donné qu'une seule correspondance. Probablement parce qu'une obturation de canal dans une troisième molaire est extrêmement rare. Eric Skipper. Homme de race blanche, âgé de quarante-quatre ans, résidant à Brampton, dans l'Ontario, au moment de sa disparition.

— De quand date son entrée dans le fichier ?

— Du 18 mars 2008. Les informations ont été fournies par le Dr Herbert Mandel, de Brampton.

— Vous l'avez contacté ?

— Oui. Il m'a dit qu'il avait vu M. Skipper pour de nombreux travaux dentaires, des extractions, des restaurations qui impliquaient des dévitalisations. Il envoie le dossier par FedEx.

— Qui a signalé sa disparition ?

Un froissement de papier, puis :

— Son épouse, Michelle. Le Dr Mandel dit qu'il la soigne toujours.

— Vous avez son numéro de téléphone ?

Bergeron me l'a donné.

— Rien d'autre ?

— Je ne suis pas détective, docteur Brennan.

Uniquement odontologiste. Et je vais avoir besoin que vous m'envoyiez les radios actuelles de notre client.

— Je vous les envoie.

— Je vous rappelle dès que l'identification aura été confirmée.

— Merci, docteur Bergeron. À charge de revanche.

— Absolument !

Ensuite coup de téléphone à Maureen King. Sur messagerie vocale.

Le temps était splendide. Soleil éblouissant et température censée dépasser les quinze degrés. Est-ce que ça ne méritait pas un petit tour au bureau du coroner ?

— Hé, la vieille !

Je marchais en direction du Searl Building. J'ai pilé sec et je me suis retournée.

Binny ! À vélo, de l'autre côté de la 49e Rue, roulant sur la pelouse du palais de justice. Même sweat, mêmes baskets, mais une casquette de baseball au ras des sourcils, à la place de son bonnet.

— Salut, le clown !

— Le clown ? Z'avez pas trouvé mieux ?

Sous la fanfaronnade, une tension qu'il n'y avait pas la fois précédente.

— Bonjour, monsieur Binny C'est-pas-vos-oignons.

— Z'avez de la mémoire, pour une grand-mère.

— Je suis plutôt débordée en ce moment.

— Au moins, vous êtes plus couverte de caca.

— Qu'en termes galants ces choses-là sont dites !

Binny se mordillait les lèvres. Je le voyais très bien malgré l'ombre de sa visière.

— Il y a quelque chose que tu voudrais me dire ?

— J'attends toujours mes crêpes !

Il y avait de l'agitation dans son regard.

J'ai farfouillé dans mon sac à la recherche du muffin

que j'avais piqué au petit déjeuner. Je sais, mais les repas étant irréguliers, mieux valait avoir un petit en-cas sur soi.

Binny a traversé la rue. Pour extraire le gâteau de sa caissette en papier, il a creusé dans la pâte de ses ongles sales. Ses doigts m'ont paru tout petits et bron-zés. Quand il en a eu fini avec le muffin, il a froissé l'emballage et replié le bras comme pour prendre son élan.

— Hé, p'tit bout ! Je croyais que c'était cool de respecter l'environnement.

Il a pris l'air gêné.

— Vous parlez du vieux dingue et de son caribou ?

De mon côté, silence. Juste un haussement de sour-cils.

— Pffff.

— Donc, pas touche au caribou, mais je peux vider mes ordures dans ton lit, c'est ça ?

J'ai tendu une main ouverte. Binny ne s'est pas contenté de lever les yeux au ciel, il a carrément ren-versé la tête en arrière, et il a fini par lâcher son papier dans ma paume.

Deux femmes sont passées devant nous. La jeune avec un bébé dans une poussette, l'autre, avec des cheveux blancs tout frisés, agrippée à son sac comme si derrière chaque buisson se dissimulait un voleur.

— Feriez bien de surveiller vos miches, la vieille !

Binny avait parlé tout doucement, le visage penché en arrière, loin du mien.

— Qu'est-ce que tu veux dire ?

— Z'avez le don pour exaspérer les gens.

— Quelles gens ?

Il a haussé ses épaules maigrichonnes.

— Ce que j'en dis, moi...

— Mais qu'est-ce que tu racontes ? Sois plus clair.

— J'ai pas à dire ci ou ça pour faire plaisir à une vieille sorcière.

— Tu parles de Tom Unka et de ses sbires ?

— J'ai pas dit de nom.

— Tu sais des choses, toi, hein ?

— Mon école, c'est la rue. Je pointe pas le nez. Je reste cool. (D'une main, il a fait le geste d'envoyer balader les choses. Puis il a ri.)

Un vrai Gavroche, ce môme !

— Alors, tu sais ce qui est arrivé à Castain et Scarborough ?!

— Des trouducs qui exaspéraient les gens, eux aussi.

— Pourquoi ?

— Faut bien qu'un territoire ait son patron.

— Et c'est Unka, maintenant ?

Binny m'a dévisagée de dessous son immense visière ridicule.

— Et c'est aussi Unka qui a fait tuer Annaliese Ruben ?

La visière s'est inclinée vers le bas.

— De ce qu'on dit, c'est quelqu'un qui venait d'ailleurs.

— Quoi, qu'est-ce que tu racontes, « d'ailleurs » ?

Binny a posé un pied sur la pédale de son vélo.

— Annaliese était mon amie, Binny.

— Faut qu'je file.

L'instant d'après, il avait disparu.

King était dans son bureau, au téléphone. Un appareil qui datait de la guerre du Vietnam, pour le moins. D'un doigt levé, elle m'a fait signe d'attendre et a poursuivi sa conversation tout en me désignant un siège.

Je me suis assise.

— Bien. Merci. (Elle a reposé le combiné, puis s'est adressée à moi.) C'était le médecin examinateur d'Edmonton. Castain et Scarborough ont été abattus avec des 9 mm.

— Des armes de poing qui tirent des balles blindées.

Elle a acquiescé.

— Que ce soit avec la même ou non, ce n'est pas celle qui a tué Beck et son amigo.

— Celui-là, il s'appelait Eric Skipper.

— C'est quoi, sa bio ?

Je lui ai rapporté ce que je savais sur lui. Un Blanc, qui habitait à Brampton et avait subi beaucoup de travaux dentaires.

— Il faut que j'envoie au plus vite ses radios à mon odonto.

— No problemo. Mon assistante va les scanner et les lui faire parvenir.

— Elle travaille le dimanche ?

— Disons juste qu'elle en veut.

Je lui ai donné l'enveloppe et l'adresse de Bergeron au LSJML.

— Des nouvelles de Ruben ?

Elle a secoué la tête.

— Et Snook, vous l'avez vue ?

Elle allait répondre lorsque le téléphone a glapi. Elle a porté le combiné à son oreille. Écouté.

— Il s'appelle comment ?

Puis bouchant le micro de la main, elle m'a demandé :

— Vous connaissez un M. C'est-pas-vos-oignons ?

— C'est un gamin nommé Binny.

— Binny Twiller ?

— Ce jeune homme ne m'a pas communiqué son pedigree entier.

— Il est dehors et veut vous parler.

— C'est bizarre. Je viens de le voir en venant. Pourquoi est-ce que son nom, Twiller, me dit quelque chose ?

— À cause de Merilee Twiller.

Mes cellules grises n'ont pas fait « ah, oui ».

— La copine de Castain.

Bien sûr. Maintenant, ça se tenait.

— D'après lui, le bruit court que la mort de Ruben n'a rien à voir avec le reste.

— Il a quoi, ce gamin, douze ans ?

— Oui, mais il garde l'oreille collée au sol.

— Et à propos de Castain et Scarborough, il dit quoi ?

— Rien.

— Pas étonnant. Quoi qu'il en soit, il ne veut pas monter.

— Et si j'allais voir ce qu'il a en tête, pendant que vous vous occupez d'envoyer les radios et de contacter Michelle Skipper ? Qu'est-ce que vous en dites ?

Binny faisait ses habituels tours de vélo sous un mélèze qui arborait réellement un peu de vert sur ses branches.

Je me suis avancée vers lui. Sous sa visière, ses yeux faisaient des allers-retours incessants. Ils se sont posés sur moi juste une seconde.

— Dites à vos copains flics d'aller voir chez Unka.

— Ils l'ont fait. Il n'y est pas.

— Qu'ils creusent à côté.

— Merci, Binny.

— Si vous dites que c'est moi qui vous ai refilé le tuyau, je vous dénonce pour pédophilie.

À son habitude, il a filé comme une flèche, ses jambes maigrichonnes transformées en pistons.

Retour dans le bureau de King, qui était encore au téléphone. Mon enveloppe n'était plus sur sa table. Certaines de ses questions m'ont fait comprendre qu'elle était en ligne avec Michelle Skipper.

J'ai composé le numéro de Ryan sur mon iPhone.

— Ça peut paraître dingue, mais tu te rappelles le gosse avec qui j'étais vendredi ?

— Rosemary's baby ?

— Il a accès à des informations privilégiées.

— C'est-à-dire ?

— C'est le fils de Merilee Twiller. Et il n'a pas les oreilles dans sa poche. Il vient de me refiler le tuyau qu'Unka se terre chez sa mère.

— Pourquoi prendrait-il le risque de te dire ça ?

— Mon charme naturel.

— Sans aucun doute.

— Et je lui ai offert un muffin.

— On a déjà vérifié la crèche de la maman.

— Binny dit qu'il faut creuser à côté.

— Ce sont ses propres termes ?

— Oui.

— Merci.

J'ai hésité à mentionner la mise en garde de Binny me concernant personnellement.

J'ai décidé d'attendre.

Je me suis contentée de demander à Ryan s'il était toujours au commissariat.

— Ouais. Un des hommes de main d'Unka chante comme un canari.

— Pourquoi est-ce qu'il se déballe ?

— Il était armé. On a retrouvé un Sig Sauer caché dans son slip. Ce qui viole sa liberté conditionnelle. Et lui fera perdre huit ans de vie peinarde.

— Qu'est-ce qu'il a comme monnaie d'échange ?

— Il dit que Scar tenait Castain et qu'Unka tenait Scar.

— Merilee Twiller pensait que le mobile d'Unka, c'était le dégraissage.

— On dirait qu'elle s'est trompée.

— Est-ce que ton bonhomme acceptera de témoigner ?

— On discute justement des avantages qu'il pourrait en retirer.

— Qu'est-ce qu'il a dit au sujet de Ruben ?

— Il prétend ne rien savoir du tout.

J'ai parlé à Ryan d'Eric Skipper et de l'analyse balistique prouvant que l'arme qui avait tué Beck et Skipper n'était pas celle qui avait été utilisée pour les assassinats de Scarborough et de Castain.

— Dans les gangs, en général, les tireurs ont leur propre arsenal, a déclaré Ryan.

Voyant que King venait de raccrocher, j'ai fait pareil.

Elle a consulté ses notes.

— Skipper était chargé de cours dans une petite université à Brampton. Il avait une maîtrise en écologie de l'environnement ou quelque chose comme ça. Il avait envoyé son CV à toutes les universités du pays, mais n'a jamais reçu de proposition pour un poste à temps plein. L'épouse met ça sur le compte de ses arrestations quand il était étudiant.

— Des arrestations ? Pour quel motif ?

— Activisme : manifs, sit-in, marches. C'était un

enragé pur et dur, et ses emplois à temps partiel lui laissaient beaucoup trop de temps libre. *Dixit* sa femme.

Je devinais déjà la suite.

— Il continuait d'aller aux manifs ?

— Ouais.

— L'une d'elles a eu lieu ici ?

— Oui. Je vous raconte l'histoire ?

— Volontiers !

34.

— Que savez-vous du projet Gahcho Kué ? a demandé King.

— C'est la nouvelle mine de diamants que la De Beers Canada envisage d'ouvrir ?

— En gros c'est ça. Plus précisément, c'est une entreprise en partenariat avec Mountain Province Diamonds.

— Le projet a suscité pas mal de controverses, non ?

— Gahcho Kué est le nom indien de la région du lac Kennady. Je crois qu'en dialecte déné ça signifie « Territoire du Lapin géant ». C'est un coin plutôt pourri, avec plein de caribous de la toundra, utilisé traditionnellement par les Dénés de Lutselk'e et les Métis de Fort Resolution. Dans des temps plus anciens, le peuple Tlicho, c'est-à-dire les Dénés du clan Dogrib, transhumaient aussi par là.

— Si je comprends bien, l'opposition venait surtout de groupes des « premières nations » ?

Elle a esquissé un mouvement de vague : p't-être bien que oui, p't-être bien que non.

— En tout cas, ils ont eu une grande influence sur le déroulement de l'affaire. Vous voulez le topo ?

— Je suis tout ouïe.

— En 2005, le conseil chargé d'examiner les répercussions sur l'environnement dans la vallée du Mackenzie a statué que les demandes d'autorisation soumises par la De Beers pour l'utilisation des terres et de l'eau nécessitaient une EIE, une étude d'impact environnemental très approfondie. La De Beers a fait appel de la décision devant la Cour suprême des Territoires et, en avril 2007, elle a perdu le procès. Pour faire court, la De Beers a finalement présenté son EIE en décembre 2010. En juillet dernier, la commission d'examen a jugé que l'EIE était conforme.

— Ce qui veut dire ?

— Que maintenant la commission va lire ce monstrueux pavé de onze mille pages et que son examen devrait être achevé en 2013. La De Beers espère commencer la production en 2014.

— C'est gros, comme projet, Gahcho Kué ?

— La production est estimée à quatre millions et demi de carats par an, en travaillant à ciel ouvert sur trois pipes : la 5034, Hearne et Tuzo.

— Pendant combien de temps ?

— Je crois qu'ils ont évalué la vie de la mine à onze ans.

Rapide calcul : compte tenu des coûts de développement, de construction et de maintenance de la mine pour une durée de vie si courte, il fallait que les bénéfices tirés de l'extraction des diamants soient phénoménaux.

— Où se trouve le lac Kennady ? ai-je demandé.

— À environ trois cents kilomètres au nord d'ici. À quatre-vingt-dix kilomètres au sud-est de Snap Lake, qui appartient aussi à la De Beers.

— Quel rapport avec Eric Skipper ?

— Tout au long du processus d'examen, la commission

tient des séances publiques au niveau local, où tout un chacun peut exprimer son opinion.

Facile d'imaginer la suite.

— Donc Skipper est venu à Yellowknife pour assister à l'une de ces réunions.

— Et il en est mort.

— Qu'est-ce qu'il avait l'intention de dire ?

— Arrêtez d'emmerder les caribous.

— Combien de temps a-t-il passé ici ?

— Il a quitté Brampton le 1er mars. En bus.

— Si on compte le temps du voyage, ça veut dire qu'il était à Yellowknife quelques jours avant sa mort. Il a eu des ennuis pendant qu'il était ici ?

— On va essayer de le savoir.

Elle a composé un numéro et s'est laissée retomber en arrière. Le fauteuil a émis un bruit de compresseur d'air en bout de course.

— Salut, Frank. Ici Maureen King.

Une voix fluette a pépié quelque chose que je n'ai pas réussi à comprendre.

— En forme.

Nouveau pépiement.

— Dites-lui de continuer à appliquer du chaud sur la zone, et ça ira bien mieux. Dites-moi, vous souvenez-vous d'un type nommé Eric Skipper qui venait de l'Ontario ? En mars 2008 il a pris la parole à la réunion publique de la commission d'examen.

Gazouillis au bout du fil.

— Je ne crois pas. Vous pouvez me rendre un service ? Regardez dans le fichier s'il n'y aurait pas quelque chose sur lui.

Cui-cui lointain.

— Non, j'attends.

Elle a posé le combiné sur son sous-main.

— Ça ne devrait pas être long.

Ça a quand même pris dix minutes. King a noté ce que Frank lui disait.

— Merci. Et bonne journée ! (S'adressant à moi :) Skipper a bien fait l'objet d'un rapport. Le 7 mars 2008, la division K a reçu un appel à propos de deux gars qui se tapaient sur la gueule sur une aire de stationnement dans la 47ᵉ Rue. Les policiers ont réussi à désamorcer la situation et il n'y a pas eu d'arrestation. L'un des combattants était Eric Skipper. L'autre, Horace Tyne.

J'en suis restée baba.

— À quel sujet la dispute ?

— Le rapport d'incident ne fait que deux lignes.

— Mais ça n'a pas de sens. Tyne se prétend le sauveur de la toundra. Skipper et lui auraient dû marcher main dans la main !

Nos yeux se sont croisés. Conclusion identique.

— Un petit face-à-face avec le capitaine Caribou ?

— Très volontiers, ai-je répondu.

J'ai reçu un appel de Ryan alors que nous arrivions à Behchoko. Tout excité, pour la première fois depuis des jours.

— On l'a eu.

— Unka ?

— Oui.

— Où était-il ?

J'ai regardé King. Elle a levé le pouce.

— Dans une sorte de cellier sous une grange derrière la maison de sa mère. On aurait dit cette ordure de Saddam Hussein rampant hors de son trou à rats.

— Vous ne l'aviez pas remarqué lors de votre première visite des lieux ?

— Il avait garé un vieux camion sur les panneaux à

charnières qui servent de fermeture, puis il avait rampé dessous et s'était faufilé dans le cellier. Le salaud était bien équipé, avec tout un matos de camping et une télé à piles. Je suppose que c'est sa mère qui lui apportait à manger.

— Où est-il maintenant ?

— Dans une salle d'interrogatoire en train de jouer les durs.

— Vous allez l'inculper pour l'assassinat de Scar ?

— Rainwater est en train d'en parler avec le procureur de la Couronne.

— Où est Ollie ?

— En train de se faire remonter les bretelles par la division K.

— Pour quelle raison ?

— Rien de grave. Ils veulent juste qu'il conclue l'enquête. J'imagine qu'il va réserver une place sur le vol de ce soir.

— Vraiment ?

— Bien que Scar soit d'Edmonton, le sergent Ducon a inscrit l'affaire comme relevant de la division K. Pareil pour Castain et Ruben. Son chef le rappelle au bercail.

— Et Ollie, il prend ça comment ?

— Lui et moi, on est passés à un autre mode de communication.

J'ai attendu la suite.

— Il est blême de colère.

— Et nous ? ai-je demandé.

— Je crois qu'un psy, ça ne nous ferait pas de mal.

— On rentre aussi ?

— Ruben a tué des bébés, ce qui est un crime, et elle l'a fait sur un lieu relevant de ma juridiction. (Dit d'une voix qui avait perdu toute légèreté.) Par ailleurs, quelqu'un l'a aidée à fuir. Cette personne est donc un complice.

— Autrement dit, tu décides de poursuivre.

— Exactement. Où es tu ?

Je lui ai parlé de la bagarre entre Skipper et Tyne.

— Ryan, j'ai l'impression que cette histoire implique plusieurs affaires distinctes.

— Éclaire ma lanterne, tu veux bien ?

— Les gens d'ici, toi, Ollie, tout le monde pense que les meurtres résultent du fait que Scar voulait piquer à Unka le contrôle du marché de la drogue dans la région. Je me demande si ce n'est pas un peu trop simple.

— Qu'est-ce que tu suggères ?

— Peut-être qu'il n'y a pas qu'un seul motif. Et pas qu'un seul groupe de tueurs.

— Continue.

— Les choses sont tellement déconnectées. Ton informateur qui pointe le doigt sur Scar et Unka et qui nie connaître Ruben. Ce mec veut éviter la taule. Pourquoi retiendrait-il des informations ? Plus il en sait, plus il est en position de force pour négocier. Quel intérêt aurait-il à ne dire que des bribes de ce qu'il sait ?

À l'autre bout de la ligne, Ryan a poussé un profond soupir.

— Binny, qui s'en remet à la rumeur, affirme que le cas de Ruben n'aurait rien à voir avec l'autre. Pourquoi irait-il raconter cela ?

— Parce qu'il aime les gâteaux.

Ryan avait beau se cacher derrière le sarcasme, je savais qu'il était tout ouïe. Et King aussi.

— La balistique, maintenant. Ruben et Beck ont

été tués avec un fusil de chasse, Scar et Castain avec des armes de poing de neuf millimètres.

— Ça peut être significatif comme ça peut ne pas l'être.

— Daryl Beck a été tué en 2008. Rien n'indique qu'il ait été impliqué dans le trafic de drogue.

Ryan a voulu dire quelque chose. Je l'ai coupé.

— Les guerres de territoire entre parrains font souvent bien des victimes, je sais. Mais dans le cas présent, peut-être que tout le monde fait l'erreur de vouloir adapter des éléments de preuve à une idée préconçue. Un modèle qui ne va pas. Je ne dis rien d'autre que ça.

— Je peux te donner un conseil, quand vous irez voir Tyne ?

— Lequel ? (Sur un ton méfiant.)

— Ne zyeute pas ses roubignoles !

— Aargh ! ai-je rugi tout en rangeant mon téléphone dans mon sac.

— Quoi ? a demandé King.

— Ryan se prend pour un crétin d'humoriste.

— Comme la plupart des hommes.

Tyne a pris tout son temps pour répondre à la porte. Aujourd'hui, il portait un poncho avec une sorte de logo et un jean. Et son regard disait qu'il n'était pas ravi-ravi de nous voir.

— Vous vous souvenez de moi, monsieur Tyne ? Nous nous sommes vus vendredi et nous avons parlé d'Annaliese Ruben.

— Je pars au travail.

— Je suis heureuse que vous ayez trouvé un emploi.

— Du gardiennage pendant le week-end. Un salaire de merde.

— Permettez-moi de vous présenter Maureen King, coroner en chef adjoint.

Le regard de Tyne est devenu plus vide que l'espace sidéral.

— Quelqu'un est crevé ?

— Annaliese Ruben.

Tyne a introduit deux doigts sous le col de son poncho et s'est massé la poitrine.

— On lui a tiré dessus, a précisé King.

— Des gens qui se font tirer dessus, il y en a pas mal, ces temps-ci.

— Vous savez quelque chose à ce sujet, monsieur Tyne ?

— Annaliese, c'était une gentille gosse, malgré ses problèmes.

— Ce n'était pas ma question, a répondu King avec un sourire bienveillant.

— Non, madame, je ne sais rien. Mais je sais que le monde entier devient fou.

Le moment était venu de passer aux choses sérieuses.

— Connaissez-vous un dénommé Eric Skipper ? ai-je demandé.

— Non, madame.

— C'est bizarre, monsieur Tyne. Parce que Mme King et moi-même avons découvert un rapport de police indiquant que vous vous êtes battus tous les deux sur une aire de parking en 2008.

Les doigts de Tyne se sont immobilisés. Ses lèvres ont remué comme s'il essayait de prononcer ce nom.

— Vous voulez parler de ce corniaud qui est venu à Yellowknife pour prêcher l'écologie ? (En étirant le *é*.)

— En effet.

— Cette espèce de moulin à paroles ! Il parlait comme un livre, mais il n'avait pas un sou de bon sens. Son but ? Pondre un article, se faire un nom, et obtenir un poste dans une université. Tout ça sur le dos d'une espèce en voie de disparition.

— C'était un désaccord d'ordre philosophique ?

— Et comment, merde alors !

— Pourtant Skipper avait le même objectif que vous, n'est-ce pas ? Sauver les caribous ?

— Ce crétin pensait qu'il fallait partir en croisade contre la nouvelle mine que le gouvernement veut nous faire avaler de force. Autant essayer d'arrêter un train à mains nues. Je lui ai dit que la seule chose qui pouvait aider les caribous, c'était de leur trouver un endroit sûr où aller.

— Ce type vous horripilait ?

— C'est une bonne chose, qu'il ait quitté la ville.

35.

Pendant le trajet de retour vers Yellowknife, King a reçu un coup de fil. La fonte des neiges avait recraché le corps d'une femme dans un lac.

— Vous voulez que je vous aide ?

Proposition pas vraiment enthousiaste de ma part.

— Nan. Elle faisait de la motoneige avec son ami sur un lac gelé, et ils sont passés à travers la glace à l'automne dernier. Par chez nous, les noyés hivernent bien. La famille pourra commander un cercueil ouvert.

Moi aussi j'ai reçu un coup de fil. De Bergeron.

— L'identification de Skipper est confirmée, ai-je annoncé après avoir raccroché.

On n'arrête pas le progrès.

— Qu'est-ce que vous pensez de Tyne ?

— L'animal a manifestement du tempérament, mais il est probablement inoffensif.

— Vous ne le voyez pas butant Skipper et Beck ?

— Parce qu'ils se sont castagnés pour une histoire d'ongulés ? Non, a-t-elle conclu avec une moue.

— Que pensez-vous du fait qu'il prenne sous son aile une handicapée mentale de dix-sept ans ?

— Vous devez comprendre. La parenté est perçue différemment, par ici.

Peut-être.

Une heure et quart à ma montre. Toujours ponctuel, mon estomac a commencé à grogner.

— Vous avez faim ?

— Mmm.

— Il doit y avoir une barre de granola dans la boîte à gants.

— Ça va.

En réalité je mourais de faim. Et regrettais d'avoir donné mon muffin à Binny.

Bien calée dans mon siège, j'ai admiré ce même ensemble de pins, mélèzes, peupliers et bouleaux que l'autre jour avec Ryan. Je me sentais troublée, inquiète. Comme si quelque chose se cachait dans un coin de mon esprit.

Tout en me mordillant le pouce, j'ai essayé de localiser la source de mon malaise. Avais-je, à un moment quelconque, fait l'impasse sur un indice qui me crevait les yeux ? Mais quoi ?

Cette impression se manifestait depuis la veille. Avait envahi mes rêves.

Avais-je vu ou entendu samedi quelque chose qui avait déclenché ce harcèlement de la part de mon subconscient ?

J'ai revu le déroulement de la journée dans ses moindres détails. L'exhumation. L'assassinat de Scar. L'identification de Skipper.

Aucune réaction de la part de ce bon vieux Ça.

La voix de King m'a ramenée sèchement à la réalité.

— Désolée de vous quitter, mais je dois voir un corps qui décongèle à vitesse grand V.

— Déposez-moi à l'Explorer. Ça sera très bien.

Sitôt dit, sitôt fait. Sauf que pour moi, ça n'a pas été si bien que ça.

De retour dans ma chambre, j'ai englouti le hamburger saumon frites pris au restaurant avant de monter. Quelques minutes après, j'étais dans une forme plus merdique que jamais.

Je suis sortie dans le bois. J'ai appelé Tank.

Sans résultat, bien sûr. Le chien était mort. D'où me venait cette obsession ? Essayais-je de sauver le chien de Ruben parce que je n'avais pas réussi à la sauver elle ?

Rien de plus agaçant que cette auto-analyse psychopathétique ; je suis retournée dans ma chambre et j'ai repris le livre sur l'exploitation minière. Trop agitée pour lire, j'ai regardé des photos. Schéma d'une pipe en kimberlite. Photo d'un échantillon raté. Gros plans de minéraux indicateurs de diamants. Vue aérienne de la mine Diavik.

Mon subconscient me taraudait comme un cil courbé dans le mauvais sens.

Que s'était-il donc passé d'autre hier ?

Katy avait appelé.

Était-ce cela ? Étais-je simplement inquiète pour ma fille ?

Non, c'était quelque chose en rapport avec Yellowknife. Quelque chose qui m'avait échappé.

J'avais aussi parlé à Nellie Snook.

Un groupe de cellules s'est redressé dans mon subconscient.

Oh ?

Les yeux fermés, je me suis repassé cette visite en esprit, essayant de rassembler tous les détails dont je pouvais me souvenir.

Des photos de la faune, des autocollants et des calendriers. Daryl Beck. Ronnie Scarborough. Les photos des bébés morts de Ruben. Murray le chat.

Les deux poissons qui n'allaient pas ensemble.

Comme ces deux sœurs qui n'allaient pas bien ensemble, elles non plus.

Je me suis représenté le poisson qui regardait à travers le bocal de ses yeux colossaux et exorbités, les rayons réfractés de la lumière du soleil sur son ventre.

Et là, je me suis figée.

L'adrénaline a inondé mes veines.

Le cœur battant, j'ai cherché un dossier rangé dans l'étui de l'ordinateur. Vite, l'enveloppe avec les photos du bébé du coffre-banquette prises pendant son autopsie.

Les doigts tremblants, j'en ai pris une et je l'ai placée à côté d'une page de mon livre sur l'exploitation minière.

J'ai revu la lumière diffractée éveillant un arc-en-ciel sur les écailles.

Seigneur Dieu !

Les minéraux indicateurs de diamants... Les deux sœurs en possédaient chacune une petite collection. Snook gardait la sienne dans un aquarium. Ruben dans un petit sac en velours noir.

Mes neurones se sont mis à danser la samba. Une connexion a ramené à la surface une phrase de Snook.

Une idée a commencé à prendre forme.

J'ai vérifié un nom sur Google, une adresse.

J'ai couru à la salle de bains et j'ai rincé dans le lavabo le petit flacon de ketchup. J'ai remis le couvercle en place. Ensuite, j'ai remballé le dossier, attrapé mon ordinateur portable, fourré le récipient dans mon sac, et j'ai filé ventre à terre.

Si Snook ne m'a pas claqué la porte au nez, elle ne s'est pas non plus jetée à mon cou en me voyant.

— Je peux entrer ?

— On doit venir me chercher.

— Ça ne prendra pas longtemps.

Snook s'est effacée, non sans pousser un soupir. Je suis allée droit à la cuisine.

Les poissons étaient toujours dans leur bocal. Pas de Murray à l'horizon.

Qu'elle soit mal à l'aise ou vraiment pressée, Snook ne m'a proposé ni thé ni même un siège à la table.

OK. Plan B.

— Est-ce que Mme King vous a expliqué les résultats de l'exhumation ?

— Je n'aurais pas dû accepter, pour Daryl.

Son changement d'attitude m'a surprise.

— Pourquoi ?

— Ça a fâché les gens.

— Quelles gens ?

— Qu'importe. Ils ont raison. Ce n'est pas chrétien. Les morts devraient reposer en paix.

— Mais vous avez eu raison, Nellie.

Elle a tordu les lèvres sur un côté, mais n'a rien dit.

— Je suis tellement désolée pour votre frère.

— Personne n'aura rien de rien.

— Je vous promets de faire tout mon possible pour retrouver son assassin.

Ses yeux m'ont dit qu'elle ne me croyait pas.

J'ai penché la tête comme si un bruit m'avait effrayée.

— Oh, mon Dieu. C'est Murray, ça ?

— Quoi ?

— On dirait des miaulements désespérés.

Snook s'est précipitée vers la buanderie. J'ai entendu la porte s'ouvrir, puis ses appels.

— Murray. Où es-tu, Murray ? Viens, mon minou !

Sans perdre une seconde, j'ai plongé mon petit flacon de ketchup dans l'aquarium et écopé un peu du mélange brillant qui recouvrait le fond. Les poissons se sont éloignés le plus loin possible, visiblement mécontents.

— Ici, minou !

Murray est arrivé dans la pièce, venant de l'intérieur de la maison.

Je suis allée dans la buanderie.

— Fausse alerte ! ai-je annoncé avec un grand sourire. Il est là.

Comme pour offrir la preuve de son existence, Murray nous a rejointes.

Snook s'est penchée pour le prendre dans ses bras. J'ai pris congé.

Le Bellanca Building est la réponse de Yellowknife à la mode des gratte-ciel. Pour autant, ce n'est pas l'Empire State Building. Construite en 1969, cette boîte de onze étages s'enorgueillit de flancs bleus et d'une façade à rayures, à cause des fenêtres disposées comme un jeu de Lego.

Entrée par la porte de la 50ᵉ Rue, j'ai consulté la liste des occupants. La MDD, Direction des ressources minérales et pétrolières du ministère des Affaires indiennes et du Nord canadien, se trouvait au sixième étage, le bureau du conservateur des registres au cinquième.

Je n'ai pas perdu de temps. Dans l'ascenseur, j'ai appuyé sur le bouton du cinquième. Lorsque les portes se sont rouvertes, les archives étaient juste devant moi. Curieusement, bien que nous soyons dimanche, le bureau n'était pas fermé.

Assurément, l'argent des contribuables n'avait pas

été gaspillé pour la déco. Une réception spartiate, des photos aux murs : rochers, mines souterraines, grands équipements, et des vues aériennes de sites qui n'avaient certainement pas la faveur des touristes. Des chaises en bois le long d'un mur. Un bureau au fond. Point barre. Mais qui voudrait voir des tralalas dans des archives minières ?

J'ai appelé.

Pas de réponse.

À droite du bureau, un couloir.

Tout en m'enfonçant dans les profondeurs du bâtiment, je me suis demandé comment j'allais reconnaître l'homme que je cherchais.

Tout simple. Chaque bureau portait une plaque avec un nom. Celui de Jacob Rainwater était tout au bout. La porte était ouverte.

Rainwater ressemblait aux vieux profs des films de Disney.

Un chandail immense, des cheveux hirsutes, des lunettes à monture d'acier. Le seul détail qui clochait : le Mac dernier cri et tape-à-l'œil sur lequel il travaillait.

Pour un claustrophobe, cette pièce aurait été le pire des cauchemars. Le bureau gigantesque et les classeurs métalliques laissaient à peine le passage. La moindre surface horizontale croulait sous les piles de papiers et de magazines, les cartes laminées, les gros morceaux de roche et de bois pétrifié et des fioles en verre contenant du gravier et du sable. Si quelque chose était accroché au mur, impossible de le voir.

Je me suis éclairci la gorge.

Rainwater a relevé les yeux.

— Oui ?

— Je me présente : Temperance Brennan. J'ai des

questions à poser et on m'a dit que vous étiez un grand connaisseur.

— Quel genre de questions ?

— Sur la prospection. (D'une voix prudente.)

— La licence de prospecteur coûte deux dollars pour un particulier, cinquante pour une entreprise. La jeune fille à la réception pourra vous donner tous les renseignements lundi.

Rainwater a reporté les yeux sur son écran. Ses doigts sont repartis à la recherche des lettres sur le clavier.

— Si vous avez besoin d'un permis de prospection, vous n'avez pas de chance. Les demandes sont enregistrées en décembre et les permis délivrés le 1er février de l'année suivante. Ils sont valables trois ans en dessous du soixante-huitième parallèle, cinq ans au-dessus. Le prix est de vingt-cinq dollars et dix cents l'acre. (Le ton de voix mécanique de celui qui a répété ces phrases des milliers de fois.) Le permis de prospection vous accorde le droit temporaire et exclusif de prospecter et de jalonner, mais pas les droits miniers.

— Monsieur, je...

— Il faut être détenteur d'une licence de prospecteur en cours de validité pour jalonner un claim mais pas nécessairement détenir un permis de prospection. Un claim est constitué de quatre poteaux étiquetés. Les étiquettes coûtent deux dollars le jeu. La jeune fille à la réception pourra vous en vendre lundi.

— Monsieur Rainwater...

— Avant de jalonner un claim, il est impératif de vérifier auprès de ce bureau que la zone est disponible, n'est pas déjà jalonnée, incluse dans un claim existant, ou louée par quelqu'un d'autre. La jeune fille à la réception pourra...

— Je voudrais aussi des informations sur les minéraux indicateurs de diamants.

Rainwater a enfin levé les yeux et m'a examinée à
travers la partie supérieure de ses verres à double foyer.

— Quoi, exactement ?

J'ai sorti de mon sac le petit flacon de ketchup.

— J'ai là un échantillon. (En le déposant devant
lui.) Je sais que c'est un peu inhabituel et que je me
fais peut-être des idées, mais votre neveu dit que vous
êtes un génie en la matière.

— Vous êtes une amie de Joseph ?

— Mmm.

Après un moment d'hésitation, Rainwater m'a fait
signe d'approcher.

Pendant que je me faufilais entre les meubles, il a
dégagé un espace sur son sous-main, a déroulé un carré
de tissu blanc et l'a bien lissé. Puis il a troqué ses
lunettes à double foyer contre une autre paire dont les
deux verres étaient dotés chacun d'un petit microscope.

Je lui ai remis l'échantillon de gravier dérobé. Il
l'a versé sur le bout de chiffon, a allumé une lampe
vissée à un angle de son bureau, en a réglé la lumière
et s'est penché.

J'ai attendu.

De temps à autre, il faisait rouler les pierres, réar-
rangeait le mélange de son doigt noueux.

De longues minutes ont passé. L'étage entier était
silencieux.

— Vous avez autre chose ?

Sa voix n'avait plus rien de mécanique. Elle semblait
au contraire vraiment intéressée.

J'ai déposé les photos sur son bureau.

Le vieil homme a eu un soubresaut des épaules, et
je l'ai entendu aspirer une grande goulée d'air. Il a

remis ses lunettes à double foyer, a encore regardé la photo, et ses yeux ont enfin croisé les miens.

— Mon neveu vous a mise sur une sorte de coup ?

— Non, monsieur.

— Doux Jésus d'amour !

36.

— C'est vous qui avez recueilli cet échantillon ?

— Non, monsieur.

— Comment avez-vous dit que vous vous appeliez ?

J'ai répété mon nom, sans autre précision.

— Si je vous parle de minéraux indicateurs de diamants, vous voyez ce que c'est ?

— Des cristaux qui se forment dans la croûte terrestre, et qu'on trouve avec les diamants ?

— Hmmm.

— La différence, c'est que des MID, il y en a des millions de fois plus que de diamants. Du coup, ils ne valent quasiment rien.

Dans l'intention d'impressionner Rainwater.

Il a appuyé sur une touche de son ordi pour sauvegarder ce qu'il était en train de faire.

— Vous savez regarder au microscope, jeune fille ?

— Tout à fait.

Dommage que Binny n'ait pas entendu le professeur m'appeler ainsi...

Le vieil homme a pivoté et a enlevé la housse d'un microscope que je n'avais pas remarqué dans le fouillis qui encombrait le fond de la pièce. Un instrument datant de Mathusalem, probablement récupéré dans la salle de travaux pratiques d'un lycée.

— Je préférerais un microscope à balayage électronique, mais il faudra nous contenter de ce bon vieux machin.

Rainwater a déposé mon échantillon sur la platine, appuyé sur un interrupteur, remonté ses lunettes sur son front, collé son œil à l'oculaire et effectué la mise au point.

— Venez voir.

Il s'est écarté sur son fauteuil à roulettes pour me laisser la place.

Je me suis faufilée derrière son bureau et me suis penchée sur le microscope.

Vision stupéfiante de beauté !

— C'est au grossissement deux cents.

— Ouaouh...!

— C'est joli, hein ? Les couleurs, voilà ce que recherche avant tout un prospecteur sur le terrain, quelle que soit sa façon de procéder à l'échantillonnage : en lavant à la battée ou en remplissant des sacs de terre.

Ces cristaux avaient des formes et des teintes fascinantes.

— Vous voyez les rouges et les orange ? Ils appartiennent au groupe des grenats. Les verts plus ou moins jaunes appartiennent au groupe des pyroxènes, auquel appartient également l'olivine. Les noirs sont des ilménites.

— D'où viennent les différences de couleur ?

— De la composition. Du fer, du manganèse et du chrome, principalement.

— Autrement dit, cet échantillon contient des minéraux indicateurs.

— En abondance ! C'est l'un des échantillons les plus riches qu'il m'ait été donné d'observer. Vous voyez les gros cristaux verts ?

— Oui.

— Et ceux-là...?

Je me suis redressée.

Rainwater me montrait la photo du gravier trouvé dans la pochette en velours de Ruben.

— Bonne idée d'avoir indiqué l'échelle. Ça, a-t-il dit en m'indiquant les graviers verts, ce sont des grains de diopside chromifère. D'ordinaire, ils sont microscopiques. Le plus gros que j'aie vu faisait peut-être un centimètre. Ceux-là en font près de deux. On pourrait pratiquement les tailler, les monter et les vendre en joaillerie.

— Du diopside chromifère ?

Calme-toi, ma fille.

— Des cristaux qui se sont formés dans les profondeurs de la terre et sont remontés vers la surface dans une roche plus tendre, la kimberlite. Au fil des millénaires, la kimberlite s'est érodée, abandonnant les cristaux intacts.

— Cet échantillon aurait donc été trouvé à proximité d'une pipe de kimberlite ?

Du calme, du calme...

— Je dirais qu'il y a de très fortes chances, en effet. Je chercherais des sédiments lacustres, ou une formation de ce genre.

Rainwater a fait un clocher avec ses doigts et m'a regardée par-dessus.

— Vous avez l'air d'en connaître un rayon sur la question.

— Non, monsieur. Pas vraiment. Mais ce n'est pas

tout. Je me demande si vous pourriez me dire comment rechercher un claim.

— Un claim minier ?

J'ai dû avoir l'air perdu.

— Un claim minier doit être enregistré ici, dans ce bureau, dans les soixante jours qui suivent la date du jalonnement. Pour enregistrer un claim, il faut remplir les documents requis, fournir un croquis dudit claim, et payer les droits applicables.

— Et ça sert à quoi, un claim minier ?

— Ça accorde à son détenteur les droits sur les minéraux du sous-sol pendant une période pouvant atteindre dix ans, pourvu qu'un minimum préétabli de travaux soit effectué chaque année dans le claim.

À l'évidence, Rainwater était repassé en mode robot.

— Si une société ou un particulier effectue les travaux requis dans un claim, il peut présenter une demande de bail à tout moment, dans un laps de temps de dix ans et trente jours après l'entrée en vigueur de son claim. Un bail est accordé pour une durée de vingt et un ans, qui peut être prolongé pour une durée identique à condition qu'il n'y ait pas d'arriérés de paiement et que la société ou le particulier paie les droits de renouvellement fixés. Si la société ou le particulier souhaite lancer la production – construction, exploitation minière et concentration –, il doit obtenir un bail pour le claim.

— On pourrait commencer par les claims miniers ? ai-je demandé.

— Vous feriez bien de prendre une chaise.

Pendant que je m'asseyais, Rainwater a affiché sur l'écran de son ordinateur une nouvelle page intitulée « Affaires indiennes et du Nord Canada », en anglais et en français. Sur la gauche, une barre de menu proposait un choix de liens.

— Je vais utiliser le GéoVisualiseur TNO.

Rainwater a entré un nom d'utilisateur et un mot de passe.

— Le visualiseur contient une profusion de données spatiales et autres références numérisées.

Une carte est apparue sur l'écran. J'ai reconnu les Territoires du Nord-Ouest, le Nunavut et la baie d'Hudson, pour les avoir vus sur le rabat de couverture du livre traitant de l'exploitation minière. Les rivières étaient figurées en bleu foncé, les lacs en turquoise, les frontières et les noms des communautés en noir.

— Je vais zoomer à l'échelle un pour mille, sinon les données concernant les claims miniers ne s'afficheront pas dans la table des matières. Pour le moment, restons-en aux TNO.

Un rectangle rouge est apparu sur l'écran. Rainwater a cliqué sur une icône, et la zone figurée dans le rectangle s'est agrandie.

Un panneau latéral proposant toutes sortes d'options occupait la droite de l'écran. Rainwater a sélectionné deux rubriques parmi celles qu'offrait le menu. Les claims miniers actifs. Les permis de prospection.

Il a rafraîchi la page. Des cases grises, vertes et jaune-vert portant chacune un numéro se sont superposées à la topographie. Rainwater a cliqué sur une icône du panneau de gauche, et une boîte de dialogue est apparue en bas de l'écran. Sur une barre de défilement, sous l'intitulé « champ », il a sélectionné « C_Owners-Nam1. », et sous « opérateur », il a sélectionné « =. ».

Ses doigts se sont figés quand il est arrivé au champ intitulé « valeur ».

— Nom ?

— McLeod, ai-je répondu.

Il a rempli la case, cliqué sur « ajouter à la requête », puis sur « Enter » pour lancer la recherche.

Est apparue une barre gris argent, clignotante. Le système moulinait.

Au bout de quelques secondes, un tableau d'une vingtaine de colonnes s'est affiché sous la carte.

J'ai parcouru les intitulés des colonnes. Numéro du claim. Statut du claim. Date d'enregistrement. Surface. Forme. Quelques abréviations que j'étais bien incapable d'interpréter.

— Il était actif, votre McLeod.

Rainwater est descendu vers le pied des colonnes.

— Quatre-vingt-dix-sept claims. La plupart enregistrés dans les années quatre-vingt-dix. Tous abandonnés, ou échus, à part trois.

— Vous pouvez retrouver les informations sur les claims actifs ?

Rainwater a pianoté sur son clavier.

— Apparemment ils sont tous en copropriété. Nellie M. Snook. Daryl G. Beck. Alice A. Ruben.

Le cœur battant la chamade, je me suis forcée au calme.

— McLeod est décédé en 2008. Quelles conséquences pour ses claims ?

— En l'absence d'instructions contradictoires du défunt, et si les droits ont été payés et les exigences satisfaites, je suppose que la pleine propriété de ces claims est revenue légalement aux codéclarants.

— Vous pouvez afficher l'un de ces claims actifs ?

Rainwater a encore pianoté, et une constellation de carrés verts s'est matérialisée sur la carte. Ils étaient situés plein nord, par rapport à Yellowknife, au nord-ouest de la mine d'Ekati, juste en dessous de la frontière du Nunavut.

J'ai contemplé l'amas. Des mondes entraient en collision. Ou, plutôt, se séparaient.

Snook me l'avait dit. Mais je n'y avais pas prêté attention.

Les seules choses que Farley McLeod avait données à ses enfants, c'étaient une giclée de sperme et un bout de terrain sans valeur au milieu de nulle part.

Farley McLeod avait laissé à ses enfants les claims miniers sur le territoire qu'il avait jalonné. Ruben et Snook étaient l'une et l'autre en possession d'échantillons riches en minéraux indicateurs de diamants, probablement assortis de la consigne de les conserver soigneusement.

Les échantillons provenaient sans doute de la terre jalonnée par McLeod.

Doux Jésus !

La mort de Beck et de Ruben n'avait rien à voir avec un conflit entre trafiquants de drogue pour le contrôle d'un territoire. Ils avaient été tués parce qu'ils détenaient des claims miniers d'une valeur potentielle de plusieurs millions de dollars. Et quelqu'un voulait ces claims.

Mais qui ?

Un autre amas de carrés adjacents brillait du même vert vif que ceux de Snook, de son frère et de sa sœur. Je les ai indiqués.

— Ceux-là aussi sont actifs ?

— En effet. On dirait que quelqu'un a sauté sur les claims que McLeod avait laissé échapper.

Rainwater a cliqué sur un carré, puis sur un autre. Et un autre.

— Ils appartiennent tous à une entité appelée Fast Moving.

Il a eu un claquement de langue.

— Fast... pas si vite que ça, en fait. Cette société a bien satisfait aux exigences de conservation du claim, mais elle s'est bornée à cela.

— C'est une espèce de corporation ?

— Désolé, a répondu Rainwater avec un petit rire. Ce n'est pas mon rayon.

Mes cellules grises se sont remises en marche.

Fast Moving...

Ce nom ne me disait rien.

Pendant que je me creusais la cervelle, une pensée terrifiante a germé dans mon cortex. Et si Snook à son tour était en danger ? Je me suis levée.

— Merci beaucoup, monsieur Rainwater. C'était vraiment très instructif.

Il a remis l'échantillon dans le petit flacon de ketchup et me l'a tendu.

— À votre service.

J'ai fait le tour du bureau. J'étais à la porte quand Rainwater m'a interpellée.

— Docteur Brennan.

Je me suis retournée, étonnée que le vieil homme ait utilisé mon titre.

— Avec moi, votre secret est en sûreté.

— Pardon ?

— Attrapez-les, ces salauds.

37.

Je commençais à avoir mes habitudes dans Ragged Ass. Cela dit, l'atmosphère était toujours aussi hostile.

En m'arrêtant sur le bas-côté du chemin, toujours au même endroit, j'ai remarqué un pick-up gris dans l'allée qui menait chez Snook. Le pot d'échappement était rouillé et le pare-chocs arrière orné d'un autocollant proclamant : « Foutez la paix à la nature ». Je l'avais déjà vu, mais où ? Impossible de m'en souvenir. Les pick-up rouillés étaient très tendance à Yellowknife.

J'ai décidé d'attendre et de voir venir.

Décision judicieuse s'il en est.

Dix minutes plus tard, la porte coulissante s'est ouverte sur un homme qui s'est dirigé vers l'abri à voiture. Son visage était dans l'ombre, mais sa silhouette me disait quelque chose.

Il s'est mis au volant, et a reculé vers la rue. Tout en passant les vitesses, il a jeté un coup d'œil dans ma direction. Nos regards se sont croisés.

Horace Tyne.

Égale surprise de part et d'autre.

Sans un signe, il a accéléré à fond et quitté Ragged Ass comme s'il avait le diable aux trousses. Les gravillons chassés par ses roues ont crépité sur la carrosserie de ma Camry.

Que manigançait-il avec Nellie Snook ?

Je suis allée frapper à la porte de la maison.

Snook m'a aussitôt ouvert, une casquette de base-ball à la main.

— Ne vous inquiétez pas, je l'ai retrouvée.

Se rendant compte que ce n'était pas Tyne, elle a froncé les sourcils.

— Vous êtes un vrai choléra, vous, alors ! On ne peut pas se débarrasser de vous.

— C'était bien Horace Tyne ?

— Qu'est-ce que vous voulez ?

— Vous m'avez dit que votre père vous avait laissé du terrain, à votre frère et à vous-même.

— Je ne me rappelle pas vous avoir raconté ça ! Et quand bien même ?

— Cette terre appartenait aussi à Annaliese ?

— Il nous a ignorés toute sa vie, et il a fait ça pour soulager sa conscience. C'est mon avis, et rien ne m'en fera changer.

— Minute ! Vous êtes propriétaire de la terre ou vous détenez seulement le claim minier ?

Snook a froncé encore davantage les sourcils.

— Qu'est-ce que ça changerait ?

— Où se trouve cette terre ?

— Tout ce que je sais, c'est que ce n'est pas ici, à Yellowknife. Un terrain en ville pourrait valoir quelque chose. Mais là, c'est un bout de rien du tout au fin fond de la toundra. Personne n'en voudra jamais.

— Vous avez essayé de le vendre ?

— Ouais. C'est exact, a-t-elle répondu avec un reni-flement. Maintenant que ces titres m'appartiennent en propre, je vais m'en débarrasser et en faire don à une association caritative. J'en ai marre de raquer pour nous trois. Annaliese et Daryl n'ont jamais eu un cent devant eux.

— Vous prévoyez de faire don du terrain à Horace Tyne ?

— Oui.

Sur la défensive.

— Deux-trois papiers à signer, et j'en aurai fini avec les taxes, les redevances et tous les trucs que je n'arrête pas de payer.

— Pour sa réserve ?

— Quand ils auront ouvert la nouvelle mine, les caribous n'auront plus nulle part où aller. Les routes de migration seront dévastées.

Quelque chose de glacé s'est coagulé dans mes tripes.

— Quelle nouvelle mine ?

— Gahcho Kué.

J'ai pris Snook par le haut des bras et l'ai regardée bien en face, droit dans les yeux. Elle s'est raidie mais n'a pas essayé de se dégager.

— Nellie, promettez-moi de ne rien faire avant de m'en parler.

— Je ne...

— Ce que vous possédez, ce ne sont pas des terres, mais des claims miniers. Et ces concessions ont probablement une valeur considérable. Quelqu'un veut s'en emparer. Il se pourrait bien que ce soit la personne qui a tué Daryl et Annaliese.

Elle m'a regardée comme si j'avais besoin d'une bonne dose de Prozac.

— Qui ça ? (D'une voix à peine audible.)

— Je ne sais pas. Mais je vais le découvrir.

J'ai regagné ma voiture au pas de course. Je

sentais son regard dans mon dos. Un regard chargé de défiance.

Assise au volant de la Camry, j'ai tapé sur une touche de raccourci de mon téléphone.

Allez, allez...

— Hé, Boucle d'or ! De retour à Charlotte ?

— Pete, écoute-moi.

Vingt ans de mariage ont doté mon ex d'antennes sensibles aux moindres nuances de mon comportement. L'urgence de la situation ne lui a pas échappé.

— Un problème ?

— En tant qu'avocat, tu peux faire des recherches sur les entreprises, n'est-ce pas ?

— En effet.

— Au Canada aussi ?

— *Yes, I can...!*

— Ce n'est pas le moment de faire de l'esprit, Pete !

— C'est noté.

— Combien de temps ça prendrait ?

— Qu'est-ce que tu cherches ?

— Juste le nom des propriétaires, des dirigeants, ou je ne sais quoi.

— Ça ne devrait pas être long.

— Alors, je peux compter sur toi ?

— Tu auras une dette envers moi, mon bébé en sucre.

— Je te ferai une tonne de cookies.

— Quel est le nom de la boîte ?

— Fast Moving.

— Hum, *I love it !*

— Ce n'est pas ce que tu crois.

— Tu sais si c'est une société anonyme, une société à responsabilité limitée, ou juste une entreprise individuelle ?

— Non.

— Ça va compliquer les recherches. Tu sais où elle est immatriculée ?

— Non.

— Tu ne me facilites pas la tâche.

— Commence par l'Alberta.

Lorsque je me suis arrêtée devant le QG de la division K, Ollie était justement en train d'en sortir. Le parking étant petit, j'ai manqué le renverser.

Les deux mains levées en l'air, il a contourné la Camry pour venir de mon côté. J'ai baissé ma vitre.

— Désolée !

— Ralentis, frangine, ou je vais être obligé de te coller un PV.

— Impossible, tu es hors de ta juridiction.

Ollie a tendu deux doigts vers moi, poing fermé, singeant un pistolet.

— Je ne t'ai pas revu depuis vendredi, ai-je dit.

— Crois bien que je préférerais être avec toi plutôt qu'avec toute cette vermine.

Avec une inclinaison de la tête vers le bâtiment.

— Que se passe-t-il ?

— Unka est sur le point de cracher le morceau à propos de Scarborough. Ce qui ne change pas grand-chose. Les carottes étaient cuites pour lui quand son pote l'a balancé.

— Et donc, Scar a tué Castain, et Unka a tué Scar.

— Méthode économique pour nettoyer les quartiers insalubres, hein ?

— Et Ruben ?

— Ce meurtre-là, personne ne le revendique.

— Ryan est toujours là-haut ?

— Il en a encore pour un moment, avec Rainwater.

— Il est question, m'a-t-il dit, que tu rentres à Edmonton ?

— Je prends l'avion dans deux heures.

Ollie a souri, mais la raideur de sa mâchoire trahissait sa déception.

— Merci d'être venue dans l'Ouest. Désolé que nous ne soyons arrivés à rien avec Ruben. Enfin, tout finira bien par s'expliquer.

— Je pense que Castain et Scarborough n'ont rien à voir dans son meurtre.

— Qu'est-ce qui te fait dire ça ?

Je lui ai exposé ma théorie.

— Sur le dos de qui aimerais-tu coller son assassinat ?

— Je ne sais pas. Mais Tyne a persuadé Snook que sa « terre » était vitale pour la préservation des caribous. Que l'ouverture de la mine de Gahcho Kué menaçait les troupeaux. Le problème, c'est que les claims miniers de Snook ne se trouvent pas du tout dans la région de Gahcho Kué mais du côté d'Ekati.

— Qu'est-ce que tu vas faire ?

— J'attends des informations sur le propriétaire des claims voisins. Entre-temps, j'ai l'intention de fouiller un peu dans le passé de Tyne.

— Bonne chance.

Nous avons échangé un long regard, puis il m'a caressé la joue du bout du doigt.

— Tu penses toujours que je suis la plus magnifique créature qui ait jamais croisé ton chemin ?

— Je pense que tu es un chieur narcissique, voilà ce que je pense. (Cela dit en souriant.)

— Il se pourrait que je recommence à t'appeler.

— Méfie-toi, ils ont considérablement durci les lois sur le harcèlement.

Ollie a éclaté de rire et fait un pas en arrière.

De retour à l'Explorer, j'ai allumé mon ordinateur portable et tapé « Horace Tyne » dans Google.

Ce qui m'a renvoyée à une vieille photo d'un sous-lieutenant Horace Algar, parue dans un article de journal sur les Royal Engineers du 72e escadron du génie de soutien aérien.

J'ai tenté quelques chaînes de caractères plus détaillées. « Horace Tyne » « Caribou » « Alberta ». Ce qui m'a renvoyée sur les Amis de la toundra. Ryan avait raison. Le site était primitif.

J'ai décidé de tenter une approche différente. Le quatrième pouvoir. J'ai commencé par le *Yellow-knifer*, mais je n'ai pas réussi à trouver de lien vers ses archives. J'ai fait un tour sur les sites de plusieurs journaux. Le *Deh Cho Drum*, l'*Inuvik Drum*. Le *Nunavut News*. Le *Kivalliq News*. Chacun offrait des gros titres alléchants et de belles photos en couleurs. Aucun ne donnait accès aux archives.

Frustrée, je suis retournée vers le *Yellowknifer* et j'ai cliqué, pour voir, sur certaines rubriques du menu arborescent. Je suis tombée sur la présentation de l'édition collector du soixante-quinzième anniversaire du journal.

En couverture, la photo en noir et blanc d'un homme en combinaison et casque de mineur. J'ai cliqué dessus afin de télécharger le fichier PDF proposé.

J'examinais une photo de la mine Con vers 1937 quand mon mobile a sonné.

— Je pense que ça mérite bien plus que des cookies.

— Alors, Pete ! qu'est-ce que tu as trouvé ?

— Peut-être des muffins ?

— Hum, hum.

Tout en l'écoutant, j'ai parcouru un article intitulé « L'âge d'or des années 50 et 60 ».

— Fast Moving est une LLP, une société en nom collectif à responsabilité limitée, enregistrée au Québec. Du fait de son statut de société en nom collectif, ça pourrait prendre un peu plus longtemps.

— D'accord.

Après une série de pubs, je suis arrivée à la photo en couleurs d'un hôtel, l'Old Stope, qui avait brûlé en 1969. La visite du prince Charles en 1975. Des manifestations de grévistes en 1992.

J'ai continué à faire défiler les pages.

Mes yeux sont tombés sur une photo.

J'en suis restée bouche bée.

38.

Le monde autour de moi s'est rétréci. Plus rien n'existait en dehors de cette photo affichée sur mon écran.

L'article était intitulé « Les routiers des glaces ». La photo en noir et blanc montrait quatre hommes en parka à capuche bordée de fourrure et gilet de sécurité.

Trois des hommes regardaient l'objectif en souriant, les paupières plissées comme s'ils étaient face au soleil. J'en ai reconnu deux.

Le quatrième détournait le visage. Je ne voyais pas ses traits, mais quelque chose chez lui me paraissait familier.

— Tu es là ?

— Je suis là, Pete.

J'ai coincé le téléphone entre mon épaule et mon oreille.

— Tu m'aides incroyablement.

— Ça va bien ?

— Mieux que bien.

— Ça n'en a pourtant pas l'air.

— Vraiment, tu es formidable !

— Je sais.

— Je m'apprête à repartir, alors tu pourrais m'envoyer

les noms des partenaires par mail, quand tu les auras trouvés ?

— Compte sur moi. Et qu'est-ce que tu en penses, pour Katy ?

— On en parlera plus tard.

— Elle en a dans le ventre, cette petite.

— Il faut que j'y aille, Pete.

J'ai fait défiler rapidement l'article et regardé plus attentivement la photo. La légende identifiait les trois hommes qui faisaient face à l'objectif : Farley McLeod, Horace Tyne et Zeb Chalker.

Tous ces noms crépitaient comme du pop-corn dans ma tête.

Charles Fipke avait découvert des diamants au Canada, déclenchant une frénésie de jalonnement dans les années quatre-vingt-dix. McLeod et Tyne travaillaient tous les deux pour Fipke.

Pendant cette ruée, McLeod avait jalonné des claims. Il en avait donné la copropriété à ses rejetons – Nellie Snook, Daryl Beck et Annaliese Ruben.

Snook et Ruben possédaient des échantillons riches en minéraux indicateurs de diamants. La présence de MID laissait supposer celle de kimberlite. Une pipe de kimberlite, ça voulait dire des diamants. Les diamants, ça pouvait vouloir dire des millions, voire des milliards de dollars.

Snook détenait à présent tous les claims actifs de Farley McLeod.

Horace Tyne l'avait embobinée au sujet du terrain qu'elle possédait et l'avait convaincue d'en faire don à une réserve de caribous. Réserve rendue soi-disant nécessaire par l'ouverture imminente de la mine de Gahcho Kué. Sauf que les claims de Snook ne se trouvaient pas du tout dans la région de Gahcho Kué.

Mon idée encore imprécise commençait à se dessiner.

J'ai regardé la photo, le sang rugissant à mes tempes.

McLeod. Tyne. Chalker.

Zeb Chalker. Le type qui m'avait attrapée avec ses bolas près de la maison de Snook. Qui m'avait bien snobée quand j'avais signalé l'assassinat de Ruben. Et qui m'avait fait passer pour une alcoolique.

Chalker m'avait-il discréditée pour détourner les soupçons de lui-même et de ses copains ?

McLeod. Tyne. Chalker.

McLeod était mort dans un accident d'avion.

Restaient Tyne et Chalker.

L'un des deux voulait les claims de McLeod. Peut-être les deux.

Ruben et Beck étaient morts. Snook, l'unique survivante, était facile à manipuler.

Était-ce cela, la stratégie ? Tuer Beck, faire disparaître Ruben en l'expédiant à Montréal, la déclarer morte au bout de sept ans ? Et faire signer à Snook la cession des claims ? La soudaine réapparition de Ruben avait-elle provoqué un changement de plan ?

Qui avais-je vu dans les bois, la nuit où elle avait été tuée ? Qui avait fait disparaître son corps ?

Tout à coup, j'ai eu l'impression de sombrer.

J'avais dit à Snook de ne rien faire. De ne pas signer de papiers.

— Non, bon Dieu, non !

J'avais déjà fait tuer Ruben. Avais-je mis Snook en danger ?

Sept heures dix. Ollie devait être à l'aéroport.

Ryan !

Messagerie vocale. Maudit soit Unka !

Il fallait pourtant que je parle immédiatement à Ryan !

J'ai empoché précipitamment mon iPhone, refermé mon Mac et je me suis ruée au-dehors.

J'ouvrais la portière de la Camry quand j'ai senti une présence derrière moi. Avant même que j'aie le temps de me retourner, le canon d'un pistolet s'enfonçait dans ma tempe.

Un bras s'est enroulé autour de mon cou comme un serpent et m'a obligée à me redresser.

Impossible de faire un geste ou de proférer un son.

— Pas un bruit.

Une voix d'homme. L'avais-je déjà entendue ? Tyne ? Chalker ?

J'ai envisagé une seconde de me laisser tomber par terre et de rouler sous la voiture. Mais à quoi bon ? Mon agresseur était armé. Il n'aurait qu'à se baisser pour me flinguer.

Le bras s'est resserré et m'a obligée à me pencher vers la droite.

— En avant !

Probablement soucieux de ne pas se faire repérer, le type a laissé tomber le bras passé autour de mon cou, s'est collé à moi et a abaissé son arme dans mon dos.

Les jambes en coton, j'ai fait quelques pas. De tout petits pas.

— Le pick-up.

J'ai hésité. Tous les flics le disent : en cas d'enlèvement, ne jamais entrer dans un véhicule ; une fois à l'intérieur, les chances de fuir diminuent considérablement.

Le canon du flingue s'est enfoncé plus profondément dans mon dos.

— Pas de blague.

J'ai marché aussi lentement que possible. Deux pas, et je me suis arrêtée.

J'ai senti la main du type se crisper. Je me suis représenté le long tunnel noir, la balle déchiquetant mes os, mon cœur, mes poumons.

Au lieu de ça, mon agresseur m'a poussée vers le côté du pick-up. Le pistolet ayant repris sa place, il a arraché le sac que j'avais à l'épaule.

— Monte !

Je n'ai pas bougé.

— J'ai dit monte, putain !

Peut-être la peur. Peut-être l'audace. Je suis restée figée sur place tout en me disant qu'il allait me tuer.

J'ai senti qu'il changeait de position. Du coin de l'œil, j'ai perçu un mouvement.

Une ombre est passée sur mon visage.

Un son, comme le claquement d'une corde de piano.

Le monde a explosé en un million de particules blanches.

Fondu au noir.

J'étais au fond d'un puits de ténèbres, et je me débattais pour en sortir. En vain. J'étais un papillon qui battait des ailes dans la sève, et la sève se changeait lentement en ambre.

Le puits a bougé.

Un point lumineux, pas plus gros qu'une tête d'épingle, est apparu au-dessus de moi.

Je me suis efforcée de l'atteindre.

J'ai lentement rampé vers le haut.

Vers la conscience.

J'étais dans un endroit qui sonnait creux.

Et qui sentait le moisi. La terre, les vieilles pierres. Une odeur âcre, qui ne m'était pas familière.

Le monde a basculé.

Mon corps a basculé.

J'étais roulée en boule, en position fœtale, sur une surface froide et râpeuse.

J'ai tendu l'oreille.

Entendu un crissement de caoutchouc sur du gravier. Un bourdonnement de moteur.

J'étais dans un véhicule. Mais pas une voiture, non. Le bruit était différent.

Images fulgurantes. Le parking. Le pick-up.

Le pistolet !

J'ai relevé la tête.

Étouffé un cri.

Je me suis rallongée jusqu'à ce que la douleur et le vertige s'estompent.

La gravité qui s'exerçait sur mon corps a changé. Le véhicule descendait une colline.

J'ai essayé de rouler sur le dos.

Mes bras ne voulaient pas bouger. Mes jambes non plus.

Oh mon Dieu ! Je suis paralysée !

Les battements de mon cœur ont crevé le plafond.

L'adrénaline est venue à ma rescousse.

Les sensations sont revenues.

Des picotements dans les joues, dans le bout de mes doigts. J'avais la bouche, les yeux desséchés.

Avaler ? C'est à peine si j'ai réussi à trouver un peu de salive.

Ouvrir les yeux ? Mes paupières étaient fermées comme par une croûte. Je les ai ouvertes. L'une après l'autre.

Un noir d'encre.

Le véhicule s'est arrêté. On a coupé le moteur.

J'ai retenu mon souffle.

Des voix. D'hommes. Tout près, tout autour. Combien ?

Le bruit de l'eau qui goutte. Un robinet ? Un petit ruisseau ?

Des pas lourds sur le gravier. À gauche. D'autres à droite. Qui s'éloignaient ? Se rapprochaient ?

Tous les bruits se répercutaient, se faisaient écho les uns aux autres. Rien n'était clair.

Les voix sont devenues plus fortes. Se sont follement réverbérées. Deux ? Trois ?

Un choc retentissant.

D'autres voix.

Des pas.

Je me suis figée.

Les bruits de pas venaient vers moi.

M'ont dépassée. Ont poursuivi.

Se sont éloignés.

Mon cœur battait à un rythme supersonique.

Je ne pouvais pas rester inerte.

Ignorant les flèches de feu qui ricochaient dans ma tête, j'ai tordu le cou pour scruter les alentours.

J'étais à l'arrière d'une voiturette de golf.

Tout doucement, j'ai enroulé mes doigts sur la barre de sécurité latérale, et j'ai lentement relevé la tête.

Dix pas en avant, sur ma gauche, un rai de lumière perçait les ténèbres. Derrière, je distinguais une forme portant une espèce de casque. De la vapeur tournoyait dans l'étroite bande éclairée et s'en échappait.

La scène de part et d'autre du faisceau lumineux m'apparaissait comme à travers une brume d'un blanc laiteux. Les contours d'un tunnel. Des tuyaux qui serpentaient. Des chiffres et des lettres jaune et orange, peints à la main sur la roche. Au-delà, le noir.

La lueur a guidé mes yeux vers une rangée de fûts jaunes. Un seul mot sur chacun, peint en rouge : « Arsenic ».

Mon esprit a enregistré l'information. L'a analysée.

Un puits souterrain. Un casque de mineur. De l'arsenic. Horace Tyne.

Mon sang s'est glacé.

Je savais où j'étais.

La mine d'or Giant.

Mon Dieu ! À quelle profondeur sous terre ?

Tyne m'avait amenée là pour me tuer. Pour faire disparaître mon cadavre.

Comme il avait fait disparaître celui d'Annaliese Ruben.

Il fallait que je me tire de là. Ou que je trouve de l'aide.

Pitié !

Me déplaçant subrepticement, j'ai cherché dans ma poche.

Oui !

J'ai pris mon iPhone et mis les mains en coupe autour de l'écran.

Pas de signal. Trop loin sous terre.

Réfléchis !

Un courriel partirait automatiquement dès que l'appareil se reconnecterait avec un relais. C'était ce que j'avais de mieux à faire.

J'ai ouvert l'application courrier et indiqué ma localisation à Ryan.

J'avais reçu un texto de Pete. Pourquoi ne pas essayer ? L'important était que quelque chose marche !

Le message de Pete était bref : « Fast Moving gérant Philippe Fast. »

J'ai envoyé la réponse : « Mine d'or Giant. Préviens Ryan. »

Étais-je folle ? Lire mes e-mails et mes textos ?! Il fallait que je me tire de là.

Le pouls battant à cent à l'heure, j'ai remis mon téléphone dans ma poche, fléchi un genou et pris appui avec mon pied sur le plancher de la voiturette.

Pause.

Retenant mon souffle, j'ai dégagé mon autre jambe.

Pris appui sur les deux pieds.

Nouvelle pause.

Une profonde inspiration, et j'ai bandé tous mes muscles, prête à bondir.

Un de mes pieds a glissé.

Crissement de gravier entre le caoutchouc de la semelle et le métal.

Raclement strident qui a déchiré le silence.

La lampe sur le casque a pivoté dans ma direction.

J'ai entrevu le visage qui se trouvait dessous.

Des éléments disparates se sont mis en place.

Un texto.

Une photo.

Des pièces. Des joueurs. Des mouvements. Des stratégies.

Et soudain s'est imposée à moi une vision d'ensemble de l'échiquier.

39.

Un déclic dans mon esprit. Le détail qui ne collait pas avec le reste de la photo. Les parkas, les gilets fluo, trois routiers qui plissaient les paupières dans le soleil.

Un quatrième homme, le visage détourné. La mèche blanche qui striait ses cheveux sous la capuche bordée de fourrure.

Phil ressemble à un putois.

La publicité où le beau-frère de Ralph Trees souriait au volant d'un camion.

Vous l'avez ici ? Vous le voulez là-bas ? Pas le temps de dire ouf, vous l'avez déjà !

Fast Moving.

Farley McLeod avait laissé expirer certains de ses claims miniers. Qui avaient été rachetés par une entité appelée Fast Moving.

Entité dont Philippe Fast était le gérant.

Ce n'était pas Tyne qui s'était jeté sur moi, un pistolet dans la main.

C'était Philippe Fast.

Qui était son associé ? Tyne ? Chalker ? Où était-il allé ? Pour combien de temps ?

Peu importait. Une meilleure chance ne se représenterait pas.

J'ai passé les jambes par-dessus la barre de sécurité et je me suis glissée à terre. Mes genoux ont ployé, mais j'ai tenu bon. Debout sur mes deux pieds.

— Toi, tu ne bouges pas !

Le hurlement s'est répercuté sur la roche et réverbéré dans le puits.

Tout autour de moi, c'était le noir complet. J'ai supposé que nous avions descendu une rampe, mais je n'avais pas idée de son emplacement.

Fast s'est rapproché, la lampe de son casque braquée droit sur la voiturette.

J'étais une cible facile.

Quand le rayon lumineux avait balayé la rangée de fûts, j'avais remarqué une pelle appuyée au mur.

J'ai plongé dans le noir, fait le tour des fûts, je me suis accroupie derrière et j'ai regardé par un interstice entre les fûts.

La lumière de Fast s'est portée vers la gauche comme s'il cherchait quelque chose. Puis elle est revenue vers moi.

— Sors de là ! Tu retardes l'inéluctable, c'est tout.

Surtout ne pas bouger !

— Quelle éloquence ! Impressionnant. (Le sang rugissait dans mes veines, mais j'ai parlé beaucoup plus calmement que je ne l'étais en réalité.) Rocky m'avait dit que vous aviez le sens de la formule.

Fast s'est agité un peu, mais il est resté sur place.

— Fast Moving. J'aime bien le jeu de mots, Phil.

Mes paroles se télescopaient dans les ténèbres, comme si elles venaient de partout en même temps.

— T'es morte, salope.

— Oh, mon Dieu. Là, vous me décevez.

J'ai cherché la pelle à tâtons, en parlant pour couvrir les bruits que je pourrais faire.

— C'est vous qui avez tué Beck ?

J'ai refermé mes doigts sur le manche de la pelle.

— Ou vous avez confié cette tâche à votre pote ?

Je l'asticotais, pour l'amener à se rapprocher.

— À moins que je comprenne de travers ? C'est lui le cerveau, hein, et vous êtes juste son homme de main ?

Fast a fait quelques pas hésitants, son pistolet braqué dans ma direction.

— Ferme ta gueule !

— Je comprends que vous ayez éliminé Beck.

J'ai écarté la pelle du mur.

— Mais Eric Skipper, pourquoi le tuer, lui ?

Fast a jeté un nouveau coup d'œil vers la gauche et s'est rapproché prudemment des fûts. J'ai senti qu'il essayait de gagner du temps. Pourquoi ? Où était passé son complice ? Qu'était-il allé faire ? Ou chercher ?

— Allez, Phil. Il est évident qu'il y a une couille dans le pâté. Puisqu'on bavarde, là, tous les deux, en attendant que vote copain revienne pour que vous puissiez m'assassiner, pourquoi ne pas me dire comment ça a dérapé ?

Les bras tremblants, j'ai abaissé la pelle.

— Très bien. Alors je vais vous donner ma version. Vous n'aurez qu'à faire « oui » ou « non » avec la tête.

— Et si tu la bouclais, plutôt ?

Fast était maintenant assez près pour que je distingue son visage. À la lueur de son casque, sa peau avait la pâleur d'un cadavre en attente d'autopsie. Une poignée de boucles blanches étincelaient sur son front.

— Vous avez appris que Farley McLeod était tombé sur une pipe de kimberlite. Un vrai filon. Peut-être grâce à Fipke, peut-être tout seul. Vous étiez copains, McLeod, Tyne et vous. À l'époque où vous étiez routiers, vous faisiez ensemble la route de glace. Vous étiez tous au courant des claims miniers de McLeod.

Fast a levé le canon de son pistolet. J'ai vu son doigt se crisper sur la détente.

— Vous raflez les claims que McLeod a laissés expirer. Mais il garde actifs les trois dont il dit qu'ils vont produire le gros paquet. Et ceux-là, il les a mis au nom de ses enfants. Alors, j'ai bon, jusque-là ?

En me déplaçant avec la lenteur d'un glacier, j'ai posé la pelle en travers de mes genoux.

— McLeod trouve un aller simple pour l'au-delà à bord de son Cessna, et maintenant, il ne reste plus que les trois bambins.

Ne sachant où je me trouvais exactement, Fast balayait la rangée de fûts avec le canon de son pistolet.

— Avec Tyne, vous fondez les Amis de la toundra. Ce n'est qu'une arnaque destinée à amener les enfants de McLeod à vous céder leurs droits sur ce qu'ils croient être des terrains sans valeur qui permettront de sauver les caribous. Tyne, l'homme de paille, ne parle jamais des droits miniers. Eric Skipper découvre que cette histoire de réserve de caribous est complètement bidon et lui demande des comptes. J'imagine qu'il en profite pour prévenir Beck. Beck ne se laisse pas avoir, du coup vous le zigouillez. Skipper aussi doit disparaître. S'il révèle la combine à Nellie, elle ne vous cédera pas son terrain.

Je continuais à le provoquer.

— Très malin, votre plan, concernant Ruben. Vous savez qu'elle n'a pas les facultés nécessaires pour signer quoi que ce soit, alors vous l'expédiez, sous un faux nom, sur les trottoirs de Montréal, en prévoyant de la déclarer morte par la suite. Les concessions appartiendront à la douce et malléable Nellie

Snook, qui aime les caribous. Je suis sur la bonne voie, jusque-là, pas vrai ?

Fast était maintenant à deux pas des fûts. J'entendais son souffle rauque. Je voyais le Beretta trembler dans sa main crispée.

— Quand Tyne vous raconte que Ruben est rentrée à Yellowknife, vous filez ventre à terre du Québec jusqu'ici. Il est temps de passer à la vitesse supérieure avec la petite Annaliese. Et on sait comment l'histoire se termine, pas vrai, Phil ?

Les doigts glacés, j'ai tâtonné par terre, autour de moi, et trouvé ce qui m'a semblé être un vieux gant en caoutchouc.

— Et c'est vous aussi qui avez éliminé les bébés ? C'est comme ça qu'il fonctionne, le grand méchant routier des glaces ?

Un coup de feu a retenti et ses échos se sont répercutés dans la galerie.

Des étincelles ont jailli de la roche, juste à côté de moi.

Des éclats m'ont criblé les joues.

Maintenant !

Restant accroupie, j'ai lancé le gant vers l'autre bout de la rangée de fûts.

Fast s'est propulsé vers la gauche. Le Beretta a craché une nouvelle balle.

J'ai bondi, cramponnée à mort au manche de la pelle, et je l'ai abattue de toutes mes forces sur la bande de chair pâle entre le col et le casque de Fast.

La lame a atteint son but avec un choc mou, écœurant.

La suite des événements subsiste dans mon esprit sous la forme d'images et de sons décousus. Sur le coup, la séquence m'a fait l'impression de durer des heures. En réalité, elle n'a pas pu se prolonger au-delà de quelques minutes.

Fast est tombé comme une masse en battant des bras, les jambes agitées de soubresauts. Ne trouvant rien à quoi se raccrocher, il s'est affalé à genoux. Son Beretta lui a échappé. Emporté par son élan, il a atterri contre le dernier fût de la rangée. Son casque s'est arraché et est tombé à terre, à l'envers.

Le fût a tournoyé, rebondi sur une paroi, basculé, roulé, et heurté violemment la muraille de pierre.

Le couvercle s'est ouvert. Éclairé par le faisceau de la lampe du casque de Fast, à présent retourné, un mélange mortel de boue, d'eau croupie et d'arsenic a jailli du fût et s'est répandu sur le sol. Une forme s'est matérialisée dans ce sordide magma.

Annaliese Ruben gisait sur le côté, ses longs cheveux noirs collés sur le visage, les traits bleus et caoutchouteux dans la maigre lumière. Ses bras et ses jambes étaient étroitement repliés. Sous son menton, une main sans vie était tordue sur sa poitrine. La peau translucide pelait au bout des doigts.

Mes propres douleurs ont laissé place à une vague de pitié.

Annaliese ressemblait au pauvre petit bébé mort qu'elle avait caché sous le lavabo de sa salle de bains.

Un bruit de raclement frénétique m'a ramenée à la réalité.

Avec un hurlement guttural, Fast s'est relevé, la tête inclinée selon un angle bizarre.

J'ai resserré ma prise sur la pelle. Mon pouls battait à mes oreilles. Le sang palpitait dans ma gorge.

Redonner un coup de pelle ? Essayer d'attraper le flingue ?

Seconde d'hésitation fatale, car elle a donné à mon adversaire l'avantage dont il avait besoin.

Se déplaçant avec une rapidité surprenante, Fast a balancé un coup de pied dans la pelle, me l'arrachant des mains et la projetant à plusieurs mètres. Puis il s'est laissé tomber à quatre pattes et a tâtonné pour retrouver son Beretta.

J'ai entendu le bruit de la pelle s'immobilisant dans le noir et j'ai plongé pour la retrouver.

Pas assez vite !

Avec un grondement animal, Fast m'a attrapée par les cheveux et a pointé le pistolet sur ma tête.

— Maintenant, tu vas crever !

Il m'a retournée et m'a enfoncé le canon de son revolver derrière le crâne.

Un cri m'a échappé. L'espace d'un instant, on n'a entendu que le silence troublé par un petit bruit d'eau qui gouttait.

Et puis – un chuintement.

Où ça ? À gauche ? À droite ?

À moins que je l'aie imaginé.

Fast a rappuyé son pistolet contre ma tête. Je sentais sa sueur, son gel pour les cheveux. Est-ce que ce seraient les dernières sensations que mon cerveau enregistrerait ?

Dans mon esprit, j'ai vu Katy, Pete, Ryan, Birdie. Je n'ai pu retenir mes larmes. Je me suis crispée, attendant l'impact de la balle.

Et là – un crissement. Comme si quelqu'un posait le pied avec précaution sur le sol.

Fast s'est raidi et a pointé l'arme en direction du bruit.

Détonation assourdissante.

Un bulldozer m'a explosé le côté droit. Je suis partie

en vol plané et suis retombée lourdement sur le sol. Presque aussitôt, il y a eu un autre coup de feu.

Le souffle coupé, m'efforçant désespérément de reprendre ma respiration, j'ai essayé de comprendre ce qui se passait.

Du sang et des os ont jailli de l'épaule de Fast et éclaboussé le mur, dans son dos. Il a poussé un jappement suraigu et basculé avec un grand bruit de quartier de viande tombant sur un étal en bois.

Dans la lueur brumeuse projetée par le casque de Fast, j'ai deviné trois silhouettes. L'une d'elles s'est penchée sur moi, les deux autres se sont approchées de la voiturette de golf.

Toutes les trois tenaient en joue l'homme qui avait voulu m'exécuter.

40.

Mardi, deux heures de l'après-midi. Derrière la vitre, le soleil, petite balle blanche et dure dans un ciel d'un bleu parfait, faisait miroiter l'eau de la baie, lisse et immobile.

Entre mon plongeon dans le bassin à poissons, le trajet pour le moins inconfortable dans la voiturette de golf et les éclats de roche projetés par la balle de Fast, mon visage faisait très Kaboul jour de guerre. Et j'avais mal à des parties de mon individu dont j'avais jusque-là ignoré l'existence.

Néanmoins, j'avais le moral au beau fixe. Je m'apprêtais à rentrer chez moi.

L'enlèvement de ce dimanche soir s'était soldé pour moi par des abrasions et une possible commotion cérébrale, qui m'avait valu vingt-quatre heures d'hospitalisation.

Pendant que j'étais en observation, des perfs dans les bras et d'humeur on ne peut plus grincheuse, j'avais réussi à reconstituer l'histoire, bribes par bribes. En grande partie grâce à Ryan.

L'une des héroïnes de l'affaire était Nora, la Dick Tracy en jupon attachée à la réception de l'hôtel, qui avait vu depuis le hall un homme me plaquer contre un camion et m'arracher mon sac. Croyant à une agression, elle avait noté la plaque d'immatriculation et appelé les flics.

Quand il était apparu que le véhicule était immatriculé au nom d'Horace Tyne, Rainwater avait été prévenu. Et, à son tour, il avait prévenu Ryan.

Au cours d'un des longs moments qu'ils avaient passés ensemble, nos deux Starsky et Hutch avaient discuté de ma théorie de la double motivation. Conclu qu'elle n'était pas dépourvue d'intérêt. Et pensé qu'il se pouvait que je sois en danger.

À peu près au moment où Nora appelait la police, Ollie contactait la division K, ayant lui aussi envisagé que je puisse avoir raison. Et craignant que je sois menacée.

Je dois l'admettre : tout le monde a fait fissa. Rainwater a contacté le caporal Schultz à Behchoko. Qui est allé faire un tour chez Tyne, et a rapporté que son camion n'était pas dans l'allée.

Ryan s'est rappelé que Tyne bossait comme vigile à temps partiel à la mine d'or Giant, et Rainwater s'est souvenu que des fûts d'arsenic y étaient entreposés dans les galeries. Les deux compères sont tombés d'accord pour dire que ça sentait mauvais. Et ils en ont parlé à Ollie.

Lequel Ollie est aussitôt revenu de l'aéroport dans une voiture de location. De son côté, Ryan a quitté le QG en quatrième vitesse à bord d'un véhicule conduit par Chalker, et le trio a convergé vers la mine Giant.

Pour y arriver juste au moment où Tyne redescendait dans le puits, armé d'un pied-de-biche et d'une carabine à verrou Remington 700.

Le bulldozer qui m'avait renversée, c'était Chalker. Pour permettre à Ollie de descendre Fast. En réalité, c'était un flic parfaitement honnête, le seul hic étant qu'il faisait partie de la famille extraordinairement étendue de Snook.

Deux ambulances étaient arrivées en même temps à l'hôpital territorial de Stanton. Fast y était encore. Tyne avait été transféré à la division K, où il croupissait maintenant dans une cellule.

Quant à moi, j'étais à l'Explorer, en train de jeter mes petites culottes et mes chaussettes dans mon sac de voyage. J'avais appelé Chalker pour le remercier de s'être jeté dans la ligne de tir afin de m'éviter de prendre une balle. Pas de quoi.

Je récupérais mes affaires de toilette dans la salle de bains quand on a frappé à la porte. Pensant que c'était Ryan, je me suis précipitée.

C'était Ollie, une boîte de chocolats à la main.

— Je me suis dit que les fleurs voyageraient moins bien.

Il m'a tendu son cadeau.

— C'est pas des Godiva, mais ici, le choix est plutôt limité.

— Le chocolat, ça fait toujours plaisir.

— Comment tu te sens ?

— Ça peut aller.

— Mouais. Comme quelqu'un privé d'assistance respiratoire.

— Merci.

Ollie a jeté un coup d'œil derrière moi, dans la chambre.

— Tu veux entrer ?

Je me suis effacée.

Il s'est laissé tomber dans un fauteuil.

— Au fait, tu as découvert comment Scar a fait pour arriver si vite à Yellowknife ?

Détail sans importance, mais qui me turlupinait.

— Il avait un copain pilote de brousse qui l'a amené en avion.

— Et Unka, qu'est-ce qui lui est arrivé ? ai-je demandé.

— Pour lui, les jeux sont faits.

— Et Fast ?

— Il a laissé un bout d'épaule dans la bagarre, mais il survivra.

— Il est conscient ?

— Oh oui. Tyne et lui font la course à qui se mettra à table le premier.

— Ils se sont mutuellement dénoncés ?

— Ils espèrent négocier un accord. Il faut t'accorder ça, Tempe. Tu avais vu juste. Ruben n'avait rien à voir avec les meurtres liés à la drogue.

— Que racontent Fast et Tyne ?

— Apparemment, au départ, personne ne devait y laisser sa peau. Ils avaient juste prévu de spolier les gosses de McLeod de leurs droits miniers en leur racontant cette histoire de réserve de caribous bidon. Snook ferait don de sa terre volontairement. Beck, on l'y inciterait en profitant d'un moment où il était dans les vapes, soûl ou défoncé. Le problème, c'était Ruben. Elle n'avait pas les moyens intellectuels pour céder ses parts. Il fallait donc qu'elle disparaisse assez longtemps pour être déclarée morte, et que ses droits soient transmis aux deux autres.

» Le plan a commencé à dérailler quand Skipper s'est pointé. Alors qu'il allait pleurnicher auprès de la commission d'étude, il a découvert que Tyne essayait de récupérer les concessions minières. Il a pris Tyne entre quat'zyeux, lui a mis le nez dans son caca et ils en sont venus aux mains. Apparemment, Skipper a appris que Beck avait été approché, et il est allé le voir. Quelqu'un l'a suivi, l'a abattu, a descendu Beck et a foutu le feu à la baraque. La police scientifique a salopé l'enquête. Elle n'a même pas vu qu'il y avait deux victimes et qu'elles avaient été tuées par balles.

— En attendant, tout marchait à nouveau comme sur des roulettes pour Tyne et Fast.

Ollie a acquiescé.

— Ils n'avaient qu'à attendre que Ruben soit déclarée morte pour obtenir les concessions minières de Snook. Sauf que voilà : Ruben s'est pointée à Yellowknife, et ils ont dû la faire disparaître une fois de plus. D'autant qu'ils avaient peur de ce qu'elle pourrait te raconter.

Toujours ce sentiment de culpabilité qui m'envahit quand je provoque la mort de quelqu'un par mes investigations. J'ai refusé de m'y abandonner.

— Je ne comprends pas comment ils ont fait pour nettoyer la scène de crime aussi à fond.

— La pluie et les charognards s'en sont chargés pour eux. D'après Tyne, après avoir transporté Ruben dans son camion, ils ont récupéré tous les indices qu'ils pouvaient et dispersé des brassées d'aiguilles de pin. Après quoi, ils se sont tirés en vitesse pour transformer Ruben en soupe d'arsenic.

— Ils croyaient, ces crétins, que l'arsenic accélérait la décomposition ?

— Pourquoi ? Ce n'est pas le cas ?

— Depuis la guerre de Sécession jusque vers 1919, l'arsenic a été le principal composant des fluides d'embaumement utilisés en Amérique du Nord. En réalité, il a pour effet de préserver les tissus en tuant les micro-organismes qui provoquent la putréfaction. On l'a laissé tomber parce qu'il est vraiment trop toxique. Et persistant. L'arsenic est un élément qui ne se dégrade jamais en sous-produits inoffensifs.

— D'où le plan foireux de nettoyage à la Giant.

— Exactement. La mine contient plus de deux cent mille tonnes de trioxyde d'arsenic, une poussière produite au cours du processus de grillage du minerai d'or.

— Mauvaise nouvelle.

— Très mauvaise. La poussière est soluble dans l'eau, et contient près de soixante pour cent d'arsenic. Le projet de remise en état des lieux prévoit le stockage permanent de l'arsenic dans des chambres froides.

J'avais lu tout ça quand j'étais aux arrêts de rigueur à l'hôpital.

— Et qu'est-ce que ça va nous coûter à nous, pauvres contribuables que nous sommes ?

— Dans les quatre cents millions de dollars et des bananes. Histoire de récupérer leur mise de fonds, Tyne et Fast avaient prévu de nous fourrer, Ruben et moi, dans des fûts et de nous entreposer dans l'un des frigos.

— Hmmm. Très cool.

— Ça te fait rire, toi ?

J'ai levé les yeux au ciel. Je trouvais ça d'assez mauvais goût.

— Qu'est-ce qui s'est passé, au fond de la mine ?

— Tu vas adorer ça. Ces crétins avaient oublié la clé pour ouvrir ton fût.

— Non, tu rigoles ?

Ollie a secoué la tête d'un air solennel.

— Je vais te dire ce qui me tracasse, ai-je repris. La maison de Snook était surveillée. Comment Ruben s'en est-elle échappée, cette nuit-là, sans se faire repérer ?

— Rainwater faisait tourner ses équipes entre Ragged Ass, Unka et Castain.

J'ai réfléchi une seconde.

— Fast a-t-il dit pourquoi il était retourné vers l'ouest ?

— Tu te rappelles l'article dans le journal à propos des bébés morts de Ruben ?

White. Le journaliste qui avait appelé le légiste, à Edmonton. Qui tenait son tuyau d'Aurora Devereaux.

J'ai acquiescé.

— Fast est tombé dessus, et il a appelé Tyne, affolé, juste au moment où Tyne s'apprêtait à lui téléphoner. Quand Tyne lui a dit que Ruben était de retour à Yellowknife, Fast a compris que le plan risquait encore de capoter.

— Qui l'avait concocté, au départ ?

— Fast prétend que c'est Tyne qui a eu l'idée de l'arnaque et qu'il n'aurait jamais accepté d'y être mêlé s'il avait imaginé que quelqu'un pourrait se faire tuer.

— Et M. Tyne donne une version différente ?

— Sur plusieurs points. D'après Fast, Tyne a tué Skipper et Beck, et il a incendié la maison. Tyne colle les meurtres et l'incendie sur le dos de Fast.

— Le célèbre code d'honneur entre truands.

— Reste une question...

Ollie a posé ses coudes sur ses genoux et s'est appuyé dessus.

— Comment McLeod a-t-il obtenu ses claims, pour commencer ?

J'y avais réfléchi.

— Tu as entendu parler de Charles Fipke ?

— Le type qui a découvert des diamants au Canada.

— Au départ, Fipke avait désespérément besoin d'argent, et payait parfois ses employés par des moyens étranges. McLeod ne se contentait pas de conduire les camions de Fipke, il pilotait aussi ses avions. C'était peut-être leur deal. À moins que McLeod ait compris tout seul la valeur des sites. Il se peut qu'on ne connaisse jamais la réponse.

— Tu crois que McLeod a vraiment trouvé une pipe de kimberlite ?

— Snook a embauché des experts qui s'intéressent à la question.

— Elle est bien conseillée, maintenant ?

— Rainwater et son oncle ont pris contact avec elle.

Je ne doutais pas de l'existence de la pipe. L'oncle de Rainwater avait flashé sur le gravier de l'aquarium de Snook. Le contenu du petit sac de Ruben le mettrait dans la même transe, j'en étais sûre. McLeod savait. Et il avait dit à ses filles de mettre la preuve en sûreté.

— Bon, ma petite, maintenant explique-moi comment tu as fait la liaison entre Fast et Tyne ? Un vrai coup de génie !

— Tu te souviens de Ralph « Rocky » Trees ?

— Le type qui sautait Ruben à Saint-Hyacinthe.

Je lui ai parlé de la publicité pour Fast Moving. De la photo dans le *Yellowknifer*.

— Il y avait un lien entre Annaliese Ruben et Trees. Et Trees est le beau-frère de Fast. La photo établissait la connexion entre Fast, McLeod et Tyne.

— Joli !

Une autre question m'est venue à l'esprit.

— Tu as demandé à Fast si c'était lui le client que Ruben devait rencontrer la nuit où elle a quitté Edmonton ?

— L'insaisissable Smith ? a fait Ollie avec une moue méprisante. Fast reconnaît avoir conduit Ruben à Montréal et l'avoir installée à Saint-Hyacinthe. Il dit que c'est elle qui avait voulu partir. Dieu sait ce que cette ordure a pu lui promettre.

— Qui payait les factures ?

— Fast encourageait Ruben à pratiquer, disons, le plaisir à domicile. Il lui envoyait des clients. Si les rentrées d'argent diminuaient, il comblait le manque à gagner avec l'aide de Tyne, considérant ça comme un investissement pour l'obtention des claims. Une fois Ruben rayée de la liste des héritiers, son claim serait revenu à Snook qui l'aurait cédé à Tyne et à sa pseudo-fondation avec les siens. Après quoi Tyne et Fast n'auraient plus eu qu'à mettre Ruben à la porte avec un coup de pied aux fesses. Ou pire.

— Les fumiers !

— Rien de neuf sur les pères des bébés ? a demandé Ollie.

— Si.

J'avais reçu un coup de fil juste au moment où je quittais l'hôpital, ce matin-là.

— Rocky était le père de l'enfant caché sous l'évier de la salle de bains. Les autres étant momifiés ou réduits à l'état de squelette, leur ADN est dégradé ; l'analyse prendra plus longtemps. Et peut ne jamais être concluante.

— Tu sais ce que Fast lui avait raconté ?

J'ai eu un bref mouvement de tête.

— Apparemment, le premier enfant était mort-né. Pour celui-là, il montre Tyne du doigt, d'ailleurs. Comme il ne voulait pas s'enquiquiner avec des histoires de toubibs ou de contraception, il lui a raconté qu'elle avait une anomalie génétique et que tous ses bébés mourraient. Il lui a dit que si elle en avait un autre un jour, elle devrait faire comme s'il n'avait jamais existé et dissimuler le cadavre à un endroit où on ne le retrouverait pas.

Un chaos d'émotions m'a noué la gorge. La colère.

Le chagrin. La culpabilité. Et d'autres pour lesquelles je n'avais pas de nom.

J'ai retenu un soupir.

— Bon, on va déjeuner quelque part, Ryan et moi. Tu veux venir avec nous ?

— Euh, l'inspecteur Trouduc et toi, vous...?

Il a eu un haussement d'épaules.

— Tu vois ce que je veux dire.

— Non, ai-je répondu.

Pendant un instant, j'ai eu l'impression qu'il essayait de deviner ce que j'avais dans la tête. Et puis il s'est flanqué des claques sur les genoux et s'est relevé.

— Allez, sans façon.

Je l'ai raccompagné à la porte.

— Merci d'être resté, Ollie. Vraiment. C'est important pour moi.

— Je ne pouvais pas laisser le détective Trouduc faire foirer l'arrestation.

— Vous faites une sacrée équipe, tous les deux.

— Tu mettras le nom sur la liste. On me le dit souvent.

Je me suis haussée sur la pointe des pieds et lui ai planté un baiser sur la joue. Il a essayé de me serrer sur son cœur dans une étreinte de nounours, mais j'ai esquivé.

— Tu sais que je donnerais ma couille gauche pour une invitation à Charlotte.

— Sergent Hasty, je vous rassure, votre couille n'a rien à craindre.

Ollie parti, j'ai fini d'emballer mes affaires. J'ai descendu ma valise au rez-de-chaussée, je l'ai roulée jusqu'à la Camry, puis j'ai rendu ma clé.

Ryan était à notre table habituelle, près de la fenêtre.

J'ai commandé un club sandwich. Ryan a pris un cheeseburger.

Nous avons mangé en silence. Un bon silence. Confortable. De temps en temps, je piquais une frite à Ryan. Il m'a fauché mon cornichon.

Je ne lui ai pas posé de questions sur Lily. C'est lui qui donnerait le tempo, qui m'en parlerait quand il voudrait. Et je l'écouterais.

Pendant ses visites à l'hôpital, nous avions disséqué tous les aspects des événements de la dernière semaine. Nous n'avions ni l'un ni l'autre envie de revenir dessus.

J'ai regardé par la fenêtre. Il s'était passé tant de choses. Cela faisait-il vraiment huit jours, hier, que nous nous étions retrouvés à Saint-Hyacinthe ?

Je trempais une frite volée dans le ketchup quand un mouvement dans le jardin a attiré mon attention.

Une poubelle s'était renversée. Des ordures volaient au vent.

J'ai regardé distraitement, m'attendant à voir apparaître Rocky le raton-laveur.

Des petites pattes osseuses sont sorties à reculons de la poubelle renversée, traînant une proie que je ne voyais pas.

C'était comme si une alarme avait déclenché un afflux de sang vers mon visage.

— On se retrouve à la voiture !

Sans laisser le temps à Ryan de répondre, j'ai fauché le jambon de mon sandwich et j'ai filé.

L'unique survivante d'une drôle de famille était seule sous le soleil, en haut d'une petite colline en pente douce. Des insectes bourdonnaient autour d'elle. À ses pieds, quatre trous béants, noirs et crus.

Nellie Snook. C'est Maureen King qui m'avait dit où je la trouverais. Elle m'avait parlé de son projet d'inhumer les siens.

Daryl Beck. Alice Ruben. Ronald Scarborough. Je me demandais ce qu'elle inscrirait sur la tombe commune des nouveau-nés sans nom.

Comme je traversais le cimetière de Lakeview avec Ryan, l'odeur d'herbe et de terre retournée m'a rappelé ma visite précédente.

Snook s'est retournée en nous entendant approcher. Elle nous a regardés dans un silence stoïque alors que nous arrivions près d'elle.

— Comment ça va, Nellie ?

— Ça va.

— Nous voulions vous dire, le détective Ryan et moi, combien nous étions affligés par vos deuils.

Snook m'a regardée d'un air résigné. Encore une fois, la vie n'avait pas été à la hauteur de ses aspirations. Ou peut-être que si.

— C'est très généreux de votre part, ai-je ajouté avec un geste vers les tombes.

— La famille s'occupe de la famille.

— Vous savez quand vous pourrez organiser les funérailles ?

— Mme King me tiendra au courant.

— Dites-moi si je peux faire quoi que ce soit pour vous aider. Vous avez mon numéro.

— Merci.

— C'est une proposition sincère.

Elle a hoché la tête. Nous savions toutes les deux qu'elle ne composerait jamais ce numéro.

— Nellie, ai-je dit doucement. J'ai quelque chose pour vous.

J'ai baissé la fermeture à glissière de mon coupe-vent.

Une petite tête est passée par l'ouverture, le pelage feutré, plein de boue séchée.

Snook a ouvert de grands yeux.

— Tank ?

Le museau du chien s'est pointé vers Snook. Avec un petit jappement, il a bondi hors de mon blouson, sauté à terre et remué non pas la queue, mais tout l'arrière de son petit corps.

— Viens là, mon toutou !

Snook a écarté les bras.

Tank a couru vers elle et bondi.

Snook a rattrapé le chien et enfoui son visage dans sa fourrure.

Une petite langue rose et douce lui a léché le visage.

Un long moment a passé.

Snook m'a regardée, les joues humides de salive et de larmes.

— Merci.

— C'est un plaisir.

Snook a eu un sourire. Le premier depuis que j'avais fait sa connaissance.

Le cœur serré, j'ai regagné la voiture.

Ryan a passé son bras autour de mes épaules. Nos yeux se sont croisés.

— Miss Snook va devenir une femme très riche, a-t-il dit doucement.

— Est-ce que l'argent, même une fortune, pourra jamais changer sa perception du monde ?

— Ça pourra changer son quotidien.

J'ai vu qu'il se posait une question.

— Elle pourra l'employer à la sauvegarde des caribous qu'elle aime tant.

J'ai passé une main autour de la taille de Ryan.

— Aux caribous.

Et bras dessus, bras dessous, sous le ciel d'un bleu parfait, nous avons continué à marcher dans le grand soleil du printemps boréal.

EXTRAIT
DES DOSSIERS JUDICIAIRES
DU DR KATHY REICHS

Hypothèses, intrigues
et soupe de légumes

Je suis une scientifique. Je suis un écrivain. Des morts je prélève délicatement les secrets ; de mon imagination, l'intrigue de mes récits. Ces deux activités peuvent à première vue sembler aux antipodes l'une de l'autre ; elles le sont effectivement à bien des égards. Pourtant, j'observe des similitudes dans ma façon d'aborder l'étude d'un cas médico-légal et l'écriture d'une œuvre de fiction.

Que j'analyse des os dans mon laboratoire ou que j'écrive chez moi, sur mon ordinateur, une nouvelle aventure de mon héroïne Temperance Brennan, voire un nouvel épisode de la série télévisée *Bones*, je procède de la même manière que si je préparais une soupe de légumes. Je commence par rassembler des observations, des idées, des expériences, en considérant chacun de ces éléments comme un légume, puis je les laisse mijoter tous ensemble dans le faitout de mon cerveau.

Au terme de ce processus, un lien finit par s'établir

entre des faits et des détails disparates au départ. L'entaille sur une phalange ; une fracture du crâne ; un voyage en train ; une vieille femme aperçue sur une plage... De ce bouillon chaotique va naître un potage compliqué : une histoire, avec une intrigue, un décor et des personnages.

En général, j'envisage la prochaine aventure de Tempe avant même d'avoir achevé le livre en cours. À l'époque où je terminais *Circuit mortel*, je réfléchissais déjà à ce qui allait survenir dans *L'Ange du Nord*. Parallèlement, je travaillais sur trois infanticides : des petites victimes retrouvées mortes à des âges différents, dans des villes différentes, et qui avaient toutes les trois péri dans des circonstances inconnues. La première, un nouveau-né, avait été découverte dans un grenier à l'état de momie, enveloppée dans une couverture. La seconde, âgée d'environ deux ans, avait été balancée dans un bois, enfermée dans un sac poubelle. La troisième, prépubère, avait été enterrée sous le pont d'une rivière. Trois victimes, trois petites filles.

Aujourd'hui, une mère est en prison, une autre est en liberté et un meurtrier court toujours.

Des innocents assassinés... J'ai emprunté à ces trois affaires deux des thèmes développés dans *L'Ange du Nord* : l'infanticide et la maltraitance des enfants (ou des personnes mentalement proches du stade infantile). Ces trois cas m'ont fourni les principaux éléments de l'intrigue. Autrement dit : les pois, les carottes et les champignons destinés à tourbillonner dans le bouillon du récit.

À présent, petite plongée dans la marmite, à la recherche d'un lieu où situer mon action. Où vais-je expédier mon héroïne ?

Il se trouve qu'en 2011 j'ai eu la grande chance

d'être invitée au Festival littéraire NorthWords de Yellowknife, dans les Territoires du Nord-Ouest. J'avais souvent entendu parler du Grand Nord au cours de mes vingt années de travail en tant qu'anthropologue au Laboratoire de sciences judiciaires et de médecine légale de Montréal. Toutefois, je n'avais jamais véritablement mesuré, avant de me rendre là-bas en personne, combien ces contrées lointaines étaient *loin*. Et elles le sont vraiment !

À Yellowknife, j'ai rencontré les êtres les plus robustes et les plus résistants aux conditions climatiques extrêmes qui peuplent la planète. Nombre d'entre eux étaient des autochtones. Les uns étaient écrivain ou poète, les autres photographe, et tous étaient chaleureux et accueillants. Cependant, le point fort de ce voyage demeure pour moi la découverte du lieu lui-même.

Accroché au bord du Grand Lac des Esclaves, aux confins de l'Arctique, Yellowknife est tout l'opposé de ma Caroline du Nord natale. C'est le pays du soleil de minuit et des aurores boréales, des caribous au milieu des pins, de la neige au mois de juin et des côtelettes de renne au restaurant de l'hôtel.

Le passé de Yellowknife est tout aussi fascinant que son présent : tournée jadis vers une prospère industrie minière aurifère, la ville a désormais transféré son popotin économique sur l'assise solide et confortable de l'extraction des diamants.

Des diamants dans la toundra canadienne ? Ridicule, direz-vous. Réaction qui a été la mienne aussi. Pourtant, ce conte de fées est bel et bien réel.

L'homme à qui l'industrie des diamants au Nunavut et dans les Territoires du Nord-Ouest doit le plus son essor a pour nom Charles Fipke. Fondateur de la première mine de diamants du pays, il a consacré ces quarante dernières années à traquer les pierres précieuses.

Les habitants de Yellowknife connaissent tout ce que l'on peut savoir sur lui et sur sa recherche du bling-bling à l'état brut. Beaucoup le connaissent personnellement. Certains l'ont aidé dans sa quête des petites scories scintillantes.

En plusieurs occasions, Fipke a établi son camp de base à l'hôtel où je suis descendue, l'Explorer. Ses avions de brousse décollaient d'un terrain que je pouvais voir depuis la fenêtre de ma chambre. D'ailleurs, qui sait si Fipke n'a pas posé une fois la tête sur mon oreiller ? me suis-je souvent demandé, allongée dans mon lit, emmitouflée dans des couches de sweat-shirts, des chaussettes de laine aux pieds. Et cela en plein mois de juin !

Parmi les ingrédients tout aussi dignes de se retrouver dans ma soupe figuraient les anciennes mines d'or de Yellowknife, avec leur sombre dédale de tunnels et leurs barils d'arsenic jaune vif. Une seule visite sous terre a suffi pour que je commence à ébaucher mentalement une scène de ce livre qui n'était encore qu'à l'état d'embryon.

Tomates, lentilles et haricots. La ville de Yellowknife, la toundra, les mines d'or et de diamant : je tenais mon décor.

À présent, ajouter des personnages. Et touiller.

Dans une série romanesque, de même que dans une série télé, il y a à la base un groupe de personnages qui passent de livre en livre, ou d'épisode en épisode. Dans tous les romans où intervient Temperance Brennan, on retrouve ainsi, sur le front des flics, Andrew Ryan, Luc Claudel ou Skinny Slidell. Sur le front des savants, c'est tantôt Pierre LaManche (du LSJML), tantôt Tim Larabee (du Bureau du médecin examinateur de Charlotte), selon que l'histoire se déroule au Canada ou en Caroline du Nord. Dans la série *Bones*, il y a Booth et ses fouineurs du Jeffersonian. Comme je suis en contact, par mon travail, avec toutes sortes de spécialistes de la médecine légale et divers représentants des forces de l'ordre, j'ai en permanence dans la tête un bon stock de modèles à partir desquels créer mes personnages.

Cependant, de nouveaux caractères doivent intervenir dans chaque récit. Des bons et des méchants. Non seulement ils doivent être différents de tous ceux déjà rencontrés, mais encore ils doivent apporter de la vie à mon histoire. Où pêcher pareils produits frais ?

Temperance Brennan est professeur au département d'anthropologie de l'université de Caroline du Nord, section Charlotte. Moi aussi. Lorsque j'ai besoin d'inspiration pour créer un personnage de prof, comme dans *Les Os du diable*, mes collègues universitaires m'offrent la meilleure des pâtures.

De temps à autre, Tempe travaille avec un agent du FBI – comme dans *Circuit mortel*, par exemple. Pour ma part, j'ai enseigné pendant des années un cours sur la récupération des restes humains à l'Académie du FBI de Quantico, en Virginie. Ai-je besoin d'un agent spécial ? Il me suffit de faire appel aux bits de souvenirs emmagasinés dans mon cerveau : ils n'attendent que ça, d'être utilisés !

Dans *Les Traces de l'Araignée*, Tempe se rend à Hawaï à la demande du service d'Identification des soldats prisonniers de guerre ou morts au combat, pour contribuer à résoudre un cas d'identification. Il se trouve que j'ai moi-même travaillé une fois comme consultante pour ce laboratoire central. Personnel militaire ? Scientifiques du JPAC (groupe unifié de recherches intensives sur les soldats prisonniers de guerre ou morts au combat) ? À leur tour de donner du corps à la bisque !

Depuis 2004, je siège au conseil consultatif de la police nationale du Canada. Son objectif : fournir au commissaire de la gendarmerie royale du Canada des conseils en matière de stratégie sur la façon de mener à bien divers programmes – comme celui sur les armes à feu, ou sur le Collège de la police canadienne, le renseignement criminel, les services d'identification médico-légale et les opérations techniques.

Cette activité m'a donné l'occasion de rencontrer bon nombre de fonctionnaires de la police, et j'ai ainsi appris quantité de choses sur le rôle de la RC en matière de maintien de l'ordre et de respect de la loi.

Dans *L'Ange du Nord*, l'action se déplace de Montréal à Edmonton, et de là à Yellowknife. Au cœur de l'histoire, des assassinats. À l'évidence, la présence d'un gendarme était nécessaire au récit. *No problemo*. J'en ai repéré un, que j'ai doté d'un passé haut en couleur, histoire de pimenter le potage.

Du gombo, des oignons, de l'origan. Des cadavres, une ville et une industrie diamantifère au beau milieu de la toundra, un sergent de la gendarmerie royale du Canada.

Mélangez bien.

Laissez mijoter.

Et servez chaud : vous avez *L'Ange du Nord*.

Remerciements

Je tiens à remercier Gilles Éthier, adjoint du coroner en chef du Québec, pour toutes les informations légales concernant la gestion des corps de nouveau-nés décédés dans la Province ; les docteurs Robert Dorion, Michael Baden et Bill Rodriguez pour leur aide en matière de sciences judiciaires lorsque certains aspects dépassaient le cadre de mes compétences.

Merci au sergent Valerie Lehaie et au caporal Leander Turner de la GRC (gendarmerie royale canadienne), à qui je dois de précieux renseignements sur le programme KARE, le Service des personnes disparues de l'Alberta et le programme Unidentified Human Remains (« restes humains non identifiés »). Merci à John Yee pour ses précieux contacts, et à Judy Jasper, qui a répondu à une myriade de questions.

Merci aussi à :

Tara Kramers, spécialiste de l'environnement, et Ben Nordahn, responsable des procédés d'exploitation, tous deux parties prenantes du projet d'assainissement de la mine Giant, qui m'ont emmenée dans les profondeurs de la terre lors d'une visite stupéfiante de cette gigantesque mine d'or. Toute ma gratitude à Tara qui a ensuite répondu à mes nombreuses interrogations.

Cathie Bolstad, de la De Beers Canada, qui m'a renseignée sur l'exploration et le jalonnement. Gladys King, qui a répondu à mon appel au Mining Recorder'actives s Office de Yellowknife.

Mike Warns et Ronnie Harrison, pour leur aide sur toutes sortes de petits détails.

Kevin Hanson et Amy Cormier, de Simon and Schuster Canada, grâce à qui mon voyage à Yellowknife a pu se réaliser. Judith et Ian Drinnan, Annaliese Poole, Larry Adamson, Jamie Bastedo et Colin Henderson, hôtes chaleureux et généreux du Festival de littérature de NorthWords.

J'apprécie le soutien indéfectible de Philip L. Dubois, chancelier de l'université de Caroline du Nord, section de Charlotte.

Merci du fond du cœur à mon agent, Jennifer Rudolph Walsh, et à mes éditrices, Nan Graham et Susan Sandon. Je tiens aussi à mentionner tous ceux qui se donnent tant de mal pour moi, et notamment Lauren Lavelle, Paul Witlatch, Rex Bonomelli, Daniel Burgess, Simon Littlewood, Tim Vanderpump, Emma Finnigan, Rob Waddington, Glenn O'Neill, Kathleen Nishimoto, Caitlin Moore, Tracy Fisher, Michelle Feehan, Cathryn Summerhayes, Raffaella De Angelis, et toute l'équipe canadienne.

Toute ma reconnaissance à ma famille qui s'accommode de mes humeurs et de mes absences. Paul Reichs, qui a lu et commenté le manuscrit alors qu'il ne demandait qu'à jouir de sa récente retraite.

Deux ouvrages ont été pour moi de précieuses ressources : *Fire into Ice : Charles Fipke and the Great Diamond Hunt* (Vernon Frolick, Raincoast Books, 2002), et *Treasure Under the Tundra : Canada's Arctic Diamonds* (L.D. Cross, Heritage House, 2011).

Et surtout, un énorme merci à mes lecteurs. Je vous suis tellement reconnaissante de lire les aventures de Tempe, de venir à mes conférences, de vous rendre sur mon site (*kathyreichs.com*), de me suivre sur Facebook et sur Twitter (@kathyreichs). Je vous aime tous autant que vous êtes !

Si j'ai oublié quelqu'un, j'en suis vraiment, vraiment navrée. Et si vous repérez des erreurs dans ce livre, j'en suis seule responsable.

COME, SEE THE PLACE

COME, SEE THE PLACE

A Pilgrim Guide
to the
Holy Land

Ronald Brownrigg

HODDER AND STOUGHTON
LONDON SYDNEY AUCKLAND TORONTO

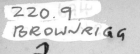
Various prayers and collects from the Alternative Service Book 1980 are copyright © Central Board of Finance of the Church of England and are reproduced with permission

Extracts from the Book of Common Prayer 1662, which is Crown Copyright in the United Kingdom, are reproduced by permission of Eyre & Spottiswoode, Her Majesty's Printers London

British Library Cataloguing in Publication Data

Brownrigg, Ronald
 Come, see the place: a pilgrim guide to the
 Holy Land.
 1. Palestine – Description and travel –
 Guide-books
 I. Title
 915.694'0454 DS103

ISBN 0 340 37164 1

FOREWORD

by the Right Reverend George Appleton – the last
Anglican Archbishop in Jerusalem

Many pilgrims to the Holy Land have spoken to me of their need
of a comprehensive guide which would not be just a Biblical and
geographical description, but would suggest contemporary rele-
vance and spiritual inspiration. This has now been provided by
Ronald Brownrigg whose initial inspiration was aroused as long
ago as 1943 when he was a military staff officer on Mount Zion.

Since then he has paid many visits to Jerusalem and has
conducted many pilgrimages of the Holy Land, whose members
will be eternally grateful for the insights he has given them. The
Bible has come alive, the story of God's saving love has been
firmly planted in history and authenticated in experience and
conviction.

As I look at the contents of this welcome book, I remember a
paragraph from Steven Runciman's monumental history of the
Crusades: 'The desire to be a pilgrim is deeply rooted in human
nature. To stand where those we reverence once stood, to see the
very sites where they were born and toiled and died, gives us a
feeling of mystic contact with them and is a practical expression of
our homage. And if the great men of the world have their shrines
to which their admirers come from afar, still more do men flock
eagerly to those places where, they believe, the Divine has
sanctified the earth.'

I believe that Canon Brownrigg's compact but exhaustive guide
will help many pilgrims to stand in wonder at the many sites
where the Divine has touched not only the earth, but the hearts,
minds and lives of people all down the centuries. It will also help
many who for one reason or another cannot accompany him on
actual pilgrimage, but under his guidance may be enabled to
make a pilgrimage of the spirit.

PILGRIMAGE PRAYERS

THE PILGRIM INTENT

For the Jew, since the time of Solomon pilgrimage to the Temple in Jerusalem was a constant, annual obligation:

> I was glad when they suggested
> we should go to the house of the Lord;
> and now at last we are standing
> in your gateways, Jerusalem.

> *City restored! Jerusalem,*
> *an ordered whole again:*
> *here the tribes come up,*
> *the tribes of the Lord.*

> They come to give thanks to the Lord,
> as he commanded Israel,
> here where the courts of justice are,
> the royal courts of David.

> *Pray for peace in the City of Peace.*
> *Prosperity to your houses!*
> *For peace within your city-walls.*
> *Prosperity to your palaces!*

> Since all here are my brothers and friends,
> I say: 'Peace be on you!'
> Since the Lord our God lives here,
> I pray for your well-being.

(from the Psalms of Ascent)

For the Muslim, the intention is a vital part of each act of obligation, whether of confession of faith, worship, almsgiving or pilgrimage:

O God, I wish to make this pilgrimage. Make it the right thing for me and accept it from me. I have intended this pilgrimage. I consecrate myself for it unto the Most High. To Him be strength and majesty.
(from Manásik al-Hajj)

So too the Christian has, down the centuries, prepared himself for pilgrimage:

> Give me my scallop-shell of quiet,
> My staff of faith to walk upon,
> My scrip of joy, immortal diet,
> My bottle of salvation,
> My gown of glory, hope's true gage;
> And then I take my pilgrimage.
>
> *(Sir Walter Raleigh 1552–1618)*

Lord Jesus Christ; you are the Way, the Truth and the Life. May we who tread in your earthly footsteps not wander from your way of Holiness. Faring forth in your blessed company, may we feel our hearts burn within us and know you face to face at our journey's end.

PRAYER FOR ISRAEL AND JERUSALEM TODAY

> O God of Abraham, Isaac, and Jacob, Grant that
> Israel of today may inherit the callings and
> blessings of Israel of old.
> May it be
>
> a God-ruled nation within itself
> a nation of priests to the world
> a blessing to all nations
> a joy to the whole earth.
>
> Revive, O Lord God,
> the gift of prophecy
> the perception of your will
> the speaking of your Word.
>
> Deepen, O Lord,
> a sense of responsibility for the world

the care for the stranger, the homeless and the poor
the consciousness of your judgement.

Let it look afresh
to its son Jesus of Nazareth
to the Church which developed from itself
to all its Semitic brethren
to the House of Islam sharing in some degree
its faith in you.
So that it may accomplish
your purpose for the world and for itself.
O Holy One of Israel
O God of all.

O Eternal Lord God, Source of all truth, Lover of
all men, we thank you for the experience of living
in this city.
Grant that we may be humble, grateful people,
    worshipping people,
        holy people.
Help us to be peace-loving people,
    who know the things that belong to peace,
    who pray and work for peace,
    who try to understand the experiences, the
    hurts, the hopes of people from whom we
    differ.
Let this city be a centre of unity for the Churches.
Let it be a place of friendship and understanding
    for men of different faiths.
Let it be truly the City of Peace, a joy of the
    whole earth and a place of blessing to all nations.
For the sake of him who wept in love over this
    city and died in love outside its walls.
Now the Everliving One, ever present with you to
heal and bless, Jesus Christ our blessed Lord
    and Saviour.

(From Archbishop George Appleton)

A PILGRIM BLESSING

May the Babe of Bethlehem be yours to tend;
May the Boy of Nazareth be yours for friend;
May the Man of Galilee his healing send;

May the Christ of Calvary his courage lend;
May the Risen Lord his presence send;
And his holy angels defend you, to the end.

A PILGRIM POEM

Begin from first, where He encradled was
In simple cratch, wrapt in a wad of hay,
Beneath the toilful ox and humble ass,
And in what rags, and in how base array,
The glory of our heavenly riches lay,
When Him the silly Shepherds came to see,
Whom greatest Princes sought on lowest knee.

From thence read on the story of His life,
His humble carriage, His unfaulty ways,
His canker'd foes, His fights, His toil, His strife,
His pains, His poverty, His sharp assays,
Through which he passed His miserable days,
Offending none, and doing good to all,
Yet being maliced both of great and small.

And look at last, how of most wretched wights
He taken was, betray'd, and false accused;
How with most scornful taunts and fell despites
He was reviled, disgraced, and foul abused;
How scourged, how crown'd, how buffeted, how bruised;
And lastly, how 'twixt robbers crucified,
With bitter wounds through hands, through feet and side!

Edmund Spenser, 1596

CONTENTS

PREFACE AND PURPOSE

This little book is the outcome of a forty-year ministry of pilgrimage leadership and training, as a war-time General Staff officer, Camp Commandant of a Services Ordinands College, Dean of St George's Jerusalem, member of the Ecumenical Institute at Tantur Bethlehem and more recently Consultant to the Holy Land and Pauline Departments at Inter-Church Travel. Having planned their earliest Holy Land itineraries in 1956, life has come full circle and, for better or for worse, that is exactly what I am doing now!

'There is no fool like an old fool' and archaeology is a fast-moving science, especially with new opportunities for excavation of hitherto inaccessible sites in the State of Israel. It is hard to keep up with Avi-Yonah, Nahman Avigad and others who publish in Israel – as well as John Wilkinson and Murphy O'Connor. I have tried not to be partisan in an assessment of Holy Places, though inevitably some sites provide more vivid illustrations than others. I would say again that identification of exact sites for the pilgrim is secondary to his personal identification and understanding of the events which he recalls.

This is primarily a pilgrim manual of information – a companion before, during and especially after pilgrimage. For some, their pilgrimage is literally the experience of a lifetime which brightens their latter years and comes alive again in every Old Testament reading, Epistle and Gospel. Any pilgrim manual inevitably reflects its writer's own personal approach and devotion. For some, mine will be biblically simplistic and outmoded. For others I know it has been helpful.

Principles do not change over the years. Prayer, with long experience in the presentation of Holy Places and the care of groups, lends a maturity which needs to be shared. Even in my limited experience I have been aware of a sort of historical succession or chain of pilgrimage inspiration. This has been passed down from the Second World War Army chaplains – like Joe Fison (Bishop of Salisbury) and Alfred Ennis another Senior Chaplain to the Forces, Jerusalem, from resident missionaries – like Eric Bishop of the Newman School in the Street of the Prophets, from Islamic scholars – like Constance Padwick and Bishop Kenneth Cragg, Aref el Aref and Pastor Nielsen, from Jewish friends – like Norman Bentwich and Rabbi Wilhelm. Such people have passed on their love and understanding of the City, the Land and the Peoples, sparking off a world of fascination, affection and intercession, of which this manual is the fruit.

I would like particularly to thank Michael Benton of Winchester for his kindly and skilful suggestions, together with much patience and time in reading the manuscript.

I do not pretend this is a simple guide book designed for a first and only holiday visit to Israel. Some of us have made the journey together six times, some sixty. Please turn to the Contents page and you will see that it provides for a 'two-centre' stay in the Holy Land: at Jerusalem *and* in Galilee, whichever you visit first. Jerusalem is rather more 'intense' than Galilee. Galilee provides either a quieter preparation, or a restful post-resurrection atmosphere. At the present moment, Inter-Church Travel brochures tend towards a scriptural 'beginning at Jerusalem', and so this manual does the same, transferring to Galilee and travelling the North from the Lake. What you do not find in the Contents, seek in the final index.

The preparatory talks attempt to do justice to all three of the great monotheistic faiths – Judaism, Christianity and Islam – whose days of obligation span the weekend: 'Yom El Juma', 'Shabbat' and 'First day of the Week': The General Information at the end is inevitably selective and could include, if space allowed, something to satisfy the particular interests of so many of us: all the natural history and wild life, all the geography and geology, all the sociology and the politics of this wonderful country.

Finally, I hope this will prove a rewarding, if in places an exacting, study course for successive visits, in body and in spirit over a lifetime, to the Land of the Lord.

RONALD BROWNRIGG

Part One:

PREPARATORY READING

THE ESSENCE OF PILGRIMAGE
– BOTH PASSIONATE AND
PENTECOSTAL

St Augustine wrote 'Believe and thou comest; love and thou art drawn. Do not conceive of long journeyings; for unto Him, who is everywhere, we come by love and not by sailing.' But Our Lord himself said 'Come and see!' (John I).

Pilgrimage has long been a natural form of piety, like prayer and almsgiving; the Jews went up to Jerusalem for their festivals – the holy people of God to the Holy City to offer sacrifice on the holy place. The Christian Church early adopted the practice of pilgrimage to the holy places: Justin Martyr, c. A.D. 100, wrote: 'If anyone wants proof for the birth of Jesus Christ, let him go to Bethlehem and see for himself both the cave in which He was born and the manger in which He was laid.' Sophronius, c. A.D. 550, wrote: 'Upon the famous floor, where the Christ God was placed, I would press my lips, my face and my forehead that I might bear away thence a blessing.' We, who make pilgrimages to the holy places, dare consciously or unconsciously to expose our souls to the action of the Holy Spirit, who sanctifies us in the knowledge, faith and love of Our Lord Jesus Christ.

The duration of most people's pilgrimage is, of necessity, limited by financial resources and the brevity of holidays, but this has always been so. For most pilgrims down the centuries, their visit to the Holy Land has been intense, involving the output of considerable physical and psychic energy and self-sacrifice. Without these elements of effort and sacrifice, a visit to the holy places will not be truly a pilgrimage. Dostoevsky said: 'When the pious pilgrim comes in sight of the goal of his journey, he climbs down, out of his vehicle and takes to the road on foot. There is then a joy mysterious and profound. We enter an unfamiliar world – a realm of joy – a thousand times less known to us and a thousand times more profound than the realm of grief and a thousand times more fruitful.'

What makes the holy places *Holy*? Such places as Calvary and the Empty Tomb? Surely, because they have been chosen and used by God, as the stage property and scenery in the drama of our redemption. St John of Damascus said: 'I venerate them, because they are the vessels of God's action. It is thus that I venerate angels and men and all matter which ministers to my salvation, in the purpose of God.'

You and I, however, would inevitably find these stage props doubly buried: firstly by masonry and rubble, for all walled cities have been closely packed building upon building through the centuries. Secondly by oriental ornament and decoration, in marble and tapestry, which we Westerners are tempted to deplore. Notwithstanding it is oriental devotion which has preserved and protected these sites for us to enjoy. Professor Leon Zander has written: 'In saluting these sacred relics of the past, which for ever bear the imprint of Christ, we unite ourselves with the spirit that rests in them. So, we absorb the grace inherent in the material things that have been chosen and exalted by the free act of God.'

As pilgrims to the holy places, we shall have to use both our imaginations and our memories, to let go some of our Western inhibitions – if we are to recall and to make real the past within the here and now. As in the Eucharist the sacred past becomes the present, so it may be on pilgrimage: we may kneel at the manger; we may in spirit lie in the manger; we may look up and reach up to touch the limestone ceiling over the manger. We may, in present reality, go up with Our Lord from Jericho to Jerusalem; we may be present with him on Calvary; we may be laid with him in the tomb; we may know him risen again.

Above all, we shall not seek to rediscover a Christ-in-the-flesh, by the lifting up of old stones, as if to seek the living among the dead. We shall, by the awakening of our awareness to the events which have taken place within those sacred surroundings, discover the presence in spirit of the living Christ, who is 'the same yesterday, today and for ever'. We shall seek to reconstruct, in our imaginations and memories, the events of his physical life, that we may more fully grasp what happened and what those happenings mean for us, as individuals, and for the whole world.

Finally, whatever God the Holy Spirit shall reveal or withhold will affect not only our own lives but those of many others. All true pilgrims are like bees, not only to be fed by the honey drawn from sweet flowers, but bound to carry back home the pollen in order to give fresh touches of life in distant places. In other words, our pilgrimage will need to be in every sense of the words both *passionate* and *pentecostal*.

> Almighty God,
> who on the day of Pentecost
> sent your Holy Spirit to the disciples
> with the wind from heaven and in tongues of flame,
> filling them with joy
>   and boldness to preach the Gospel:
> send us out in the power of the same Spirit
> to witness to your truth
> and to draw all men to the fire of your love;
> through Jesus Christ our Lord.

HOLY LAND AND PEOPLE – CREATION TO COVENANT

TRADE ROUTES

In the ancient world of 2000 B.C., the two great centres of civilisation were those of the Nile and of the two rivers, Tigris and Euphrates. Between these two centres flowed a constant stream of military and merchandise, travelling inevitably along one or other of the *two main trade routes*.

The *first*, called 'the Way of the Sea', kept to the coast of the Mediterranean until it turned east through the passes of Mount Carmel into the plain of Esdraelon. There it skirted to the north-west of the Sea of Galilee and turned east again towards Damascus.

The *second*, called 'The King's Highway', crossed the Sinai

Desert to the Gulf of Aqaba and followed the Rift Valley north-wards, passing east and west of the Dead Sea and so to Damascus. Both these routes passed through the little land of Canaan, which by the fourth century B.C. became known as 'Palestine', after its Philistine invaders. This land was thus a bridge between Egypt and Babylon; its people were influenced by both civilisations. It was through the *people* of this small and insignificant little country, no larger than Wales, that God progressively revealed himself to mankind.

THE LAND OF THE BOOK

The Bible is the unique library and record of the religious experience and convictions of these people about God and his universe. Both Old and New Testaments are pervaded by the message of God, bound together in one common interest in God and his dealings with mankind. God's showing of himself was and is the process of man's education, recorded in the Bible, and he still reveals himself both through the inspired men of each age and in the movements of historical events. This process of revelation is briefly reviewed in the prologue of St John's Gospel: 'In the beginning was the Word, and the Word was with God and the Word was God . . . And the Word became flesh and dwelt among us.' The coming of Jesus to Bethlehem was the very climax and consummation of God's self revelation *through* and *to* the people of that land. Yet they, 'The sacred school of the knowledge of God and of the spiritual life for all mankind', have rejected him. The Old Israel has given way to a new people of God, the Church of Christ: 'To as many as received Him He has given power to become the Children of God.'

GENETICS AND GENESIS

Since the beginning of time and space, this progressive revelation of God has been the motive power in creation. Through the long evolutionary process which began with the independent emergence of earth from light, its cooling and condensation within atmosphere, earth reached the point where it could begin to support life upon its surface.

Marine vegetation preceded marine life in the simplest of forms which, through long-protracted mutation, developed through reptile to fowl, through mammal to man. Somewhere along this long, long journey the mind of man became able to respond to the mind of God, if at first only to be dimly aware of a power greater than himself. Through many phases of primitive religion, man ultimately came to the point of crediting the power with personality, though the impact with later civilisation set him back again. The early chapters of Genesis express, in a threefold plait of early oral tradition and editorial addition, the mythology – the 'Just-so stories' of the Land of Canaan. The tradition may go back beyond Abraham, but the editorship is possibly as late as the exile in Babylon.

Some primitive Homo sapiens, in the form of a Carmel caveman, lived, hunted and killed his fellow men as early as 300,000 B.C. and their skeletons are to be seen in the Rockefeller Museum and in the Israel Museum, Jerusalem. A highly organised and cultured life existed by 8000 B.C. in the city state of Jericho, whose walls, towers and public buildings are still visible today – as are also the mud-sculptured skulls of the city fathers of that time. However by contrast with ancient Jericho, bordering on 'the King's Highway', the sophisticated civilisations of Mesopotamia in Abraham's day were far in advance in culture, code and construction – as witness the towers or ziggurats which, like Babel, still reach up to heaven.

LAND OF THE PATRIARCHS

It was in about 1850 B.C. that God chose a single man and his family through whom to work out his plan for mankind. Yet it was not from the settled and cultured, but from the nomadic and Semitic tribes that God called Abraham out, to 'go to a country that I will show you'. And, in faith, Abraham travelled the Fertile Crescent south-west – leaving his father and part of his family at Haran – before continuing round to the land of Canaan. There, the stories of the Patriarchs are largely domestic tales of the greed of men and the tittle-tattle of their womenfolk among the tents and round the camp fires.

Standing on the Mount of Olives, one can imagine the nomad sheikh and his clan travelling south along the spine of Judea to Hebron and Beersheba. He even went down to Egypt in the time

Holy Land Frontiers

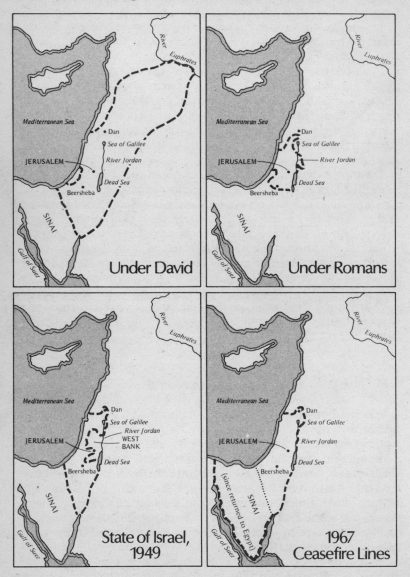

Under David

Under Romans

State of Israel, 1949

1967 Ceasefire Lines

of famine – before returning to settle at Mamre. The very first mention of Jerusalem in the Bible is the story of Melchisedek, priest-king of Salem, entertaining Abraham with bread and wine on his return from the slaughter of the kings. The city then was limited to the steep slopes of Mount Ophel. Its massive walls, sometimes sixteen feet thick, were excavated by Dr Kathleen Kenyon in 1961. Abraham and his successors are buried in the Cave of Machpelah, now to be seen below the great Mosque of Hebron – the town still called in Arabic 'El Khalil', the Friend of God.

Abraham was the father and founder of not one but two great Semitic races. Christ himself referred to Abraham as 'Your father Abraham'. Both Arabs and Jews have the same grandfather. However, the former are the children of Ishmael, son of Abraham and Hagar the bondswoman, the latter are the children of Isaac, son of Abraham and Sarah the freewoman. The Jewish writers of Genesis did not fail to cast *themselves* in the role of the children of promise and the Ishmaelites as the children cast out into the desert, of whom God made 'a great nation' also. Abraham took great pains to ensure that his son Isaac did not dilute his stock by mis-marriage. He did so by sending his trusted retainer back round the crescent to Haran, to collect for him as bride a clan cousin, Rebecca. So followed that lovely story of the watering of the camels from the well, the ring in her nose and the triumphant return. We know little of Isaac, except his blindness and debility symbolised in the miserable deception by Jacob's guile and the enraged frustration and deprivation of Esau – the uncouth man of the desert. It is well to recall the subsequent splendid reconciliation of the two brothers, despite their mutual apprehension. Nevertheless, Esau remained east of Jordan and the sons of Jacob left their names to the tribes of Israel.

Today, the Holy Land is to both Muslim and Jew the land of their twelve patriarchs springing from the call, courage, faith and obedience of Abraham. Today, to the Christian, it is the land of the early Church and twelve apostles springing from the call, courage, faith and obedience of the peasant girl Mary. For the Muslim, it is the land where God has spoken through successive prophets, of whom Jesus-ibn-Joseph is mentioned with great respect in the Quran, and of whom Muhammad is the greatest and the last. For the Jew, it is the land where God has spoken through both the Law and the Prophets, who foretold the coming of the Christ or Messiah. The Jews, however, did not and do not recognise Jesus-bar-Joseph as the Christ, whom some of them still expect to come.

For the most part, they consider Jesus to have been a good rabbi who turned against the Establishment of his day, was executed by the occupation forces and of whom little more can usefully be said. However, there are many Jews who think that the teaching of this rabbi was superb and marked a peak in the moral development of mankind. There are many who see a strange contrast between this Jew Jesus' teaching and the behaviour of his followers towards other Jews, in the medieval ghettoes, Crusader massacres and Spanish Inquisition. For the Christian, Palestine is the land where God's 'Word became flesh', where God in Christ Jesus 'became human that we might become divine'. The Christian, however, does not question God's choice of land or people for his great purpose of man's redemption, but only points to Jesus' claim, 'Before Abraham was, I am'.

PEOPLE OF THE COVENANT

The stories of the Patriarchs are largely domestic, set among shepherds' tents, concerning the greed of men and the jealousy of their women. The scene then changes with the arrival of Joseph, a son of Jacob and his favourite wife Rachel. Her traditional tomb at Bethlehem is still a focus of Jewish and Muslim pilgrimage. Joseph of the coat of many colours, as an attractive, precocious and ambitious youngster, was sold as a slave by his brothers and reached Egypt. There, despite certain disreputable adventures and with the help of his reputation for interpreting dreams, he became Grand Vizier to the Pharaoh of Egypt. After a somewhat uncomfortable reconciliation with his brothers, he invited his family down from Palestine into the fat grazing land of Goshen. There the shepherd sons of Jacob prospered into an obtrusive minority, and when the ruling dynasty changed, the new Pharaoh Rameses put the Hebrews to slave labour building pyramids and store cities. At this time, when all male children of the Hebrews were being 'exposed' at birth, in an effort to reduce their population, one – Moses 'among the bullrushes' – escaped death to be brought up in the royal palace. He grew up very conscious of the miseries of his people, ran into trouble defending slaves and fled into the Sinai Desert to become a shepherd. There he had a religious experience which convinced him that, out of a burning bush of camel-thorn, the God of his forefathers Abraham, Isaac and Jacob was calling him to return and deliver his people from Egypt.

Moses returned to Egypt and after many requests and many refusals, reversed by as many 'plagues', he led his people out of Egypt to cross the Red, or Reed Sea (the Bitter Lakes). Then the Pharaoh revised his decision to release the Israelites and pursued them. Finding themselves thus between the devil and the deep blue sea, they providentially caught the tide and left their pursuers to drown in the rising waters. The intervention of the Eternal into time and space is always timely!

The Book of Exodus is the most remarkable epic not just of an historical event, commemorated at the annual Passover or Seder Feast in every orthodox Jewish home, it is the remarkable saga of the interpretation of historical events as the acts of God, by a whole tribe inspired by their prophetic leader, Moses. They attributed their 'Dunkirk evacuation' from start to finish to the protective and saving action of their God. This interpretation was confirmed by Christ's own deliberate choice of the Passover Season for the institution of the Eucharist, as the re-enactment memorial of his own Cross and Passion, by which he redeemed his people. It was only natural that later generations of Christians should also see in the Passover and Red Sea escape some 'type' or shadow of the supper, suffering and resurrection sequence of Christ himself.

The Israelites moved into the Sinai Desert, like a Bedouin tribe on a wide front surrounded by a screen of scouts and shepherds, navigating on the pillar of cloud by day and the pillar of fire by night – possibly the volcano where Moses had had his vision of the burning bush. On their arrival, not having seen a volcano before, they were awed and appalled at the 'Holy Mount', while Moses climbed up to talk with God 'who thundered' out of the crater; Moses came down with tablets of stone, on which were inscribed the commandments or conditions of the covenant. The Israelites swore to obey his rules – God swore to care for the people of his choice. This mutual covenant was ratified by sacrifice, the blood being sprinkled upon the altar, as representing God, and upon the people, binding both parties to the covenant.

Thereafter the scattered tribe became a nation united in loyalty and obedience to their God, toughened and welded together by the discipline of the desert. The mob of slaves which rushed out of Egypt arrived at the borders of the land of their fathers, dedicated to the God of their fathers, the Patriarchs Abraham, Isaac and Jacob. It was a highly trained and toughened fighting machine, which descended from the mountains of Moab to cross the Jordan and petrify the city states of Canaan with a thousand camp fires along the valley.

Just how this nation disintegrated in the comforts of the promised land and how, though it preserved the letter of the Law, it failed more and more to keep the spirit of its covenant with God, is the story of the rest of the Old Testament. The fact remains that fourteen hundred years later, its blessings were transferred. The blessings and promises became available to the followers of Jesus, who was 'obedient unto death, even the death on the Cross', who said 'This is my blood of the New Covenant'. Whether Christians over the last two thousand years have been more faithful to the new covenant than the Jews were, in the previous two thousand years, to the old covenant, is a matter of historical opinion.

HOLY CITY AND TEMPLE – INVASION TO EXILE

WAR AND PEACE

The double-axe signs on our own Stonehenge link its origin with the Minoan civilisation in Crete. The Hebrew invasion must have just about coincided with the heyday of the House of the Axe at Knossos. Later, when this was destroyed, some Minoans emigrated to the coast of Canaan to become known as the Philistines and gave their name to their new home of Philistia or Palestine.

Invasion
Some three hundred years earlier than the landings of the Philistines, the Hebrews under Joshua invaded Canaan from the east.

They found, after their desert wanderings, a land literally flowing with milk and honey and occupied by a peaceful agricultural community centred on small, independent city states. It was not surprising that these were soon terrorised by the desert force. The scale of these cities and the size of the forces which captured them is comparatively small. Many of these so-called 'cities' were small walled towns, often standing on man-made mounds, which are known as 'tells'. These tells were formed by successive occupations of the same site with the consequent accumulations of masonry and rubble following the destructions, rebuildings and extensions outwards of successive towns. The first to fall to the Hebrew invaders was Jericho, with the strata of twenty-two different occupations within an area of, at the most, one hundred yards by three hundred. This had begun as a spring-side cave settlement and had, over perhaps tens of thousands of years, expanded into the walled city which fell to Joshua.

Occupation

The early chapters of the Book of Joshua give the impression of a complete and quick conquest, cutting the land into two halves and speedily capturing and consolidating the whole country. Some of the most exciting reading of the Old Testament is to be done following the Joshua campaign, where little imagination is needed to gain a vivid impression of the military tactics of that day. There never was, however, a complete conquest but rather a quiet occupation over a period of four hundred years. Even that occupation left many strongholds in Canaanite hands, as the first chapter of the Book of Judges implies.

There was no sudden change from a nomadic to an agricultural mode of life, but a slow, steady reversion to their previous pattern of settled life remembered by many living Hebrews. The tent was replaced by the house, the tent-circle by the walled town. The wanderers settled down to cultivate the soil and to grow olive, fig and vine. As their mode of life changed, so did their mental outlook. They became no longer nomadic tribesmen holding land and possessions in common. They became a settled peasant population jealous of personal rights and property.

Deployment

Joshua deployed the tribes all over the country and central control was soon lost. One tribe was not always willing to help its neighbour, when under attack. Every now and then, one tribe would produce a leader capable of uniting several tribes against a common enemy. Such folk were called Judges, who took the initiative against whatever enemy threatened their particular part of the country, Samson against the Philistines, Gideon against the Midianites, and others.

Gradually the Hebrews intermingled and intermarried with the Canaanites. The pagan Canaanite religion of the 'high places' was absorbed into the worship of the one God. The Hebrews no longer needed so much a God of desert and mountain, with thunder and lightning on Mount Sinai. They no longer needed so much a God of Hosts, a war-god, as a Baal to fertilise their crops; so they turned to the cults of the Canaanites. Among the creature comforts and domestic delights of a settled agricultural life, their loyalty to the covenant was diluted and the demands of Yahweh disregarded. And yet not quite, for it was the great task of the early prophets Elijah and Elisha to uphold the status and worship of the ancient God of Abraham, Isaac and Jacob against the new Baal of Canaan. This battle of the gods is finally and successfully fought out on Mount Carmel and the prophets of Baal destroyed.

PROPHETS AND KINGS

The chief value to the Christians of the Old Testament is as the record of the preparation of the land and people for the coming of the Christ. It illustrates God's purposeful and progressive plan to prepare the world for the total revelation of himself in the person of Jesus. The seed plot for this valuable seed which was to be none other than the Word of God. The soil to be prepared – was the mind of the people among whom Jesus was to be born. The chief figures in this process of spiritual education and evolution were the Hebrew prophets.

THE HOLY MAN

In the life of primitive peoples and tribes there is a person to be found all over the world – the holy man. He is the man considered to know the will of God and to speak God's message to his people. Sometimes he wanders round the country. Sometimes he works alone, sometimes in the company of others. Sometimes he is consulted on matters of war, peace and politics. Sometimes it may be an individual matter of lost property or personal health.

In giving his answers, he may cast lots or read omens from the flight of birds, the shape of clouds or the entrails of sacrificed animals. He may fall into a trance or a frenzy. He may use his native cunning or his common sense. But, whatever means he uses, there is usually some genuine spiritual sensitivity behind his pronouncements. He perceives and understands more than ordinary men. It is this power which wins him a reputation and respect, as holy. A long line of such holy men stretches far back into primitive Jewish history before Samuel, whose tomb is within a hill-top shrine visible from the Mount of Olives and on the horizon to the north. A few miles beyond is the village of Rama, where this holy man formed a guild of prophets with professional status. Many other local prophets advised their local chieftains, their compelling personality and prophetic advice often commanding respect.

Saul
About this time, a local chieftain named Saul – a man of commanding height and warlike character – won the wide acclaim of the surrounding tribes and was actually anointed by the prophet Samuel and crowned king. His capital was Gibea of Benjamin, also visible from the Mount of Olives, to the north. The exploits of Saul are probably belittled by writers of the Books of Samuel, but Saul established the monarchy successfully and conducted the war of liberation, defeating the Ammonites to the east of Jordan and the Amalekites to the south. He also broke the power of the Philistines who had infiltrated right up on to the spine of Judea. Saul's defeat and death at Gilboa were only a temporary setback in the fortunes of his people. Saul was quickly succeeded by a guerilla chieftain and one-time member of his court, David, who had married his daughter and of whom Saul had become increasingly jealous. It seems that Samuel had already transferred his allegiance to David, whom he had anointed at Bethlehem.

David
David established his headquarters at Hebron, the burial place of the Patriarchs, and suppressed all opposition with the help and ruthless efficiency of his lieutenant Joab. After seven years' rule at Hebron in the south, David realised the strategic importance of

the more central fortress of Jebus, the old city of Salem, which had never been captured by the Hebrews.

The Jebusites considered it impregnable, surrounded as it was by steep valleys to north and south. The city stood on a sharp spur to the south of Mount Moriah – the traditional high place of sacrifice, where Abraham had been willing to offer his son Isaac. David standing on the Mount of Olives, would look down on this great fortress, built up on rising platforms overlooking the Kedron Valley, fortified by an overhanging scarp at the bottom with an enormous ditch at the top. It was captured through the action of Joab who, with a night patrol, entered the cave entrance of the water supply in the Kedron Valley and shinned up the water shaft or 'gutter' to emerge within the city and throw open the gates. Thereafter, David established his capital at Jebus-salem, completed the conquests begun by Saul, and consolidated and extended his borders. Having subdued Edom, Moab, Ammon and Damascus, he ruled from the borders of Egypt to the Euphrates, from the Mediterranean to the Red Sea. Only the Philistine foothills and the Phoenician coast remained outside his control.

TABERNACLE TO TEMPLE

Having captured Jerusalem, David made it both his military capital and his religious sanctuary too. He brought up the Ark of the Covenant to the city; once again Ark and Tabernacle were reunited. The evolution of the Hebrew sanctuary began from the Tabernacle at the foot of Mount Sinai, a tent surrounded by a screened courtyard, the portable sanctuary pitched night by night in the centre of the camp. Before the tent was the bronze altar of sacrifice. Within the tent were outer and inner chambers separated by a veil. Within the inner chamber was the Ark, over which was the Mercy Seat. From above the Mercy Seat, God communed with Moses. Inside the Ark were kept the two tablets of stone, upon which were inscribed the Ten Commandments; also beside the Ark was the Pot of Manna, and Aaron's rod which budded.

Mobile Shrine
Such was the Tabernacle carried from place to place through the wilderness, down into the Jordan Valley and up to Shiloh on the

spine of the country. It was from here that the Ark was carried into battle against the Philistines, captured and placed in the temples of their fishgod, Dagon, within the cities of Philistia. The superstitious Philistines soon restored the Ark which rested some years at Kiriath Jearim. It was from here that David brought the Ark up to Jerusalem.

Static Sanctuary

Towards the close of his reign David conducted a census of his population – perhaps for conscription purposes. The oriental dislike of being counted seems to have been shared by the writers of the Books of Samuel, who interpreted the events which followed as the judgment of God upon David. He was offered a choice of three punishments: defeat, famine and pestilence – and chose the last. The Angel of the Lord ravaged the country and descended upon the threshing floor with his hand outstretched to destroy the city below him. David prayed in penitence and the pestilence was stayed, for which David expressed his thanksgiving by sacrificing the oxen on the threshing floor. Most threshing floors are an expanse of flat rock. This was the early 'high place' referred to as Mount Moriah and linked with Abraham's offering of Isaac. It was therefore an appropriate place on which to erect the Tabernacle. The task and privilege of building the Temple was denied to David, though the choice of site was his and he had gathered much material in readiness for building.

Solomon's Temple

The honour of erecting the temple on the site of his father's sanctuary fell to Solomon. Solomon, unlike David, was a man of peace and politics, a great administrator and diplomat. He contracted many valuable alliances through marriage and his foreign wives occupied a vast harem overlooking the Hebrew sanctuary itself. He imposed a tyrannical tax upon his people. His communications included a network of chariot stables up and down the country. His mines and merchants, his wealth and women came second, however, in reputation to his building. The richness and variety of material at his disposal were enormous. He made vast contracts for cedar work and timber labourers with Hiram, King of Tyre, who floated the logs down the Phoenician coast to Joppa, whence they were rolled up the foothills to Jerusalem. His navy brought back gold, copper and bronze.

Solomon's Quarries

The basic material of the temple was, however, the natural limestone on which the city was built, quarried from under the temple area itself. Many folk in Mandate times will remember the endless galleries – like a white coal mine – approached from near the present Damascus Gate. The stone was and is so soft that, once a cleft is sawn, a wet plank acting as a wedge and swelling overnight will open a whole seam by the morning. Less than a hundred years ago, Solomon's quarries were rediscovered by a man who had lost his dog! Thus was solved the mystery of the reference to the stone being fashioned beneath the earth, 'that no sound of the hammer might be heard'. Indeed, the Hebrew hammers were still to be found in the quarries.

Temple Plan

The temple took seven years to build. The size of the actual central sanctuary was not so striking as the total ensemble of courtyards surrounding the tall sanctuary. These included the outer courtyard of the Gentiles, open to all, through which only Jews could pass on into the higher court of the Israelites. Within the court of the Israelites were separate enclosures for men and women, while the inner courtyard round the sanctuary itself was that of the priests. Within this court was the huge bronze laver, called the 'Sea', and before the entrance to the sanctuary was the large bronze altar corresponding to that of the Tabernacle. The sanctuary, too, like the Tabernacle was in two parts. An outer chamber, containing altars of incense, tables for shewbread and seven-branch candlesticks, led into the holy of holies in which was the Ark of the covenant. Solomon's royal palace, which took thirteen years to build, his judgment hall, his stables, and his royal apartments on the Spur of Ophel were a complex of magnificent buildings, admired by the Queen of Sheba. The whole temple area then covered some thirty-six acres.

DESTRUCTIONS BABYLONIAN AND ROMAN

Such was the appearance of the temple and its surroundings for the next four hundred years, until it was destroyed by the Babylonians under Nebuchadrezzar in about the year 600 B.C. Of the divisions of Solomon's kingdom into the two kingdoms of Israel and Judea, of the petty rivalries and alliances of their kings and capitals at Samaria and Jerusalem, there is not time to tell. The records of the Books of Chronicles and Kings are often religiously biased in their estimates of character and importance, by the orthodoxy of the king's religious policy. Omri and Ahab of Samaria, the only political giants of this period whose names survive on monuments in Egypt and Syria, receive scant recognition as 'doing more evil than their predecessors'.

The Process of Prophecy

By far the most significant factor of this period of political see-saw is the development of prophecy from the primitive to the sublime. As John the Baptist prepared the way for the Christ, so Elijah, his Old Testament counterpart, prepared the way with Elisha for the great writing prophets. Each of these in his own political or domestic situation, under the Spirit of God, through his own devotion and perception discovered fresh facets to the character of his God. It was as though each contributed piece by piece to the jigsaw of the knowledge or portrait of God. Not the least contributions were those of the prophets of the exile following the falls of the two kingdoms, particularly the philosophy of the good time coming: 'Behold the days come.' Perhaps the greatest contribution of all was messianic hope of the Deliverer, whose suffering would save his people.

Exile and Return

After seventy years of captivity, the Israelites returned with the blessing of Cyrus, King of Persia, to Jerusalem. There, despite Babylonian colonial opposition, Nehemiah restored the walls and Zerubbabel rebuilt the temple. This was a meagre building limited in extent by lack of funds. While the younger cheered its dedication, their elders who remembered the glories of the former temple of Solomon wept aloud. It was this temple which was desecrated during the stormy Greek occupation of the Seleucid King Antiochus Epiphanes, 170 B.C., and which stood throughout the Maccabean Wars. It witnessed the depressing changes from prophecy to tradition, from prophet to scribe, from sincerity to technicality, so castigated by Jesus in the Scribes and Pharisees of his time.

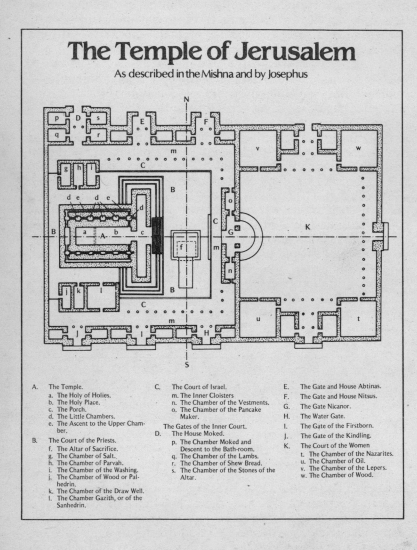

The Temple of Jerusalem

As described in the Mishna and by Josephus

A. The Temple.
  a. The Holy of Holies.
  b. The Holy Place.
  c. The Porch.
  d. The Little Chambers.
  e. The Ascent to the Upper Chamber.

B. The Court of the Priests.
  f. The Altar of Sacrifice.
  g. The Chamber of Salt.
  h. The Chamber of Parvah.
  i. The Chamber of the Washing.
  j. The Chamber of Wood or Palhedrin.
  k. The Chamber of the Draw Well.
  l. The Chamber Gazith, or of the Sanhedrin.

C. The Court of Israel.
  m. The Inner Cloisters
  n. The Chamber of the Vestments.
  o. The Chamber of the Pancake Maker.

The Gates of the Inner Court.

D. The House Moked.
  p. The Chamber Moked and Descent to the Bath-room.
  q. The Chamber of the Lambs.
  r. The Chamber of Shew Bread.
  s. The Chamber of the Stones of the Altar.

E. The Gate and House Abtinas.

F. The Gate and House Nitsus.

G. The Gate Nicanor.

H. The Water Gate.

I. The Gate of the Firstborn.

J. The Gate of the Kindling.

K. The Court of the Women
  t. The Chamber of the Nazarites.
  u. The Chamber of Oil.
  v. The Chamber of the Lepers.
  w. The Chamber of Wood.

Herod's Temple Built and Burnt

With the Roman occupation and the appointment of the Idumean/Edomite Herod as king, the old temple of Zerubbabel was demolished. With a munificent gesture to gain popularity, Herod erected a third temple, even larger than Solomon's but on a similar ground plan. It was in this temple that Jesus was presented as a child and 'initiated' as a Son of the Law at the age of twelve. It was here that he watched the widow and her mite, cleansed the courtyards of the money-changers and merchants, and taught daily before his arrest. It was here that he foretold the destruction and massacre which took place during the siege under Titus in the year A.D. 70 which is so graphically described by Josephus. While the prisoners of war rotted on a forest of crosses along the Mount of Olives, while the thousands of priests were slaughtered in the subterranean vaults below the temple, an enthusiastic centurion set fire to the roof timbers which collapsed upon the mass of refugees. This disastrous destruction was completed by Hadrian, following the Bar Cochbar revolt in A.D. 130, and the whole site desecrated by a pagan temple to Jupiter.

THE PROPHET IN THE HOLY LAND – JUDAISM – CHRISTIANITY AND ISLAM

CHILDREN OF ABRAHAM

The Holy Land is only a little to the north of Arabia and following the fall of Samaria in 721 B.C. and of Jerusalem in 587 B.C., it is highly likely that Jewish merchants travelled to the Arabian peninsula. There, the Ishmaelites and the descendants of Abraham, through Keturah his last wife, had journeyed long since as commercial pioneers, and had retained a memory of the God of their father Abraham.

The tribes of Arabia were really nature-worshippers, in a world peopled with spirits good and bad. Following their great dispersion in the year 70, some Jews again moved southwards and founded colonies in the towns of Arabia. In the sixth century there were three or four Jewish tribes around the city of Medina, but they kept their own religion of the one God, their Law and Prophets, to themselves. The Arabs respected the Jews for their sacred books and their prophet Moses, but it never occurred to the Arabs that they should leave their tribal customs to obey the law of Moses. It did not occur to the Jews to ask their pagan brothers to do so.

CHRISTIANITY IN ARABIA

The Christians took the gospel of Jesus to the Aramaic-speaking tribes in the north of the peninsula, but do not appear to have translated the gospel into Arabic. There is considerable evidence, however, of early Christian initiative in Arabia: five bishoprics in the province of Najtan, the attendance of Arab bishops at the Council of Nicaea in 325, three Christian kingdoms and the Arabic gospel of the Infancy. It was a Christian bishop, Quss ibn Sa'ada, who originated the Arabic script. Muhammad himself learned much from the Christian Waraqa ibn Naufal. The Arabs respected the Christians, as also having a book from the great God, whom they worshipped at the ordained times throughout the twenty-four hours. Christian tribes even fought alongside Muslims in the early days of Arab expansion.

BIRTH OF MUHAMMAD

The Quran bears witness to the strength of Hebrew traditions and the respect for the Hebrew prophets among the Arabs. The Quranic testimony to Jesus, Son of Mary, means that Jesus was an important historical figure on both sides of the Red Sea. The fact remains, however, that for nearly six hundred years after the coming of Jesus, the greater part of Arabia remained pagan, without book, without vision, without prophet, without single ruler or plan to unite the tribes. This was not from a failure of

Christian apostolic fervour, so much as from the later weakness and divisions of Christian witness all round the Mediterranean world. It was, then, in the city of Mecca that Muhammad was born to be the prophet and ruler of his people. His followers became Muslim, submitting to Allah, a brotherhood bound together by another sacred book, the Quran.

> The people of Moses and the people of Jesus were given revelations,
>   But alas! they played false with their own lights, and in their selfishness, made narrow God's universal message.
>   To them it seemed incredible that His light should illumine Arabia and reform the world.
>   But his ways are wondrous, and they are clear to those who have Faith.
>   If the People of the Book rely upon Abraham, let them study his history.
>   His posterity included both Israel and Ismail. Abraham was a righteous man of God, a Muslim, and so were his children. For God is the God of all Peoples.
>
> (Sura 2.47 and 48)

JUDAISM AND ISLAM

The chief task of the early Hebrew prophets was to combat the disloyalty and the dilution of the worship of the one, Yahweh, with the fertility cults of the many, Baalim. Following the conquest by Joshua, the nomadic Hebrew tribesmen adapted themselves to an agricultural mode of life, reverting to a settled pattern by which the tent was replaced by the house and the tent circle became the walled town. To a certain extent, the pagan Canaanite religion and worship on the high places was absorbed into the worship of Yahweh. It was the genius of the Hebrews to link their agricultural festivals with their national historical commemorations, thus sanctifying the former and celebrating the latter.

By contrast, it has been said that the genius of Islam was precisely in its gift of syncretism. Islam's veneer of monotheism, upon those of Judaism and Christianity, covers a Canaanite paganism, successfully proclaiming the oneness of God among many primitive peoples in a way which both convinces and satisfies: 'There is no god but Allah – [the God]: Muhammad is the Apostle of Allah!' As one who broke away from the primitive animism and idolatry of Arabia, Muhammad was inspired or possessed by the spirit of Abraham, who himself broke away from the idolatry of Mesopotamia. The word 'muslim', 'submitted' or 'dedicated', seemed to Muhammad a highly appropriate term for his ancestor, Abraham. Indeed, it was from the six sons by his wife Keturah (Genesis 25), that Abraham is said to have fathered the desert tribes, as well as by their cousins, the Ishmaelites.

FOLKLORE AND LOCAL TRADITIONS

Today, when the primitive features of Palestinian life are disappearing so quickly and so much folklore is being lost, the innumerable Muslim shrines in the villages, on the hills, in the valleys and fields, are not easily found. There is hardly a village which does not honour at least one local saint. The village of Anata, north of Jerusalem, possesses seven shrines, and Awarta, south of Nablus, fourteen, to mention but two villages. Today these shrines of holy Muslims are often to be found in cemeteries, surrounded by the bodies of those who valued their protection even in death. Sometimes there is no building, only a *maqam*, the site or station of an event in the life of a *wali* or saint. It may be a single tree, a large rock or a heap of stones, a watercourse, a spring or even a cistern, which local tradition over the centuries has led people to venerate. Where there is a building, it may be a rectangular shrine, with or without a tomb; it may be a simple cave. At Banias there are both. If it is a tomb, it will be likely to be covered by a *qubba*, or dome. The word suggests a pavilion, tent or tabernacle in which to shelter. The word 'cupola' comes to us from the Arabic, through the Italian. The functional use of the *qubba* is to run water off a flat roof for conservation in a hot climate; the Arabic word *qubba* means raindrop!

The rites and practices at such shrines are of an infinite variety, from the most simple prayers and offerings in money or kind, to animal sacrifice, the taking of religious vows and circumcision. The saints commemorated will in all likelihood have been good, trustworthy elders of their local community, who by their spiritual lives and devotional practices deserve respect as possible mediators between the simple people and Allah, the Holy One.

MOSQUES, SANCTUARIES, AND SHRINES

In Arabic, the word for a building for public worship, *masjid*, suggests a place of kneeling and prostration; it develops from the same root as the word for prayer-carpet. The Psalmist says: 'O come, let us worship and fall down and kneel before the Lord, our Maker.' The same word is used for the bowing, kneeling and subjection of the camel for the mounting of its rider. It is not difficult to see how the Arabic *masjid* has come through the Spanish *mesquito* to reach us as 'mosque'. The focal point within the mosque is the *mihrab*, or prayer niche, which indicates the *qibla*, or direction to be faced when praying. The last and most important holy place is the *haram*, or sanctuary, in Hebrew *herem*. The word is equivalent to the Latin *sacer* and the Greek *hieros*, implying 'consecrated to God', or 'forbidden ground'. The sacrifice of Jericho by Joshua had to be complete because Jericho was *herem*, consecrated to Yahweh. Similarly, Moses at the burning bush had to remove his shoes, for he was standing on 'holy ground'. Hence, too, the women's apartments in the Muslim household are *harim*, forbidden ground.

MECCA

It was in the city of Mecca, fifty miles from the Red Sea, that Muhammad was born, to be the prophet and ruler of his people. Mecca was already famous for a small religious sanctuary called the Kaaba (Cube) containing the 'Black Stone'. Muhammad, whose name means 'the one to be praised', was soon left an orphan to care for his uncle's flocks. He later became a business agent and camel driver and married a rich widow. They both came under the influence of a religious sect who preached a purity of worship of the one God, as did their forefather Abraham. Muhammad began to seek God in earnest and became convinced that there was only the one God, the Almighty and the Judge, and that he, Muhammad, was called to be God's messenger. He, like Moses to the Hebrews, was to be the prophet to his people.

So Muhammad descended on Mecca with his demands of purity and his warnings of judgment. The people of Mecca could not accept the demands and teachings of an apparent upstart, who demanded their obedience and loyalty. After ten years in Mecca – unable to convince the leaders of the city – he emigrated with his followers to Medina. From that year, the Muslims begin their calendar. The Arab people of Medina, together with Muhammad's followers from Mecca, formed a single unit under his leadership. He became both prophet and ruler and welded this unit into a strong brotherhood living by a strict code. In order to supply the needs of his brotherhood, he pillaged passing caravans and, as his brotherhood grew stronger, he expelled the Jewish tribes from Medina. At last he was strong enough to lead his brotherhood into Mecca and became its master.

MUSLIM

Now all the tribes began to fear him and became 'submitted' to Allah. One by one they joined his religion and promised to obey him. At his death in the year 632, he was the lord of Arabia. His followers acclaimed his friend Abu Bekr as his successor and, in their religious enthusiasm poured out of deserts into the surrounding countries, conquering all of North Africa, from the Nile to the Atlantic. These scattered races were bound together by Muhammad's own words in his sacred book. Remembering how the Law was 'sent down on' Moses and the Psalms 'on' David and the Gospel 'on' Jesus, and longing for his own people too to have a sacred book, Muhammad set down the message of God as he felt it came to him. So the Muslims became 'People of the Book', the Quran.

QURAN

To the Muslims the Quran is sacred as the very word of God given to his prophet. It is treated with great respect, learnt by heart, said every day in prayer. It is so sacred that it should not even be translated, but read by all men everywhere in Arabic – rather as the erstwhile Latin of the Mass! This belief then in the 'sacred dictation' of the Quran is both a strength and a weakness for Muslims.

The thoughts of God in the Quran are often very close to those of both Christian and Jew: God is self-existent – 'I am that I am'.

God is the Creator and Lord of the Universe – 'In the beginning, God'. God is Merciful, the Compassionate – 'I will have mercy and not sacrifice'.

Jesus

The Muslim cannot yet reconcile God's justice and wrath with God's mercy and compassion. Any theology of the Pain of God, in the redemptive suffering of Jesus Christ, is impossible. It is impossible to the Muslim that the Almighty should suffer. It is impossible to the Jew for, although he may accept the messianic vocation to suffering in the Second Book of Isaiah, he has failed to recognise Jesus as the Christ of God. To the Jews, the cross is still a stumbling block and to the Muslims quite out of character with God.

For the Muslim, 'Jesus, Son of Mary' is not the son of God, despite Quranic affirmation of the Virgin Birth. The whole ministry of Jesus as found in the Christian Gospels is, in the Quran, compressed into two muddled paragraphs! The crucifixion was not of Jesus, only his 'likeness'. Yet, the brotherhood of Islam embraces men of many lands and colours, bound together by their belief in one God and in his prophet. They are bound together in their Ramadan month of fasting and in their prayers. They are drilled like an army, instructed like a school to pray five times a day – facing Mecca, to which they must make their pilgrimage.

THE EARLY CALIPHS

Muhammad died in the year 632 and his close friend and early companion Abu Bekr was elected caliph in his place. He was a wise and true follower of his son-in-law Muhammad. Although a mild and gentle person by nature, he proved a firm and resolute ruler in Medina. But for him, Islam would have melted away in compromise with the Bedouin tribes. Successive campaigns throughout the Hejaz, Arabia, Syria and Mesopotamia extended the Muslim conquest and imperial control throughout the Middle East. The brigand spirit of the Bedouin was united with the new-born fire of Islam. The Arabs from the desert became the aristocracy of Islam.

28

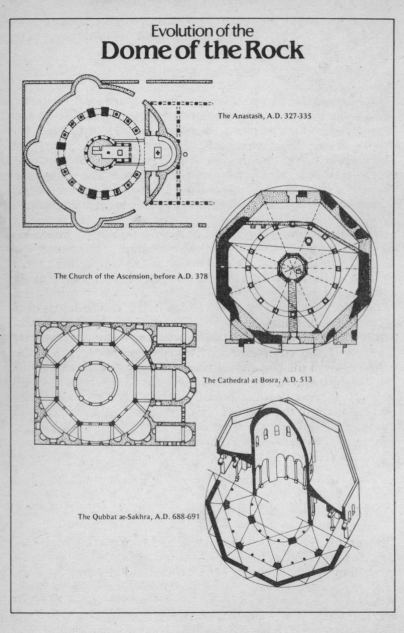

Evolution of the
Dome of the Rock

The Anastasis, A.D. 327-335

The Church of the Ascension, before A.D. 378

The Cathedral at Bosra, A.D. 513

The Qubbat ae-Sakhra, A.D. 688-691

Omar

Abu Bekr died in 634 having appointed the fiery Omar as his successor. The capture of Damascus and the Persian campaign were followed by the capitulation of Jerusalem in 637. Omar entered the town riding on a camel and dressed in his simple camel's hair cloak, and was received by the Patriarch Sophronius and conducted round the various places of pilgrimage. At the Muslim hour of prayer, the Patriarch Sophronius offered the Church of the Resurrection for the caliph's prayers; but Omar declined, saying kindly that his followers would only take possession of it as a place of Muslim prayer. Omar also visited the Church of the Nativity at Bethlehem, where he prayed in the south aisle facing Mecca and gave the Patriarch a written guarantee protecting the church. The generosity of Omar does not seem to have been expressed by his followers in Jerusalem, however, on his return to Medina. The Byzantine writers describe how 'the cradle of Christianity, Zion, the joy of the whole earth, was trodden under foot and utterly cut off from the sight of its devoted worshippers'.

The Muslim conquest of Egypt followed; so did the reopening of the Old Suez Canal linking the Upper Nile, Lake Timsah, and the Red Sea at Suez. This canal was originally designed by Rameses II and completed by Darius the Persian. It was the predecessor of the present canal from Suez to Port Said. After a last pilgrimage to Mecca, the Caliph Omar was stabbed to death by a slave, when leading public worship with his back to the congregation, in the year 644. His successor as third caliph was the unpopular Othman, who ruled twelve years before being murdered during an insurrection. His successor Ali's caliphate was a stormy succession of revolts in Syria and Egypt lasting less than five years before his assassination in 661.

ABDEL MELEK

Under the early caliphs, the Muslims had swarmed out of the dry deserts of Arabia, but they had been quite unable to hold the lands they had conquered. Their armies had gathered soldiers, like 'rolling snowballs'. On the basis of submission to Allah, Arabs and non-Arabs had been enlisted with promises of booty and paradise. It was inevitable that rival caliphs in Cairo and Damascus should challenge the central control from Medina. The

Bedouin chief Mu'awiyah established himself as caliph at Damascus and captured Egypt, but failed to take Constantinople. He founded the Umayyad Dynasty and reigned nearly twenty years as sole caliph in Damascus. One of the strongest caliphs, Abdel Melek, won universal recognition in 692, following campaigns in Syria, Iraq and Arabia. He issued a purely Muslim coinage, based on the Dinar (Byzantine Denarius) and proclaimed the official government and commercial language as Arabic – no longer Greek. It was Abdel Melek who built the Dome of the Rock – Qubbat es Sakhra, in the temple area or Noble Sanctuary el-Haram es Sherif, at Jerusalem.

Part Two:

JERUSALEM

WITHIN AND WITHOUT
THE WALLS

In order to understand the sites of Jewish, Christian and Muslim Holy Places in Jerusalem it is essential to have some knowledge of the hills and valleys on which the successive cities have been built, and to know something of the walls, fortresses, viaducts and highways which have enclosed, protected and connected these sites down the centuries.

VALLEYS

The chief characteristic of Jerusalem is not so much that it is a hill city, whose streets are often steps and whose transport is the ass. Its magic is in the mystery of its valleys, hills and rocks, whether it be the rock of Moriah or that of the empty tomb. A unique history is traced by these hills and valleys, of a city not three miles in perimeter, set in a triangular basin, between desert and coastline. Indeed, 'the hills stand about Jerusalem', as the Psalmist sang. The city is bounded by two valleys from north to south, the Kedron on the east and the Wadi-er-Rababi to the west from the Jaffa Gate, where it curls round the western hill to become the Valley of Hinnom. The two valleys converge below Siloam to become the Wadi-En-Nar, the 'Fire Valley', which runs down through the wilderness towards the Dead Sea. Yet a third valley bisects the city from north to south, from the Damascus Gate to the Pool of Siloam. This is the Tyropean Valley 'of the cheese-makers', once a steep gorge over which viaducts passed thirty metres high, which has been progressively filled in, so that its depression is today hardly noticeable.

HILLS

Between the first two and separated by the third valley are two hills. The eastern hill, Mount Moriah, is really on a long spur linking Bezetha, a rise within the north-east of the present Old City, with Ophel, the ridge running down to the Pool of Siloam. The western hill descends steeply to the Valley of Hinnom and overlooks the ridge of Ophel. It is on the Ophel, 'the boil', that the Jebusite city stood in the time of David. This was the original Hill of Zion, a name which may well have meant 'ridge' or 'lump', implying a fortress or citadel.

DAVID

David built his citadel on the upper part of the ridge, but probably did not extend the Jebusite walls, except perhaps to include the threshing floor of Araunah the Jebusite. Certainly the top of the ridge and Mount Moriah were included in Solomon's time, and two hundred years later, in the time of Uzziah (780–740 B.C.), the western hill was included within the city, whose north wall ran due west from the Temple. The Kedron and Hinnom valleys have always prevented further expansion on the east, south or west. Development could only take place northwards. Thus, what is now called the First Wall enclosed both the site of the Jebusite city on Ophel and the western hill. This wall contained the Pool of Siloam to the south and crossed the central Tyropean Valley to the north, along the line of what is now David Street. It was destroyed by Nebuchadrezzar and restored by Nehemiah, besides being ruined and repaired on several other occasions.

JESUS

The walls in the time of Jesus: What is called the Second Wall was rebuilt by Herod in about 30 B.C. It was this wall which was standing in the time of Jesus. To the east, south and west it seems to have more or less followed the line of the First Wall; but, as is to be expected, there was a development on the north side. Excavations at Herod's Citadel, near the present Jaffa Gate, together with excavations by Dr Kathleen Kenyon, have shown that this wall did not follow the line of the present wall, turning north-west at the Citadel. This Second Wall curved eastwards, enclosing a new suburb, before linking up with the north-west corner of the Temple Area. Josephus calls this the Second Wall and says that it started from the Gennath 'the Garden Gate', which stood in the First Wall, and that the Second Wall went northwards and eastwards as far as the Antonia fortress.

GARDEN GATE

This would have left an L-shaped depression or dart in the north-west part of this Second Wall near the Garden Gate, implying that a garden lay outside the city wall at that point. St John tells us that: 'In the place where he was crucified, there was a garden.' Furthermore, John even mentions that the tomb of Jesus was in a garden 'nearby'. And, indeed, the tomb is still to be seen in the rock of the hillside, within the Church of the Holy Sepulchre today, showing that this area must have been outside the wall; for no burials took place within the city boundary.

HEROD AGRIPPA

After the crucifixion and resurrection of Jesus in A.D. 41, Herod Agrippa built a further wall, which happened to enclose within the city the sites of both Calvary and the tomb. It is, however, unlikely that this unclean area of burial ground was soon built over. Josephus, in fact, relates that this new wall was to protect a weak place in the Second Wall, and he calls it the Third Wall. Considerable traces of the Third Wall have been found in several places, including the junction of St George's and Nablus road, north of the present city wall. It is strange to think that the site of Calvary and the tomb of Jesus were enclosed within the city within eight years of the events. And, if they were not built on, they were less likely to have been lost.

HADRIAN

When Hadrian established a Roman colony in the city following the Bar Cochbar revolt, he purposely excluded the Temple area and changed the layout of the city. Whereas the main axis of the

Jewish city had linked the Citadel and the Temple, that of Aelia Capitolina ran south from the Damascus Gate. At some time in the fourth century the old line of the wall above Kedron and Hinnom was restored. In the fifth century, the Empress Eudocia repaired it, but after the Persian invasion the line of the south wall contracted to something near that of the present south wall. The present walls include a great deal of Byzantine, Saracen and Crusader masonry, but are mainly the work of Suleiman the Magnificent, completed in 1541.

TEMPLE AREA – NOBLE SANCTUARY – DOME OF THE ROCK AND AQSA MOSQUE

JERUSALEM 'THE HOLY'

To the Muslims Jerusalem is known as 'Al Quds', 'the Holy'. Quite apart from its associations with the Old Testament figures – Abraham, David, Solomon and others whom they venerate – the Muslims cherish a strong traditional connection between Jerusalem and the Prophet Muhammad. The tradition of the Prophet's Night Journey is alluded to in the Quran thus: 'I declare the glory of Him who transported His servant by night from the Masjid al-Haram [the mosque at Mecca] to the Masjid al-Aqsa [the further mosque] at Jerusalem.' Here is meant the whole area of 'the Noble Sanctuary', not just the main building of the Aqsa which, in the Prophet's days, did not exist.

THE NIGHT JOURNEY

According to the received account, Muhammad was on this occasion mounted on the winged steed called Al-Burak – 'the Lightning' – and, with the Angel Gabriel for escort, was carried from Mecca, first to Sinai and then to Bethlehem, after which they

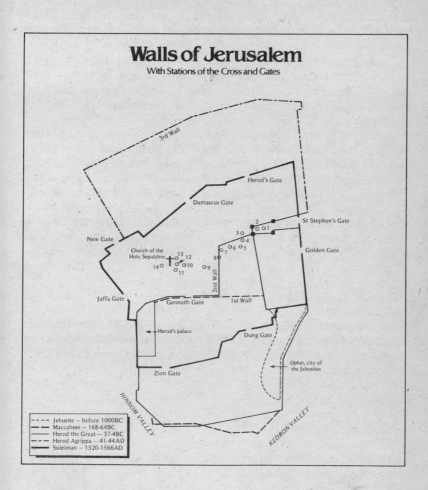

Walls of Jerusalem
With Stations of the Cross and Gates

3rd Wall

Herod's Gate

Damascus Gate

St Stephen's Gate

New Gate

Church of the
Holy Sepulchre

Golden Gate

2nd Wall

Jaffa Gate

Gennath Gate   1st Wall

Herod's palace

Dung Gate

Zion Gate

Ophel, city of
the Jebusites

HINNOM VALLEY

KEDRON VALLEY

--- Jebusite – before 1000BC
— Maccabees – 168-64BC
— Herod the Great – 37-4BC
-·- Herod Agrippa – 41-44 AD
— Suleiman – 1520-1566AD

came to Jerusalem. 'And when we reached Bait al-Makdis, the Holy City', so runs the tradition mentioned in the Chronicle of Ibn Al Attir, 'we came to the gate of the mosque and here Jibrail caused me to dismount. And he tied up Al-Burak to a ring, to which the prophets of old had also tied their steeds.'

Entering the Haram Area by the gateway, afterwards known as the Gate of the Prophet, Muhammad and Gabriel went up to the Sacred Rock, which from ancient times had stood in the centre of Solomon's Temple; meeting there a group of prophets, Muhammad proceeded to perform his prayer-prostrations before this assembly of his predecessors – Abraham, Moses, Jesus, and other of God's apostles. From the Sacred Rock, Muhammad, accompanied by Gabriel, next ascended by a ladder of light up into heaven; here, in anticipation, he was vouchsafed a vision of the delights of Paradise. Passing through the seven heavens, Muhammad at last stood in the presence of Allah, from whom he received injunctions on the prayers his followers were to perform. Thence, after a while, he descended again to earth; and alighting from the ladder of light stood again on the Sacred Rock at Jerusalem. The return homeward was made after the same fashion – on the back of the steed Al-Burak – and the Prophet reached Mecca again before the night had waned. Such is the tradition which sanctifies Jerusalem, the Rock and the Haram, or Sanctuary area, in the sight of all Muslims. After the capitulation of Jerusalem to Omar in 635, that caliph caused a mosque to be built on what was considered to be the ancient site of the Temple of Solomon.

CALIPH OMAR

In the early days of Islam – that is, under Omar and his successors – mosques were constructed of wood and sun-dried bricks and other such perishable materials, so that of the building erected in Omar's days, probably very little remained even half a century later to be incorporated into the magnificent stone shrine erected by the orders of the Omayyad Caliph, Abdel Melek in about the year 690. It seems probable, also, that this latter caliph, when he began to rebuild the Aqsa, made use of the materials which lay to hand in the ruins of the great St Mary's Church of Justinian, discovered in the Jewish quarter in 1970.

AQSA MOSQUE WITHIN HARAM

The Chronicles make no mention of the date or fact of Abdel
Melek's rebuilding of the Aqsa Mosque, and the earliest detailed
description of this mosque is that given by Muqaddasi in 985,
some three centuries after Abdel Melek's days. Of the Dome of
the Rock, on the other hand, we possess detailed accounts in the
older authorities, describing both the foundation in 691 and its
general appearance. It would appear that the Arab chroniclers
and the travellers who visited the Haram Area during this period
were more impressed by the magnificence of the Dome of the
Rock than by the main buildings of the Aqsa Mosque, of which
the Dome of the Rock was in fact but an adjunct.

MOSQUE V. SHRINE

When referring to the Arab descriptions of the Haram Area at
Jerusalem, an important point to remember is that the term
Masjid applies not to the Aqsa alone but to the whole of the
Haram Area, with the Dome of the Rock in the middle and all the
other minor domes, chapels and colonnades. The Dome of the
Rock (misnamed by the Franks the 'Mosque of Omar'), is not
itself a mosque or place for public prayer, but merely the largest of
the many cupolas in the Court of the Mosque, in this instance
built to cover and do honour to the Holy Rock which lies beneath
it.

In 985, during the rule of the Fatimid Caliph Al-Azziz, Muqaddasi, a native of Jerusalem, described the Aqsa thus:

> The Masjid al-Aqsa lies at the south-eastern corner of the Holy City.
> The stones of the foundations of the Haram Area wall, which were
> laid by David, are ten ells, or a little less, in length. They are
> chiselled, finely faced, and jointed, and of hardest material. On
> these Khalif 'Abd al-Malik subsequently built, using smaller but
> well-shaped stones, and battlements are added above. This mosque
> is even more beautiful than that of Damascus, for during the
> building of it they had for a rival and as a comparison the great
> Church [of the Holy Sepulchre] belonging to the Christians at
> Jerusalem, and they built this to be even more magnificent than that
> other.

CRUSADER ALTERATIONS

On 14 July 1099 the Crusaders, under Godfrey de Bouillon, captured the Holy City. The Haram Area was given over to the Knights of the recently established Order of the Temple, who derived their name from the Dome of the Rock, which the Crusaders imagined to be the Temple of the days of Christ and named Templum Domini. The Aqsa Mosque, on the other hand, was known as the Palatium (Palace of the Crusader Kings of Jerusalem) or Templum Solomonis. The Templars made considerable alterations to the Aqsa Mosque and the adjoining portions of the Haram Area, but left the Dome of the Rock untouched. On the west of the Aqsa, along the south wall of the Haram Area, they built their armoury. In the substructures of the south-east angle of the Haram Area, to the west of the Cradle of Jesus, they stabled their horses, using probably either the ancient 'Triple Gate' or the 'Single Gate' as an exit from these vaults. The Latins considered the Aqsa Mosque to hold a very secondary place, while the Dome of the Rock was in their eyes the true Templum Domini; hence the Knights Templars felt no compunction in remodelling probably the whole building, when they turned part of the Aqsa into a church for the Order, and established their mainguard and armoury in the outlying quarters of this great Mosque.

SALADIN'S RESTORATION

After Saladin's reconquest of the Holy City in 1187, the whole of the Haram Area and its various buildings underwent a complete restoration. The account given in the Chronicle of Ibn Al Attir of what was done in the Aqsa Mosque is as follows:

> When Saladin had taken possession of the city and driven out the infidels, he commanded that the buildings should be put back to their ancient usage. Now the Templars had built to the west of the Aqsa a building for their habitation, and constructed there all that they needed of granaries, and also latrines, with other such places, and they had even enclosed a part of the Aqsa in their new building. Saladin commanded that all this should be set back to its former state, and he ordered that the Masjid should be cleansed, as also the Rock, from all the filth and the impurities that were there. All this was executed as he commanded.

Over the Great Mihrab, in the Aqsa Mosque, could still be read the inscription set here by Saladin after this restoration was completed:

In the name of Allah the Compassionate, the Merciful! Hath ordered the repair of this holy Mihrab, and the restoration of the Aqsa Mosque – which was founded in piety – the servant of Allah, and His regent, Yusuf ibn Ayyub Abu-l Mudhaffar, the victorious king, Salah ad-Dunya wa'ad-Din [Saladin], after that Allah had conquered [the City] by his hand during the month of the year 583. And he asked of Allah to inspire him with thankfulness for this favour, and to make him a partaker of the remission [of sins], through His mercy and forgiveness.

AQSA TODAY

The Mosque we see today was entirely renovated between 1938 and 1943. During this period all the long walls and arcades were demolished to the foundations, with the exception of the two western aisles and the arcades flanking the dome. The nave and eastern aisles were reconstructed on arches carried by monolithic marble columns. The upper part of the north wall was also reconstructed and the whole refaced. The central doors and porch were also repaired. The work was supervised by the Director of the Department for the Preservation of Arab Monuments, in the Egyptian government, which presented the magnificent gilded ceiling. At the southern end of the Mosque are the only surviving Fatimid mosaics and construction in Jerusalem. Here is also a fine rose window and mihrab in the place of the Forty Martyrs, but the very beautiful pulpit and mihrab installed by order of Saladin have recently been destroyed by an eccentric Australian visitor. Perhaps the most impressive sight of all, however, is that of some four thousand men, line after line in perfect order and action, covering every square metre of carpet in this vast mosque – the brotherhood of Islam at worship.

DOME OF THE ROCK

In remarkable contrast with the little that is known of the early architectural history of the Aqsa Mosque, is the very full account

Jerusalem:Dome of the Rock

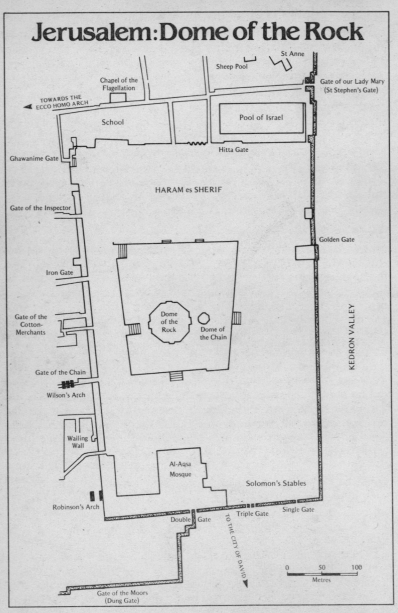

St Anne

Sheep Pool

Chapel of the Flagellation

Gate of our Lady Mary
(St Stephen's Gate)

◄ TOWARDS THE
ECCO HOMO ARCH

School

Pool of Israel

Ghawanime Gate

Hitta Gate

HARAM es SHERIF

Gate of the Inspector

Golden Gate

Iron Gate

Dome
of the
Rock

Dome of
the Chain

Gate of the
Cotton-
Merchants

Gate of the Chain

Wilson's Arch

KEDRON VALLEY

Wailing
Wall

Al-Aqsa
Mosque

Solomon's Stables

Robinson's Arch

Double Gate

Triple Gate

Single Gate

TO THE CITY OF DAVID ▼

0   50   100

Metres

Gate of the Moors
(Dung Gate)

of the date and the historical incidents connected with the found-ation of the Dome over the Sacred Rock. The edifice as it now stands is substantially identical with that which the Caliph Abdel Melek erected in the year 691. The cupola, it is true, has on many occasions been shattered by earthquakes, and the walls have been damaged and repaired, but the octagonal ground plan and the system of concentric colonnades have remained unaltered through all the restorations; even down to the number of the windows; the Dome of the Rock, as described in 903 by Ibn al-Fakih, is almost exactly similar to the Dome of the Rock of the present day.

The Dome of the Rock for Muslims ranks in sanctity only after the Ka'ba in Mecca, according to Muslim tradition erected by Abraham and Ishmael, and the Tomb of the Prophet in Medina.

Shrine Within the Sanctuary

One of the early accounts shows the setting of the Dome of the Rock within the Haram or Sanctuary Area. In 978 Ibn Haukal abu Istakhti writes:

> The Holy City is nearly as large as Ar-Ramlah [the capital of the province of Filastin]. It is a city perched high on the hills, and you have to go up to it from all sides. There is here a mosque, a greater than which does not exist in all Islam. The Main-building [which is the Aqsa Mosque] occupies the south-eastern angle of the mosque [Area, or Noble Sanctuary], and covers about half the breadth of the same. The remainder of the Haram Area is left free, and is nowhere built over, except in the part around the Rock. At this place there has been raised a stone [terrace] like a platform, of great unhewn blocks, in the centre of which, covering the Rock, is a magnificent Dome. The Rock itself is about breast-high above the ground, its length and breadth being almost equal, that is to say, some ten ells and odd, by the same across. You may descend below it by steps, as though going down to a cellar, passing through a door measuring some five ells by ten. The chamber below the Rock is neither square nor round, and is above a man's stature in height.

The Dome Structure

A hundred years later in 985, Muqaddasi of Jerusalem writes:

> The Cupola of the Dome is built in three sections: the inner is of ornamental panels. Next come iron beams interlaced, set in free, so that the wind may not cause the Cupola to shift; and the third casing is of wood, on which are fixed the outer plates. Up through the

middle of the Cupola goes a passage-way, by which a workman may ascend to the pinnacle for aught that may be wanting, or in order to repair the structure. At the dawn, when the light of the sun first strikes on the Cupola, and the Drum reflects his rays, then is this edifice a marvellous sight to behold, and one such that in all Islam I have never seen the equal; neither have I heard tell of aught built in pagan times that could rival in grace this Dome of the Rock.

DOME OF THE CHAIN

A few paces east of the Dome of the Rock stands a small cupola, supported on pillars but without any enclosing wall, except at the Qibla point, south, where two of the pillars have a piece of wall, forming the Mihrab, which was built up in between them. This is called Qubbat as-Silsilah – 'the Dome of the Chain'. As early as 913 it is mentioned by Ibn Abd Rabbih as 'the Dome where, during the times of the children of Israel, there hung down the chain that gave judgment [of truth and lying] between them'. Yakut, describing this Dome, mentions that it was here that was 'hung the chain which allowed itself to be grasped by him who spoke the truth, but could not be touched by him who gave false witness, until he had renounced his craft, and repented him of his sin'.

An obvious association with this site is the judgment of Solomon, when 'he came to Jerusalem, and stood before the ark of the covenant of the Lord . . . then came there two women . . . and all Israel heard of the judgment . . . and they feared the king.' 1 Kings 3:15–28. The Dome of the Chain was in fact, less of a lie detector than the architect's model for the Dome of the Rock!

BETHANY TO BETHPHAGE, OVER THE MOUNT OF OLIVES – PALM SUNDAY WALK

15 STADIA FROM JERUSALEM

Bethany must always have been the last stop on the way from Jericho up to Jerusalem. Bethphage is the hamlet on the track from Bethany up to the highest point on the Mount of Olives – the village of Tor. The shortest route from the Temple Area left the city by a gate on the site of the present Hadrianic 'Golden' Gate, crossed the Kedron to Gethsemane and then divided into two tracks. These run up the Mount of Olives, crossing the ridge on two separate saddles, but link up again at Bethphage, before descending to Bethany on the main road.

OLD TESTAMENT AND NEW TESTAMENT BETHANY

Today, the modern and growing Arab township of Bethany called in Arabic El Azariah (home of Lazarus) nestles under the Mount of Olives, facing across the wilderness to the Jordan Valley. Here in the time of Nehemiah (11:32) was the locality of Beth Ananyah, inhabited after the exile by Benjaminites. From a sharp turn in the Jericho road, a small spur rises up the hillside towards Jerusalem. Excavations in the early 1950s revealed that the first-century village was located on that spur.

Galilean Suburb

The ossuaries, or bone boxes, excavated here and at Bethphage bore Galilean names, indicating that this end of the Mount of Olives was, in Jesus' time, a Galilean suburb. This would account perhaps for Jesus' choice of Bethany as his home-from-home in Jerusalem. It could account for the Angel's address at the Ascension 'Ye men of Galilee, why stand ye gazing up into heaven', reflected in the title of the Greek Patriarch's residence 'Virii Galilaei'. It would also imply that the voice which challenged:

'What are you doing loosing that donkey?' and the voice which answered: 'The Lord has need of him' were both in the Galilean brogue, so obvious in Peter's denial at the High Priest's Palace!

Byzantine Church

The traditional site of the home of Mary, Martha and Lazarus was at the bottom of the spur, on which was built a church in the fourth century, which was described by the Dalmatian priest, Jerome, and the Spanish nun, Egeria. This church was destroyed by earthquake and rebuilt in the sixth century. The Byzantines called the village Lazarium, the tomb of Lazarus, and the apse of their church is still to be seen behind the altar of the present church.

Crusader Abbey Convent

In the year 1143 Queen Melisande (Millicent) built an abbey and a Benedictine nunnery from the proceeds of produce from her Jericho estates; she established her own sister Yvette as abbess. This convent was destroyed during the Turkish occupation, but the vaulted Crusader refectory ceiling, the intriguing oil press (whose pressure-screw is the carved trunk of a palm tree), the Crusader towers, walls and mosaics indicate the vastness of the twelfth-century abbey-convent complex.

Modern Church

The new church of St Lazarus, by its austerity of design and cupola, gives the appearance of a cemetery chapel. The technique of the architect Barluzzi is to make his buildings expressive of the events which they commemorate. The same theme is maintained within, though the interior is enlivened by four large mosaic lunettes, together with explanatory texts from the Gospels beneath them.

The two side altars are in the form of sarcophagi with sculptured medallions of Mary and Martha, while that of the central altar depicts two angels indicating the tomb of Lazarus. The whole church is bright with light and, within the cupola, a single all-seeing eye is surrounded by forty-eight panels illuminated with doves, flames and flowers. The gospel story is told in the mosaic lunettes high upon the four sides: on the left, Jesus is with the family at Bethany; in the centre, Jesus says 'I am the Resurrection and the Life'; on the right, Jesus raises Lazarus; over the entrance, Jesus dines with Simon the Leper at Bethany.

BETHPHAGE

On that evening of Jesus' arrival from Jericho, he had supper with his friends and disciples. The next day, traditionally called Palm Sunday, he sent two of his disciples ahead into the next village to collect the donkey on which he was to ride into Jerusalem, in purposeful fulfilment of the prophecy of Zechariah. Today, a track leads up the slope of the Mount of Olives to the hamlet of Bethphage – meaning 'House of Figs'. Jesus had told his disciples that they would find the donkey tied up at the crossroads. Now as then, the junction of tracks from Bethany and Jerusalem is overlooked by the tell, or mound, of ancient Bethphage. At this junction today stands the Franciscan convent built in the last century over the medieval foundations of a Crusader chapel or tower. The squared stones of the apse indicate considerable strength of construction.

Donkey Shrine

It is probable that the focus of this shrine, if not its *raison d'être*, was a rock associated with the finding or mounting of the donkey. This rock or stele was in Crusader times painted to illustrate the story of Palm Sunday. In 1950 the Italian artist Vagarini restored the illustrations of the Raising of Lazarus, the arrival of the donkey, and the procession of palms. It is from this convent that the Latin procession starts every Palm Sunday and, passing over the Mount of Olives, enters the city at St Stephen's Gate. The Anglican procession starts from Bethany and disperses from the top of the Mount of Olives overlooking the city.

THE MOUNT OF OLIVES

The route of the first Palm Sunday procession must be a matter of conjecture. Either it followed the present road south of the Russian convent property, or it skirted it to the north. Either it crossed the northern saddle of the Mount of Olives and descended that track down into the Kedron, or it crossed the southern saddle and descended the track passing the Pater Noster church and the shrine of the Dominus Flevit. Both these tracks join at Gethsemane before crossing the Valley of the Kedron.

PATER NOSTER

The southernmost track from the crest of the Mount of Olives, down into the Kedron, soon passes the Church of the Pater Noster. There are two traditions concerning this site, linking it with Jesus' teaching of the Apostles' Creed before their final dispersal from Jerusalem. In St Luke's Gospel the teaching of the Lord's Prayer immediately follows a visit to Mary and Martha at Bethany, but there is no question of this being on Jesus' Palm Sunday entry into Jerusalem. The Lord's Prayer tradition is Byzantine, going back to the seventh century at least, if not to Constantinian times. Certainly a church on this site was destroyed in the seventh century and a new church built in the twelfth. The present church was built in 1869 by the Princess of Auvergne, a cousin of Napoleon III. Attached to it is a convent of Carmelite nuns, and a cloister adorned with thirty-five or more frames of the Lord's Prayer in as many languages.

DOMINUS FLEVIT

Halfway down the track into the Kedron Valley is the traditional site where Jesus wept over the city, as he foresaw the catastrophe which was to take place within the lifetime of many who now came out of the city to greet him. 'If only you had known, on this great day, the way that leads to peace! But no; it is hidden from your sight. For a time will come upon you, when your enemies will set up siege-works against you; they will encircle you and hem you in at every point; they will bring you to the ground, you and your children within your walls, and not leave you one stone standing upon another, because you did not recognise God's moment when it came.'

On this site today is the striking little church of 'Dominus Flevit', built in 1955 by Barluzzi. When the Franciscans were excavating an ancient cemetery, they found traces of a hitherto unknown fifth-century church. This they rebuilt, preserving the original mosaics in situ and shaping the roof like a tear. Instead of facing east, the church faces west; through a plate-glass window it commands a truly magnificent view across the whole city of Jerusalem.

HOLY WEEK

For the next three days Jesus was to go into the city, evading arrest, surrounded by the crowds of Passover pilgrims as he taught in the Temple, before returning at dusk to the shelter of the quiet village home at Bethany.

> Almighty and everlasting God,
> who in your tender love towards mankind
>   sent your Son our Saviour Jesus Christ
> to take upon him our flesh
> and to suffer death upon the cross:
> grant that we may follow the example
>   of his patience and humility,
> and also be made partakers of his resurrection;
> through Jesus Christ our Lord.

A PALM SUNDAY PROGRESS

BETHANY TO BETHPHAGE IN SILENCE, LITANY AND SCRIPTURE:

1. *Within the Franciscan church*, on the site of the village home of Mary, Martha and Lazarus: John 11:1–44 – read in parts and groups by all members of the party, the leader reading the narrative.

> By your infinite love and holy sadness,
>   Jesus, save us.
> By your calling Lazarus, whom you loved, from the sleep of
>   death,
>   Jesu, save us.
> By your entire knowledge of the Father's will,
>   Jesu, have mercy upon us.
>
> Because you wept in compassionate love,
>   We thank you, Lord.

Because you have raised us from death to life,
     We glorify you, Lord.
Because you have shown us the Glory of God,
     We worship you, Lord.

VISIT BYZANTINE AND CRUSADER REMAINS

Apses, mosaics, refectory and olive presses.
2. *Within the Crusader castle ruins* at the top of the spur and facing the road to Jericho: Mark 10: 32–4, 46–52.

By your infinite love and resolute courage,
     Jesu, have mercy upon us.
By your setting your face steadfastly to go up to Jerusalem,
     Jesu, save us.
By your standing still at the call of a beggar,
     Jesu, have pity upon us.

Because you accepted the sufferings that awaited you,
     Jesus, Son of David, we worship you.
Because you invited your Apostles to drink your cup,
     Jesus, Son of David, we thank you.
Because, when you have opened our eyes, we may rise up
     and follow.
Jesus, Son of David, we praise you.

3. *Overlooking the village of Bethany*, from the track to Bethphage: Luke 19: 28; John 12: 1–2,9.

By your infinite love and your seeking here solitude and rest,
     Jesu, have mercy upon us.
By your lowly dwelling in this quiet village,
     Jesu, save us.
By your acceptance here of active and of passive devotion,
     Jesu, have pity upon us.

Because you said the weary and heavy laden may rest in you,
     We thank you, Lord.
Because you have gone to prepare a rest for the people of
     God,
     We praise you, Lord.

Because you chose particular friends for your consolation and
  companionship,
  We worship you, Lord.

4. *Overlooking the Wilderness*, on the track to Bethphage: Mark
   11: 2.

By your infinite love and unfaltering footsteps,
  Jesu, have mercy upon us.
By your passing with the multitude, along this road,
  Jesu, save us.
By your acceptance of the worship of your Father's Creation,
  Jesu, have pity upon us.

Because you go before, that we may follow your footsteps,
  We thank you, Lord.
Because you cover us under the shadow of your wings,
  We praise you, Lord.
Because Patriarchs and Prophets went before you, and Saints
  and Martyrs follow on,
  We worship you, Lord.

5. *Overlooking the crossroads*, from the fig orchards above
   Bethphage: Mark 11: 4; Luke 19: 35–8.
   Followed by the Palm Sunday liturgy, up in the orchard, or
   down in the convent garden of Bethphage.

VISIT CHURCH AND ROLLING STONE TOMB

Only continue, if time, transport and energy permit, to a final
stand.

6. *Overlooking the city of Jerusalem*, from the Dominus flevit: Luke
   19: 41–4; Mark 11: 11; Luke 21: 37.

By your infinite love and righteousness,
  Jesu, have mercy upon us.
By your weeping at the sight of the beautiful City,
  Jesu, have pity upon us.
By your knowledge of the days to come,
  Jesu, save us.

Because, if we follow you, you will lead us to peace,
 We thank you, Lord.
Because you chose this hill for your great purpose,
 We glorify you, Lord.
Because from the Mountain of your Church, we gaze towards
 the new Jerusalem,
 We worship you, Lord.

UPPER ROOM TO GETHSEMANE – MAUNDY THURSDAY NIGHT WALK

A corporate act of silent pilgrimage along a token route, adaptable by groups or individuals, but necessitating reconnaissance by phone or in person. (Syrian convent: 283304, Franciscan Gethsemane 283264.) Suitable *either* just before the Passion sequence of 'Arrest and Trials', *or* as a final devotion before leaving Jerusalem.

A suggested timetable might be:

Transport from hotel to Jaffa Gate	– 5.15 p.m.
Walk to Syrian Church of John Mark	– 5.30 p.m.
Devotion in Syrian church (see 1 below)	– 5.45 p.m.
Progress through Jewish Quarter to near Zion Gate	– 6.00 p.m.
Turn east and continue to High Wall corner	– 6.15 p.m.
Continue east and exit at Dung Gate	– 6.30 p.m.
Cross Kedron diagonally, below City Wall	– 7.00 p.m.
Climb, via floodlit tombs, to Russian Garden	– 7.30 p.m.
Descend to arrive at Franciscan entrance	– 8.00 p.m.
Devotion within church, until	– 8.30 p.m.
Return, walking or by transport, to supper	– 8.45 p.m.

At each station, except the first and last, the sequence may be:

Readings – Litany (see below) one section – Versicle and Response

> V. Lord, you are the Light of the World. He that follows you walks not in darkness.
> R. But shall have the Light of Life for Ever.

1. *Within the church of John Mark*
A sixth-century inscription reads 'This is the house of Mary, Mother of John, called Mark. Proclaimed a church by the holy apostles, under the name of the Virgin Mary, Mother of God, after the ascension of our Lord Jesus Christ into heaven. Renewed after the destruction of Jerusalem by Titus, in the year 73 A.D.'

Both this Syrian church and the Crusader Cenacle on the Western Hill commemorate the Upper Room, successively the scene of the Last Supper, Resurrection appearances and Pentecost, at once the synagogue and headquarters of the apostolic Christian Church.

Greetings to the Syrians, whose priest will be glad to read the Institution of the Eucharist – perhaps Matt. 26: 20–31 or the Feet Washing, John 13: 1–15. Following your own Reading and Meditation, the first section of Litany and the hymn 'Go to dark Gethsemane' are suitable. The devotion may close with the versicle and response above and a dismissal.

2. *City Wall near Zion Gate*
Mat. 26: 31–35, Luke 22: 31–32, Psalm 73: 23–36
Litany – Section 2 – Versicle and response

3. *Corner of Wall, overlooking Siloam*
John 15: 1–6, Psalm 143: 8,9,6,10
Litany, Section 3 – Versicle and response

4. *Outside Dung Gate*
John 14: 1–9, 16: 28–32, Isaiah 40: 6–8
Litany, Section 4 – Versicle and response

5. *Top of Ophel spur, below wall corner*
John 17: 24, 15: 21–22, Isaiah 63: 8–9
Litany, Section 5 – Versicle and response

6. *Tombs in Kedron Ravine*
John 16: 12–13, 14: 26, 14: 18–20, Psalm 43: 3–4
Litany, Section 6 – Versicle and response

7. *Russian Garden, near church, beneath the olives*
John 18: 1–2, Luke 22: 40, Isaiah 64: 6–9
Litany, Sections 7 and 8 – Versicle and response

8. Within Franciscan Church, kneeling round Rock of Agony

Agony reading	– Mark 14: 32–49
Hymn	– 'When I survey'
Psalm reading	– Psalm 116: 8–13
Hymn	– 'O Sacred head'
Prophets reading	– Isaiah 53: 4–5
Hymn	– 'Praise to the Holiest'

Perhaps closing with the Seven Words from the Cross, a blessing from Hebrews 1: 1–3, and silence.

The Veneration of the 'Rock of Agony' may best take place during the hymns (Bethlehem C page 113 para. 2 refers).

Additional prayers, if desired:

THANKSGIVING FOR THE HOLY COMMUNION
Almighty and heavenly Father,
we thank you that in this wonderful sacrament
you have given us the memorial
   of the passion of your Son Jesus Christ.
Grant us so to reverence
the sacred mysteries of his body and blood,
that we may know within ourselves
and show forth in our lives the fruits of his redemption;
who is alive and reigns with you and the Holy Spirit,
one God, now and for ever.

Almighty Father,
whose Son Jesus Christ has taught us
that what we do for the least of our brethren
   we do also for him:
give us the will to be the servant of others
   as he was the servant of all,
who gave up his life and died for us,
yet is alive and reigns with you and the Holy Spirit,
one God, now and for ever.

FOR THE UNITY OF THE CHURCH
Heavenly Father,
whose Son our Lord Jesus Christ said to his apostles,
Peace I leave with you, my peace I give to you:
regard not our sins but the faith of your Church,
and grant it that peace and unity
   which is agreeable to your will;
through Jesus Christ our Lord.

Father, Son, and Holy Spirit,
holy and undivided Trinity,
three persons in one God:
inspire your whole Church, founded upon this faith,
to witness to the perfect unity of your love,
one God, now and for ever.

Heavenly Father,
you have called us
in the Body of your Son Jesus Christ
to continue his work of reconciliation
and reveal you to mankind.
Forgive us the sins which tear us apart;
give us the courage to overcome our fears
and to seek that unity
which is your gift and your will;
through Jesus Christ our Lord.

MAUNDY THURSDAY NIGHT WALK LITANY

1. By your infinite Love, even to the end,
   Jesus, enkindle our love.
   By your ardent desire to eat this Passover before you suffered,
   Jesus, strengthen our faith.
   By your preparing your Apostles for heavenly mysteries,
   Jesus, wash and prepare us.

2. Because you come in to sup with us and we with you,
   Jesu, our Bridegroom, we worship you.
   Because you consecrated a new and living way into the Holiest,
   Jesu, our Leader, we follow you,
   Because you abide with us and we in you,
   Jesu, our Beloved, we adore you.

3. Because you have overcome the world,
   Jesu, the Truth, we adore you.
   Because you have gone to prepare a place for us,
   Jesu, the Way, we adore you.
   Because you have chosen us, even though we have not chosen you,
   Jesu, the Life, we adore you.

4. By your Infinite Love and perpetual Intercession,
   Jesu, have mercy upon us.
   By your going forth with your disciples over the Brook Kedron,
   Jesu, save us.
   By your words of warning to your disciples,
   Jesu, have pity upon us.

5. By your Infinite Love and by the darkness of the way,
    Jesu, have mercy upon us.
    By the great purpose of your final approach to this Garden,
    Jesu, save us.
    By your choice of the shadow of the olive trees for the agony of your
        last surrender,
    Jesu, have pity upon us.

6. By your Infinite Love and your realisation here of all sin,
    Jesu, have mercy upon us.
    By your agony and bloody sweat,
    Jesu, save us.
    By your complete obedience to the Father's Will,
    Jesu, have pity upon us.

7. Because you were made sin for us,
    We thank you, Lord,
    Because you were crushed with guilt that was ours,
    We thank you Lord.
    Because you have trodden alone the wine-press of the wrath of God,
    We worship you Lord.

8. To all who are bowed down by the weight of their sin,
    Show yourself as the Sin Bearer, Blessed Lord.
    To all those who look on your sufferings carelessly or unmoved,
    Show yourself in your agony, Blessed Lord.
    To all those who enter this Garden in body or spirit, Grant
        everlasting life, Blessed Lord.

THE PASSION OF JESUS – ARREST AND TRIAL BEFORE CAIAPHAS

We may follow the events of his Passion on the stage of history, round the Holy Places of Jerusalem. But the exact identification of places is secondary to our own personal identification with the people and events. For the Passion of Jesus, the Pain of God, is a continuing process, as we continue to be the instruments of his suffering.

GETHSEMANE

Rendezvous

Gethsemane is on the lower slopes of the Mount of Olives facing the Gateway up into the Temple. It was at a junction of tracks leading over the Mount of Olives – a regular meeting point and resting place of Jesus with his disciples, before they entered the city together – or dispersed from the city to their separate lodgings. Luke indeed indicates that, on occasion, they used to spend the night there actually on the hillside. So it was not surprising that Judas could specify the best place for the arrest 'There was a garden there,' says John, 'and he and his disciples went into it.' The place was known to Judas, his betrayer, because Jesus often met there with his disciples. The 'Garden' implied that it was an orchard of olives encircled by a wall which probably enclosed both the present Russian and Franciscan properties.

Prayer and Arrest

In the year 390 the Spanish nun, Egeria, records in her pilgrimage diary that, at the Maundy Thursday night service the congregation came to 'the place where the Lord had prayed – as written in the Gospel: "He withdrew away from them a stone's cast."' Here (she says) was an elegant church in which was read the passage 'Watch and pray that ye enter not into temptation'. Then, all went down to the Gethsemane – 'Gat Shimon' means 'olive press' – where was read the actual arrest of Jesus.

Church

Later pilgrims confirmed this sequence involving the *two* places of the Prayer and of the Arrest – the first being a church and the second a cave. Today the place of the Prayer and Agony is marked by the magnificent modern Church of All Nations, built on the ground plan of the fourth-century church and including sections of the fourth/fifth-century mosaics. The focal point of the earlier and present churches is part of a rock terrace, one among many on the rising hillside, which has always symbolised the rock on which Jesus prayed in his agony of apprehension and decision: 'Nevertheless not my will, but thine, be done.'

Cave

The second place is still a cave of considerable size (some fifty by thirty feet), whose function was to contain the actual oil-press for the olive orchard. The cave would provide shelter for a sizeable group of people, as Luke implies. Although the cave is now furnished as a chapel I think you will find it a vivid illustration of the events. Similarly, the modern mosaics within the alabaster gloom of the church bring home the awfulness of the Agony. 'Jesus went forward a little and fell to the ground and prayed "Abba, Father, all things are possible to thee . . ."' and his sweat became as it were great drops of blood falling down to the ground. 'And while Jesus spake to Judas one of the twelve came – and with him the crowd. Now he that betrayed him had given them a sign: "Whomsoever I shall kiss That is he. Take him"' Jesus said 'Betrayest thou the Son of Man with a kiss?' and 'You seek Jesus of Nazareth? I am he!' The troop arrived with its captain and officers. They took him and bound him and led him away to the House of Caiaphas the High Priest.

HIGH PRIEST'S PALACE

From the Garden of Gethsemane, prisoner and escort returned to the Western Hill, passing down the Kedron Valley, under those monumental tombs, to enter by the Valley Gate at the bottom of Ophel. From there, passing the pool of Siloam, they mounted the ancient stairway to the palace of Caiaphas, where the scribes and the elders were assembled and waiting. John adds a visit to Annas, who sent him back to Caiaphas. There are two separate traditional sites connected with Annas and Caiaphas; the former, of only medieval tradition, has never been fully excavated; the House of Caiaphas has a long history and appears on the Madeba mosaic of the city. It has been thoroughly excavated, as late as 1930, by the Assumptionist Father Bernadine.

St Peter's Church
The excavations at the Church of the Cock-Crowing, if fully understood, provide perhaps the most vivid visual aid and convincing sequence of illustrations of any single Jewish site of the time of Jesus. The Pilgrim of Bordeaux in 333 commented on the ruins of the palace: 'In the same valley above Siloam, you go up to Mount Zion and see the spot where the House of Caiaphas stood.' In 348 Bishop Cyril of Jerusalem recorded the site. In 457 the Empress Eudocia built on the ruins a fine basilica dedicated to St Peter. In 530 the Emperor Theodosius went from the Last

Supper Room to the House of Caiaphas, 'which is now St Peter's Church', he said. About the same time, the author of the Jerusalem Breviary wrote: 'Where St Peter denied the Lord, there is a great basilica dedicated to him.' The Frankish monk – Bernard the Wise, in 840 added more detail: 'From the cenacle, due east – and south of the Temple Area is St Peter's church.' The English Crusader, Saelwolf, in 1102 wrote: 'On the slope of Mount Zion is the Church of St Peter of the Crowing-of-the-Cock.' A twelfth-century monk, Epiphanius, adds: 'And to the right of St Peter's, at three arrow-shots, is the pool of Siloam.'

Four Levels

The present church includes four different levels, built as it is on an almost sheer hillside. Nowadays there is a convenient observation point commanding a bird's-eye view of the City of David (on Ophel) and the Central Valley (once a steep gorge) from the Dung Gate to the Pool of Siloam, and round into the Ravine of Gehenna and Aceldama. From here one can imagine the Babylonian siege in the time of Jeremiah, or the Byzantine city in the time of Eudocia. Perhaps the most impressive man-made feature of both cities, and still to be seen, is the magnificent rock-hewn staircase ascending the Western Hill from the Valley Gate. It was by this route that prisoner and escort reached the High Priest's Palace.

Store

The ruins today still include all the paraphernalia which one would expect to find: vast storage chambers, a complete set of weights and measures on a huge scale, corn stores with staircase entrances, oil stores lined with plaster and with round bottle necks; one door lintel inscribed 'Corban offering'. In fact it is a complete treasury for the Temple Dues.

Courtroom

Do not be put off by the taste of the interior decoration. The mosaic over the high altar is a useful illustration of the rock-hewn courtroom immediately below the church. The prisoner stands on a raised platform or dock in the centre and with his back to the wall, chained by the wrists to an escort on either side of him. Down on the second or courtroom level one can see the galleries and staircases around the court, and imagine Peter warming himself at the brazier and denying his Master. And what else could he do? For the charge was the blasphemy of claiming Messiahship and he, Peter, at Caesarea Philippi, had answered 'You are the Christ' in the presence of the twelve. Once identified as one of the twelve, he could have been subpoenaed as the second witness to give evidence to convict his Master. Indeed it was shortage of evidence and the necessary two witnesses which provoked Caiaphas himself to cross-examine the prisoner.

In most old English courtrooms, from the Mansion House downwards, the staircase down into the cells descends from the centre of the court. So at the High Priest's Palace – once the prisoner is condemned – he can be let down from the centre of the Court into a bottle-necked condemned cell. Here the story of the rescue of Jeremiah during the Babylonian siege by Ebed-Melech the Ethiopian is vividly illustrated. Emaciated by the siege and imprisonment he needed rags from the storehouse to protect him from the rope and, once drawn up out of the mire of the dungeon, he still remained in the court (Jeremiah 38).

Guardroom

Descending again to the third level there is a complete guardroom with staples for prisoners' chains all round the walls. A small window acts as a peephole down into the condemned cell, but cannot be used unless the guard stands up on a stone block. This block was left projecting from the floor for this purpose when the rock-hewn guardroom was originally excavated. Here too is the whipping block where, tied up by the wrists by leather thongs threaded through the stone staples, and anchored by a belt stapled to the block on each side, the prisoner was suspended, taut and helpless. At his feet, carved in the rock, were two bowls – one for salt, to disinfect, if aggravate, his wounds and one for vinegar to revive him. Here the apostles received the legal number of forty stripes save one, thirteen on each side from the back and thirteen on the chest from the front; they were commanded not to preach Christ, yet returned daily to the Temple.

Condemned Cell

Down on the very bottom level is the condemned cell which originally had only two openings – the bottle-neck and the peephole. There are still to be seen the carved and coloured crosses of Byzantine pilgrims venerating the brief stay of their Lord. Here he might have spent what was left of the night, expressing his thoughts and prayers in psalms – perhaps the 88th:

My God, I call for help all day; I weep to you all night.
May my prayer reach you; hear my cries for help for
My soul is troubled; My life is on the brink of Sheol.
I am numbered among those who go down to the Pit, a man bereft of
  strength . . .
You have plunged me to the bottom of the Pit, to its darkest, deepest
  place . . .
In prison and unable to escape, my eyes are worn out with suffering
  . . .
Wretched, slowly dying since my youth, I bore your terrors – now I am
  exhausted . . .
You have turned my friends and neighbours against me, now darkness
  is my one companion left.

(Jerusalem Bible)

Whatever the timing or legality of that trial, it was early in the morning when escort and prisoner – brutally garrotted (as the Dominican scholar Vincent describes) – set out for the Praetorium, where the Procurator Pontius Pilate had been warned to expect him. It was the morning of the first Good Friday.

DAYLIGHT VISIT TO THE GARDEN OF GETHSEMANE

1. *Within the Church of the Tomb of the B.V. Mary*
Tomb shell and ambulatory; Joint ownership of tomb; Muslim-Mihrab
2. *Within cave of olive press*
Double significance of sites of agony and arrest
Luke 21: 37–38
3. *Junction of tracks over saddles of Mount of Olives*
Position of rendezvous and of cave lodging (Luke 21: 37); Bethany/Bethphage; the Galilean Suburb 'Ye men of Galilee'
John 18: 1
4. *Within Franciscan Garden*
Extent of Garden, Kedron and Mount of Olives. Age of olive trees.

5. *Within Church of All Nations*
Plan of Fifth-century church; of 1927 church; Central mosaic,
Rock of Agony today
Luke 22: 44
6. *North Mosaic – Arrival of Judas*
Tradition – kiss of greeting, disciple to rabbi
John 18: 3; Mark 14: 41; Matt. 26: 47
7. *South Mosaic – The surrender*
The falling to the ground; who were the police at the arrest?
John 18: 4–6; Matt. 26: 57; John 18: 14

HIGH PRIEST'S PALACE, WESTERN HILL, ST PETER OF THE COCK-CROWING

1. *Observation Point above church*
Valley of Gehenna, Field of Blood; Convent and Tombs of Acaldama
Matt. 27: 3–10
2. *Balcony of church*
Stone staircase, storage chambers, donkey mill; Function of
palace, Trespass offerings, Weights and measures
Lev. 5: 14–19
3. *Back of church interior*
Trial scene on mosaic; The Verdict; Time and legality of trial
Mark 14: 55ff.
4. *Courtroom*
Rock stairs, dock, corners, galleries; Match with altar mosaic;
Peter, the potential witness and his denial.
Matt. 26: 69ff.
5. *Courtroom*
Bottle-neck of condemned cell; mocking by Sanhedrin or soldiery
Jer. 38: 1–13
6. *Guardroom*
Light niche and staples; block for sentry to stand on
Luke 20: 63–65
7. *Whipping block*
Staples in block, rock bowls at feet, 39 lashes; Apostolic floggings
– Peter, John, Paul
2 Cor. 11: 24

8. *Within condemned cell*
Pilgrim crosses, Byzantine stairs, Bottle-neck, Jesus cf. Jeremiah. Psalm 88; Lord's Prayer

CONTINUATION OF THE PASSION OF JESUS – PILATE

PONTIUS PILATE'S PRAETORIUM

North Wall Fortresses
There were two great fortresses protecting the North Wall (what Josephus called the second wall) of the city: at the west corner Herod's Garden Palace, now called the Citadel, at the east corner the Antonia Fortress. The Roman procurators normally resided in Caesarea, a vast military barracks and seaport – a mixture of Portsmouth and Aldershot. When visiting Jerusalem, they usually stayed in either of these two palace/fortresses, selecting which one according to the political situation of the moment. The Citadel dominated and controlled the Upper City. The Antonia dominated and overlooked the Temple Area. At the time of Passover, the Antonia, being closer to the sparking point of riot in the Temple Area, was likely to prove the better headquarters and was actually the vast fortress, crammed with garrison troops. Herod's Palace, though more sumptuous and comfortable, could be cut off by riots from the Temple. Subsequent procurators discovered this and had to despatch reinforcements singly, only lightly armed and in plain clothes, in order to penetrate the rioting crowds and road blocks.

Which was the Praetorium?
It is still not 100 per cent certain to which of these two fortresses Jesus was taken that morning. The Greek word used in the Gospels, 'Praetorium', refers to the mobile judgment seat of the Praetor or Procurator, rather than to a specific place. The tribunal, or place of judgment, could be established merely by posting his

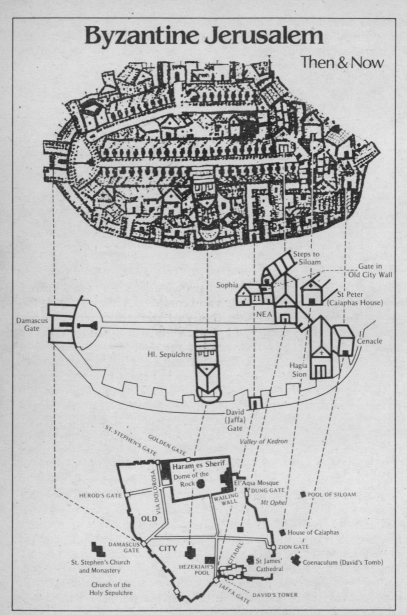

Byzantine Jerusalem

Then & Now

Steps to Siloam

Gate in Old City Wall

Sophia

St Peter (Caiaphas House)

NEA

Damascus Gate

Cenacle

Hl. Sepulchre

Hagia Sion

David (Jaffa) Gate

ST. STEPHEN'S GATE

GOLDEN GATE

Valley of Kedron

Haram es Sherif
Dome of the Rock

El'Aqsa Mosque

HEROD'S GATE

VIA DOLOROSA

WAILING WALL

DUNG GATE

Mt Ophel

POOL OF SILOAM

OLD

House of Caiaphas

DAMASCUS GATE

CITY

ZION GATE

CITADEL

St. Stephen's Church
and Monastery

HEZEKIAH'S POOL

St James' Cathedral

Coenaculum (David's Tomb)

Church of the
Holy Sepulchre

JAFFA GATE

DAVID'S TOWER

tribune outside the door of any building with his shield and lance or pennant, rather like the royal standard or admiral's pennant. The judge traditionally sits on his woolsack, the Procurator delivered judgment from his curial chair.

Both the fortresses have their weaknesses in illustrating the gospel story. The Citadel/Palace had no *'gabbatha'*, or pavement. The Antonia had no gallery from which Pilate might have addressed the crowd. Christian tradition however early chose to locate the Praetorium (seat of the Procurator) at the Antonia. In the Middle Ages, the devotional Via Dolorosa began from the Antonia site. Some forty years ago, Père Vincent's excavations revealed the massive scale and features of the Antonia.

Whereas Herod's Palace with its gardens, aviaries and fountains was protected by three independent towers, the Antonia was a gigantic quadrilateral cut almost entirely out of the rocky hill, 170 yards long by nearly 100 yards wide.

Antonia Plan

The Antonia Fortress was well protected by powerful corner towers, as much as 110 feet high and completely commanding the entire Temple Area. Within this vast perimeter were all the installations of a palace and a completely self-sufficient military camp. From the catwalks linking the towers, sentries soon observed any disturbance in the Temple courtyards and were quick to turn out the guard, which could be down in the Temple cloisters in a matter of moments. This was just as well for the Apostle Paul, who was being lynched by the crowd, until rescued by the guard and 'carried up the steps of the castle, for the violence of the people' (Acts 23). The outstanding feature was without doubt the central open courtyard, or parade ground, of 2500 square metres. It served many purposes: (1) It gathered water which was channelled into massive cisterns, which had to provide for the legions of troops, sometimes besieged there for months at a time. (2) It served as a meeting place between delegations from the city and the administrative and military representatives of the Roman occupation forces. (3) With its vast pavement, polished by countless parades and surrounded by tall cloisters, it was the heart of the fortress whose activity it regulated. Nowhere in Jerusalem is there more impressive and explicit evidence – nor more appropriate a setting for the place where Pilate pronounced the sentence which sent Jesus on his way to Calvary.

ARRIVAL OF PRISONER

So in the early morning of that Friday, the eve of the Fifteenth Nisan in the year 30, leaving the High Priest's Palace, prisoner and escort set out followed by the crowd. They crossed the viaducts from the Western Hill to the Temple cloister, left the city by the Fish Gate and went along under the rampart of the north wall to appear before the great double gate of the Antonia. The gate was outside the city wall, as though fearing less from without than from within, and with good reason. Prisoner and escort proceeded through one side of the double gate (there was one-way traffic) and emerged on the pavement. The water runnels still lead down into the cavernous vaulted cisterns and the cistern tops, set in the pavement, still bear the marks of locks and chains. The counter-weights and pulley are still visible. Meanwhile, the crowds gather and cram into the gateway, rather than risk the defilement of entering a pagan fortress before the Passover Festival.

PILATE TAKES HIS SEAT

St John says that 'Pilate sat down in the judgment seat in a place that is called the Pavement, in the Hebrew Gabbatha.' The two eastern square towers accommodated the troops. The two near (or western) towers were primarily defensive and contained the administrative offices. The chariot-way runs straight through the gateway across the pavement and down a ramp into the stables under the square towers. In the centre of the fortress there is a small tower to the right of the chariot-way, with a separate staircase from the pavement. That tower housed the Procurator's private apartments and his curial chair would be set at the top of his private staircase. Preliminary interrogation revealed that Jesus, as a Galilean, could be passed to Herod for judgment. Once more the prisoner, securely bound, and escort retrace their route to the Garden Palace. Luke's description of the mocking and making fun by Herod's court is very vague, but conceals a vicious and humiliating degradation. The carnival atmosphere of the Herod scene in *Jesus Christ Superstar* was full of oriental burlesque and sordid sexuality. When goodness was the sport of spite, the 'mocking' involved cruel, if not actually physical, horseplay. I suppose the Herod fiasco must have taken up a very nasty hour, before his return to Pilate in the 'gorgeous robe'.

THE TRIAL AND SENTENCE

Mark's Account

There are three rather different accounts of the trial: Mark's version is probably the earliest. This account reflects the undeniable fact that Jesus was convicted by Roman authority, represented by Pilate. Morally the Jewish Sanhedrin and Caiaphas were responsible, but the form and execution of the punishment were Roman. The charge was changed from blasphemy to treason. To Pilate, the case must have appeared similar to that of Barabbas, another agitator but with a record of violence. Though Pilate offers to release Jesus, the crowd demands the release of Barabbas and the crucifixion of Jesus. Jesus silently refuses to refute the charge. Pilate succumbs to Jewish pressure and sets the normal crucifixion process in motion. He condemns the prisoner to scourging and execution. The writer is not really concerned with the personalities responsible, but only with the purposeful progress of Jesus through his Passion.

Luke's Version

Luke's version is noticeably different. Writing to the Roman aristocrat Theophilus he tries to show that Rome, represented by Pilate, is responsible for neither the conviction nor the crucifixion of Jesus. The charge of treason is very specific and cannot be disregarded by Pilate but, after cross-examination, Pilate is convinced of the prisoner's innocence. He announces his intention to acquit no less than three times, but is shouted down again and again, until forced to convict. There is no scourging, only an inevitable surrender to pressure.

John's Record

John's account, though only published at the end of the first century, after the death of all those concerned, is completely fresh and independent of all other accounts. How John secured the record of the case before Pilate is a mystery. Perhaps he, John, was there and overheard, but his account is beyond the art of fiction and carries the hallmark of truth and topographical accura-

cy. Irritated by clumsy attempts to steam-roller him into convict-
ing, Pilate takes Jesus up the stairs into his own private apartments and is surprised at the quiet dignity of this unconvincing
rebel. 'Are you the King of the Jews? What have you done?' and
gets the real answer: 'My Kingdom does not belong to your kind
of world!' 'So you are a King?' 'That's why I came into this world!'
However exasperated Pilate may have been, he was convinced
both of the sincerity and harmlessness of his prisoner. He was
aware of the fraud and manipulation of Caiaphas – and offered to
exercise the usual Passover amnesty, but he had forgotten Barabbas. 'Not this man, but Barabbas.'

Scourging

Seeing he had to do something to conciliate the crowd in order to
avoid the death sentence, Pilate had the prisoner scourged –
probably in view of the people, in order to evoke their sympathy.
Scourging was the first prescribed preliminary to every crucifixion and the Turin shroud illustrates the whole process with
horrific clarity. The scourge or 'flagrum' was a short knout on the
end of which were a number of leather throngs, in the case of the
shroud victim, three thongs. These were each studded with a pair
of heavy crude pellets or spiked balls about two inches apart,
leaving double puncture-type wounds, shaped like dumb-bells.
Thus each lash of the scourge produced six wounds on the body,
multiplying the number of strokes. The scourges were applied
from the shoulders down to the calves of the legs, by two soldiers,
converging from each side. In the case of the shroud, the number
of strokes was excessive, more than 120, and the suspension of
the prisoner over a pillar designed for the purpose ensured
accuracy.

Mocking

It was after the scourging, according to John, that the soldiers
took the prisoner to their guardroom. There they had the opportunity to vent their detestation upon this representative (who
called himself 'King') of the hated Jewish race. Just how they did
so is well illustrated by carvings in the pavement at the foot of the
troops' stairways. Among a variety of knuckle-boards and hop-
scotch designs covering several flagstones, there are the following signs: the 'B' for Basilicus, meaning 'King', described by
Plautus as derived from the Saturnalia, in which a burlesque king
is chosen, mockingly honoured and saluted, before being killed.

So, in the crucifixion squad, each soldier would adopt as his stake one of the condemned prisoners. The winner in the game of bones would crown his own 'stake' with a crown of thorns in a mocking guardroom ceremony. The king, thus crowned, would receive his soldier's homage, his swagger-stick as sceptre and his military cloak as a royal robe. All the guardroom would hail him 'Basilicus Judaiorum!' This indeed gives meaning to the Gospel account of the mocking.

The crown of thorns is illustrated on the shroud as a form of barbed cap thrust over the whole of the top of the head and leaving deep triangular punctures. This would accord with a clump of camel-thorn taken from the brazier-fuel, rather than a narrow circlet of thorns. Military and guardroom morals are very different on and off parade. When the guard are dismissed and fall out to become gaolers – then blind efficiency can give place to blind brutality. Remember that it was after a scourging that the hate of ignorant soldiery, with absolutely no understanding for any foreign faith or culture, was unleashed on a prisoner virtually paralysed by pain and fear. Then, what might have been trivial comedy was transformed into the macabre bestiality of the circus.

Ecce Homo

When the prisoner was returned to Pilate in a condition to draw pity from the crowd, Pilate presented him, with the words 'Ecce Homo!' – 'Behold the Man!' – or more contemptuously perhaps, 'See, here the fellow is!' He had, however, underestimated the determination and cunning of Caiaphas, as he must have realised when the crowd still demanded the death penalty. In his frustration and annoyance, Pilate once again attempted to pass the buck: 'Take him yourselves and crucify him, for I find no crime in him.' This finally stung the Sanhedrin into stating their real case against the prisoner, for which they had themselves convicted him – blasphemy. 'The Jews answered him, "We have a law, and by that law he ought to die, because he has made himself the Son of God." When Pilate heard these words, he was the more afraid.' (John 19: 7,8)

Interrogation

Once again entering the Praetorium, Pilate attempted to re-examine the prisoner. His sudden fear may have been due to his growing apprehension that his prisoner was perhaps out of the ordinary. The sceptic had become perplexed and superstitious, he wished to test the prisoner's claim to divine origin: 'Where are you from?' But the prisoner remained silent. When Pilate reminded him of his procuratorial power of life and death, the prisoner calmly rejected both Pilate's authority and indeed Pilate's significance in the situation. 'Jesus answered him, "You would have no power over me unless it had been given you from above; therefore he who delivered me to you has the greater sin." ' (John 19: 11). The real issue was between the prisoner and Caiaphas, in whose hands Pilate was merely a tool.

The truth of this was clearly shown within the next and final moments of this so-called trial. Pilate, more than ever convinced of the prisoner's innocence and harmlessness, once again went out to the crowd. But before he could even speak the Jews 'yelled' (the literal translation): ' "If you release this man, you are not Caesar's friend; every one who makes himself a King sets himself against Caesar." When Pilate heard these words, he brought Jesus out and sat down on the judgment seat at a place called The Pavement, and in Hebrew, Gabbatha. Now it was the day of Preparation of the Passover; it was about the sixth hour. He said to the Jews, "Behold your King!" They cried out, "Away with him, away with him, crucify him!" Pilate said to them, "Shall I crucify your King?" The chief priests answered, "We have no King but Caesar." ' (John 19: 12–15).

Condemnation

Outmanoeuvred by a people whom he had not even begun to understand, his already precarious reputation in Rome dangerously threatened, deafened by the clamorous bloodlust of the crowd, Pilate's resistance collapsed. He signed the death warrant and handed the prisoner over for crucifixion. Perhaps he gained some revenge by his choice of words in the title nailed to the cross of Jesus in Hebrew, Latin and Greek: 'Jesus of Nazareth, the King of the Jews.'

The three prisoners, Jesus and two bandits or guerillas, with their escort, were formed up on the Pavement. The procession passed out of the fortress through the great double gate with its two guardrooms on to each chariot-way. The prisoners carried their huge cross-beams along the road to the traditional 'Place of the Skull', or Execution Hill.

PROCURATOR'S PRAETORIUM (TRADITIONAL), ANTONIA FORTRESS, SISTERS OF SION

1. Government school (Omariya)
Windows down into Temple Area; Position of Fortress in relation to Temple; Plan and purpose of fortress – sentry cat-walk.
Acts 21: 27–32

2. Chapel of Flagellation
Character portrayals (i) Barabbas – Jesus of Nazareth, cf. Jesus Barabbas (window south)
Matt. 27: 12–18, 21b
(ii) Pilate – cf. Pontius the Pikeman (window north)
Matt. 27: 22–26

3. Ground floor or basement – Model room in convent
 (i) North wall plan; position of both fortresses; purpose of fortress location
John 18: 28–29
(ii) Fortress model; 2 curtain towers, 2 barrack towers, Procurator's quarters; Purpose of Gabbatha

4. Pavement level
Cistern water supply (visit cistern if time); Cistern top and water runnel; Block and tackle, counter-weight, chain marks, locking top
John 19: 23b–24

5. Pavement near games
Illuminated photo; Soldiers' gambling boards; The game of 'King' – 'crown and sword', barrackroom horseplay
Matt. 27: 27–29

6. Striated chariot-way and wall mosaic
Position of Pilate's personal apartments, chariot garage etc.; Pilate's personal interrogation – John's source; scourging method
John 18: 33–40

7. Shopping – Exit into Street – Re-Enter to Convent Chapel

8. Sitting in back of chapel
Note altar arches, which are Hadrianic, cf. vast, rock-hewn, first-century double gateway in which you are sitting, ten foot up within the north gate!
John 19: 15–17

9. *Within northern guardrooms*

Look across gateway; pattern in *each* gateway the same: guard-room with chimney, pavement, chariot-way, wall; Roman one-way traffic: in one gateway, out the other.

NB: The key of the 'Corps de Garde' may be obtained at the Convent entrance.

> Almighty God,
> whose most dear Son went not up to joy
>   but first he suffered pain,
> and entered not into glory before he was crucified:
> mercifully grant that we, walking in the way of the cross,
> may find it none other than the way of life and peace;
> through Jesus Christ our Lord.

WAY OF THE CROSS, DEVOTIONS FROM CONDEMNATION TO RESURRECTION, ANTONIA TO TOMB

NB: Historically the stations have varied. The present ones approximate the fifteenth-century Franciscan route. Most are found in the Gospel, some in legend. Falls are linked with gateways in and out of the city. Station vi (Veronica) needs explanation: the story tells of her in the crowd, running forward to wipe his brow with her headdress. Taking back the cloth she is left with the true likeness (*vera icon*) of his face. Thought historically unlikely, the story challenges with an opportunity of prayer to face the countenance of God. The street scenery of each station can evoke penitence and love, both for the individual and for a group. Keep silence – do not be worried by distractions.

NO./STATION	EVENT/TITLE	TEXTS	THOUGHT
Rooftop view – from topmost balustrade	Orientation of Via Dolorosa		Puzzle out north wall, fortresses, Calvary, Judgment Gate
I Either under Arch *or* in School courtyard	Jesus is condemned	Matt. 27: 24–26	Knowing Jesus to be innocent, Pilate calculates the need to avoid Roman reprimand and to save face. Political compromise
II Convent Gateway above Antonia Gateway	Jesus is made to carry his cross	Isa. 53: 3 Mk. 15: 20	Give us courage to face rejection (rather than compromise) at the cost of carrying our cross for Jesus
III Polish Chapel corner, site of Fish Gate?	Jesus falls under the cross	Isa. 53: 4 Heb. 2: 6–9	A mural depicts the hosts of Angels in utter amazement looking down on the fallen figure of Jesus above the altar

NO./STATION	EVENT/TITLE	TEXTS	THOUGHT
IV Plaque above doorway opposite café	Jesus meets his mother	Isa. 54: 6–7 Luke 2: 34–35	Remember the Wise Man's gift of Myrrh and Simeon's prophecy of the sword. This is the moment – though Mary was always losing and finding him – aren't we too?
V Plaque above doorway in corner	Simon of Cyrene made to carry the cross	Luke 9: 23 Mark 15: 21	Mark must have known Simon's sons, Alexander and Rufus in Rome! Was Simon converted by carrying the Cross? Are we?
VI Within Chapel of Little Sisters of Charles Foucauld	Veronica wipes the face of Jesus	Isa. 53: 2 2 Cor. 4: 5–6	'Veronica' means 'true likeness'. The single icon in chapel. The compassionate presence and silent witness of the Little Sisters who wipe the faces of the poor in Jerusalem today.

NO./STATION	EVENT/TITLE	TEXTS	THOUGHT
VII Plaque above door corner of *suq*	Jesus falls the second time	Isa. 53: 5	The noise and the crowds were there in Jerusalem on *that* eve of Passover. 'Is it nothing to you all ye who pass by?'
VIII Wall plaque up Francis Street	Jesus speaks to the women of Jerusalem	Luke 23: 27–28 and 31	The Women's Guild of Sympathy at the Judgment Gate offer drugged wine. He refuses. Do we avoid or face our problems?
IX Within Russian excavations, basement	Jesus falls the third time	Isa. 53: 6 Heb. 2: 17–18	The stumble on the threshold of the Judgment Gate, leading out to Calvary. Note the Russian icon of the 'Crowned Christ' on wall.
X Within Russian excavations, chapel	Jesus stripped of his garments	Isa. 63: 2 John 19: 23–24 Ps. 22: 18	As the athlete takes off his track-suit before the contest, so Jesus is left with nothing. Look at Russian pictures in silence.

NO./STATION	EVENT/TITLE	TEXTS	THOUGHT
XI Holy sepulchre in *Latin* Calvary	Jesus nailed to the cross	Mark 15: 22 Luke 23: 24	The courage to submit to the control and cruelty of others. Abraham's sacrifice of Isaac prefigures God's sacrifice of Jesus (see mosaic). Pray for all whose work it is to inflict pain.
XII Greek Calvary KNEELING	Jesus dies on the Cross	John 19: 30 Agnus Dei O Saviour of the World . . .	With arms outstretched for all mankind, he gives his life. The power and wisdom of God died for man, but the so-called foolishness and weakness of God is wiser and stronger than man.
XIII Stone of anointing	Jesus is taken down from the cross	Luke 23: 50–53 John 19: 39	Only a Crusader tradition site, between Calvary and Tomb, but still deeply reverenced by all, as they enter the Church. Mural.

NO./STATION	EVENT/TITLE	TEXTS	THOUGHT
XIV Within tomb *or* as group in Chapel of Apparition	Jesus laid within the sepulchre	John 19: 41	We are buried with Christ by baptism into his death, but raised with Christ to walk in newness of life, his risen life.
XV Chapel of St Helena	Jesus risen from the dead	Mark 16: 1–9 Easter anthems	The pilgrimage of the women to the tomb had become a weekly Liturgical devotion of the Christian community in Jerusalem, on the first day of the week, by the time Mark wrote?

V/ THE LORD IS RISEN
R/ HE IS RISEN INDEED. ALLELUIA!

> Almighty Father,
> look with mercy on this your family
> for which our Lord Jesus Christ
>   was content to be betrayed
>   and given up into the hands of wicked men
>   and to suffer death upon the cross;
> who is alive and glorified
>   with you and the Holy Spirit,
> one God, now and for ever.

> Almighty God,
> who in the passion of your blessed Son
> made an instrument of shameful death
> to be for us the means of life:

grant us so to glory in the cross of Christ
that we may gladly suffer for his sake;
who is alive and reigns with you and the Holy Spirit
one God, now and for ever.

Merciful God,
who made all men and hate nothing
    that you have made:
you desire not the death of a sinner
but rather that he should be converted and live.
Have mercy upon your ancient people the Jews,
and upon all who have not known you,
or who deny the faith of Christ crucified;
take from them all ignorance, hardness of heart,
    and contempt for your word,
and so fetch them home to your fold
that they may be made one flock under one shepherd;
through Jesus Christ our Lord.

Grant, Lord,
that we who are baptised into the death
    of your Son our Saviour Jesus Christ
may continually put to death our evil desires
    and be buried with him;
that through the grave and gate of death
we may pass to our joyful resurrection;
through his merits, who dies and was buried
    and rose again for us,
your Son Jesus Christ our Lord.

CHURCH OF THE HOLY SEPULCHRE AND RESURRECTION – STAGE PROPERTY OF MAN'S REDEMPTION

GARDEN

'Now in the place where he was crucified there was a garden, and in the garden a new tomb where no one had ever been laid. So because of the Jewish Day of Preparation, as the tomb was close at hand, they laid Jesus there.' John 19: 41–42. The Passion of Our Lord is fully described: 'nigh to the city – outside the gate'. The first followers of Our Lord must have known exactly where the events took place.

OUTSIDE THE WALL

If the sepulchre was in a garden, the tomb was that of a very well-known member of the Sanhedrin, Joseph of Arimathea. He had hewn it out of the rock himself. This garden was presumably his own private property. Even when Herod Agrippa, in extending the city, enclosed it within the walls, the garden would not have been built on. Because it had been a burial place, it was unclean land. If it had remained in Christian hands, how easy it would have been to point out to future generations where these great events had happened! There is a natural instinct in all men to remember the sites of great historical happenings; surely, this site would have been preserved by early Christians. They would point out to their children the sacred places so carefully described in the Gospels.

FIRST REVOLT

In A.D. 66 began the revolt of the Jews against the power of Rome, which ended in the destruction of Jerusalem, under Titus, in the year A.D. 70. From the crucifixion to A.D. 70 was forty years at most, too short a time for anyone to believe that these sacred places could be 'lost'. We come now to a sad period in the history of Jerusalem, from A.D. 70 to 135, a period of sixty-five years. The city was traditionally sacked and razed to the ground. But conquerors tend to exaggerate the damage they inflict upon their enemies. At any rate, repopulation and reconstruction began at once, on a modest scale. Although the city had lost all its old splendour, life began to return to normal. The battle-scarred city rose like a phoenix from its ashes.

The Christian community in the city, however small, continued to exist, for we have records of every single bishop of Jerusalem during this period. Although Titus is said to have destroyed the city, the sites of the crucifixion and resurrection, never having been built over, must have been comparatively unaffected by the rubble of destruction. There they remained for the faithful to see. The bishops of Jerusalem must have pointed them out. And it may safely be said that the tradition of these holy places continued, during these unhappy years.

HADRIAN

Once again, revolt broke out in the year 135, under Bar Cochba. Once again, the city suffered defeat and demolition. Hadrian captured and entirely rebuilt it, on the lines of a Roman colonial city. He renamed it Aelia Capitolina. He again moved the city northwards and even excluded the Temple Area! He constructed a main road north and south, through the city. Halfway along this were the forum and the capitol. He exiled the Jewish inhabitants of the city. Considering the Christian religion a Jewish sect, he tried to erase or desecrate the Christian sites. Hadrian built a great concrete terrace over the two sites of the crucifixion and resurrection. On this he erected a statue of Jupiter over Calvary and a temple of Venus over the tomb. (This part of the terrace is still to be seen in the Russian excavations.) Hadrian's action however had exactly the reverse result to what he had planned. For, under the providence of God, that mass of concrete served to mark indelibly the site of our redemption.

GENTILE CHURCH

For the next two hundred years, Aelia Capitolina remained a Roman colony. Christians of Jewish faith were exiled, but Christians of Graeco-Roman origin were allowed to stay. The Church in Jerusalem grew and prospered as a Gentile Church, but kept in communion with the exiled Judaeo-Christians outside. We have again a record of all the Graeco-Roman bishops of Aelia. There begins at this time a record of pilgrimage and of interest in the holy places, although they were still hidden and covered by Hadrian's concrete. In the time of Constantine in the fourth century, Christianity was not only well established, but there is good reason to believe that the exact location of the holy places was known from a tradition going back to apostolic times.

CONSTANTINE

On his conversion to Christianity, the Emperor Constantine decided 'To make that most blessed spot, the place of the Resurrection, visible to all and given over to veneration'. Those were the words of the historian Eusebius of Caesarea, who gives a very clear account of the finding of the tomb. He shows that the holy places specifically desecrated were indelibly marked by Hadrian's statue and temple.

Perhaps Constantine, like us, was surprised to find these sites inside the then city walls. If he had just intended to found a place of pilgrimage in honour of Christ, would not he have chosen a site outside the walls? Macarius was bishop of Jerusalem at that time and pointed out the sites to Constantine, within the city. Then began the destruction of one emperor's temple of the imperial state religion by another emperor, and this for the sole purpose of erecting the central shrine of Christendom! In a letter to Bishop Macarius, Constantine wrote: 'No words can express how good the Saviour has been to us. That the monument of his Holy Passion, hidden for so many years, has now been at last restored to the faithful is indeed a miracle. My great wish is, after freeing the site of impious idols, to adorn it with splendid buildings.'

Excavation

Constantine planned to make these holy places an object of Christian pilgrimage and devotion. So he set about the task in this order: (1) demolition of pagan shrines, (2) excavation of concrete podium, (3) discovery of the knoll of Calvary and of the tomb below, (4) levelling off to form a floor level for his church, (5) excavation into the hillside to build a rotunda for the Anastasis, a circular ambulatory round the tomb of Christ.

(a) He left the shell of the tomb in a circular space, or rotunda.

(b) He left a symbolic cuboid of the rock of Calvary.

 (i) Of the shell of the tomb Eusebius wrote: 'Is it not astonishing to see this rock standing isolated in the middle of a levelled space and with a cave inside it?'

(ii) Of the cuboid rock, he describes how the token 'mound' stood with a single cross on top – in an open colonnaded court.

BASILICA WITHIN THE CITY

The cathedral or 'Martyrium' was beyond this open court. It was entered through an atrium or courtyard, from the open street, which ran at right angles to the axis of the church (east to west). We can see in the Madeba Mosaic the magnificent setting of the basilica, within the Byzantine city: to the north was the Damascus Gate, at which there was a single colossal column. Indeed the Arabic name for the Damascus Gate is still 'Bab-el-Amoud', Gate of the Column. From this column ran a colonnaded street, all through the city, to the great façade of the basilica. This façade included part of the city wall from the time of Christ, adapted and faced with white marble – against which there was an imposing line of black basalt columns. The three entrances into the basilica are still to be seen behind the Arab market, or *suq* – one in a café, one in a Russian convent, one under the Coptic convent. The crypt of the Constantinian basilica, also still to be seen today, was the cistern in which were found three crosses. One of these was 'identified' as the true cross.

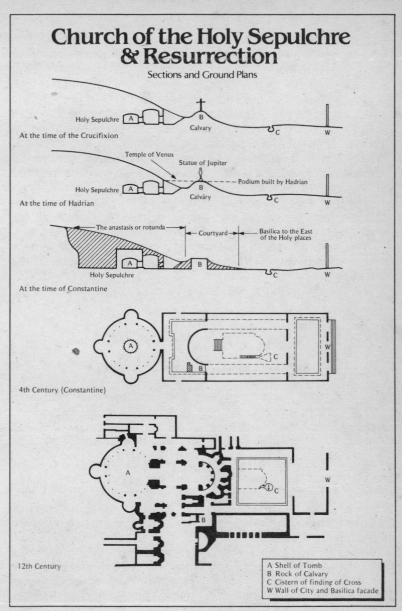

Church of the Holy Sepulchre & Resurrection

Sections and Ground Plans

At the time of the Crucifixion

Holy Sepulchre · A · B · Calvary · C · W

At the time of Hadrian

Temple of Venus · Statue of Jupiter · Podium built by Hadrian · Holy Sepulchre · A · B · Calvary · C · W

At the time of Constantine

The anastasis or rotunda · Courtyard · Basilica to the East of the Holy places · Holy Sepulchre · A · B · C · W

4th Century (Constantine)

12th Century

A Shell of Tomb
B Rock of Calvary
C Cistern of finding of Cross
W Wall of City and Basilica facade

CRUSADER CHURCH TODAY

The present Crusader church, telescoped somewhat for security and defensive purposes, does not include most of the Constantinian cathedral nor its crypt – but this lies underground outside. As we penetrate the dark and dingy Crusader passages we shall come upon the little chapel of Adam – immediately under Calvary. There we shall see part of the cuboid rock which rises up into the Chapel of Calvary above.

Here, Père Couasnon, able to excavate for the first time in eight hundred years, found that the rock was still fourteen feet wide by fourteen feet long – with a height of at least thirty feet! It is not for nothing that the endless stream of pilgrims – some with bare feet – some with dripping swords – some who see it all through the range-finder of their cameras – flows past the rock and the tomb.

'For in that Christ died – He died unto Sin once – and in that He liveth, He liveth unto God. As in Adam all die – even so in Christ shall all be made alive.'

THE GARDEN TOMB

PIETY

General Gordon, hero of Khartoum, became convinced in 1883 of the identity of the small hill behind the present Old City bus station, as the site of Golgotha. From a window in what became the Bertha Spafford Vester Baby Home, he distinguished the features of a 'Skull Hill', which he read as a ring contour on a map of Jerusalem, tracing the body too within other contours due southwards. Below his Golgotha and set into the cliff face is a fine two-roomed first-century tomb which has suffered some Byzantine 'tooling'. This tomb, set in a beautiful garden, cannot claim sixteen centuries of tradition, as can the Holy Sepulchre. Because it stands outside the existing walled city, in the setting of a well-cared-for garden, with opportunity for quiet prayer near a

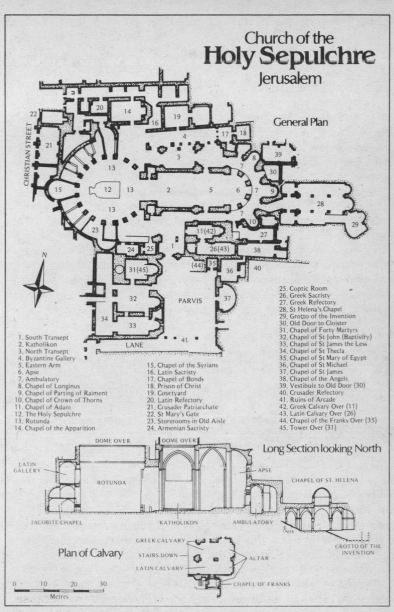

Church of the
Holy Sepulchre
Jerusalem

General Plan

CHRISTIAN STREET

PARVIS

LANE

N

1. South Transept
2. Katholikon
3. North Transept
4. Byzantine Gallery
5. Eastern Arm
6. Apse
7. Ambulatory
8. Chapel of Longinus
9. Chapel of Parting of Raiment
10. Chapel of Crown of Thorns
11. Chapel of Adam
12. The Holy Sepulchre
13. Rotunda
14. Chapel of the Apparition
15. Chapel of the Syrians
16. Latin Sacristy
17. Chapel of Bonds
18. Prison of Christ
19. Courtyard
20. Latin Refectory
21. Crusader Patriarchate
22. St Mary's Gate
23. Storerooms in Old Aisle
24. Armenian Sacristy
25. Coptic Room
26. Greek Sacristy
27. Greek Refectory
28. St Helena's Chapel
29. Grotto of the Invention
30. Old Door to Cloister
31. Chapel of Forty Martyrs
32. Chapel of St John (Baptistry)
33. Chapel of St James the Less
34. Chapel of St Thecla
35. Chapel of St Mary of Egypt
36. Chapel of St Michael
37. Chapel of St James
38. Chapel of the Angels
39. Vestibule to Old Door (30)
40. Crusader Refectory
41. Ruins of Arcade
42. Greek Calvary Over (11)
43. Latin Calvary Over (26)
44. Chapel of the Franks Over (35)
45. Tower Over (31)

Long Section looking North

LATIN GALLERY

DOME OVER   DOME OVER   APSE

ROTUNDA   CHAPEL OF ST. HELENA

JACOBITE CHAPEL   KATHOLIKON   AMBULATORY   GROTTO OF THE INVENTION

Plan of Calvary

GREEK CALVARY
STAIRS DOWN
LATIN CALVARY
ALTAR
CHAPEL OF FRANKS

0 10 20 30
Metres

superb illustration of the Resurrection story, it has inspired millions of the more Protestant Christians, to whom the Holy Sepulchre is a less attractive, though more probable site.

ILLUSTRATION

It has already been said in general that the exact location is secondary to our personal identification with the people and events linked with a site. How best to use the illustration will depend upon the nature of the group or individual pilgrims concerned.

To read and meditate and live the Easter proclamation in Mark 15: 46–16: 8, as presented on the next pages, may be helpful, as may also be the acting out by members of the group and with a narrator, of the events of John 20: 1–18.

Then, whatever the reading, having placed within the tomb some linen (or white cassock) and a separate napkin (or scarf), allow the pilgrims to see and think for themselves. There is plenty of space for a communion facing the tomb. There is a 9 a.m. service every Sunday and a sunrise service every (Western calendar) Easter dawn.

ROLLING STONES

There is a very simple, small rolling-stone tomb in the garden of the Franciscan convent at Bethphage. The stone can easily be moved and the tomb opened. In addition, it is conveniently near to the Palm Sunday Walk route.

In the northern part of the city, east of St George's Close, in Saladin Street, are the so-called Tombs of the Kings. These were in reality the burial vault of the family of Queen Helena of Adiabene on the Tigris. When a widow, she settled together with her son Izates, in Jerusalem in the year A.D. 45. She became a proselyte to Judaism and was renowned for the generosity with which she helped to relieve the victims of a famine, mentioned incidentally in the Acts of the Apostles. The bodies of Helena, Izates, and some twenty of his sons were buried here. A broad staircase leads down into a courtyard thirty metres square, cut out of the rock. A large vestibule leads to the thirty-one tombs, through a low doorway which still has a fine example of a rolling stone (Acts 12: 28).

RESURRECTION TRADITIONS
– GALILEE AND JERUSALEM –
LITURGY OF THE EMPTY
TOMB IN THE GARDEN

TWO TRADITIONS

The 'Jerusalem and Emmaus' tradition is discussed on page 104. The 'Galilee' tradition is directly linked with the empty tomb. However distant from Jerusalem that single, vital and vivid Lakeside appearance in John 21, the Apostolic Church accepted it, but developed the Jerusalem tradition as paramount. It is as though the Galilean tradition was based on history and the Jerusalem one on theology, because both the Apostolic Church and Proclamation of Resurrection 'had' to set out from Jerusalem! (Acts 1:8).

GALILEE REFERENCES

1. On the way out to Gethsemane, Jesus had warned: 'You will all fall away, for it is written, "I will strike the shepherd and the sheep will be scattered." But after I am raised up, I will go before you to Galilee.' (Mark 14: 27–28).
2. In exactly the same context (John 16: 32): 'The hour is coming, indeed it has come, when you will be scattered, every man to his home.' For all but Judas Iscariot, that meant Galilee.
3. Later, in Gethsemane at his arrest, Jesus asks: 'Let these men go'. . . and they fled for their lives; where could they go but home to Galilee? (John 18: 8).
4. Matthew's angel in the Tomb proclaims: 'He is going before you to Galilee' (28: 7). Jesus himself hails them: 'Go and tell my brethren to go to Galilee' (28: 10). The Apostolic Commission and promise are given on a mountain in Galilee (28:16).
5. John's final Lakeside scene of recognition and encouragement, ends appropriately with the personal commission and destiny of Peter and John, by their beloved Galilee.

EARLIEST PROCLAMATION

The key and earliest passage (except for 1 Corinthians 15: 5) is in
the final verses of Mark's Gospel (15: 46–16: 8) in the Jerusalem
Bible: 'Joseph of Arimathea bought a shroud, took Jesus down
from the cross, wrapped him in the shroud and laid him in a tomb
hewn out of the rock. He then rolled a stone against the entrance
to the tomb. Mary of Magdala and Mary the mother of Jesus were
watching and *took note of where he was laid.*'

When the sabbath was over, Mary Magdalene, the other Mary
and Salome brought spices with which to go and anoint him.
Very early on the first day of the week, they went to the tomb, just
as the sun was rising. They had been saying: 'Who will roll us
away the stone from the tomb?' But when they looked they could
see that the stone – a very big one – had already been rolled back.

They stooped in, and saw a youth sitting on the right, in a white
robe. They were astonished, but he said to them:

> There is no need for alarm.
> You are looking for Jesus of Nazareth the crucified one.
> He was raised. He is not here.
> Look at the place where they laid him!

LITURGY AND LOCALITY

Here is the most primitive Easter proclamation. *Every word binds it
to the PLACE where it happened* – to the scene of the narrative and
the walk of the women: The crucified is risen! The burial place is
empty! Whether the message of 'young man' or 'angel', it was
certainly the confession of faith of that first Christian community
in Jerusalem. 'Look at the place' is an invitation to all who today
share, in pilgrimage, the walk of the women to the tomb. The
date, the occasion, the time and place are specific. Does not this
proclamation describe *what had already become* a Liturgical Celebration, as the Jerusalem community walked to the Tomb, at dawn
each Sunday morning, to relive in Liturgy the Easter Resurrection
of the 'Crucified One'?

> Lord of all life and power,
> who through the mighty resurrection of your Son
> overcame the old order of sin and death

to make all things new in him:
grant that we, being dead to sin
and alive to you in Jesus Christ,
may reign with him in glory;
to whom with you and the Holy Spirit
be praise and honour, glory and might,
now and in all eternity.

Almighty God,
who through your only-begotten Son Jesus Christ
overcame death and opened to us
    the gate of everlasting life:
we humbly beseech you that,
as by your special grace going before us
you put into our minds good desires,
so by your continued help
we may bring them to good effect;
through Jesus Christ our Lord,
who is alive and reigns with you and the Holy Spirit,
one God, now and for ever.

THE MOUNT OF OLIVES SITES LINKED WITH BOTH ASCENSION AND RETURN

PARAMOUNT PRE-CHRISTIAN SHRINE

The Mount of Olives is the natural starting point among those Holy Places sanctified by the apostolic tradition and linked with the lives of Mary, the Mother of Jesus, and the Apostles. St Luke tells us, in both his Gospel and in the Acts of the Apostles, that it was here that Jesus took leave of his followers and commissioned them, his Apostles to the world. It is not surprising, therefore, that many Christian pilgrims today begin and end their visit to Jerusalem with a glimpse of the magnificent panorama of the Holy City from the Mount of Olives. Indeed, the very first goal of all early Christian pilgrimages was the Mount of Olives. To

Graeco-Roman Christian pilgrims, the Jewish Temple destroyed in the year 70 was not of primary interest. The sites of the crucifixion and of the resurrection had been desecrated and covered by the pagan shrines to Venus and Jupiter, erected at the order of the Emperor Hadrian. The sites of the Upper Room on the western hill, and of the Ascension on the Mount of Olives, were more easily approached and venerated.

The fourth-century historian and bishop of Caesarea, Eusebius, wrote: 'All believers in Christ flock together from all quarters of the earth, not, as of old, to behold the beauty of Jerusalem, but that they may abide there and both hear the story of Jerusalem and also worship at the Mount of Olives over against Jerusalem, whither the glory of the Lord removed itself, leaving the earlier city. There also, according to the published record, the feet of Our Lord and Saviour, who was Himself the Word and through it took upon Himself human form, stood upon the Mount of Olives near the cave which is now pointed out there.'

CONSTANTINIAN BASILICAS

The pre-Constantinian Christian paid this honour to the Mount of Olives because Jerusalem, Aelia Capitolina, was not a holy, but a pagan and desecrated city. After the building of the Basilica of the Sepulchre and the Resurrection, all was changed and the Mount of Olives no longer had the place of honour. Yet it was still a popular place of pilgrimage.

Emperor Constantine, in the course of the fourth century, fulfilling the wishes of his mother St Helena, enshrined the Christian Holy Places of Palestine within three magnificent basilicas: the grotto where Christ was born, in the basilica at Bethlehem; Calvary and the Tomb of Christ, in the basilica of the Holy Sepulchre in Jerusalem; the cave where Christ foretold the end of the world and his return, in the basilica of Eleona on Mount Olivet, close to the scene of the ascension.

We have traced elsewhere the history of both the basilica at Bethlehem and that of the Holy Sepulchre. The Eleona basilica was destroyed by the Persians in 614, partly restored by the Crusaders in the twelfth century, and thereafter lost until the early years of this century. The Gospel of St Matthew describes

Jesus revealing his vision of the end of the world to his Apostles, on the Mount of Olives, on the Tuesday in Holy Week.

When he was sitting on the Mount of Olives, the disciples came to speak to him privately. '"Tell us, when will this be, and what will be the sign of your coming and of the close of the age?" And Jesus answered them: "Then will appear the sign of the Son of Man in heaven and then all the tribes of the earth will mourn, and they will see the Son of man coming on the clouds of heaven with power and great glory; and he will send out his angels with a loud trumpet call, and they will gather his elect from the four winds, from one end of heaven to the other."' (Matt. 24: 3–4, 30–31).

ELEONA OVER THE CAVE OF TEACHING

As the Gospels mention the summit of the Mount of Olives as the place where Jesus gave these teachings, the first generations of Christians held for certain that it was in the natural cave we find there still. It is, therefore, obvious why Constantine chose this site to build the third great basilica in the Holy Land: the Eleona, so called from a colloquial Greek word for 'Olive', over the traditional cave mentioned by Eusebius.

Today, Brunot describes the scale of this Constantinian basilica, which resembled those at Bethlehem and Calvary in that it enclosed atrium, nave, choir and cave-crypt:

> Going up Mount Olivet, on coming from Gethsemane, the fourth century pilgrim reached an imposing staircase leading to a vast platform; there rising eastwards, was the basilica. As at Bethlehem and the Anastasis here was a fine atrium, approximately thirty metres by twenty-five metres, with covered galleries along the sides and a large underground cistern in the middle. Three doors gave access to the church. This measured thirty metres long and twenty metres wide inside; with walls one and a half metres thick at the base and as much as two metres in the apse. It surrounded and enshrined the memorable cave which, like that of Bethlehem, lay beneath the choir, reached from the north by steps which the excavators found intact. Altogether the building had an overall length of seventy metres and covered an area of seventeen hundred square metres. Knowing how gorgeously decorated were both the basilicas of the Nativity and the Anastasis, we can imagine what this third one must have been. Eusebius tells us that 'the Emperor had adorned it with his usual lavishness, decking it in resplendent ornamentation'.

HOLY WEEK LITURGIES

Brunot further describes the magnificent liturgy within this basilica:

> On Tuesday in Holy Week, the Christian community in Jerusalem gathered there to commemorate the mystery of the second Coming of the Lord. The bishop entered the holy grotto, carrying the gospels, and read out the Master's eschatological discourse. They returned in the evening of Maundy Thursday to read again the last Words of Jesus, and to commemorate the ascension which had taken place close by. Again during the octaves of Easter and that of the Epiphany they reassembled, in order to call to mind those manifestations of Christ which foreshadowed his last manifestation.

The early Maundy Thursday processions to the Garden of Gethsemane, to the Cave of the Arrest and the Rock of the Agony, began from the Eleona basilica.

It was in 1910 that the White Fathers, excavating on a property purchased by the Princesse de la Tour d'Auvergne in 1868, revealed the entire foundations of the Byzantine basilica. In 1920 the foundation stone of a new basilica, on the same foundations, was laid by the French Cardinal Dubois. Under the supervision of Père Vincent, plans were drawn up, for as close a reproduction of the first basilica as possible.

SHRINE OF ASCENSION

In 380, Egeria differentiated clearly between the 'Church in Eleona' and the shrine 'on the Hill', where solemn services were also held. According to another pilgrim, Peter the Iberian, a round open courtyard had been built on the very hill-top by a Roman lady called Pomenia in about 378, on the traditional site of the ascension of Jesus. Arculf describes it as 'having in its circuit three vaulted porticos roofed over', as cloisters surrounding an open space. The Crusaders built, over the ruins of the Byzantine shrine, an octagon whose remains still encircle the site. Within the Crusader court an edicule was built to enclose a rock in the very centre of the octagon which was long linked with the place of Ascension.

In 1187, the Muslims transformed the shrine of the ascension of

Jesus. Today, Christians are allowed to celebrate within the courtyard and there are Greek, Latin, Armenian, Coptic and Syrian altars round the walls, besides a small central domed shrine.

COVERED WITH CONVENTS

The Mount of Olives was, so far as is known, not built upon in the time of Jesus. In Byzantine times it became the site of many monasteries and nunneries. Melania built two convents for the religious to pray night and day 'in the Church of the Ascension and in the cave where the Lord had talked with his disciples about the end of the world'; that is the crypt of the Eleona basilica. By 570, the pilgrim Placenza saw the mountain covered with convents, all of which were destroyed by the Persians in 614, when 1207 Christians were killed. Modestus restored the hill-top shrine of the Ascension in the seventh century and convents were rebuilt around it.

TODAY

Many branches of the Christian Church now own properties near the crest of the Mount of Olives. Both the Greek and Latin patriarchates look down on the city from different points along the ridge. The Latin Carmelite convent and Church of the Pater Noster together with the Franciscan site of 'Dominus Flevit' have already been mentioned in the Palm Sunday sequence on pp. 49 and 50. One of the most imposing properties is the Russian compound, east of the Byzantine site of the Ascension. The Russian tower of six storeys can be seen from the Dead Sea and sometimes from the Mountains of Gilead. There are two fine churches within this compound, one of which encloses a Byzantine mosaic and an ancient Armenian inscription. To the northwest of the Russian compound is the 'Vineyard of the Hunter'. Here are the Greek patriarchate, and the chapel of Viri Galilaei which is supposed to mark the spot on which the two men in white apparel stood and told the Apostles, as 'men of Galilee', that they would see Jesus descending again, in his day of glory, from the clouds into which he had just ascended (Acts 1: 1). This accords well with the archaeological evidence for Bethany and Bethphage being a Galilean suburb of the city.

Almighty God,
as we believe your only-begotten Son our Lord Jesus Christ
to have ascended into the heavens,
so may we also in heart and mind thither ascend
and with him continually dwell;
who is alive and reigns with you and the Holy Spirit,
one God, now and for ever.

Eternal God, the King of Glory,
you have exalted your only Son
with great triumph to your kingdom in heaven.
Leave us not comfortless,
but send your Holy Spirit to strengthen us
and exalt us to the place
where Christ is gone before,
and where with you and the Holy Spirit
he is worshipped and glorified,
now and for ever.

Almighty God,
who
taught the hearts of your faithful people
by sending to them the light of your Holy Spirit:
grant us by the same Spirit
    to have a right judgment in all things,
and evermore to rejoice in his holy comfort;
through the merits of Christ Jesus our Saviour,
who is alive and reigns with you in the unity of the Spirit,
one God, now and for ever.

SITES LINKED WITH MARY, THE MOTHER OF JESUS

CHURCH OF ST ANNE AND POOL(S) OF BETHESDA

The history of the Church of St Anne is closely linked with that of the Pool of Bethesda. The church is traditionally built over the home of Joachim and Anna, the parents of Mary the Mother of Jesus. Both in Aramaic and Hebrew the word 'Bethesda' means

'House of Effusion' which is also the meaning of the word 'Anna'. A large Byzantine basilica appears on the Madeba mosaic at the site of the present church.

St John (John 5: 2) says that the Pool was by the Sheep Gate or Pool (Nehemiah 3: 1). Some suggest that the Greek word for Sheep Gate is itself the corruption of an Aramaic word for 'baths'. Of many suggested sites for the Pool of Bethesda, that under the present church of St Anne is most interesting. Excavations show that twin pools, separated by and surrounded by cloisters, were built over by a large church, about A.D. 530. Both pools and church fell into ruins following the Persian invasion of 614, but were restored by the Crusaders, who shortened and covered in the pools, building a church of 'St Mary in the Sheep Market' over the top. Both pools and church were destroyed and lost, until discovered by the French after the Crimean War. The neighbouring Crusader church of St Anne was offered to and declined by Queen Victoria, in favour of the island of Cyprus!

The present Crusader church of St Anne, one of the most beautiful Crusader churches, though showing signs of some reconstruction, survived the Saracen occupation. It was requisitioned by order of Saladin for a Muslim school of theology. It was restored by the French and in 1878 handed over to the care of the White Fathers of Cardinal Lavigerie. They continue the excavation to this day. Beneath their Crusader church are a series of crypt-caves, recalling the house and living conditions of the family of Mary, the Mother of Jesus. (Luke 1: 26–38; John 5: 1–16.)

THE TOMB OF MARY IN THE KEDRON RAVINE

East of the viaduct on which the Jericho road crosses the Kedron is an ancient church, now almost buried by the accumulation of centuries of rubble in the bottom of the ravine. A fourth-century tradition records how the body of Mary, the Mother of Jesus, was brought here from the house of St John on Mount Zion, for burial. A slightly later tradition records how from here she was assumed soul and body into heaven, three days after burial. As in the case of the Holy Sepulchre, her rock tomb was excavated and its shell left standing within a basilica, about the year A.D. 440.

It is perhaps this basilica which is also to be seen on the Madeba mosaic, outside the eastern wall, in the Kedron.

The present church in the form of a Latin cross has a Crusader porch, the gift of Millicent, queen of Fulke, and wife of the eighth king of Jerusalem. She was also buried here in 1161. The Franciscans were entrusted with the care of this shrine until 1757, when it was ceded to the Eastern Churches. Today the Tomb of Mary is a tiny rock chamber surrounded by Armenian, Greek and Syrian altars – besides also a Muslim prayer niche in honour of Mary, the Mother of Jesus.

THE ABBEY OF THE DORMITION ON MOUNT ZION

The great modern church and convent of the Dormition stands on the traditional site of the house of St John, where Mary the Mother of Jesus 'fell asleep'. The German emperor Wilhelm II laid the foundation stone, on his visit to Jerusalem in 1898, and the consecration took place ten years later.

Beneath the magnificent Romanesque tower, dome and choir, where the German Benedictines at their offices are a constant inspiration, is the dark 'Crypt of Mary's Sleep'. Here the statue of the Virgin recumbent is looked down upon by the heroines of the Old Testament. Sing: Magnificat.

> Almighty God,
> who chose the blessed Virgin Mary
>   to be the mother of your only Son:
> grant that we who are redeemed by his blood
> may share with her
> in the glory of your eternal kingdom;
> through Jesus Christ our Lord,
> who is alive and reigns with you and the Holy Spirit,
> one God, now and for ever.

THE NEW CITY
LIMITED SELECTION OF
INTERESTING VISITS

SYNAGOGUES: Heikhal Sholomo   *Sun–Thur: 10–1*
                   58 King George St   *and 4–7*
                  Chief Rabbinate (Melech George)
                  Yeshurun   King George St
                  (Within the Jewish Quarter:
                  Hanavi, Emtzai, Hurva, Istanbul,
                  Ramban, Ben Zakkai)
                  Attendance at service – by
                  arrangement with the Secretary –
                  service usually sunset Friday and
                  mid-morning Saturday

HADASSA   Chagall windows of 12 Tribes   *Sun–Fri: 9–12*
HOSPITAL   Medical Centre   *Sun–Thur: 1.30–4*

HEBREW   Conducted tours arranged   *Sun–Fri: 9–11*
UNIVERSITY

KNESSET   Ruppin St; guided tours   *Sun–Fri: 8–2.30*

ISRAEL   Ruppin St; including Shrine of   *Sun, Mon, Wed,*
MUSEUM   Book   *Thurs: 10–5. Tues:*
                                                    4–10

MOUNT   Hertzl Boulevard   *Mon–Fri: 8–5*
HERTZL

YAD VASHEM   Holocaust Museum, Mt Hertzl   *Sun–Thur: 9–5*
MONASTERY   Boulevard Ben Zvi   *Mon–Fri: 8–12*
OF THE CROSS

SECOND   HolyLand Hotel, Jerusalem West   *Sun–Fri: 8–5*
TEMPLE   Beit Vegan
MODEL

BIBLICAL ZOO   10 Brandeis Street   *Sun–Thurs: 8–4*

SON ET   Jewish Quarter   *Check times with*
LUMIÈRE   *Government*
                                                    Tourist Office

MINISTRY OF   King George Ave
TOURISM

CATHEDRALS,   Russian – Bar Kochba Square
CHURCHES   Ethiopian – Mea Sherim
                   Scottish – St Andrew's

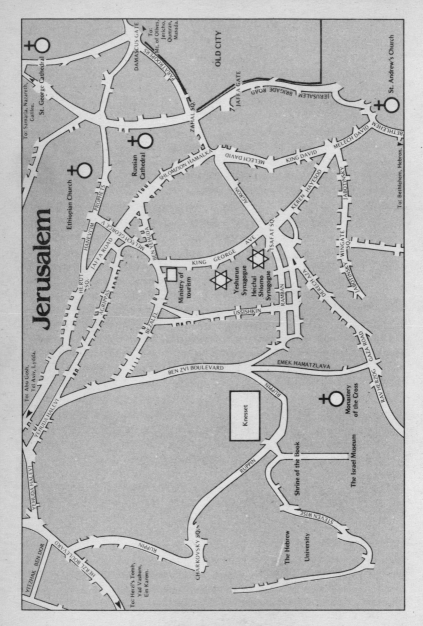

Jerusalem

St. George Cathedral

To: Samaria, Nazareth, Galilee.

DAMASCUS GATE

To: Mt. of Olives, Jericho, Qumran, Masada.

PAUL ROGERS RD.

OLD CITY

St. Andrew's Church

To: Bethlehem, Hebron.

BETHLEHEM

JERUSALEM BRIGADE ROAD

JAFFA GATE

ZAHAL SQ.

Ethiopian Church

Russian Cathedral

SHLOMZION HAMALKA

MELECH DAVID

MELECH DAVID

KING DAVID

MELECH DAVID

PROPHETS

HANEVIIM

MELECH GEORGE V

BEN YEHUDA

TAJTA ROAD

HERUT SQ.

AGRIPPAS

BEZALEL

Ministry of Tourism

KING GEORGE AVE.

Yeshurun Synagogue

Heichal Shlomo Synagogue

USSISHKIN

RAMBAN

TSAFAT SQ.

KEREN HAYESOD

ACRON

JABOTINSKY

WINGATE

JABOTINSKY SQ.

OFECH PLAZA

GAZA ROAD

BEN ZVI BOULEVARD

EMEK HAMATZLAVA

RUPPIN

Knesset

Monastery of the Cross

RAV HERZOG

Shrine of the Book

The Israel Museum

RUPPIN

STEVEN WISE

The Hebrew University

To: Abu Gosh, Tel Aviv, Lydda.

YEHUDA HALEVI

YEHUDA HALEVI

YITZHAK BEN DOR

HERZL BOULEVARD

RUPPIN

CHARKOVSKY SQ.

To: Herzl's Tomb, Yad Vashem, Ein Karem.

Part Three:

FROM JERUSALEM

WALKS AROUND JERUSALEM

SAUL AND DAVID SEQUENCE – north of Shufat on Ramallah Road

1 *Gibea (Tel El Ful)*
   a) The anointing of Saul by Samuel, at Gibea: I Sam. 9: 1–6, 11–20; 10: 1.
   b) Looking towards Rama, where Samuel's prophetic School was: 'was Saul also among the prophets?': 1 Sam. 10: 9–16.
2 *Mispah (Tel-An-Nazbeh)*
   The rallying point of the tribes and crowning of Saul as King: 1 Sam. 10: 23–6; 11: 12–15.
3 *Walking down the Gorge, between Michmash and Geba (Jeba)*
   a) The Philistine advance: 1 Sam. 13: 5–7.
   b) The foray of Jonathan and his armour bearer: 1 Sam. 14: 1–15.
   c) The defeat and pursuit of the Philistines down to the Shepelah: 1 Sam. 14: 16–32.
   (*Intermission* to read the rise of David: his slaying of the Philistine champion Goliath in the Vale of Elah and Saul's consequent jealousy, David's betrothal to Michal and further successes against the Philistines. 1 Sam. 17: 20 ff.)
4 *Rama (Ar-Ram)*
   a) David flees for his life to Samuel in Rama: 1 Sam. 19: 18 ff. Saul follows.
   b) David and Jonathan meet, perhaps near Gibea, to make a pact of friendship – the story of the boy and the arrows: 1 Sam. 20: 1–5, 24–42.
5 *Nob (Issawiya – north end of Scopus)*
   David flees to Nob, on his way to the caves of Adullam – the story of the shewbread and Doeg's slaughter of the priests of Nob: 1 Sam. 21: 1–9; 22: 1–2, 17–23.

PROPHETS AND KINGS IN KEDRON a walking sequence in Jerusalem

1 *The Tombs of the Prophets*
In the Kedron Valley there are three monumental tombs, which must have been well known to Our Lord. In fact he will have passed them both on his way out with his disciples, over Kedron to Gethsemane, and on his way back under arrest to the High Priest's Palace in the upper city. The tombs are respectively:
  a) *The Teapot Tomb* by Crusader tradition 'Absalom's Pillar', but now known to be Maccabean.
  b) *The Pyramid Tomb* until A.D. 333 accepted as that of Isaiah, but since a change of tradition now considered to be that of Zedekiah.
  c) *The Columned Mausoleum* thought to be the tomb of the Apostle James the Just: Matt. 23: 29–35.

2 *The Bridge over Kedron, below the 'pinnacle of the temple'*
The masonry of the bridge is of the Roman period. The corner or 'wing' of the temple, linked with the temptations, is above. Here, by tradition, James the Just was thrown off the corner of the temple and clubbed to death by a fuller, below: Matt. 4: 5–7.

3 *The spring Gihon – meaning 'gusher'*
In Old Testament times, an intermittent spring gushed out into the Kedron here. During David's siege of Jebus, the Canaanite city up above, on Mount Ophel, Joab his lieutenant entered the spring outlet and climbed up the water shaft or 'gutter' into the city itself: 2 Sam. 5: 6–9; 1 Chr. 11: 4–9.
Three hundred years later, Hezekiah extended this water conduit to bring the water within the city and incidentally stopped the flow out into the Kedron. Consequently the Assyrians later besieging the city found the spring outlet blocked at Gihon, the one-time Upper Pool: 2 Chr. 32: 3, 4; 2 Chr. 32: 30; 2 Kings 20: 20; 2 Chr. 33: 14.
N.B. In the late spring or summer a party will much enjoy a walk through the conduit, with torches and bathing suits!

4 *The Pool of Siloam*
This is the pool into which the conduit leads. As the walls of the city ran down the scarp of Ophel and then circled up round the upper city, the pool was within the city of Hezekiah: Isa. 22: 9, 11.

5 *The King's Pool, now called the Red Pool*

This is in fact today a vegetable garden at the very bottom end of Ophel. It was the original pool of Siloam, filled by the original surface channel from Gihon, before the making of Hezekiah's conduit and the 'new' pool of Siloam. Nearby was the Valley or Fountain Gate, mentioned by Nehemiah on his tour of the walls.

Even as late as the time of Christ the Tyropean Valley between the upper and lower cities was bridged with viaducts and far too steep for carts and riders. No wonder Nehemiah could not get his horse through the fallen masonry by the King's Pool or garden: Isa. 7: 3–14; 2 Kgs 25: 4; Neh. 2: 14.

Tradition relates the execution of Isaiah, at the King's Pool, sawn in half by order of Manasseh, the son of Hezekiah: Heb. 11: 37 perhaps refers.

6 *En-Rogel – Job's Well*

This was the Fullers' Fountain, a little south of the King's Pool and further down the lower Kedron – the Wadi-En-Nar – the Fire Valley, perhaps so-called from Manasseh's time. The fullers' basins are still visible in the nearby rock terraces, just a few yards east of the well: Josh. 15: 7–8; 18: 16; 2 Chr. 33: 6.

7 *Aceldama*

Round in the Valley of Hinnom, we find a small Orthodox convent on the site of the Field of Blood, bought with the 'thirty pieces of silver'. Nearby are tombs 'to bury strangers in', later used as a burial vault by the Knights of St John: Zech. 11: 12–13; Matt. 27: 3–10; Acts 1: 18, 20.

RECENT REVELATIONS IN THE OLD CITY

The reconstruction of the Jewish Quarter has unearthed several important sites:

1 *The Cardo*

A thousand-foot Roman/Byzantine roadway, eight feet below the Street of the Jews, which bisects the south of the Old City from the Street of the Chain to the southern wall. Floodlit shafts reveal city walls from the First Temple period 1000–586 B.C., and vaulted Crusader shopping arcades.

2 *Nea Church*
Massive sixth-century church, the ruins of which have been
discovered within the southern wall, west of the Dung Gate.
3 *Broad Wall*
Built on bedrock, thick walling of the seventh century B.C.
Western boundary of the pre-exilic city, said to prove the early
expansion of the city on to the Western Hill.
4 *Israelite Tower*
Probably part of the Broad Wall defences, slightly to the north.
5 *Burnt House*
Excavated area above the Western Wall Courtyard illustrating
the burning of Jerusalem by the Romans in A.D. 70.
6 *Citadel excavation*
The courtyard dig is completed. A new museum and son et
lumière show are now open there.

WALLS OF JERUSALEM

Now negotiable from the Damascus to the Dung Gate, in day-
light!

QUARTERS OF JERUSALEM

Jewish, Muslim, Christian and Armenian, reward your exploration.

EMMAUS

'JERUSALEM' TRADITION

Luke alone limits the resurrection appearances to the neighbour-
hood of Jerusalem, cramming the whole resurrection story into
one incredible Easter Day:
    The dawn discovery of the empty tomb, reported by the
women, disregarded as idle gossip by the men, except for Peter

who went, wondered and was 'amazed'. The story of the road to
Emmaus, the evening meal, the return to the Upper Room, to
find the Twelve still up and saying Jesus had appeared to Peter.
As they were speaking, Jesus was among them, giving them his
'Shalom', showing them his scars and eating before them. Finally, he commissioned and blessed them, then – leading them out
to Bethany – left them to return with joy to Jerusalem.

Only in Jerusalem, only on Easter Day, the events of forty days
conflated into twenty-four hours do not encourage us to assess
the sites of Emmaus as within or without easy walking distance of
Jerusalem!

VARYING MANUSCRIPTS

Major manuscripts, including Sinaiaticus, give the distance from
Jerusalem as *sixty* stadia or furlongs. Minor manuscripts, especially Palestinian ones, give the distance as *160*. It is just possible
to interpret the figure as referring to the double journey *there and
back*, of sixty stadia.

VARYING TRADITIONAL SITES

Amwas

A Constantinian tradition favoured a site *160* furlongs from
Jerusalem, which still retained the name Amwas in an Arab
village, destroyed as recently as 1967. This Emmaus is mentioned
in 1 Maccabees twice and in Josephus several times, finally as the
camp of the Fifth Legion at the siege of Jerusalem, A.D. 70. It
became a Roman city called Nicopolis in the third century and
was identified by Jerome as the site of the events of Luke 24 as
early as the year 386. The site includes today a very large
fifth-century Byzantine church, within which was built a smaller
Crusader church. A Byzantine baptistery is within a sixth-century
church, alongside.

Abu Gosh

A Crusader tradition favoured a site, sixty furlongs from Jerusalem down on the road to Joppa, and called Abu Gosh today,
after a notorious local robber-chief in the eighteenth century. This
site was clearly a Roman staging-post on the road to Jerusalem.
The Crusaders built what is still the most beautiful and complete

of all their churches over the Roman water supply and inserted in the wall of their church a stone commemorating the story of a detachment of the Legio Fretensis, the Tenth Legion. The Roman well and a ninth-century Arab caravan-serai, below the traditional site of Kiriath Jearim – resting place of the Ark on its return from Philistia (1 Sam. 6: 21 ff.) may well have seemed an appropriate site, sixty furlongs down the coast road.

Qubeibe
Later on, in the fifteenth century, there was probably a road-route diversion, resulting in the decline and disrepair of Abu Gosh coinciding with the rise of an alternative site, with no specific tradition, but near another twelfth-century church! So, once again, pilgrim convenience triumphed over archaeological accuracy. What was a pilgrim staging-post, sixty furlongs out on Jerusalem–Jaffa main road, has become a very charming and attractive, but quite improbable site of Emmaus!

Qalunieh
Finally, Josephus mentions another 'Emmaus' in which Titus settled a colony of 800 veterans of the Jewish War, after the sack of Jerusalem. Hence the name Colonia. Those who wish to interpret Luke's 'coming and going' from Jerusalem as literally within one evening, may wish to favour this thirty-furlongs Emmaus – less than four miles' walk from the city. And who is to say that they are wrong?

EIN KAREM OF
JOHN THE BAPTIST
SCENE OF THE VISITATION

Before the birth of Jesus, Mary his mother made a journey through the hill country of Samaria and Judaea, to visit her cousin Elizabeth, the mother of John the Baptist, in a village four kilometres west of Jerusalem. Together, they exchanged news of their coming first-born children, before Mary returned to Nazareth. When the time came, the two boys were born within three months of each other, in towns within sight of each other. Joseph and Mary had come to Bethlehem for the census; the home of the priest Zacharias and Elizabeth was below Mount Orah in Ein Karem, the 'Gracious Spring'.

It was in the time of the Crusader pilgrim Daniel, in 1106, that the birthplace of John was located, within the village, in a cave that is now shown within the Franciscan Church of St John. On the other side of the valley is the Franciscan Church of the Visitation, within the crypt of which is shown the spring which according to a medieval tradition appeared at the meeting place of Mary with Elizabeth. This is the spring which gives a name to the town today. In the wall of the crypt is a hollowed rock in which, according to another medieval legend, the child John was concealed at the time of the Massacre of the Innocents at the order of Herod. An apse of the Crusader Church of the Visitation is to be seen in the upper church today, whose walls are covered in gay mural paintings.

The Russian Convent of Elizabeth, surrounded by little whitewashed cottages, rises among the trees on the slopes of Mount Orah, above the Church of the Visitation. On the Feast of the Visitation, the Russian nuns from the Garden of Gethsemane used (until 1947) to bring ikons representing Mary, to meet their sisters of Ein Karem with ikons representing Elizabeth. At the village well, called Mary's Spring, they would touch ikons together in a kiss of greeting before carrying them in procession up the flower-strewn steps to the Convent of Elizabeth.

Church of Visitation: Luke 1: 39–56, 'Magnificat'
Church of St John: Luke 1: 57–80, Benedictus
The Village fountain.

> Almighty God,
> by whose grace Elizabeth rejoiced with Mary
> and hailed her as the mother of the Lord:
> fill us with your grace
> that we may acclaim her Son as our Saviour
> and rejoice to be called his brethren;
> through Jesus Christ our Lord.

> Almighty God,
> whose servant John the Baptist
> was wonderfully born to fulfil your purpose
> by preparing the way for the advent of your Son:

lead us to repent according to his preaching
and after his example
constantly to speak the truth, boldly rebuke vice,
and patiently suffer for the truth's sake;
through Jesus Christ our Lord.

BETHLEHEM – BIRTH OF JESUS

FIRST CENTURY

In the time of Jesus, the little town of Bethlehem was reached by a track which left the main road from Jerusalem to the south, at the fifth milestone. Withdrawn from the main line of traffic, the town served as a market for the small farmers and nomads on the fringe of the Judaean Wilderness. By the end of the first century, the tradition of a cave associated with the birth of Jesus was so strong that in the year 135, Hadrian felt it merited desecration – along with the sites of the Crucifixion and Resurrection in Jerusalem. Hadrian's monumental desecrations only served to mark indelibly all three sites for Constantinian excavation some 200 years later.

IDENTIFICATION OF CAVE

At Bethlehem Hadrian had planted a grove of trees sacred to Adonis, completely surrounding the cave of the Nativity. Neither St Luke nor St Matthew mentions a cave (nor any hill of crucifixion), but by the year 155, Justin Martyn born in Nablus writes: 'Should anyone desire proof for the birth of Jesus in Bethlehem . . . let him consider that, in harmony with the gospel story of his birth, a cave is shown in Bethlehem where he was born and a manger in the cave where he lay wrapped in swaddling clothes.' Origen, in 215, confirmed the cave tradition: 'They still show the cave . . . and this is well known in the district, even among strangers to the faith.' At the end of the third century Eusebius, Bishop of Caesarea, writes: 'The inhabitants of Bethlehem bear witness of the story that has come down to them from their fathers, and they confirm the truth of it and point out the cave, in which the Virgin brought forth and laid her child.'

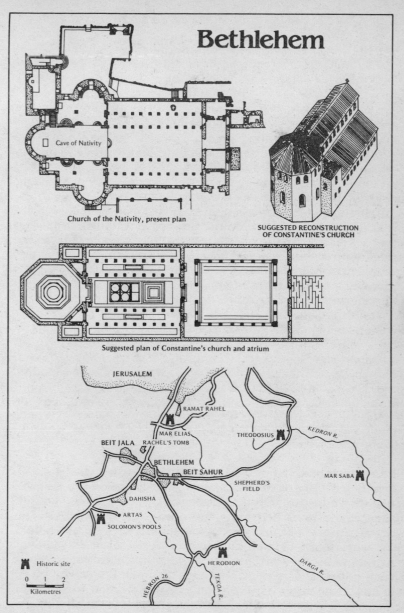

Bethlehem

Cave of Nativity

Church of the Nativity, present plan

SUGGESTED RECONSTRUCTION OF CONSTANTINE'S CHURCH

Suggested plan of Constantine's church and atrium

JERUSALEM

RAMAT RAHEL

MAR ELIAS

BEIT JALA

RACHEL'S TOMB

BETHLEHEM

BEIT SAHUR

THEODOSIUS

KEDRON R.

MAR SABA

SHEPHERD'S FIELD

DAHISHA

ARTAS

SOLOMON'S POOLS

HERODION

HEBRON 26

TEKOA R.

DARGA R.

Historic site

0 1 2
Kilometres

CONSTANTINIAN CHURCH

The site of the cave was selected by the Empress Helena in 325 for the building of the church. Constantine was particularly interested in the Bethlehem church as the memorial of his mother's piety. The Bordeaux and other fourth-century pilgrims describe the felling of the trees surrounding the cave and the levelling of rock to provide space for worship round the cave. Over this was built an octagonal shrine with a conical roof. In the centre of the shrine a circular opening was cut in the roof of the cave. Worshippers went up the octagonal steps to kneel at a rail looking down on to the sacred cave beneath to see both the place of birth and place of the manger. The congregational part of the church, roughly square in shape, adjoined the octagon on the west and was divided by rows of columns into a central cave with two aisles on each side. A wide opening with three steps led from the basilica up to the octagon. The entrance down into the cave was probably from the east end of the cave and excavations in 1934 revealed a narrow flight of steps leading to a blocked doorway into the west end of the cave.

The three large doors to the basilica led out on to a square colonnaded forecourt, the size of the whole church – and this, in turn, led out on to the road. It is not difficult to picture this Constantinian basilica, standing at the back of the present church, if we imagine it carpeted with brilliantly coloured mosaics, some of which are still visible, decorated with rich furnishings, set against cream limestone walls, with a red-tiled roof.

JEROME

In the year 386, Jerome, a Dalmatian priest, travelled to Bethlehem with two ladies of a wealthy Roman family, Paula, a widow, and her daughter, Eustochia. Living in a neighbouring cave, Jerome translated the Vulgate – from the Hebrew and Greek of the Old and New Testaments into Latin. His tomb and those of the women are within a cave very near to that of the Nativity. Jerome describes innumerable pilgrims flocking to Bethlehem from Britain and India, Pontus and Ethiopia: 'The whole church in nocturnal vigils rang with the name of Christ the Lord. Tongues of diverse races but one Spirit sang in chorus the praises of God.'

JUSTINIAN

The Constantinian basilica, which had stood for 200 years, was demolished in the years 527–65 and replaced, at the plea of the Judaean Wilderness hermit, St Saba, by the Emperor Justinian. The first basilica, already liturgically too small, had been extensively damaged by the Samaritans with much looting and burning; its floors when excavated in 1934 revealed a thick layer of ashes and broken tiles.

Justinian's reconstruction to a large extent followed the lines of the first church. The cave was extended by one bay to the west and a porch added leading out into the courtyard. The octagon over the cave was replaced by the existing choir. Instead of an opening through which pilgrims could look down into the cave, two entrances were now provided, one on each side so that pilgrims could walk down into the cave. Arculf, a monk from Gaul, visited Bethlehem in 670 and describes a 'natural half cave', much the same as today, and even two separate places of 'the manger of the Lord' and the 'nativity'. The cave was lined with marble slabs and the church walls with mosaics and marbles. Outside, over the western triple doorways, was a great mosaic of the Wise Men in Persian costume.

PERSIAN INVASION

When in 614, the Persian invasion ravaged the Eastern Roman Empire and Syria, on their arrival at Bethlehem they were amazed at this mosaic of the Magi astrologers, depicted as their fellow countrymen. In respect and affection for their ancestors, they spared the church.

ISLAM AND OMAR

A few years later the Persians were expelled and soon afterwards the country was conquered by the Muslim invaders from Arabia. The first of their Caliphs, the tolerant and enlightened Omar, revered Jesus as a great prophet and, as a pious Muslim, believed in the Virgin Birth. He insisted on sparing both the Holy Sepulchre in Jerusalem and the Church of the Nativity. On arrival in

Bethlehem, he said his prayers in the south apse (not far from the Norman font today) which conveniently faced Mecca. Omar's agreement with the Patriarch Sophronius inhibited the Muslim call to prayer in Bethlehem, but allowed Muslims to pray singly in the south aisle. Although, after Omar, this agreement was spasmodically broken, yet in 951 a Muslim writer refers to the great reverence in which the church was held for its associations with both David and Jesus. Even the fanatical Caliph Hakim, who destroyed the tomb of Christ at Jerusalem, spared the basilica at Bethlehem.

CRUSADES

The early good relations between Christians and their Muslim rulers faded fast with the arrival of the Crusades! When in 1099 the Crusaders were approaching, the Christians in Bethlehem were in some danger, but Godfrey de Bouillon sent 150 knights under Tancred to defend them. A community of Augustinian monks was established there and lived in happy relations with the Greek clergy. In 1101 Baldwin I was crowned in the basilica at Bethlehem, as King of Jerusalem, refusing to be crowned with gold in the city where Christ was crowned with thorns.

MOSAICS

His successor, Baldwin II, was also crowned there in 1109. The church was completely restored in the reigns which followed. A seventeenth-century Franciscan, Custos of the Holy Land, described the Crusader mosaics. A vast Tree of Jesse covered the west wall. Out of the side of the sleeping Jesse came three stems, each leading through the prophets to Mary the Mother and Jesus. All has perished. On the south wall, seven half-life-size figures from the descent of Jesus from Abraham remain – also five of the seven motifs of the General Councils of the Church. The most beautiful surviving mosaic is perhaps the 'Doubting Thomas' in the north transept. Among the Crusader paintings is one of King Canute, on the fourth pillar on the right-hand side.

DISREPAIR

Saladin recaptured Bethlehem towards the end of the twelfth century and gave permission for the re-establishment of the Latin rite, but Beibars expelled all Christians from Bethlehem. The church survived, however, and a French pilgrim in 1325 described a pilgrimage of 5000. The Saracens permitted worship, but discouraged restoration; by the time of the occupation by Turks in 1516, the church was in poor repair. Following the Reformation, the rivalry between Christian denominations, and the Ottoman policy of status quo maintained by bribery, caused little to be done to repair the ravages of fire in 1809 and earthquake in 1834.

RESTORATION

Following the Crimean War, through the negotiation of Napoleon III of France, the Roman Catholic Church of St Catherine was reconstructed in 1888 from the older buildings of the Augustinians and Franciscans. From the end of the Ottoman Empire, British Mandate, Jordanian and Israeli regimes have been much more effective in preserving the oldest standing basilica in Christendom for contemporary pilgrims. The early Christian patriarch Sophronius wrote: 'There, upon the famous floor whereon the Christ God was placed, I would press my eyes, my mouth and my forehead, that I might bear away from thence a blessing.' And the Christian pilgrim still does today.

SHEPHERDS' FIELDS

In the year 384, the Spanish nun Egeria described her visit to the Church 'Of the Shepherds . . . a splendid cave with an altar'. The Orthodox Shepherds' fields just below the Village of the Watching, Beit Sahur, enclose a cave which from the fifth century formed the crypt of a church, whose pillar bases are still clearly visible. This served the local Orthodox community until 1955, and a new church now stands nearby. The cave was once near the centre of a basin of fields, which was the 'night-flocking-area' of the district, hence the 'Village of Watching'.

Here in these fields the shepherds pooled their flocks by night, discussing and allotting the morrow's pastures round their camp fires and taking their guard duties in turn. Others lay down to sleep in the neighbouring cave. In the morning each shepherd would call his own flock from a different point of the compass, on the higher ground surrounding the flocking place. Each shepherd has his own peculiar call – often a mixture between a gruff grunt and a whistle! And soon the flocks of sheep would be moving out in single file, like the spokes of a wheel to their own shepherds, the old ram leading. The Good Shepherd said: 'My sheep hear my voice. I know my sheep and am known of mine. A stranger they will not follow, for they know not the voice – or call – of strangers' and 'when he has put forth his own sheep he goes before them and the sheep follow him'.

1. Introductory prophecy: Mic. 5: 2–3.
2. Cave-stables or gleaning women, en route. Ruth 2: 19 ff, 3: 1–3, 4: 13–17.
3. Sheep by the way: 1 Sam. 16: 1–13, 17: 12–20.
4. Rachel's tomb: Gen. 35: 19–20.
5. Shepherds' Fields: John 10: 1–5, 7–15, Ps. 23.
6. Shepherds' Fields, Shepherds' cave: Luke 2: 8–16.

A Franciscan chapel, built by the road on the north of the Shepherds' Fields in 1954, may be on the site of an early Byzantine monastery, but does not accord with Egeria's description.

> GLORIA IN EXCELSIS DEO
> Eternal God,
> who made this most holy night
> to shine with the brightness of your one true light
> bring us, who have known the revelation
>   of that light on earth,
> to see the radiance of your heavenly glory;
> through Jesus Christ our Lord.

HEROD'S PALACE TOMB – HERODION

Two miles south-east of Bethlehem is a conical hill reminiscent of a volcano. Here in about 20 B.C., Herod the Great had built into the top of the hill a fortified palace, protected by one circular and three half-towers, approached across a causeway and draw-bridge. This was one of several of Herod's summer palaces. It may well have been intended as his mausoleum and Josephus describes his death at Jericho, the torch-light funeral procession and burial here. If he was buried here, it would most probably have been in the one circular tower, but excavations in 1962 revealed nothing. The towers, however, had been destroyed by the Romans in A.D. 70 and the fortress was occupied by the rebel forces of Bar Cochbar in 132.

The marble staircase has long since disappeared, though fragments remain. The visitor arrives at the top on the north-east perimeter, circles the northern half tower and descends a stairway on the west side. There is a Roman bath on his left and – across a courtyard – the dining hall on his right with the living quarters built into the northern perimeter wall. Ahead is an apsed peristyle, around a rectangular colonnaded courtyard, under the circular tower. It was essentially the palatial keep of a whole complex of buildings at the foot of the hill, including a hippodrome, a large rectangular building, a pool and system of cisterns fed by aqueduct from Solomons' Pools.

Piles of Roman catapult-missiles, in the central courtyard, reveal the vulnerability of even this seemingly impregnable fortress!

7. Matt. 2: 1–11.

> Heavenly Father,
> whose children suffered at the hands of Herod,
> though they had done no wrong:
> give us grace neither to act cruelly
> nor to stand indifferently by,
> but to defend the weak from the tyranny of the strong;
> in the name of Jesus Christ who suffered for us,
> but is alive and reigns with you and the Holy Spirit,
> one God, now and for ever.

BETHLEHEM CHURCH

The Church of the Nativity at Bethlehem, like that of the Holy Sepulchre at Jerusalem, can shock the unprepared pilgrim. It is wise to form a mental picture from scripture and scenery on the way to Bethlehem and to carry this with you to the cave-stable.

Therefore, do not arrive in Bethlehem by the main road and go straight to the church and down into the grotto. Rather, visit the Shepherds' Fields and Herodion, looking out for cave-dwellings between the limestone strata of the hillsides – caves for refugees, cattle, donkeys and even camels. If you have managed to visit the

oldest inn (ninth-century) still in use at Jerusalem, with its
donkey stables below the 'guest-chambers', its courtyard, cistern
and drinking trough – the Sultan's Inn in Chain Street – you can
take this illustration with you. There are cave-stables for cattle on
the Ras-Al Amoud road to Bethlehem, complete with mangers,
stores, drains and smells that all help to form the impression
when you reach the 'actual' cave stable. Did St Francis of Assisi
bring back from here the idea of the Christmas Crib? He certainly
worshipped in the church which had already been standing 600
years.

The Oriental Churches have survived Muslim occupation and
preserved Christian sites partly by concealment and decoration
with marbles and tapestries. Their idea of beauty is often in
quantity as much as quality; and a single shrine may be lit by a
selection of lamps each 'representative' of each of the different
Churches who share that shrine.

Forewarned is forearmed. You will be able by imagination to
strip off successive layers of occupation, in reverse order: Franciscan, Saracen, Crusader, Byzantine and Constantinian, and to
penetrate the protective layers of marble, mosaic and tapestry
hangings – to find the limestone walls and ceiling of the original
cave. As you step from the road on to the courtyard, remember
you are now inside the limits of the colonnaded atrium of the
Constantinian church. Look at the triple doorways, with their
moulded lintels, of the Justinian church. Bend low through the
little wicket gate, built to keep camels out in Turkish times, and
notice the Crusader archway above.

You will then pass through the Justinian porch, through the
huge central wooden door into the back of the church. Stay at the
west end to absorb the atmosphere, layout and mosaics of the
first church. Picture the steps up to the octagon shrine, the
circular rail at which pilgrims could kneel looking down into the
cave below. Walk up to the present choir, descend the step down
into the cave from the right side, then kneel at the very back
facing the shrine. When your eyes are accustomed to the darkness, come and kneel at the manger 'in spirit' with the babe
wrapped in swaddling clothes so tightly, like a Bedouin child on
his mother's back, that he could bounce without harm. Reflect on
the depth of limitation and self-emptying which that babyhood
cost God Almighty! Look through the grille and the candles at the
painting of the cave-stable, shepherds kneeling, many pointing
and the 'babe, lying in a manger' at floor level. The traditional

veneration is to 'press eyes, lips and forehead and to carry away from thence a blessing'. Finally as you stand up, touch the limestone ceiling of his manger and make an act of love for 'Word made flesh' in the babe of Bethlehem. Turn and reverence the place of the birth marked by the Silver Star, and make your way out up the left-hand stairway.

8. Courtyard: 2 Sam. 23: 17–27.
9. Doorway: Turkish, Crusader, Justinian, Persian Magi motif above.
10. Through porch into nave, up into choir.
11. Within Cave: Luke 2: 1–7.
12. Jerome Cave.
13. Cave of the innocents: Matt. 2: 1–18.

> Almighty God,
> who wonderfully created us in your own image
> and yet more wonderfully restored us
> through your Son Jesus Christ:
> grant that, as he came to share in our humanity,
> so we may share the life of his divinity;
> who is alive and reigns with you and the Holy Spirit
> one God, now and for ever.

HEBRON AND MAMRE FIRST PATRIARCHAL SETTLEMENT

PATRIARCHAL BURIAL PLACE

It was at Hebron that God made with Abraham a covenant that he would be the father of a chosen people. According to tradition, Abraham lived at the Oak of Mamre, about a mile from the town centre, at a site now in the possession of the Russian Orthodox Church. It was at Beersheba that Abraham made a treaty with Abimelech, purchasing the right to dig a well, the traditional site of which is still pointed out.

On the death of Sarah his wife, Abraham purchased the Cave of Machpelah from Ephron the Hittite as a burial place, which became the patriarchal vault. This cave has for centuries been preserved beneath a vast shrine, the Haram El-Khalil, in Arabic the Shrine of the Friend of God. Surrounded by an enormous Herodian wall enclosing a mosque of Byzantine, Crusader and more recent masonry, this cave is the focus of both Jewish and Muslim devotion. The impressive catafalques of Abraham and Sarah, Isaac and Rebecca, Jacob and Leah, remind us of their burials below.

Herodian Enclosure
At the same time as Herod the Great enclosed the Temple area at Jerusalem and built the Third Temple, so he enclosed a sacred area over the Cave of Machpelah. In the year 1115 a Crusader church was built on the site, within the Herodian enclosure.

Crusader Excavation
During Crusader times, the Augustinian Canons explored the cave below and built a stairway down into a narrow corridor which led into a circular chamber, opening into a large rock-hewn cave. It is this cave which lies below the present opening to be seen in the church. The Crusaders noted a similarity between the subterranean corridor and the Herodian perimeter wall, and reported finding a quantity of bones within the cave.

Temple Masonry Pattern
Whatever other shrines, Jewish, Christian or Muslim, may have briefly adorned this sanctuary, the present Haram el-Khalil, Shrine of the Friend, is a conversion of the Crusader church into a large Muslim mosque. The outer enclosure is of fine Herodian masonry. From these walls with their alternation of pilaster and recess, one gains a good notion of how the outer walls of the Third Temple must have appeared, with their enormous blocks of stone and the delicate inward sloping of their corner stones. The upper courses of the wall are of Arab construction.

Mosque Today
The cenotaphs of Abraham and Sarah occupy two octagonal chapels to the north and south. Those of Isaac and Rebecca are within the mosque itself, those of Jacob and Leah in chambers to the north. In a separate enclosure is a cenotaph of Joseph. In a

corner beside the cenotaph of Abraham is a small window. Inside it is a stone with a depression in it which is said to be the footstep of Adam. All the catafalques are covered with richly embroidered palls. The pulpit is of splendid Muslim carving, having been presented by Saladin. Yet to the Jews Hebron, apart from its connection with Abraham, was also the capital of David before his capture of Jerusalem. After their capture of Hebron in the recent fighting, the Israelis have turned the greater part of it into a museum. Only a small part of it near the entrance is still carpeted, reserved for the Muslims, labelled 'Holy Place'. The Muslims are admitted there for prayers four times a day and on their holy day, Friday, when Jews are not allowed in.

The ancient town is famous for its *suqs*, potteries and glass blowers, all within easy reach of the mosque.

HISTORY AND REFERENCES

1 Abraham at Mamre, marked by another Herodian enclosure and well, two miles north of Hebron and east of the main road, 'entertained angels unaware'. Here Abraham pitched his tent and built an altar on his arrival in the land of Canaan – Gen. 13:18.

Here God gave him the covenant of circumcision – Gen. 17: 10.

Here the three angels were entertained, on their journey to destroy Sodom and Gomorrah, and rewarded Abraham and Sarah with the promise of a son – Gen. 18:10.

2 Abraham bought the Cave of Machpelah from Ephron the Hittite, for the burial of Sarah his wife – Gen. 23.

3 Hebron, the ancient stronghold of the Anakim, Giants of Canaan – Num. 13: 22.

4 Captured by the Calebites, during the invasion of Canaan – Josh. 14: 12, 15: 14.

5 A City of Refuge – Josh. 20: 7.

6 David's temporary capital for seven years – 2 Sam. 5: 5.

7 The rebellious Absalom's headquarters – 2 Sam. 15: 7.

8 Fortified by Rehoboam – 2 Chr. 11: 10.

9 Colonised after the return from exile – Neh. 11: 25.

10 Captured by Judas Maccabaeus – 1 Macc. 5: 65.

RIFT VALLEY – FROM JERUSALEM ANCIENT & HERODIAN JERICHO – QUMRAN – MASADA – EIN GEDI

NOMAD TO CITIZEN

Nowhere else in the Holy Land is the primitive settlement of mankind better illustrated than at Jericho, the earliest known fortified and organised township (at least 8000 B.C.) and the lowest on earth (838 feet below sea level).

Long before then, the nomadic hunters must have enjoyed the strong spring, yielding still today a thousand gallons every minute, creating a magnificent oasis for the present 'City of palm trees'. As with the process of evolution, there must have been a 'first', a hunter or a nomad who chose to settle and produce, rather than to gather, food – as the Bedouin of today plant and reap in circuit. It is not difficult to picture the process and expansion that followed from the occupation of a single cave beside the spring, to a tent circle protected by a thorn hedge, to the clearly visible walled and towned city of 7000 B.C. accommodating thousands of citizens.

EXCAVATION

Excavated for several successive years in the fifties, by the British and American Schools of Archaeology, under Dame Kathleen Kenyon, the site has not been as well preserved as more recent Israeli excavations. It is well worth while finding the basic items of interest, while traces still remain, visiting trenches in a circuit clockwise.

In the western trench, is a sequence of perimeter defences expanding outwards, beginning with neolithic tower set in a stone wall. The tower can still easily be climbed by an internal staircase.

The defences include a glacis, a polished white plaster slide at an angle of about 40°, enough to turn over a wheeled chariot let alone the horses. This was the most effective defence against the Hyksos warriors from 1800 B.C. From this point the walls include brick, which was introduced by the Hyksos themselves.

One of the most remarkable finds in this trench was of seven or more skulls, shell-eyed and mud-sculptured to the features of their owners. These were not standard, but individual representatives of city sages or respected ancestors.

In a nearby, north-westerly shaft, the various levels of occupation were analysed into twenty-three successive cities.

In the northern trench, the glacis defence is very clear. By the arrival of the Hyksos, successive occupations and destructions had raised the city level to nearly fifty feet above the present road level. One can therefore imagine the formidable sight presented by a glacis of that height from road level: a sheet of white glistening in the sun, whose polished slide gave no grip to hoof or wheel, hand or foot.

In the northern refugee camp, among the bare patches in the centre were discovered the Hyksos tombs, equipped with inlaid wooden beds and tables, while bowls of meat and cereal, together with their personal weapons, were to meet the needs of the warriors on their journey into the next world. A reconstruction of such tombs is to be found in the Rockefeller Museum, Jerusalem, and illustrates the aristocratic physiognomy of the Hyksos.

The north-eastern shaft was the 'temple area' of the city, reminiscent of the Canaanite altar and temple area at Megiddo.

The eastern shaft overlooking the oasis is the only one to include any Joshua-period evidence upon the whole tell. Only a 'postage-stamp in an acre' is late enough to include the thirteenth century B.C.! Except perhaps that depressing verse, 1 Kings 16: 34, the rebuilding of Jericho in the time of Ahab.

Nevertheless, the story of Rahab and the spies is magic in this setting, looking down towards the camp fires at Gilgal in the Ghor! – Josh. 2: 1–16 and 26.

HERODIAN JERICHO

In addition to Tel Es-Sultan, Ancient Jericho, there are three other Tels at Jericho. All these three are linked with Herod the Great, two on either side of the outflow of the Wadi Qelt and one half a kilometre south of Tel Es-Sultan. The first two were specifically to protect Herod's Winter Palace and Water Garden, on either side of them. The third, Tel Es-Samrat, was a hippodrome/theatre built by Herod.

The Winter Palace, built in the diamond pattern red brick which Herod brought back from Rome, stood on the north side of and facing across the Wadi towards the Water Garden, built on the south side in the same brick pattern. The garden was typically Italianate with rows of statues in niches from which water spouted, rather as one gigantic nymphaeum.

The Winter Palace and Water Garden may be reached, by turning west off the main road at the old police station, before the crossing of the Qelt. They can also be reached down the Wadi Qelt road, with its superb views of the Qelt Ravine, St George's monastery and many hermit caves, or 'skiti'.

Almighty God,
whose Son Jesus Christ fasted forty days in the wilderness,
and was tempted as we are, yet without sin:
give us grace to discipline ourselves
    in obedience to your Spirit;
and, as you know our weakness,
so may we know your power to save;
through Jesus Christ our Lord.

Lord God Almighty,
grant your people grace
to withstand the temptations
    of the world, the flesh, and the devil,
and with pure hearts and minds
to follow you, the only God;
through Jesus Christ our Lord.

123

QUMRAN
Monastery of the scrolls

Scroll caves

Dead Sea

Settlements

Settlements

Cemetery

Settlements

Aquaduct

Watchtower

Storerooms
(or perhaps rooms
for study)

Kitchens

Inner courtyard

Scriptorium

Council
chamber

Potters'
kiln

Ritual bath

Claypit

Hall of assembly

Storerooms

Work shops

Courtyard
for travellers and livestock

Physician's
room

Cistern

Pantry

Stables

South gate

QUMRAN – MONASTERY OF
THE DEAD SEA SCROLLS

APPROACH TO SITE

Travelling south from Jericho to the Dead Sea, the limestone cliffs which form the western edge of the Rift Valley stretch away into the distance. A kilometre or so down the Dead Sea coast, the traveller can discern through the heat haze a low white marly plateau at the foot of the cliffs. As the road approaches nearer the cliffs, the cleft of the Wadi Qumran is now clearly visible, its deep ravine running white down the cliff face. This water supply is the key to the occupation of the plateau below it, which is just high enough above the floor of the valley to give a commanding view for miles to north and south.

OBSERVATION POINT

From the watch tower of the monastic settlement on that plateau, in the year 63 B.C., the watchman saw a shining snake creeping down the valley several miles to the north. As it moved inexorably closer, he realised it was the advance guard of a Roman legion. The Roman commander, Pompey, had decided that so tactical an observation point must be in Roman hands. From the moment the watchman sounded the alarm, the scriptorium was emptied and all the current scrolls deposited in a concealed cave (now known as number four) within a hundred metres of the settlement. When this 'waste paper basket' cave was discovered, the very mixed contents presented a puzzle, until its purpose was realised.

DISCOVERY OF SCROLLS

In the summer of 1947 a little Arab shepherd boy, Muhammad, the Wolf, was grazing his goats below the cliffs. His semi-nomadic Ta'amireh tribe ranged south-east of Bethlehem. Casually, throwing a stone into a cave on the cliff face, he heard it

QUMRAN

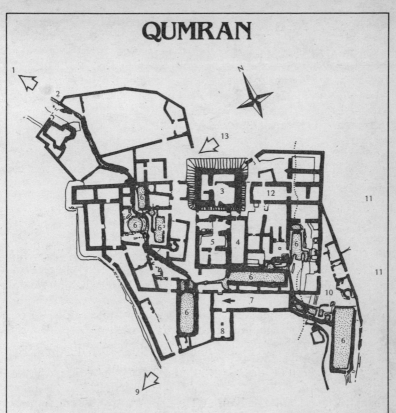

ORDER OF VIEWING QUMRAN

1. Aqueduct from cliff-cleft wadi.
2. Aqueduct enters settlement and runs through to SE corner.
3. Watchtower and storerooms.
4. Scriptorium, once in 2 storeys with desks and inkwells.
5. Council room, with running water and hand basin.
6. Numerous cisterns within water system, some damaged by earthquake 31BC, some with steps down for ritual bath.
7. Assembly hall and refectory, oriented to face Jerusalem.
   The community sat as follows:
   The Teacher of Righteousness on a raised plinth within doorway.
   His Council of three (equivalent: Peter, James and John) under west wall.
   His Twelve Elders (equivalent to the 12 Apostles) east of plinth in 3 rows.
   His 'Many' followers (equivalent to the 70 disciples) in rows behind the 12.
   Novices at the back of the hall.
   Here the community met for worship, twice a day, for teaching and meals.

8. Pantry for refectory, where much pottery was found in pieces.
9. Cave Four, the waste-paper basket, for security, a nearby hidden cache.
10. Pottery, workshops, wheels and round kiln.
11. Cemetery, in which both male and female were found, indicating that although the community was celibate, it had 'camp followers'.
    No accommodation was within the settlement perimeter, but in tents and caves.
    A freshwater farm at Ein Feshka supplied the settlement.
12. A communal kitchen.
13. Main entrance to settlement.

land in a pile of crockery. Intrigued, he climbed up through the opening into a long cave lined with tall jars with bowl-like lids. Some time later, he and a friend dug their hands into the jars and brought out tattered parchment and linen cloths, without any clue as to the value of these musty bundles. In the years that followed, some thirty caves proved a remunerative and happy hunting ground for Muhammad's Bedouins!

A fragmentary scroll manuscript of the Rule of the Community at Qumran, thought to have been an Essene monastery, reads: 'God considered their works, how they sought him with a perfect heart, and he raised up for them a Teacher of Righteousness to direct them in the way of his heart.'

ESSENES

The Essenes were a schismatic movement of Jewish priests, who broke off from the Temple and theocratic rule of the Maccabean high priesthood in about the year 150 B.C., for the following reasons:

1 They considered that the Maccabees were not entitled to be high priests – not being of the correct tribe of Levi – but as conquerors in war had claimed the high priesthood. If, therefore, the priesthood was invalid, so were its sacrifices.
2 During the Greek domination, there had been many cultic innovations and the calendar had been remodelled to the more exact lunar (cf. solar) calendar. The conservative Essenes considered the new calendar invalid and consequently the sacrifices. There was feasting on fast days and fasting on feast days, and God was displeased.
3 The Essenes were highly apocalyptic, and, following the Book of Daniel, expected the end of the world. Remembering the experience of Moses in the wilderness as necessary to purification, they retired to Qumran to prepare for the final battle between good and evil.

So, led to Qumran by a teacher of Righteousness, a community of guaranteed purity, of priesthood and calendar, they set up a framework of monasticism as early as 150 B.C.

Teacher of Righteousness

This Teacher of Righteousness, in spite of cruel persecution by the high priest(s) of his day, continued to teach his disciples how they could play their part in God's plan of salvation. He gathered round him a 'Council of Twelve' from whom he chose an inner circle of three or so closer companions. The wider community attracted by his teaching and leadership were called the Many, who gathered morning and evening for prayer in their Assembly Hall facing Jerusalem. Each Sabbath they shared a ritual meal of bread and wine. On festivals, they held a 'love banquet' in preparation for the Last Day, when the Messiah would come to conquer the world and invite the faithful to his triumphal feast.

Pattern Repeated

The familiar pattern of the teacher and his school of disciples was to reappear a century later, heralded by a desert prophet whose name 'the Baptiser' reflected the initiation rituals of the water channel at Qumran. For Jesus of Nazareth, as for the teacher at Qumran, the group of twelve personal disciples and founder-members was essential to his purpose.

MASADA ROCK FORTRESS SCENE OF HEROIC ZEALOT RESISTANCE

TACTICAL POSITION

Masada has been aptly described by several (including Murphy O'Connor) as 'curiously like an aircraft carrier moored to the western cliffs of the Dead Sea'. Its history is matched by its setting. It is well worth seeing an aerial photograph of Masada, before viewing it from either the Dead Sea or western approach. Most visitors will reach it from the Dead Sea side, by cable-car or climbing the Snake Path. It stands a good 1,000 feet above the floor of the Rift Valley, rising almost sheer – to a flat diamond-shaped top, oriented north to south. The 'prow of the ship' facing north consists of a three-terraced royal palace-villa, descending in three levels down the cliff face. Also in the 'bows of the ship' are the vast area of storerooms, administrative buildings and a magnificently complete bath house.

GATES

There are four known gates in the perimeter wall: a North Water-gate just port-side, or west, of the administration complex, an East Gate at the top of the Snake Path, a South Water-gate through a fortified section of the casement wall, and the West Gate – below Herod's Western Palace.

FORTIFICATION

The perimeter fortification consisted of a thick casement wall, four-fifths of a mile long, of packed earth sandwiched between stone walling, with thirty-eight towers each ten metres in height. These are best seen at the Southern Citadel, at the stern of the ship, and at the South Water-gate. The defenders – in addition to short-range personal arms, such as bows, arrows and javelins – would have rolled sizable stones and had some medium-range catapults.

ACCOMMODATION

It is probable that Herod and his family would have occupied the northern palace-villa, that visiting VIPs would be accommodated in the Western Palace (in which there was a throne room and reception patio), that the fortress officers and staff would have lived in the variety of apartment buildings scattered over the central area. Under siege, the defenders built living quarters along the casement walls.

FOOD AND WATER

Water was conserved in huge cisterns and countless smaller ones over the total area of thirty acres. Given some former (autumn) and latter (spring) rains, together with donkey transport from springs and wadis up through the water-gates, the fortress water supply was sufficient, except in drought. Foraging raids on Ein Gedi and other oases' date and grain stores would replenish the vast storage accommodation. Some cereals were grown actually on the top of the fortress. Even after several years' siege, when the fortress finally fell in April A.D. 73, there was no shortage of food or water.

THE SIEGE

Herod's Hide-out

Josephus is the sole historical source but it is unlikely that he was present at Masada, as he undoubtedly was at the siege of Jerusalem, which he describes with all the vivid detail of an eye witness. Masada was first fortified by Alexander Jannaeus, 103–76 B.C., but it was Herod who transformed the rock into a palace-stronghold cum desert foxhole, between the years 37 and 31 B.C. He did so partly from fear of Cleopatra, partly from fear of Jewish revolt, and actually evacuated his family there when threatened by the Hasmonean Antigonus in 40 B.C. and again in 31 B.C. In the years which followed, Masada was controlled by the procurators and occupied by a Roman garrison.

Zealot Occupation

In A.D. 66 a group of Zealots killed the Roman detachment and occupied the stronghold, where they adapted the sophisticated Herodian palaces to their more primitive needs. On the fall of Jerusalem in A.D. 70 they were joined by a few survivors, bent on continuing their struggle for freedom. From Masada, they harried the Roman troop movements and surrounding townships for two years, before Flavius Silva the Roman governor decided to eliminate this last outpost of Zealot resistance, towards the end of the year 72.

Roman Encirclement

Silva marched down the spine of Judaea with the 10th Legion and the type of siege machines developed by Vespasian and Titus at Jerusalem, together with several thousand Jewish prisoners of war carrying provisions, timbers and water. He approached from the west and arrived underneath the fortress walls, where their height above the surrounding ground was at its lowest – only 500 feet – half that of their height from the Dead Sea valley. Silva set up his own command camp on a slope facing the fortress on the north-west, establishing his own headquarters in the farthest corner from the Rock. From here he was within shouting range of the top!

Both the Zealots up on the Rock, under Eleazar Ben Yair, and the Romans below prepared for a long siege. Silva established eight fortified camps round the base of the Rock, linked by a ditch and wall formed from the excavated vallum, to prevent any possibility of escape or reinforcement.

Ramp and Siege Tower

Josephus described a small 'white' mound, under the West Gate; the mound still has traces of white quartz today. Silva decided to build a ramp of stones and packed earth from the white mound up to the West Gate, some 500 feet above. At immense cost in life and effort to his massive force of Jewish prisoners of war, the ramp was raised, packed hard and tight and broad enough to take a stone road for its last 100 feet. On this 'track' he ran up an iron-plated siege tower, the top of which was lined with rapid-firing catapults, which – when the tower appeared over the casement wall – was able to force the defenders to remain under cover. At a longer range, the Roman ballistae cast half-hundredweight stones a quarter of a mile. These were visible in the air, until painted black, and killed not only those they hit, but all behind them for some distance.

Battering Ram

Silva had a huge battering ram ready made separately and specifically to operate through the structure of the siege tower against the fortress wall. On a day in the spring of A.D. 73, after constant battering, a breach was made in the casement wall which was rapidly replaced by the Zealots with a timber wall. The Romans on the tower threw torches to burn the new wall, but the wind blew back the fire and ignited the siege tower. Not long afterwards, the wind changed – as it usually does in the evening – to a west wind, quickly transferring the flames from the Roman tower to the Zealot timber wall. When night fell, the defensive wall was again breached and the Zealot position hopeless. The 960 men, women and children were faced with surrender or suicide.

THE END OF MASADA FROM JOSEPHUS

Eleazar's Plan

'Since we, long ago, my generous friends, resolved never to be servants to the Romans, nor to any other than to God himself, who alone is the true and just Lord of mankind, the time is now come that obliges us to make that resolution true in practice. And let us not at this time bring a reproach upon ourselves for self-contradiction, while we formerly would not undergo slavery, though it were then without danger, but must now, together with slavery, choose such punishments also as are intolerable; I mean this, upon the supposition that the Romans once reduce us under their power while we are alive. We were the very first that revolted from them, and we are the last that fight against them; and I cannot but esteem it as a favour that God hath granted us, that it is still in our power to die bravely, and in a state of freedom, which hath not been the case with others who were conquered unexpectedly. It is very plain that we shall be taken within a day's time; but it is still an eligible thing to die after a glorious manner, together with our dearest friends. This is what our enemies themselves cannot by any means hinder, although they be very desirous to take us alive. Nor can we propose to ourselves any more to fight them and beat them. It had been proper indeed for us to have conjectured at the purpose of God much sooner, and at the very first, when we were so desirous of defending our liberty, and when we received such sore treatment from one another, and worse treatment from our enemies, and to have been sensible that the same God, who had of old taken the Jewish nation into his favour, had now condemned them to destruction; for had he either continued favourable, or been but in a lesser degree displeased with us, he had not overlooked the destruction of so many men, or delivered his most holy city to be burnt and demolished by our enemies. To be sure, we weakly hoped to have preserved ourselves, and ourselves alone, still in a state of freedom, as we had been guilty of no sins ourselves against God, nor been partners with those of others; we also taught other men to preserve their liberty. Wherefore, consider how God hath convinced us that our hopes were in vain, by bringing such distress upon us in the desperate state we are now in, and which is beyond all our expectations; for the nature of this fortress, which was in itself unconquerable, hath not proved a means of our deliverance; and even while we have still great abundance of food, and a great quantity of arms and other necessaries more than we want, we are openly deprived by God himself of all hope of deliverance; for that fire which was driven upon our enemies did not, of its own accord, turn back upon the wall which we had built: this was the effect of God's anger against us for our manifold sins, which we have been guilty of in a most insolent and extravagant manner with regard to our own countrymen; the punishments of which let us not receive from the Romans, but from God himself as executed by our own hands, for these will be more moderate than the other. Let our wives die before they are abused, and our children before they have tasted of slavery; and after we have slain them, let us bestow that glorious benefit upon one another mutually, and preserve ourselves in freedom, as an excellent funeral monument for us. But first let us destroy our money and the fortress by fire; for I am well assured that this will be a great grief to the Romans, that they shall not be able to seize upon our bodies, and shall fail of our wealth also: and let us spare nothing but our provisions; for they will be a testimonial when we are dead that we were not subdued for want of necessaries but that, according to our original resolution, we have preferred death before slavery.'

The Final Destruction
'Now as Eleazar was proceeding on in this exhortation, they all cut him off short, and made haste to do the work, as full of an unconquerable ardour of mind, and moved with a demoniacal fury. So they went their ways, as one still endeavouring to be before another, and as thinking that this eagerness would be a demonstration of their courage and good conduct, if they could avoid appearing in the last class: so great was the zeal they were in to slay their wives and children, and themselves also! Nor indeed, when they came to the work itself, did their courage fail them as one might imagine it would have done; but they then held fast the same resolution, without wavering, which they had upon the hearing of Eleazar's speech, while yet every one of them still retained the natural passion of love to themselves and their families, because the reasoning they went upon, appeared to them to be very just, even with regard to those that were dearest to them; for the husbands tenderly embraced their wives and took their children into their arms, and gave the longest parting kisses to them, with tears in their eyes. Yet at the same time did they complete what they had resolved on, as if they had been

executed by the hands of strangers, and they had nothing else for their comfort but the necessity they were in of doing this execution, to avoid that prospect they had of the miseries they were to suffer from their enemies. Nor was there at length any one of these men found that scrupled to act their part in this terrible execution, but every one of them despatched his dearest relations. Miserable men indeed were they! whose distress forced them to slay their own wives and children with their own hands, as the lightest of those evils that were before them. So they not being able to bear the grief they were under for what they had done, any longer, and esteeming it an injury to those they had slain, to live even the shortest space of time after them – they presently laid all they had in a heap, and set fire to it. They then chose ten men by lot out of them, to slay all the rest; every one of whom laid himself down by his wife and children on the ground, and threw his arms about them, and they offered their necks to the stroke of those who by lot executed that melancholy office, and when these ten had, without fear, slain them all, they made the same rule for casting lots for themselves, that he whose lot it was should first kill the other nine, and after all, should kill himself. Accordingly, all those had courage sufficient to be no way behind one another, in doing or suffering; so, for a conclusion, the nine offered their necks to the executioner, and he who was the last of all, took a view of all the other bodies, lest perchance some or other among so many that were slain should want his assistance to be quite despatched; and when he perceived that they were all slain, he set fire to the palace, and with the great force of his hand ran his sword entirely through himself, and fell down dead near to his own relations. So these people died with this intention, that they would not have so much as one soul among them all alive to be subject to the Romans. Yet was there an ancient woman, and another who was of kin to Eleazar, and superior to most women in prudence and learning, with five children, who had concealed themselves in caverns underground, and had carried water thither for their drink, and were hidden there when the rest were intent upon the slaughter of one another. These others were 960 in number, the women and children being withal included in that computation. This calamitous slaughter was made on the fifteenth day of the month (Xanthicus) Nisan.'

SUGGESTED ORDER OF VISIT TO MASADA

1. Snake Path Gate.
2. Zealot quarters, south wall.
3. Mikve and Southern Water-gate.
4. Underground cistern.
5. Southern Citadel.
6. 'Columbarium', dovecote or funerary urns.
7. Palace swimming pool.
8. Western Palace:
    - Entrance, guardroom.
    - Muralled patio and throne room.
    - VIP apartments including:
        - Zealot fireplace on Roman pavement.
        - Bath and toilet rooms.
        - Staircase down to servants' quarters.
9. Western Gate and Ramp.
10. Byzantine church.
11. Synagogue – perhaps the oldest in Israel.
12. Roof of Bath-house to view storerooms.
13. Bath-house.
14. Parade ground.
15. Palace-villa including:
    - lower terrace, with murals.
    - middle terrace, with circular pavilion.
    - upper terrace, with semi-circular porch.
16. North Water-gate.

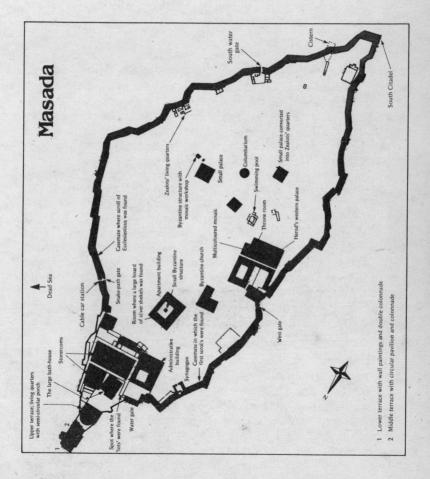

Masada

1 Lower terrace with wall paintings and double colonnade
2 Middle terrace with circular pavilion and colonnade

135

CITIES OF THE NEGEV
BEERSHEBA, AVDAT,
MAMSHIT & SHIVTA

THE NEGEV

'Four thousand square miles of Israel's south – a limitless sea of sand, stone and scrub, grandeur reaching back to the beginnings of time. A golden ocean navigated by Bedouin and camels, islanded by emerald green settlements, bounded by barrier reefs of rising peaks. Lunarscape of rainbow craters and craggy gorges seared by fiery heat; yet today, with water from the far north, a land reclaimed, a land of challenge and hope.'

The name Negev means literally the dry, or parched land, the land of the Amalekites, until they gravitated to the more fertile soil of Gaza and Philistia (Exod. 17: 8 ff.; 1 Sam. 30: 1 ff.) Here were the wicked cities of Sodom and Gomorrah. Here David fled like a partridge before Saul to the caves of Ein Gedi. Here Solomon mined copper, in addition to which the Israelis extract phosphates, potash, bromine and magnesium. Here the Essene communities sought the purity of the desert. Here the Nabateans from their capital city at Petra in the first century B.C. alternately pillaged and protected the passing caravans, built their supply cities and farmed the parched land with remarkable expertise to supply their sizable city populations.

Desert Farms
Modern Israeli agriculturists have established, over the last twenty-five years, experimental farms to rediscover the Nabatean and Byzantine methods of desert agriculture. Such methods enabled the survival in the desert of considerable city populations and today produce handsome crops of carobs, figs, grapes, pomegranates, olives, almonds, peaches and apricots.

The average rainfall in the Negev is less than four inches a year, but when it rains the crusty soil, compacted by heat, is unable to absorb the water, which tends to cascade down the wadis – unless carefully controlled by irrigation channels. The Nabateans in the first centuries B.C. and A.D., and the Byzantines of the fourth to seventh centuries A.D. blocked shallow wadis with a sequence of locks, from which low walls (serving as conduits) directed the overflow water along the terraces on either side. A proportion of the overflow continued down the wadi from lock to lock, and at successive levels was diverted to water each terrace. Such catchment areas included also a farmhouse, whose cistern was fed by pipes from its own roof and courtyard.

BIBLICAL BEERSHEBA

One tradition ascribes its origin to Abraham, another to Isaac, but in either case the story is similar: the Patriarch purchased the ground from Abimelech for the price of seven ewe lambs and dug a well which was named 'The Well of the Seven' or 'The Well of the Covenant'. There are in fact seven wells in Beersheba today – ancient and modern: Gen. 21: 22; 26: 26–32.

Jacob visited and sacrificed at the ancient sanctuary here, on his way north to Haran and on his way south to Egypt: Gen. 28: 10; 46: 1 ff.

The prophet Samuel sent his sons to judge, in the circuit of Beersheba: 1 Sam. 8:2.

The prophet Elijah fled to Beersheba for sanctuary from Jezebel: 1 Kgs 19: 3.

The prophet Amos linked Beersheba with the sanctuaries of Bethel and Dan: Amos 5: 5; 8: 14.

It is regarded as the southern boundary of Southern Kingdom: 2 Kgs 23: 8; 2 Chr. 19: 4.

A Roman garrison was established here in the time of Eusebius (fourth century) and also a Christian bishopric.

Beersheba is now an expanding frontier town of over 100,000 population, scientists, builders, teachers and traders – though it is still a Bedouin centre. Every Thursday is market day.

HISTORICAL AND GEOGRAPHICAL

Within the vast triangle of the Negev, the area south of Beersheba as far as the Ramon Crater straddled the desert trade routes. These ran between Arabia Felix and the borders of Egypt from Kantara to El Arish, between Elath on the Red Sea and Gaza on the Mediterranean.

The Nabateans settled in Petra about 800 B.C.; by 400 B.C. they dominated the caravan routes with a policy of 'piracy' or 'protection'. By 200 B.C. they had established settlements of desert farm units at tactical points. The one-time desert raiders settled skilfully and successfully in the most inhospitable climate and became themselves vulnerable to nomads who envied their comfort and security!

When nomadic incursions into cultivated valleys again threatened the trade routes, the Romans – particularly under Trajan in A.D. 105 – intervened. Roman camps were established from which the roads were patrolled. Roman engineers cut a stepped road in the cliff of the 'Ascent of Scorpions', from the Arava gorge from the east, up on to the Negev. Water holes were dug every twenty miles or so along the routes, which were now usable by pack-mules as well as camel-trains.

In the fourth century, the Byzantines occupied most of the Nabatean settlements and expanded them, carefully preserving the existing water channels, and conserving water from wide streets and open spaces to fill reservoirs. Some of these townships may have had populations of 2000, judging by the numbers of housing units among the ruins.

DESERT CITIES

The following share this same pattern of history and are well worth visiting. The National Parks Ticket Office at each site will supply a groundplan of the main features.

Avdat (forty miles south of Beersheba)
Burial place of the Nabatean king Obodas II, 9 B.C., and renamed Oboda – in Hebrew Avdat. His son, Aretas IV, ruled as far north as Damascus in the time of St Paul. The Byzantine ruins include a castle, Church of St Theodore and monastery. There is a Roman camp and a Nabatean altar, gateway and terrace.

Shivta/Subeita (thirty-five miles south-west of Beersheba)
Unwalled city, whose street-ends were gated, whose layout is still clear and whose water-system is channelled from cistern to cistern. There are three churches, the central of which has three apses. The north church has a cruciform baptismal font and

monastic quarters. The entrance bears carvings of the Chi-Rho monogram, Alpha & Omega.

Mumshit/Mampsis (twenty-six miles south-east of Beersheba)

The northernmost Nabatean settlement in the Negev, a walled city set on a hill and on the north bank of the Wadi Kurnub, with a number of dams. Of the two churches, the western one – next to the town hall – has a floor-mosaic inscription: 'Lord, help your servant Nilus who built this church. Amen.' There are two large blocks of administrative buildings.

PROVINCIAL SHRINES OF ISLAM

HEBRON AND BETHLEHEM

Among the remaining Muslim Holy Places are Hebron, El Khalil, or the 'Friend of God' (meaning Abraham), and the Tomb of Rachel, Qubbat Rahil. These indeed they were, long before the time of Muhammad, and were accepted as such by the Christians, St Jerome and Eusebius the historian. Long before Jerome and Eusebius, Herod built his sanctuary over the Cave of Machpelah and Josephus knew Rachel's Tomb near Bethlehem. Muslim veneration of these two and other early Hebrew shrines is, in a sense, retrospective and under Muslim rule was apt to be protectively exclusive. Consequently the Muslim annexation of sites sacred to the Jews has not been popular; nor perhaps nowadays is the virtual control at the Haram El Khalil and the Qubbat Rahil by the Orthodox Jews very popular with Muslims. Whereas in Ottoman times Jews were excluded from the Harams in Jerusalem and Hebron, now there is limited freedom of access to both for all faiths.

LYDDA

Of Lydda, Muqaddasi writes: 'Lydda lies about a mile from Ar-Ramlah. There is here a great mosque, in which are wont to assemble large numbers of the people from the capital [Ar-Ramlah], and from the villages round. In Lydda, too, is that wonderful church [of St George] at the gate of which Christ will slay the Antichrist.' The Church of St George mentioned by Muqaddasi must have been the original church which the Crusaders restored, for the present ruins are those of a building of the Crusading epoch. According to local tradition, St George the Cappadocian martyr came from Lydda, and over his remains was built a church mentioned in the fifth century. On the approach of the Crusaders, the church was burnt, but was rebuilt and again destroyed in 1291. Today the white minaret, rebuilt after the 1927 earthquake, and the mosque occupy the site of the Byzantine church. The remainder of the Crusader church was acquired by the Greek Orthodox, who built the present church over a crypt in which is shown the Tomb of St George. St George is revered by the Muslims as Al-Khadr (the green and living one).

RAMLAH

Ramlah was the provincial capital from its foundation by Suleiman, son of Abdel Melik, until the coming of the Crusaders. Then, the famous White Mosque stood in the centre of the city, but its shrine was that of Nebi Salih, a Muslim prophet mentioned in the Quran who was sent to the tribe of Tamud. The Tower of Ramlah is an interesting and outstanding monument of the fourteenth century, originally erected as the minaret of the mosque, and now six storeys and thirty metres high. In its basic features it is an imitation of a gothic belfry, perhaps that of the Holy Sepulchre, but the decorations are Moorish. It stands within the White Mosque enclosure which was itself built six centuries earlier. It is called by Christians the Tower of the Forty Martyrs and by Muslims that of the Forty Companions of the Prophet. The Tomb of Nebi Salih lies to the west of the tower. Ramlah is also the traditional site of Arimathea, the home of Joseph in whose tomb Jesus was buried.

NABLUS

Nablus was built in A.D. 72 by Titus and named Neapolis. It was the see of a Christian bishopric and also a Samaritan stronghold. It was occupied by the Muslims in 636, until it fell to the Crusaders in 1100. Today Nablus is a centre of cultural and political thought as well as a centre of light industry. The two fine mosques were in origin Byzantine churches. Ali of Herat, in 1173, wrote:

> Outside the town is a mosque where they say Adam made his prostration in prayer . ... the Samaritans are very numerous in this town. Nearby is the spring of Al-Khadr [Elijah] . . . further, Joseph is buried at the foot of a tree at this place.

Of Nablus, the geographer Idris wrote:

> There is here the well that Jacob dug – peace be on him! – where also the Lord Messiah sat, asking of water to drink from a Samaritan woman. There is at the present day a fine church built over it. The people of Jerusalem say that no Samaritans are found elsewhere but here.

ACRE

Among the provincial cities of Muslim interest is Acre, ancient Ptolemais, a naval base under the Omayyads second only to Alexandria, and a key port throughout the Crusader occupation. On the fall of Jerusalem, Acre became the capital of the Ottoman province of Sidon, under the Albanian soldier of fortune Ahmed al-Jazzar, justly nicknamed 'The Butcher' for his indiscriminate cruelty towards all classes of his subjects. He has left behind a magnificent mosque, square in plan and roofed with a great dome. With its slender minaret it stands in the middle of a large rectangular court, which is surrounded on three sides by arcades resting on ancient columns with modern capitals. The columns, which are partly of granite and partly of marble, were brought from the ruins of Tyre and Caesarea. Along these arcaded walks or cloisters are domed cells for the servants of the mosque and the pilgrims who come to visit it. In the courtyard, near the north-west corner of the mosque, stands a small domed chamber containing the white marble tombs of Jazzar Pasha, the founder of the mosque, and of Suleiman Pasha his successor.

TOMB OF MOSES

Although the Book of Numbers denies that anyone knows the Tomb of Moses, in 1269 the Mamluk Sultan Beybars built a mosque at a point on the old pilgrim road, from which pilgrims could view Mount Nebo, to enclose a representative Tomb of Moses. What began perhaps as a pilgrimage provision soon developed into political expedient, to ensure that there was a large Muslim contingent in Jerusalem over the Christian Easter festival. Since the Middle Ages it has been the custom to make an annual pilgrimage to Moses' tomb and shrine. The villagers used to come from all over Palestine; after services in the Haram es-Sharif, they would proceed in a picturesque procession to the shrine of Nebi Musa. After festivities lasting about a week, there was a return procession to Jerusalem, the whole festival coinciding exactly with the Holy Week services of the Eastern Churches!

BROTHERHOOD OF ISLAM

It is a solemn thought that if Jews and Christians had set out more purposefully to share their faith with the Arabic tribes in the early centuries of the Christian era, they might not now be confronted with the vast brotherhood of Islam throughout the world. This brotherhood is drilled to a pattern of prayer, from preliminaries to prostrations, which binds together its members of all colours and countries. Hardened by the burning fast of Ramadhan, united in its single focus of pilgrimage, this brotherhood has developed its own exclusiveness, without reference to the universal father-hood of God. 'Only believers are brothers,' says the Quran, in which the mercy and compassion of God are outweighed by his justice and judgment. Islam still remains in character a brother-hood, whose words of witness, 'There is no God but God: Muhammad is the Apostle of God' are of great power, both to the simple and the wise.

Part Four:

TRANSFER TO GALILEE

144

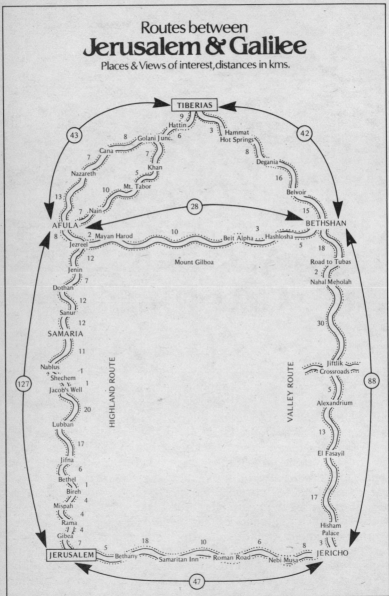

Routes between
Jerusalem & Galilee
Places & Views of interest, distances in kms.

JOURNEY TO OR FROM JERUSALEM CHOICE OF PILGRIM ROUTES

The principal Christian Holy Places are naturally to be found in those districts where Jesus was born and brought up, where he lived and taught, where he suffered, died and lived again. Broadly speaking, this means Nazareth and the lakeside within Galilee, also Jerusalem and Bethlehem within Judea. There are, however, a number of places sacred to Christians for their association with the visits of Jesus or his mother, on their travels between Galilee and Judea.

HIGHLAND ROUTE

There are three different roads to be considered. The middle route leads through the highlands of Samaria, the eastern way through the Jordan Valley and the western follows the coastal plain. Josephus describes the middle route as the shortest one, able to be covered on foot in three days, and the usual one for Jewish pilgrims from Galilee to Jerusalem. The main disadvantage of this was the possible trouble when travelling through Samaritan territory. On the whole, this was outweighed by the greater safety and speed of a shorter route passing always through inhabited localities, in which provisions and lodgings were plentiful. It is very probable that there were sizable caravanserais at staging posts near El-Lubban and Sanur. On more than one occasion, Jesus is described as needing to spend a night in Samaria (Luke 9: 51–5).

VALLEY ROUTE

The eastern route, via the Jordan Valley, might have taken nearly twice as long, though St John indicates that Jesus and his disciples went from Jericho to Cana in three days (John 2: 1). This road may have served Jesus' purpose better than the shorter route on those occasions when he wished to avoid the pilgrim traffic, or when he wished to stay outside Judean territory as long as possible, or simply when he wished to travel alone with his disciples.

COASTAL ROUTE

The western route passing through either Emmaus (Amwas) or Antipatris seems to have been little used by Jesus, though Joseph and Mary with the child Jesus would have returned from Egypt to Nazareth by the Via Maris.

TRAVEL TO 'TERMINAL'

If we think of the 'Highland' and 'Valley' routes as the two main arteries, we must expect that – in the districts both of Galilee and of Jerusalem – smaller capillary roads would lead to the terminal of the main route. So, Jesus must have visited many villages among the glens of Galilee and in the environs of the city, on link roads to the pilgrim terminals.

A number of events within the gospel story took place at specific points on his journeys. One would expect Galilean pilgrims to gather in the plain of Jezreel, near the modern town of Afula at the foot of the hill of Moreh. Indeed, Afula has always been at a crossroads and the obvious communication centre for southern Galilee. This would explain the visit to Nain and the raising of the widow's son (Luke 7: 11–15).

DAILY DISTANCES

The 'Highland' route can be divided into three days' travel, between Jezreel and Jerusalem. The total distance is some one hundred and twenty-two kilometres, just over seventy-five

miles, with each day's travel forty kilometres or twenty-five
miles. Each day in turn was divided by a noonday halt. This
accords exactly with known sites and scriptural references:

DAY 1: Afula to Jenin – first noonday halt.
 – Healing of the Ten Lepers – the 'Grateful Samaritan' –
 Luke 17: 11–19.
 Jenin to the Plain of Sanur, near Akaba – first night stop.
 – Caravanserai.

DAY 2: Sanur to Sychar – second noonday halt.
 – Samaritan woman at Jacob's well – John 4: 1–43.
 Sychar to Lubban, an ancient inn site – second night stop.

DAY 3: Lubban to Bireh – third noonday halt.
 – Mary and Joseph lost the boy Jesus – Luke 2: 41–51.
 Bireh to Jerusalem – pilgrims' terminal and dispersal.

CHOICE OF ROUTES THEN

This route would have been followed by Mary on her way to visit
her cousin Elizabeth for the Visitation. Most pilgrims would
weigh up the advantages between one route and the other. The
'Valley' route would have been insufferably hot in mid-summer,
120°F in the shade, but safer – if slower. The 'Highland' route in
large caravans or convoys was fairly secure – if very cold in
winter. For individual travellers or small groups, the Samaritan
territory was a perpetual hazard. The irony of the story of the
'Good' Samaritan is just in the fact that he was on the *wrong* road!
The 'certain man who went down from Jerusalem to Jericho' may
well have selected his route to *avoid* Samaritans!

Jesus may well have chosen the solitude of the 'Valley' route, as
providing a quiet opportunity to teach his disciples. Perhaps,
however, for him the most important advantage of this route was
its proximity to the River Jordan and the baptism centres of his
cousin, John.

CHOICE OF ROUTES NOW

The choice of routes for the traveller today will depend firstly
upon the security situation in the area of Jacob's Well, Nablus and
Sebaste – and secondly upon his personal purpose. The tourist

primarily concerned with agricultural and industrial settlements
in the modern State of Israel may do well to choose the 'Coastal'
route. The Christian pilgrim will probably prefer the 'Highland'
route with its superb sequence of Old and New Testament
associations: northwards: Bireh, Jacob's Well, Shechem, Samaria, Dothan, Jenin and Jezreel. Should this route, however, be
'closed' there is much of interest on the 'Valley' route, despite the
present inaccessibility of the places of baptism linked with John
the Baptist.

On leaving Jericho, the road passes successively a fine
Ummayyad palace at Khirbet Mafjir and the Herodian town-site
of Phasael (Herod's brother's name) now El Fasayil. Only seven
kilometres later, the road passes below the Herodian palace
stronghold of Alexandrium on the conical hill of Sartaba, before
the crossroads at Jiftlik – leading up the fertile vale of Faria to
Nablus and down to the Damiya bridge across Jordan. Here Jacob
crossed from Haran into Canaan and Joshua crossed with the
Children of Israel. Nearly fifty kilometres north, the route passes
through the well-populated township of Bethshan, whose remarkable tell is clearly visible from the road and whose theatre is
the largest in modern Israel.

Whichever route is accessible, as far as Jenin or Bethshan, there
is a sequence of sites along the south of the Plain of Esdraelon
which are always open. These include, from east to west, Bethshan, Beit Alpha, Mount Gilboa and Mayan Harod. The superb
Crusader castle of Belvoir and the synagogue at Hammat can also
be visited on the final approach to Tiberias.

SAMARITAN TERRITORY JACOB'S WELL, SHECHEM, SAMARIA

THE SAMARITANS

Then

In 722 B.C. the Assyrians invaded and captured Samaria, deported a proportion of the population and imported several alien tribes to take their place. It is commonly said that the intermingling of the aliens and Israelites who remained formed the Samaritan race of later days who were not recognised by the Jews as Jews. The Samaritans repudiated completely any obligation to go up to Jerusalem to worship. They built their own temple on Mount Gerizim above Shechem. This was destroyed by the Hasmonaean prince, John Hyrcanus, in 129 B.C.

And Now

The Samaritans in our time have been reduced to a small community of under two hundred, who live mainly in Nablus. Even this diminished survival they owe in part to the Jews. In 1841, for example, when the Muslims of Nablus threatened to exterminate them, the chief rabbi of Jerusalem saved them by giving a certificate that 'the Samaritan people are a branch of the children of Israel who acknowledge the truth of the Torah'.

Samaritan Torah

The Samaritans continue to observe their ancient separatist rites which they claim to be purer than those of the regular Jews. They admit the canonical authority only of the Books of the Pentateuch. They wear long hair and beards and in their synagogue is a volume of the Torah written in the Samaritan script, which is similar to ancient Hebrew.

Passover Today

They celebrate the Passover on the summit of Mount Gerizim. On the Passover eve, the entire community ascends the mountain.

Surrounding their altar, they slaughter seven sheep for an offering, while the high priest stands on a rock and reads aloud the twelfth chapter of Exodus. When he comes to the sentence 'the congregation of Israel shall kill it', the people kill the sheep. They then pour water over the carcasses and, stripping off the fleece, extract the fat and burn both fat and fleece. The forefoot of each sheep is cut off and given to the priest in accordance with the biblical command. After being cleaned, the sacrifices are thoroughly salted and each sheep is then spitted on a rod and roasted.

Roasted Whole

Close to the altar is a pit, or *tannur*, heated by the burning of brushwood. In this primitive and vast oven, the carcasses are roasted. After prayers and at about midnight they take the roasted sheep out of the pit and put them into huge casseroles. They then all sit round, fully clothed and shod, to eat their sacrificial portions. No bone must be broken nor anything edible left unconsumed. When all is finished they gather up the bones, hooves, horns and also anything, such as the spits, which has come in contact with the sacrifice, and solemnly burn everything.

JACOB'S WELL

Then

Just south of the Ebal–Gerizim Pass, as St John the Evangelist describes, Jesus rested at Jacob's Well and sent his disciples on to the next village to buy lunch. It was over his midday rest that he had that wonderful conversation with the much-married woman of Samaria, who teased him for his thirsty request for a drink: 'You Jews have no dealings with us Samaritans, besides the well is deep and you have no bucket and rope!'

Now

Today the well is still thirty-two metres deep and its identification is unquestioned. A Byzantine cruciform church, with the well beneath the centre of the crossing, was described by Arculf in 679. Antoninus records that the well entrance was in front of the altar rail. Jerome describes the building of a church in the fourth century and the Bordeaux Pilgrim as early as 333 identified the well by its proximity to Joseph's Tomb. Since then the site has had an unbroken tradition. In Crusader times the well was within a crypt below the high altar of a three-aisled church. Today it still forms the crypt of an unfinished Orthodox church, in exactly the same position and plan. Here, without doubt, was the scene of Jesus' refusal to participate in the Jewish-Samaritan controversy and also of his dictum, 'Neither in this mountain, nor yet at Jerusalem . . . God is a Spirit and they that worship him must worship him in spirit and in truth.'

Scriptural References

1 Jacob's purchase of property near Shechem: Gen. 33: 18–20.
2 Joseph visits his brothers at Shechem: Gen. 37: 12–14.
3 Joshua built an altar on Mt Ebal and read the Law: Josh. 8: 30–4.
4 The bones of Joseph buried on Jacob's property: Josh. 24: 32.
5 Jesus and the woman of Samaria, at Sychar: John 4: 1–26.

SHECHEM

The ancient patriarchal city, at the mouth of the only east–west pass through the spine of Samaria. Tel Balata was first settled in the fourth millennium B.C. and must have been an important town at the crossroads of trade routes, at the time of Abraham (Gen. 12: 6–7). An obvious feature of the city was the monolithic south gate, still to be seen today.

SAMARIA – A TALE OF FOUR CITIES

Omri, 880–721 B.C.
Royal capital of the Northern Kingdom (2000 chariots and 10,000 men): 1 Kgs 16: 24. Ahab's death at Ramoth Gilead: 1 Kgs 22: 31–9. Lepers and the Syrian siege: 2 Kgs 7: 3–11.

Illustrated by the Israelite walls – two headers to each stretcher – short, short, long – best seen south of the Roman forum.

Sargon, 721–331 B.C.
The administrative headquarters of a backward province in the vast oriental empire of Assyria: 2 Kgs 17: 6. Deported Israelites replaced by colonists: 2 Kgs 17: 29.

Illustrated by crude stone walls in the Acropolis area.

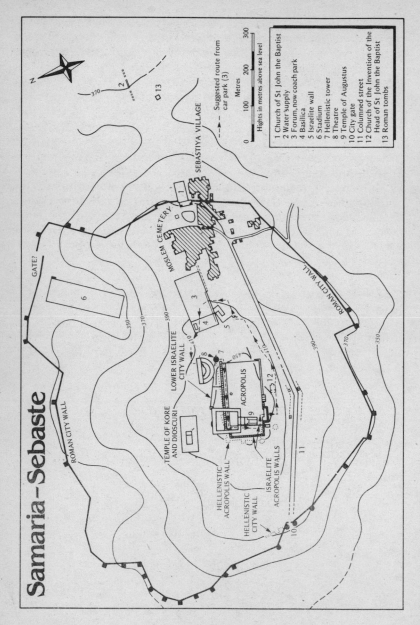

Samaria–Sebaste

Metres

0   100   200   300

Hights in metres above sea level

- - - - Suggested route from car park (3)

1 Church of St John the Baptist
2 Water supply
3 Forum, now coach park
4 Basilica
5 Israelite wall
6 Stadium
7 Hellenistic tower
8 Theatre
9 Temple of Augustus
10 City gate
11 Columned street
12 Church of the Invention of the Head of St John the Baptist
13 Roman tombs

SEBASTIYA VILLAGE

MOSLEM CEMETERY

ROMAN CITY WALL

GATE?

ACROPOLIS

TEMPLE OF KORE AND DIOSCURI

LOWER ISRAELITE CITY WALL

HELLENISTIC ACROPOLIS WALL

ISRAELITE ACROPOLIS WALLS

HELLENISTIC CITY WALL

Alexander 331–107 B.C.

Alexander's personal visit, followed by a colony of 6000 Macedonian veterans. The Greek colonial city captured and destroyed by Hyrcanus 108 B.C.

Illustrated by the fine Hellenistic tower.

Herod, 30 B.C.

Presented to Herod by the Roman Emperor Augustus. Herod imported 6000 mercenaries and renamed the city Sebaste, in honour of Augustus – a provincial city. New circuit of walls, two and a half miles long.

Illustrated by colonnaded street, temple of Augustus and forum. An early Christian tradition of the burial of the body of John the Baptist, at Sebaste, resulted in the building of a Byzantine basilica and later – in the twelfth century – a Crusader cathedral of St John. This is within the perimeter of the present Arab village.

Order of Visit

Begin in the Roman forum and circle the site anti-clockwise:
1 Enter site by South Gate.
2 Forum.
3 View of Roman hippodrome and Persian polo posts, to the north.
4 Graeco-Roman theatre.
5 Hellenistic tower.
6 Acropolis, possible site of the Ivory Palace.
7 Temple of Augustus.
8 Cycloptic Assyrian Wall.
9 Byzantine Church of John the Baptist.
10 View Imrin village, which retains name of Omri.
11 Return to Forum, noting Israelite Wall.
12 Crusader cathedral in village, if desired.

VALLEY OF JEZREEL GILBOA, HAROD, BEIT ALPHA, GAN HASHLOSHA, BETHSHAN

The valley of Jezreel extends along the southern fringe of the Plain of Esdraelon, from the fortress/tells of Megiddo and Ta'Anach in the west to Bethshan in the east.

JEZREEL

The 'Highland' pilgrim route between Jerusalem and Galilee emerges north of Jenin at a junction, just north of the old West Bank boundary. Near the present crossroads was the ancient city of Jezreel, associated with the story of Naboth's vineyard (1 Kgs 21) 'hard by the palace of Ahab King of Samaria', also the execution of Jezebel by Jehu (2 Kings 9: 30–7). At this point the valley runs west and east. To reach the lakeside cities, the more direct route continued north round the Hill of Moreh, via Nain (Luke 7: 11–15) and perhaps Endor (1 Sam. 28: 7–25) and the foot of Mount Tabor (Luke 9: 28–36).

GILBOA

Another road turned East along the Valley of Jezreel to link up with the Jordan Valley pilgrim route at Bethshan. This road passes under the mountains of Gilboa, with all their vivid associations with the killing of Saul and Jonathan by the Philistines, on the heights above (1 Samuel 31 and 2 Samuel 1):

> 'Thy glory, O Israel, is slain upon thy high places! . . .
> How are the mighty fallen,
> and the weapons of war perished!'

HAROD

Some five kilometres from the crossroads a road turns right under the Gilboa range, towards Mayan Harod, near Kibbutz Gideona. Such names conjure up memories of Gideon selecting his 300 commandos, at the Well of Harod, to fight the Midianites as thick as 'locusts for number' in the Vale of Jezreel (Judg. 6 and 7). Once again, the setting is so vivid that the story only needs reading against the background of the scenery: 'At the beginning of the middle watch, when they had just set the watch; and . . . they blew the trumpets and smashed the jars . . . holding in their left hands the torches, and in their right hands the trumpets to blow; and they cried: "A sword for the Lord, and for Gideon!"'

BEIT ALPHA

Returning to the road along the valley, another five kilometres east takes us to the forbidding Shitta prison. Turning right towards the hills again another five kilometres brings us to Kibbutz Heftziba, in which is a quite remarkable sixth-century synagogue mosaic floor. This was discovered in 1928, in the course of irrigating land owned by the neighbouring kibbutz Beit Alpha.

Synagogue Plan
The basic ground plan is very clear and it is easy to imagine the elevation. The whole will help relate to synagogues at Capernaum, Hammat and elsewhere. An open courtyard facing south (towards Jerusalem) leads through two doorways, into a vestibule the width of the building. From this, three doorways lead into the prayer hall, the central one into the nave and the other two into side aisles, all with mosaic floors. Above the side aisles, galleries looked down into the nave, at the southern end of which was an apse housing a Torah cupboard. Off the right or west aisle is a courtyard, half the length of the building with its separate entrance to the front and from which a staircase led up into the gallery.

Nave Mosaics
Within the central doorway between a lion and a bull is an Aramaic and Greek inscription: Greek: 'In honoured memory of

the artists who made this work well, Marianos and his son Aninus.' Aramaic: 'This mosaic was laid down in the . . . year of the reign of the Emperor Justinus in honoured memory of all sons . . . Amen.'

This is the only dated inscription found in a Holy Land synagogue and refers to the time of Justinian, who ruled from 518 to 527 A.D.

The nave mosaics are divided into three panels: The first depicts the sacrifice of Isaac (Gen. 22: 1–14). In the top of the picture the hand of God reaches down out of the cloud and the words 'Lay not thine hand upon the lad' appear over the figure of Abraham with his knife ready, while the ram (hardly caught by its horns) is tethered behind the patriarch.

The middle panel has a central medallion of Apollo driving his sun-chariot over the heavens, within a Zodiac circle of the signs of the twelve months, inscribed in Hebrew and running anticlockwise from three o'clock. These are Aries the ram, Taurus the bull, Gemini the twins, Cancer the crab, Leo the lion, Virgo the virgin, Libra the scales, Scorpio the scorpion, Sagittarius the archer, Capricorn the goat, Aquarius the water bearer, Pisces the fishes. In the corners are the four seasons: top left, Spring; bottom left, Summer; bottom right, Autumn; top right, Winter.

The southern and furthest panel depicts the Torah cupboard, which stood in the apse beyond and above the mosaic, framed within tasselled curtains and flanked by menorah (seven-branched candlesticks), incense shovels and shofars (rams' horns). The doors of the Ark, heavily inlaid and decorated, together with the rich symbolism of the whole design, do honour to this one-time shrine of the Law.

GAN HASHLOSHA

Two kilometres on the road to Bethshan is the most idyllic bathing and picnic place, a sequence of pools along the same Harod stream, on its way to the Jordan River. There are few enough such facilities on either the 'Highland' or 'Valley' route from Jerusalem, and Hashlosha is included in the National Parks card.

BETHSHAN

B.C.
The tell is the site of eighteen successive cities, since 3500 B.C., and was finally destroyed during its Crusader occupation by Saladin. It was on the walls of ancient Bethshan that the Philistines hung the bodies of Saul and his three sons, after their defeat on Mount Gilboa (1 Sam. 31: 8–10).

The Israelite tribe of Manasseh made little impression on this great fortress city, which was successively in the hands of Canaanites, Egyptians and Philistines, whose powerful chariot forces and bowmen were too strong for the Hebrews – except perhaps in the time of Solomon. In Hellenistic times, it reappeared under a new name, Scythopolis, and was captured in 107 B.C. by John Hyrcanus, who sought to force circumcision upon the inhabitants. They mostly went into exile, until the arrival of the Romans in 63 B.C.

A.D.
In the time of Christ, the city was one of the Graeco-Roman cities of the Decapolis. The magnificent Roman basalt theatre – one of the most complete and best preserved in Israel – dates from A.D. 200. At that time, Scythopolis was a well-known textile centre and famous for its fine linen. In 325, its first Christian bishop attended the Council of Nicea.

Part Five:

IN & FROM GALILEE

GALILEE: THE GREENHOUSE
OF THE GOSPEL

'Yahweh created seven seas, but Gennesaret is his delight'
A rabbi
'O Sabbath rest by Galilee . . .'
A Quaker

DISTRICT

To the Christian the very word Galilee has an emotive impact. It conveys in a word the scene of Jesus' lakeside Ministry. It conjures up memories of his calling, of his disciples, his miracles and his teaching – as does no other word. To most of us, however, it is the *Sea* of Galilee rather than the district, which we hold in such affection.

The name Galilee – from the Hebrew *Galil*, meaning a circuit or circle – is applied to any well-defined region. 'Galil Ha Goyim' – 'Galilee of the Gentiles', literally 'encircled by Gentiles' – was the name given to the northern province. The region, or district, was actually surrounded by foreigners on at least three sides – on the west by the Phoenicians, on the north by the people of Tyre and Sidon, on the east and south-east by the Ten Towns, the Graeco-Roman colonials of the Decapolis. Following the return from Babylon, the district remained largely Gentile, but by the time of Jesus it was thoroughly Judaised. The words 'of the Gentiles' – 'Ha-Goyim' – were dropped from its title, which then became proudly known as '*The* Region or District'.

Rift
The main feature of the District is the 'Rift' or Jordan Valley,

whose waters are fed from the melting snows of Mount Hermon, sixty miles to the north-east. The name Jordan can mean 'descender', and its waters descend from 9000 feet above sea level to 682 feet below the level of the Mediterranean, to form the Lake or Sea of Galilee.

Rising out of the Rift Valley and running west to the coastal plain are three parallel and rising steps: the Plain of Esdraelon, much of which is below sea level; the Lower Galilee ranges of up to 1800 feet; and finally the plateaux of Upper Galilee of up to 4000 feet. It is as though the Lebanon has cast her mountainous roots southwards, channelling her snows and rains down the valleys of Galilee. Consequently, the District enjoys a great fertility and profusion of flowers, corn, oil and wood – also hot sulphur springs and a tendency to earthquakes.

Roads
The most striking feature in the time of Jesus was the system of roads crossing the District in all directions: from the Levant to Damascus and the east, from Jerusalem up to Antioch, from the Nile to the Euphrates. The fertility and good communications resulted in the growth of a considerable population – engaged in local industries and concentrated largely on the lakeside.

Climate
Unlike the District of Judea to the south, whose desert borders exerted an austere influence on that province, Galilee was surrounded by pagan and colonial townships, which poured in their full influence of Greek life and leisure. All these features: the wealth of water, the extreme fertility, the great highways, the considerable population, the Greek influences, were crowded into the Rift Valley, in tropical heat round a blue and lovely lake. These were the conditions in which Jesus taught and worked – and under which Christianity began to grow.

Galilee was indeed the 'Greenhouse' of the Gospel. If the seed was sown in Nazareth or Bethlehem the seedling was planted out in the greenhouse atmosphere of Galilee with its intense humidity and heat. Here in the hearts of its very Latin-temperament population the seed of the Word of God was quick to germinate.

LAKE

St Luke, the Traveller, like Josephus the historian, had weathered the Mediterranean, therefore he calls the Sea of Galilee a 'lake' – the Greek word 'limnē' – rather than 'thalassa' – a 'sea'. This lake is thirteen miles long north to south, and seven miles across at its widest, between Magdala and Kursi. In the clear eastern atmosphere it looks smaller than it really is. The scenery – ravines, hills and valleys – remains unchanged by the centuries. The maximum depth along the course of the River Jordan, north to south, is 150 feet. Deep water is reached very soon from the shore, except in the north-west on the plain of Gennesaret. The hot sulphurous springs flow into the lake on all sides – particularly at Tiberias, which was in Roman times a spa, famous for its medicinal waters. Folklore takes its origin back to Solomon! Tiberias was, in the time of Jesus, despised by the local Jewish population as the capital city of Herod Antipas, whose artificial oriental court was held in the castle on a crag, dominating the hot springs and harbour.

TIBERIAS

Tiberias, one of the four holy cities of the Jews (the others are Jerusalem, Hebron and Safed) was founded by Antipas in A.D. 17 and named after the Roman emperor. From the third century Tiberias was a Jewish religious centre, where the Mishmah and later the Talmud were completed. The second-century Rabbi Akiba and the twelfth-century Jewish-Spanish physician-theologian, Maimonides, were buried here. South of the town above the hot springs are the remains of the third- and sixth-century synagogues at Hammat. Above these is the tomb of Rabbi Meir, a second-century Jewish patriot.

Most visitors to Galilee are accommodated in Tiberias and tour the lakeside clockwise round to Ein Gev, on 'the other side'. The prevailing wind on the lake is the west wind, which rifles down a steep gorge, 'the Gulf of Pigeons', above the ancient site of Magdala, to churn up the surface of the lake in the early evening. In the caves of the overhanging cliff, Galilean partisans have hidden from Roman to British mandate times – only to be winkled out by force from Roman legionaries to Palestine police.

MAGDALA

Magdala had a sizable harbour and was known for its weaving industry. Here was the home of Mary Magdalene. Here were traditionally the looms of the robe worn by Jesus to his crucifixion and gambled for, by the execution squad. Here we turn north on to the fertile plain of Gennesaret – the market garden of the populous lakeside towns. Josephus described Gennesaret as 'the ambition of nature', supplying the principal fruits (grapes and figs) continually during ten months of the year and the rest of the fruits as they ripen together throughout the whole year.

BEATITUDES

The road rises from the plain, over a tell and round the lake to the Mount of Beatitudes, the traditional site of the Sermon on the Mount. From there we shall come down the Valley of Tabgha to the lakeside. The name 'Tabgha' or 'Tabigha' is an Arabic corruption of the Greek words 'Hepta pēga' meaning 'seven springs', whose warm waters still flow into the lake.

It is so easy to picture Jesus retreating up the hillsides to escape from the crowded lake shores – in order to pray or plan or select and teach his team of disciples. When he wished to speak to the crowds, he remained down at lake level, often speaking from a boat in one of those little bays on the north shore, with the people surrounding him on the rocks or grass. That is just how St Mark (or was it Peter?) describes it: 'There was gathered to him a great multitude, so that he entered into a boat and sat in the lake; while the whole multitude was by the sea – on the land.' With the lake as a sounding-board at his back his voice would carry far up the hillside.

Such was the scene below the Mount of Beatitudes when Jesus first taught and then fed the five thousand. Two successive Byzantine churches were built in the fourth century, both focused on the traditional altar stone on which Jesus took, blessed, broke and gave the bread and fish to be distributed. Set within that stone is a fifth-century mosaic of a basket of five little barley loaves flanked by two Galilean mullets – now called Peter's fish. The surrounding mosaics are a superb picture-guide to the flora and fauna of the lake with peacocks, flamingos and snakes, cormorants, herons and doves, ducks and geese among the lotus leaves and oleander bushes.

Only two hundred yards away, at the water's edge, is the traditional site of Jesus' post-resurrection commission to Peter – described in the last chapter of St John's Gospel. An enormous rock projects out over the water and back into the little basalt 'Chapel of The Primacy'. This rock, the traditional scene of Jesus cooking breakfast on the 'fire of coals', was known to medieval pilgrims as the 'Mensa Christi' – the Table of the Lord.

CAPERNAUM

Two kilometres further round the lake shore is the site of the frontier town of Capernaum, headquarters of Jesus' Galilean Ministry. Of all the towns of Israel none was more appropriate for Jesus to launch his message than the little metropolis of Capernaum. It was the commercial centre of a chain of fishing villages or *Beth-saidas* (from Magdala on the west to Gergesa on the east) whose inhabitants brought their daily catch to the wharves and salteries of their market town. Boats loaded and off-loaded not only fresh or dried fish, but all the local weaves and wares of Galilee, the fruit and produce of Gennesaret, and even silks and spices from Damascus.

Half a mile of lakeside ruins and a considerable depth of water witness to the harbour and warehouse installations of long ago. The town was in fact one vast sea-bound market place, a cosmopolis teeming with merchants from Phoenicia and Damascus, Greeks and Romans from the Ten Towns, and wholesale buyers from Jerusalem. Less conspicuous among the jostling crowds along the jetties were the stevedores and shipwrights and local fisher-folk – sorting fish, pickling, packing, mending nets, making sails, painting boats. Along the coastal highway, which crossed into Herod Philip's territory at the fords of Jordan less than a mile away, rolled the ox-carts heaped high with vegetables and fruit – to the sound of camel bells. Camel-trains, roped nose to tail, plodded through the dust or stood bored yet patient under vast loads in the thick of the traffic jam. Ubiquitous donkeys and mules pushed through, like mopeds at traffic lights. Every now and then amid the crush appeared the plumed helmet of the legionary, the black gown of the rabbi – Pharisee or Scribe – and the brass badge of the publican, each about his own particular business in the melee of men and animals.

SYNAGOGUE

You will see there nowadays a twentieth-century reconstruction of a third-century synagogue – which still includes stones from its first-century predecessor. The main prayer hall, overlooked from a women's gallery, the Gentiles' courtyard with gaming boards carved on the flagstones and an amazing medley of both Roman and Jewish symbols carved in stone. Surely this must go back to the centurion commander of troops in Capernaum, who sought Jesus' healing for his batman – and was commended by local elders: 'This man, Roman though he is, loves our nation and has built us our synagogue.'

Opposite the front of the synagogue was discovered only in 1921 a Byzantine mosaiced octagonal shrine, covering houses of the first century. On leaving the synagogue Jesus used immediately to enter the home of Simon Peter. Could this be the site of the cottage of the trawler skipper, Simon son of the Dove, who was called with these words: 'Simon, son of the fluttering dove, I will call you the Rock and upon this Rock I will build my Church'?

LAKESIDE TOWNSHIPS

Now let us look at the soil of the greenhouse chosen to take the seedling of the Christian movement. There were at least nine townships round the shores of the lake, each of which had a population of 10–15,000. Within this huge population Jesus chose the fishermen. He went to a trade with no private wrongs, whose members were content to escape from the crowds, to the peace of their fishing grounds, out on the lake. Thus it was not the jargon of hot-headed Zealot guerillas – the brigand highlanders – of Galilee; it was the speech of the fishermen and their patient craft which became the language and symbolism of Christianity; their tools and techniques, their catches, boats and nets.

The seed could not have been planted in more fertile soil than in the climatic conditions of the Rift, where the Latin temperament and frustrated hopes of the Galilean nationalists had something in common with the Palestinians of today. Within this explosive situation Jesus selected a team of twelve, half of whom were professional fishermen, whose lives were governed by very simple and basic facts and experiences.

FISH

First of all: the fish which were dependent for their feed, mainly the rotting vegetable matter swept down by the fast-flowing Jordan, whose currents (and you will see them) sweep out into and round the north of the lake. These currents are followed by shoals of feeding fish, followed in turn by the fishermen – whose *Beth-saidas* tended to be mostly round the north shore.

The fishing industry then was far more extensive than it is today and concentrated round the lake, rather than in modern fish farms. It involved not only the netting and landing of the catch, but the whole process of sorting, pickling, transporting and marketing – down to Jerusalem, up to Damascus and all round the country – especially the Ten Towns. 'Zebedee & Sons' and their partners 'Jonah & Sons' were likely to be involved in all strata of the fishing industry. There is a little Crusader church in the Old City *suq* at Jerusalem, dedicated to Zebedee's fish shop!

There were and are (broadly speaking) three kinds of fish in the lake:

The sardine or sprat – still fished and trawled at night, nowadays drawn to the surface by floodlights, canned on the other side of the Lake at Ein Gev and sold in Marks & Spencer.

The 'musht' or Peter's fish – so-called as it was the fish which Peter caught on a hook, at Jesus' command, to find the silver piece in its mouth, with which to pay tax. The young of the *musht* tend to swim back into the buccal cavity, or gills, of their parents when frightened. Consequently the parents, at spawning, tend to carry a flat stone, or any other flat round object, to block their mouths. A bright silver half-shekel would be an obvious choice (Matt. 17: 27).

The barbut or cat-fish – a formidable carnivore of smaller fish, was by Levitical Law reckoned 'unclean', being without scales or fins. It has some qualities of the snake and can live on land for up to four days. This is the fish referred to in the question: 'If he asks him for a fish, will he give him a serpent?' The *barbut*, like a barbel, is bearded – but his name comes from the 'squeak' he emits when out of water.

BOATS

The 'tools of the trade' included two kinds of boat mentioned in the New Testament story:

The fishing smack (Greek: 'Ploios') with both sails and oars, probably square-rigged sail and half a dozen thwarts for rowers – not unlike a dhow. When the wind was contrary the crew had to row into the wind.

The dinghy (Greek: 'ploiariou') with paddles, and usually towed behind the larger fishing smack, from which the dinghy could land crew in shallow water.

There are nineteen references to boats in Mark's Gospel, thirteen in Matthew, eight in Luke and thirteen in John, Chapters 6 and 21. On all occasions the functions of the kind of boat fit the context. So in John 21 Peter jumps off the bows of the fishing smack and swims ashore, while the others follow in the dinghy. James and John mend their nets in the bigger boat. Jesus gives the Parable of the Sower from the dinghy.

NETS

And the methods of fishing and type of nets – mainly three.

The deep – for use mainly at night, trawling – the skill at which Peter was the master-craftsman. The *Mubattan* is a long trawl net about eight feet deep and kept on the surface by corks.

The drag – called by the Arabs the *jurf* or broom because it sweeps the bottom, usually used with two boats moving in an arc to enclose and then drag an area of water. The ends of the net are hauled up the beach until all kinds of fish are landed in the loop of the net. As good and bad on the day of Judgment they need sorting and weighing on the scales (Matt. 13: 47–50).

The drop – a parachute-shaped casting net, with lead weights on the fringe and a hole in the top – such as is common in many primitive fishing communities throughout the world. When Jesus called them Andrew and Peter were casting this net *'amphi-*

blēstron' into the shallows. They would first see and then enclose the fish, the net lightly dropping in a circle over them.

CREW

Simon Peter was the skipper of his own fishing smack. The gospels term him 'No.1' 'Ho prōtos' – the boss. His house is central in Capernaum, the market centre of the fishing industry. The earliest mosaics show him as a sturdy, craggy, trawler man with a fringe of grey hair.

What better means of training a group could Jesus have chosen, than to select and then work with a boat crew? Take the story of the 'stilling of the storm' on the lake, and it is easy to reconstruct the function and places of the crew. It was too rough and the wind was contrary. The crew sat in pairs on the thwarts, rowing into the wind with little progress.

Jesus, as the steersman, slumbers on a cushion in the stern, his arm over the tiller. Before him, in pairs, the brothers are ranged on the benches of the boat.

Peter and Andrew are on the stroke's thwart to give the rhythm and call the course. Andrew is the dinghy-man, within reach of the tow rope – and, as you may remember, always bringing people to Jesus. In the earliest Ravenna mosaics Peter pulls the net while Andrew, the larger, younger and more bovine brother, uses the paddle.

The method by which Matthew lists the apostles in pairs indicates their places in the boat. Behind Andrew and Peter are successively: The Zebedee boys – Boanerges – *James* and *John*; the Sons of Alphaeus – *Matthew* and *James* the youngest, the publicans. *Philip*, the pessimistic provisioner and *Nathaniel*, his friend from Cana; *Judas Thomas* (the twin) next to *Judas Thaddaeus* (Busty Judas); *Simon*, the Zealot and *Judas of Kerioth*.

All the last three in the bows are probably Zealots, dagger-men who became pacifists (My peace I give unto you) for Christ's sake.

What a motley crew to become the intrepid Apostles of the Early Church!

How true that Galilee – the District, the lake, the crew-training and team work, the patience and the peace of the fisherman's trade – was the greenhouse of the early Christian movement. The seed sown, the seedling planted out, nourished through the itinerant Ministry, pruned by the Passion, flowering in the forty days of Resurrection teaching, to burst like a pod at Pentecost!

THE LAKE OF GALILEE: PRESENTED CLOCKWISE

1. *Tiberias: West Coast*
   Hot sulphur spring spa.
   On site of two fenced cities of Naphthali – Hammat and Raqqat – Josh. 19: 35.
   Hammat: third- and sixth-century synagogue ruins, Tomb of Rabbi Meir. Tomb of Rabbi Akiba – martyr of Bar Cochbar revolt – west of the town.
   Tomb of Maimonides – Saladin's personal physician – town centre.
2. *Gulf of Pigeons*
   Cleft in cliff above the ancient strand of Magdala.
   The prevailing west wind descends suddenly through the cleft to disturb the lake.
   Possibly a breeding place for sacrificial doves.
3. *Magdala*
   Lakeside township, with long strand harbour, famous for its weaving industry.
   Associated with Mary Magdalene, 'last at the Cross and first at the Tomb' of Jesus.
   Linked by the Catholic Church with the notorious prostitute who became the 'passionate penitent' of Luke 7: 36 and John 20: 1–18.
   Tim Rice's *Jesus Christ Superstar* lyric of Mary Magdalene's song:

> I don't know how to take this.
> I don't see why he moves me.
> He's just a man; he's just a man.
> I've had so many men before.
> In very many ways, he's just one more!
> I never thought I'd come to this,
> Yet, if he said he loved me,
> I'd be lost and frightened.
> I just couldn't cope – just couldn't cope.
> I'd turn my head and back away.

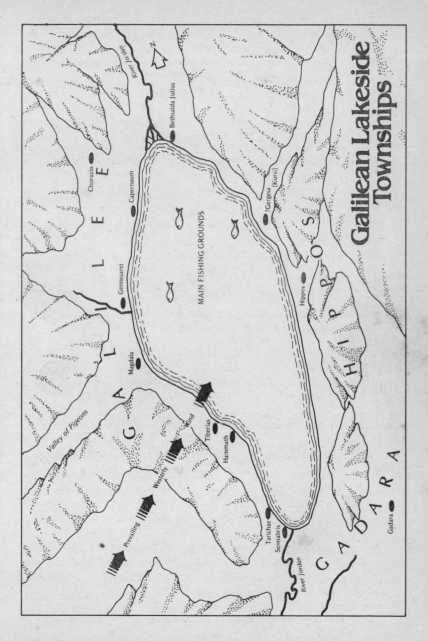

Galilean Lakeside Townships

I wouldn't want to know.
He scares me so
I want him so
I love him so!

Almighty God,
  whose Son restored Mary Magdalen
    to health of mind and body
  and called her to be a witness to his resurrection:
  forgive us and heal us by your grace,
    that we may serve you in the power of his risen life;
  who is alive and reigns with you and the Holy Spirit,
  one God, now and for ever.

4. *Plain of Gennesaret*
   Market-garden of the Lakeside Townships, 680 feet below
   Mediterranean Level.
   Banana plantations and date palms.
   Overlooked by Tell Kinneret on the north side, one of many
   Beth-saida's (the tell above the pumping station).
   Good bathing at Kibbutz Nof Ginnosar.
5. *Mount of Beatitudes*
   Italian Hospice, Basilica and viewpoint – Matt. 5: 3–12.

   > O blessed Lord, who on the mountain didst teach thy disciples
   > the laws of thy kingdom of love: Implant this love within us, that,
   > loving thee with all our heart, we may love all men for thy sake,
   > to the glory of thy Name.

6. *Tabgha*
   Easy walk down to Lakeside at fresh-water springs.
   a) Church of Multiplication over two successive Byzantine
      church sites. Mosaics of flora and fauna – John 6: 1–14.
   b) Church of Peter's Primacy – Mensa Christi rock – the
      post-resurrection breakfast over a 'fire of coals' and com-
      mission of the Rock Man – John 1: 40–42 and 21: 5–24.
7. *Sower's Bay*
   Natural theatre, enclosed by a small bay and lake sounding-
   board. Reader at water's edge can be heard high up the
   hillside, and by all 'beside the sea on the land . . . "He who
   has ears to hear . . ."' Mark 4: 1–9.
8. *Capernaum*
   Frontier town headquarters of the Galilean Ministry, commer-

cial centre of the fishing towns. In the centre of the bustling waterside township:

a) The twentieth-century reconstruction of a third-century synagogue – with water canal entrance and stairway, prayer hall, gallery, Gentiles' courtyard; mixed Roman and Jewish carving motifs: Tenth Legion crest, Roman equivalent of V.C., of Ark and Manna pot – Luke 7: 1–10.

b) 'Peter house', cottage of the trawler skipper discovered 1921 outside the synagogue, mentioned by Christian pilgrims of fourth century and recently excavated to reveal first-century houses – Mark 1: 16–21, 27–32.

c) Gentiles' courtyard, with knucklebone gaming board, probably used by soldiers and with locking doorway to main prayer hall – Isa. 42: 1–7, Acts 26: 22–3, Rom. 3: 29–31.

d) Stairway of interlocking steps down to canal entrance.

e) Ruins, olive presses and basalt corn-mills – Luke 10: 15–16, John 1: 11–12.

f) Harbour jetties – scene of the call of Matthew – Matt. 9: 9, Luke 5: 27–32.

In this small area, 100 metres square, the core of the Christian Gospel was preached in parable, miracle of healing and argument. Healings include: the paralytic, Mk. 2: 1–13; the centurion's batman, Luke 7: 2; the nobleman's son, John 4: 46–54; Jairus' daughter, Mark 5: 21–43.

Heavenly Father,
giver of life and health:
comfort and restore those who are sick,
that they may be strengthened in their weakness
and have confidence in your unfailing love;
through Jesus Christ our Lord.

Almighty God,
who through your Son Jesus Christ
called Matthew from the selfish pursuit of gain
to become an apostle and evangelist:
free us from all possessiveness and love of riches
that we may follow in the steps of Jesus Christ our Lord
who is alive and reigns with you and the Holy Spirit,
one God, now and for ever.

9. *Jordan Delta*
Frontier between territories of Herod Antipas and Herod

Philip. A superb sanctuary for waterbirds – herons and kingfishers of many species.

The unexcavated ruins between the Delta and Kursi may be those of Beth-saida Julius.

10. *Kursi*

Scene of the dramatic exorcism of 'Legion', in the 'Land of the Gadarenes' – a place of pilgrimage since fifth century. Remains of a sizable Byzantine monastery and – nearer the Lake – traces of a first-century town and harbour – Mark 5: 1, Luke 8: 26–39.

11. *Ein Gev*

Modern Jewish kibbutz, the successful defence of which in 1947 ensured the retention of a strip of lake shore the length of the east coast for Israel. The Israeli equivalent of East Anglian Aldeburgh – with a vast concert-hall and musical tradition. This settlement has a flourishing dairy farm and forest of date palms – not to mention the fishing and canning industry. The huge Mount Susita, once the site of Hippos, a city of the Decapolis, overlooks the settlement and still boasts a Graeco-Roman forum on its summit.

NAZARETH: BOYHOOD AND FAMILY HOME

TODAY

The large, predominantly Arab town covers a hillside which commands the plains of Jezreel and Esdraelon. The Arab town since 1948 has been enfiladed by an Upper and Jewish town on the hill above. The Arab town was largely Christian until the influx of Muslim refugees during the War of Independence 1947–8. Today, Nazareth is still a centre of Christian activities with a wide range of institutions: Orthodox, Roman Catholic,

Melkite, Anglican, Baptist, Lutheran and other Protestant groups.

HISTORY

Signs of occupation on the hillside date back to patriarchal times, but by the first century Nazareth seems to have been little more than a small Orthodox township within a mile or so of the large provincial centre of Sepphoris to the north. During the youth of Jesus, the Carpenter's son, following a revolt against the Roman occupation forces, a punitive expedition crucified a large part of the population of Sepphoris. No doubt the Carpenter's son was well aware of, if not actually involved in, the process of making crosses for crucifixion.

Unlike Jerusalem and its neighbour Bethlehem, which early became Christian, Nazareth, not being linked with the Passion and Resurrection, remained Jewish. It is not mentioned by Josephus, Origen or Jerome; it seems to have been neglected by friend and foe alike. Perhaps the Lucan narratives – of the Annunciation, residence of Joseph the Carpenter and Jesus' return to the synagogue as a mature rabbi – resulted from Paul's imprisonment at Caesarea and Luke's freedom to research among the Lord's friends and relations at Nazareth.

The only member of the third-century Nazareth Christian community whose name we know was Conon, martyred during the persecution of Decius. In his defence he declared: 'I am of Nazareth, a relative of the Lord, whom I serve, as did my ancestors here.' Persecution seems to have been concentrated upon the family of Jesus, including even the first two Christian bishops of Jerusalem, James his brother and Simeon his cousin.

RECENT DISCOVERIES

Recent Franciscan excavations have resulted in exciting discoveries: in 1955, an Iron Age village and a Herodian-period network of grottos, cisterns and silos – besides glass and pottery. Not only did the excavations localise the Gospel Nazareth, but confirm the existence of successive Byzantine and Crusader complexes.

Byzantine

The Byzantine basilica was built at the expense of a converted Jew, Count Joseph of Tiberias, by a deacon from Jerusalem, called Conon. A sixth-century historian attributed the original initiative to the Empress Helena who 'turned to Nazareth and having sought the house where the Mother of God, all worthy of praise, received the Hail of the Archangel Gabriel, thereat she raised the temple of the Mother of God'.

The Byzantine church was destroyed during the Persian invasion of 614. A Jewish contingent, alongside the Persians, sacked the town which was recaptured by the Byzantines in 629.

Crusader

The Crusader church is attributed by William of Tyre (1095–1184) to Tancred, who 'founded with infinite care and endowed with vast patrimonies the churches of . . . Nazareth, Tiberias and also Mt Tabor'.

Second Century

The most sensational discovery, in 1960, was of a pre-Byzantine shrine dating back almost to Apostolic times. Some twenty squared stones, faced with plaster, bore recognisable charcoal incisions of graffiti. These included the Greek for 'Hail Mary', 'Lord', 'Christ' and many cross motifs. The outline of this primitive 'synagogue-church' is to be seen in the lower church of the modern basilica, but the main cave is the 'Mary's kitchen', which has been the central focus of all successive churches. The Upper church walls are covered with representations of Madonna and Child from all over the world.

CARPENTER'S SHOP

The exit from the Upper church faces across the courtyard and up the steps to the Church of the Carpenter's Shop, dedicated to the Holy Family. The value of this site is that of a visual aid and vivid illustration, rather than of any exact association with the Family home. Here stood a simple, single-roomed cottage, used as a workshop by day and a bedroom by night. While above, on the flat roof, a booth of green branches gave shade or shelter to those who sat or slept out on summer evenings. Below the church is a Byzantine baptistry. Below this again is a cave basement, formed by the limestone strata of the hillside, which was the kitchen and living room. In the centre was the low table round which a family reclined to eat their simple meals. Set in the floor are the openings to grain stores, carved out of the rock below. Above each store and carved in the cave wall is the staple, through which on a rope a basket could be lowered into the store below.

CHURCH OF THE WELL

Pilgrims are sometimes worried by the existence of another – the Greek Orthodox – Church of the Annunciation, over an ancient well and spring.

Their doubts may be resolved by the early Apocryphal Gospel of St James, which relates how the Archangel first tried to meet the little peasant girl – probably in her teens – as she went to draw water at the village well. Where else could a man expect to meet the much-protected, eligible daughter of an Orthodox Jewish household? The Gospel tells how she was so embarrassed at his approach that she hurried back home to her kitchen and began to spin. There again, the Archangel attempted to discharge his commission and successfully delivered his invitation.

HILLTOP

The hilltop behind the present Arab town is the natural viewpoint and picnic place of the people of the town. From here Jesus, boy and man, could read the history of his people in the surrounding scenery, seeing anew the victories of Deborah, Barak and Gideon in the plain below, the defeat of Saul and Jonathan on the mountains of Gilboa beyond. Further south is the hill country of Samaria, the capital of the Northern Kingdom, Mt Ebal and Mt Gerizim. From here he could see the long range of Carmel, where Elijah competed with the prophets of Baal, and north of which Asher kept the coastline. Down in the plain of Esdraelon is the long, low 'lion couchant' – 'Little Hill of Hermon' – of the Psalms. On its slopes are the villages of Endor and Shunem, also of Nain, the scene of Jesus' raising of the widow's only son.

SALESIAN ORPHANAGE

The hilltop is crowned appropriately with the Salesian Orphanage Chapel, above the altar of which is a statue of the boy Jesus. It is a lovely figure of a lad of about sixteen years, with sensitive features and the eyes of a poet. At first glance he seems to be walking the hilltop, dreaming of the Kingdom of God, but at second glance he seems a very shrewd young Hebrew whose lessons have been learnt in the market place of this commercial and cosmopolitan market town overlooking the highway of the ancient world.

Is it far fetched to think of the Nazareth upbringing and experience as providing a useful preparation for his open-air itinerant Ministry and even for those last few fateful days avoiding arrest in Jerusalem?

SYNAGOGUE DRAMA

Within the hilltop view, looking towards Jezreel, a precipitous hill on the near skyline has been associated with the story of Jesus' near execution – following the riot on his return to speak in the synagogue. Within the town *suq* is a Melkite church, reputedly on the site of an early synagogue. It was Jesus' striking choice and application to himself of the Messianic passage, Isaiah Chapter 61: 'The spirit of the Lord is upon me!' that evoked the scandalised protest: 'Is not this the Carpenter's Son?' The 'eyes of all were fastened upon him' as he went on to castigate them for their lack of faith in him: 'No prophet is accepted in his own country.' Rising up in fury, they expelled him from the town, leading him to the 'brow of the hill whereon their city was built' that they might cast him down. The 'Hill of Precipitation' may appear too far out to be appropriate, but its crag could well have been the local 'Execution Hill'. On either side of it are two chapels 'of the Fright' – one Orthodox, one Catholic – commemorating a legendary fainting of Mary, the Mother of Jesus, as the crowd returned without her son, who had 'passed through the midst of them'.

NAZARETH

1. *Orthodox Church of the Annunciation and St Mary's Well*
   Original village water supply in Crusader crypt. Note steep steps from road level down to water are carved in rock. Down here came the women of days gone by. Among them, perhaps, a young toddler clinging tightly to the flowing dress of his teenager mother.
   – Apocryphal Gospel of St James.
2. *Village fountain today*
   The same spring water piped under the street to the crossroads.
3. *Franciscan Church of the Annunciation*
   a) Synagogue Church in lower church.
   b) Graffiti board showing second-century 'Hail Mary' etc.
   c) Cave crypt of St Mary's Kitchen.
   d) Upper church, mural and East End mosaics
   e) Museum and excavations
   – Luke 1: 26–38
4. *Church of the Carpenter's Shop*
   Baptistry and Grottos.
   – Luke 2: 39–40
5. *Melkite Church of the Synagogue*
   – Luke 4: 16–30
6. *Christchurch (Anglican) within* suq
7. *Salesian Orphanage Chapel on hilltop*

> We beseech you, O Lord,
> to pour your grace into our hearts;
> that as we have known the incarnation
>   of your Son Jesus Christ
> by the message of an angel,
> so by his cross and passion
> we may be brought to the glory of his resurrection;
> through Jesus Christ our Lord.

> Almighty God,
> who called Joseph to be the husband of the Virgin Mary,
> and the guardian of your only Son:
> open our eyes and our ears
> to the messages of your holy will,
> and give us the courage to act upon them;
> through Jesus Christ our Lord.

CANA OF GALILEE
SCENE OF THE MARRIAGE
FEAST

HOLY PLACES

Six kilometres along the road from Nazareth to Tiberias is the Arab village of Kefar-Kanna, the disputed site of Jesus' first miracle at the Wedding Feast of Cana, when he turned the water into wine. A medieval tradition favoured Khirbet Kanna for the site of Cana, but a Byzantine tradition is evident at Kefar-Kanna.

Latin Church
In the Latin church there is an old Hebrew mosaic inscription, probably of the third or fourth century, which says: 'Honoured be the memory of Yosef, son of Tanhum, son of Buta and his sons who made this mosaic, may it be a blessing for them. Amen.' This Yosef was probably the converted Jew, Joseph of Tiberias, of Constantine's period, on whom Constantine conferred the title of count and who founded many churches in Galilee. The church possibly stands, therefore, on the site of the old synagogue. In its early days it still held what were believed to be the relics of the marriage feast. In 570, Antonius of Piacenza visited Cana where, as he records, 'Our Lord was at the wedding, and we reclined upon his very couch upon which I, unworthy that I am, wrote the names of my parents!' It is customary to condemn the vulgarity of modern tourists who cover walls with their graffiti, and perhaps in these days of easy travel it should be condemned, but at Cana, as indeed at Bethlehem and at Jerusalem, early pilgrims thought it no vulgarity to write up their names on holy walls, and the inscriptions and crosses of crusading soldiers on the stairs up from the Chapel of St Helena at the Holy Sepulchre are a moving memorial.

Orthodox Church
From the level of the mosaic within the Latin church, steps lead down into a crypt containing a cistern. Perhaps the synagogue

enclosed ritual washing facilities. There is an old pitcher, with no claim to authenticity but which serves to illustrate the story. On the opposite side of the village street is the Orthodox Church of the Marriage Feast in which stands a large and ancient water jar, again with no pretensions to direct association with the story. Further east along the same street is the Franciscan Chapel of St Nathaniel Bar-Tolmai, an apostle of Jesus and a native of Cana.

ORDER OF VISIT

As follows, if approaching from Tiberias. Reverse, if approaching from Nazareth.

House of Nathaniel Bartholomew
The Orthodox Jew, meditating under his fig tree or reading Jacob's dream of the ladder between earth and heaven, wrestled with rumours of an upstart Messiah from Nazareth, over the hill.

Philip introduced him to Jesus, who reached into his very prayers and evoked his confession: 'You really are the Messiah.' He was flayed alive at Albanopolis in Armenia and commemorated as the figure, with his own pelt, in the foreground of the Cistine Chapel ceiling mural. John 1: 43–51 and hymn 'Nearer my God to Thee'.

Franciscan Church of the Marriage Feast
Synagogue inscription 'Joseph, Tanhum's Son'. Third- or fourth-century Byzantine mosaics and cistern top. John 2: 1–11 or John 4: 46–54.

Greek Orthodox Church of the Marriage Feast
John 2: 1–11 or John 4: 46–54.

> FOR CHRISTIAN MARRIAGES AND
> FOR NEWLY WEDDED COUPLES
> Almighty God,
> you send your Holy Spirit
> to be the life and light of all your people.
> Open the hearts of these your children
>   to the riches of his grace,
> that they may bring forth the fruit of the Spirit
> in love and joy and peace;
> through Jesus Christ our Lord. Amen.

Heavenly Father,
maker of all things,
you enable us to share in your work of creation
Bless this couple in the gift and care of children
that their home may be a place of love,
   security, and truth,
and their children grow up
   to know and love you in your Son
Jesus Christ our Lord. Amen.

Lord and Saviour Jesus Christ,
who shared at Nazareth the life of an
   earthly home:
reign in the home of these your servants
   as Lord and King;
give them grace to minister to others
   as you have ministered to men,
and grant that by deed and word
they may be witnesses of your
   saving love
to those among whom they live;
for the sake of your holy name. Amen.

Almighty God,
who gave to your apostle Bartholomew
grace truly to believe and to preach your word:
grant that your Church
may love that word which he believed
and may faithfully preach and receive the same;
through Jesus Christ our Lord.

MOUNT TABOR
SCENE OF THE
TRANSFIGURATION

TABOR OR HERMON

Some nine kilometres east of Nazareth the Hill of Tabor rises 588 metres above the Plain of Jezreel. This remarkable hump-backed feature is one of the possible sites of the transfiguration of Jesus, the spiritual experience which strengthened him for his final journey to Jerusalem. The other possible site is Mount Hermon, on the Anti-Lebanon range. If this latter site conforms more to the description of a high snow-clad mountain near Caesarea Philippi (Banias), it is Tabor which can claim the Byzantine tradition. There are reasons, however, for believing that this tradition may have been mistaken. From the times of Barak and Deborah, whose name is recorded still in that of the village of Daburiyah at the foot of Tabor, Tabor has been of tactical, if not strategic, importance. In the first book of Chronicles, it is referred to as a Levite settlement and must have been a fortified stronghold. In the year 218 B.C. Antiochus the Greek captured it, and as late as 100 B.C. Alexander Jannaeus conquered it. In A.D. 66, only some thirty-six years after the transfiguration, the whole stretch of hillside, 1300 metres by 300 metres, was enclosed by Josephus with a still recognisable encircling wall. It would seem unlikely that the transfiguration, as described in the Gospels on a silent, snow-clad mountain, could have taken place on this fortified stronghold, overlooking the great high road through the Plain of Esdraelon.

BYZANTINE TRADITION

An early Palestinian tradition linking this remarkable hill with the story of Jesus' transfiguration was universally accepted in the fourth century. On the summit, three churches were built in the sixth century, in memory of the three booths which Peter wished to set up for Jesus, Moses and Elijah. They were visited by the pilgrims Antoninus and Arculf. In the twelfth century, the Cru-

saders built a church incorporating a deep-lying apse of Byzantine origin, perhaps as their crypt. On each side of this there was a
chapel and one of these is still clearly visible. On the top of the hill
there is a long thin plateau; on the eastern end of this are the
churches overlooking the Plain of Ahmra and the Lake of Galilee.
The modern Franciscan basilica, erected in 1921–3, incorporated
portions of the Crusader and Byzantine churches. Nearby is the
Greek Church of the Holy Elijah, built in 1911, next to a traditional
cave of the mysterious Melchizedek. This last church covers the
site of a fourth-century basilica, some of whose mosaics are still
preserved. Mark 9: 2–9. Luke 9: 28–36.

> Almighty Father,
> whose Son was revealed in majesty
>   before he suffered death upon the cross:
> give us faith to perceive his glory,
> that we may be strengthened to suffer with him
> and be changed into his likeness, from glory to glory;
> who is alive and reigns with you and the Holy Spirit,
> one God, now and for ever.

MEGIDDO – HILL OF BATTLES
ESDRAELON THE
BATTLEFIELD

The Prophet Ezekiel wrote: 'Thus saith the Lord God: This is
Jerusalem. I have set it in the midst of the nations and countries
that are round about here.'

Strategically, Palestine was the centre of the ancient world,
lying on the routes between Egypt, Babylon, Persia, Greece and
finally Rome. In fact it was virtually the crossroads between the
early civilisations. The geography of the country is remarkably
simple. Running from west to east, the pattern is coastal plain,
foothills, spine and mountainous desert descending to the Rift
Valley far below sea level, through which runs the River Jordan.

Megiddo

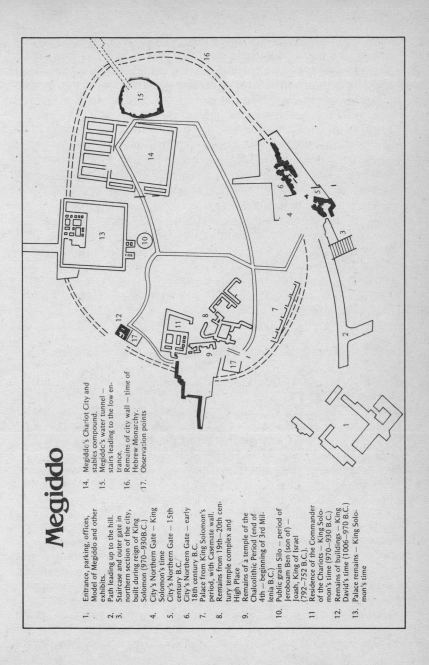

1. Entrance, parking, offices, Model of Megiddo and other exhibits.
2. Path leading up to the hill.
3. Staircase and outer gate in northern section of the city, built during reign of King Solomon (970–930 B.C.)
4. City's Northern Gate – King Solomon's time
5. City's Northern Gate – 15th century B.C.
6. City's Northern Gate – early 18th century B.C.
7. Palace from King Solomon's period, with Casemate wall.
8. Remains from 19th–20th century temple complex and High Place
9. Remains of a temple of the Chalcolithic Period (end of 4th – beginning of 3rd Millenia B.C.)
10. Public grain Silo – period of Jeroboam Ben (son of) – Joash, King of Israel (792–752 B.C.).
11. Residence of the Commander of the Chariots – King Solomon's time (970–930 B.C.)
12. Remains of buildings – King David's time (1006–970 B.C.)
13. Palace remains – King Solomon's time

14. Megiddo's Chariot City and stables compound.
15. Megiddo's water tunnel – stairs leading to the low entrance.
16. Remains of city wall – time of Hebrew Monarchy.
17. Observation points

This pattern is broken only by the fertile plain of Esdraelon, running south-east from Carmel to the Jordan. Below Carmel the coastal plain is reduced to a narrow bottleneck avoided by the armies of the ancient world, as an obvious ambush. Instead, the armies struck through the three passes of the Carmel range, between the coastal plain and the plain of Esdraelon. These tactical passes were commanded on the Esdraelon approach by great fortresses overlooking the plain. The central fortress commanding the central passage was Har Mediddo, the hill of battles – better known to us as Megiddo, the scene of Armageddon. It can be thus argued that Megiddo was the cock-pit of the ancient world, that Esdraelon is the theatre and Jezreel the stage, with set entrances and exits for the armies of the great empires. Megiddo was for much of the Old Testament period controlled from the mountain stronghold of Jerusalem. Solomon's chariot system included enormous stables at Megiddo, Gezer and Hazor.

HISTORY OF SITE

Earliest settlement, Neolithic period, flints and early pottery, 4000 B.C.

Later settlement, pavement drawings of animals and hunters *c.* 3000 B.C.

Early Canaanite cities, high places, stone temples enclosing stone altars, *c.* 2000 B.C.

Hyksos 'Shepherd Kings', import mud-brick and own culture, *c.* 1700 B.C. The entire mound enclosed within an enormous mud-brick city wall, thirteen feet thick and still in places ten feet high. Cobbled streets, burials under houses, children in jar burials.

New Egyptian imperial occupation, 1479 B.C. Pharaoh Thutmosis III defeats the king of Kadesh, after forced march across the Sinai Desert. A rich and flourishing period, ornaments of ivory and gold and well-built palaces.

Hebrew invasion. 'Habiru' marauders mentioned in Tel el Amarna Cuneiform Tablets, written by the Governor of Megiddo requesting help from the Pharaoh of Egypt and quoting the fall of the neighbouring fortress of Ta'anach. Deborah defeats the army of Jabin, king of Hazor under Sisera at the waters of Megiddo, 1100 B.C.

Philistine occupation, household utensils and furnishings reflect culture, 1000 B.C.

City fortified by Solomon, huge stone city wall, iron gates, well-paved streets, stabling for 500 horses in this 'Chariot city', 950 B.C. I Kgs 9: 15–19.

Division of the Kingdoms, Shishak of Egypt invades Judea and Samaria, 925 B.C. I Kgs 14: 25.

Ahaziah, king of Juda, killed at Megiddo by Jehu, 843 B.C. 2 Kgs 9: 27.

Conquest by Tiglath-Pilezer III of Assyria, 732 B.C.

Josiah, King of Juda, killed at Megiddo by Pharaoh Necho, 610 B.C. 2 Kgs 23: 29–30; 2 Chr. 35: 30–34.

The Traditional Hill of Battles, 'Har-Mageddon' or 'Armageddon', from its strategic position commanding the 'Way of the Sea'. Rev. 16: 16.

SUGGESTED ORDER OF VIEWING (AS CLEARLY MARKED ON SITE)

Model Room in Curator's building – to the east of the tell.

Iron Age gateway – on the north side.

Canaanite temple area – with circular stone altar, to the south.

Grain silos of eighth century – in the centre of the tell.

Chariot stables, a garrison headquarters under Solomon, Omri and Ahab, on the west.

The water shaft, underground conduit and cave well – emerging on to the plain outside the north-west of the city perimeter. This is the most impressive feature of the whole magnificent site and must not be missed. Vehicles can await visitors at the cave-well exit.

CAESAREA MARITIMA

IN SCRIPTURE

St Peter Baptised Cornelius

A Roman centurion of the Italian band, stationed at Caesarea in the great Roman harbour fortress, was the first Gentile to be baptised a Christian. Prompted by a vision, he sent messengers to Simon Peter, at the house of Simon the Tanner in Joppa (Jaffa) thirty-two miles to the south. Peter, also prompted by a vision ('What God has cleansed, that call not thou unclean'), at first hesitating to visit a Gentile, yet was reassured and accompanied the messengers back to Caesarea. There, he baptised Cornelius together with a number of his Gentile companions, who spoke with tongues and received the Holy Spirit to the astonishment of the Jewish Christians (Acts 10).

St Philip 'the Evangelist's' mission

In the year 58, St Paul and St Luke were entertained by Philip and his four daughters, on Paul's final and fateful journey to Jerusalem. Philip was the first missionary to the maritime plain and had settled in Caesarea, the administrative capital of the districts of Judea and Samaria, some twenty years before. Philip and Paul were both apostles to Gentiles (Acts 21: 8–10).

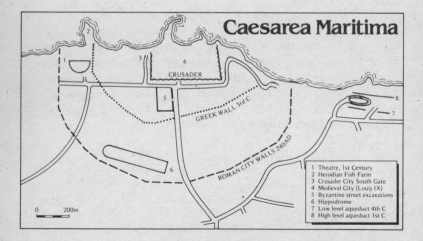

Caesarea Maritima

CRUSADER

GREEK WALL 3rd C

ROMAN CITY WALLS 240AD

0   200m

1 Theatre, 1st Century
2 Herodian Fish Farm
3 Crusader City South Gate
4 Medieval City (Louis IX)
5 Byzantine street excavations
6 Hippodrome
7 Low level aqueduct 4th C
8 High level aqueduct 1st C

St Paul and St Luke imprisoned

Paul was sent down under escort by Claudius Lysias to Caesarea to await trial before the procurator Felix. Eventually brought to trial, Paul, detained for two whole years, was left in chains by Felix to his successor Festus. Knowing that he was unlikely to obtain justice from the new procurator under Jewish diplomatic pressure, Paul appealed – as was his right as a Roman citizen – to be tried in Rome by the Emperor himself. He again defended himself before Herod Agrippa and his Queen Bernice, who declared his innocence. Having appealed to Caesar, Paul was despatched by sea to Rome under the escort of another centurion, Julius (Acts 23: 23–6 ff.).

St Luke gathers his Gospel

During the two years of Paul's imprisonment under Felix, Luke, under Paul's direction, would be free to travel inland to meet Mary the Mother of Jesus and other apostles, to gain first hand information for his Gospel.

HISTORY

Early Occupations of this Site

These began with the building of a fortress by one of the kings of Sidon, during the Persian period of the sixth century B.C. 'Strato's Tower', as it was called, formed an intermediate port of call between Dor and Joppa and was regarded by Egyptian merchants as one of the most important on the coastline. In the second century B.C. the port was captured by Alexander Jannaeus and incorporated into the Hasmonaean kingdom.

The Roman Occupation

This began with the capture of the port by Pompey, who severed the coastal cities from Judea and gave them some measure of independence under the Roman governor of Syria. Augustus later gave the coastal region to Herod.

In 22 B.C. Herod began to build a magnificent city and deep-water harbour. Twelve years later he named the new city Caesarea and its port Sebastos (the Greek form of Augustus). An excellent road linked the port with Jerusalem, through Antipatris (now near Ras-El-Ain). The city covered an area of three square kilometres and included some magnificent public buildings: a temple of Augustus, theatre, amphitheatre and hippodrome, with a fortified harbour and aqueducts. At this time, Caesarea was a Gentile city with an influential Jewish minority.

When Herod's son Archilaus was exiled, Judea became a Roman province ruled by procurators, whose official residence was at Caesarea. Pontius Pilate and his successors came up from Caesarea to 'stand to' with their troops in Jerusalem at times of national emergency and festivals. So it was that he was present in Jerusalem over Passover for the trial of Christ. Here in Caesarea, Paul appeared before the procurators Festus and Felix. In the year A.D. 66, according to Josephus, 20,000 Jews were massacred – from a total population of 50,000 – in disturbances which culminated in the destruction of Jerusalem in A.D. 70. After the war, Vespasian granted the city the status of a colony. In fact, he was in Caesarea when he was proclaimed emperor.

Following the Bar Cochbar rebellion, Rabbi Akiba was imprisoned and executed here. In the third century Origen taught and studied here, and Eusebius the historian was bishop of Caesarea in the following century.

The Crusader Occupation
This began with the conquest of the city of Baldwin I in 1101. Louis IX of France fortified the very much smaller Crusader city with the walls and moat still to be seen today. In 1265 the Sultan Beybars captured and destroyed the city, which was not repaired until the nineteenth century under the Turks.

SUGGESTED ORDER OF VISIT

Roman perimeter wall and hippodrome
South Theatre
Crusader town and harbour
Byzantine excavations
Amphitheatre and aqueducts.

These have all been magnificently excavated by the Israeli Government Department of Antiquities.

Almighty God,
who caused the light of the gospel
    to shine throughout the world
through the preaching of your servant Saint Paul:
grant that we who celebrate his wonderful conversion
may follow him in bearing witness to your truth;
through Jesus Christ our Lord.

MOUNT CARMEL

The long and undulating range of Carmel (the name means 'garden') was once covered by prehistoric forest and still boasts today an incredible variety of flora and fauna – including wolves! If any part of Palestine has rain, Carmel does (1 Kgs 18: 41).

The Carmel skeletons to be seen in the Rockefeller Museum in Jerusalem were found in the caves of the Wadi Maghara, near Athlit. Here primitive man lived, wore beads and killed his enemies some 300,000 years ago.

Today, there are a number of Druze villages on Carmel and the Druze town of Daliyat-El-Carmel up on the ridge some twenty kilometres south of Haifa. The Druzes began as a heretical sect from Islam, defying the mad Fatimite Khalifa at the close of the tenth century A.D., under the teaching of a Muslim missionary called Darazi – hence the name 'Druze'.

Near the Druze town of Daliyat is the traditional Place of Sacrifice, now marked by a Franciscan convent with a superb view of the plain of Esdraelon and southern Galilee. It is a magnificently appropriate and graphic site for Elijah's important and significant victory for Yahweh over the Canaanite Baalim. (1 Kgs 18: 19 ff. and 40 ff.)

The slaughter of the prophets of the Tyrian Baal took place by the Brook Kishon in the plain below. The pilgrim planning to visit the Place of Sacrifice will need to allow plenty of time on the steep and winding roads. Distances are deceptive, on Carmel! (Amos 9: 3, Isa. 35: 2; S. of S. 7: 5.)

The Carmelite Order, founded in the twelfth century, has its headquarters at Stella Carmel, the centre of devotion to Our Lady of Mount Carmel.

ACRE – ONE-TIME CAPITAL OF THE CRUSADER KINGDOM

Until the nineteenth century Acre was the most important sea port on this coastline and it is still a medieval city, in total contrast to the modern port of Haifa.

EARLY HISTORY

Originally, a Canaanite town on Tél El Fukhar, a mile inland on a strategic mound, Akko, was captured by the Egyptian pharaohs Thutmosis III and Rameses II, and also mentioned in the nineteenth century Egyptian 'Curses'. The harbour and town were successively occupied by Phoenicians, Persians, Greeks and again by Egypt, at which time Ptolemy renamed the city 'Ptolemais'. This is the name mentioned by St Luke, in Acts, as the port at which St Paul and St Luke called on their way to Rome. The emperors Augustus and Vespasian visited the city in 30 B.C. and A.D. 67 respectively. The city flourished in the Byzantine and Omayyad periods.

FIRST CRUSADE

The First Crusade landed on the beaches south of the port, but never took the city until 1104. From then on, it became the main port of the Latin Kingdom of Jerusalem and harboured ships from

Acre
Visitors' path in subterranean city

1 Entrance Hall
2 Intermediate Hall
3 Courtyard
4 Knight's Hall
5 Administrative Area
6 Crypt
7 Tunnel
8 Guard Room

Entrance

Exit

Venice and Genoa, Pisa and Amalfi – bringing stores, pilgrims and soldiers from Europe.

HOSPITALLERS' HEADQUARTERS

The Orders of Chivalry established their headquarters: the Hospitallers in an underground fortress at Acre, still to be seen, and the Templars in the Aqsa Mosque at Jerusalem. The former, the Knights of St John, gave the name 'St Jean d'Acre' to the city and were primarily responsible for the health and accommodation of pilgrims. The latter were primarily responsible for the security, defence and travel arrangements of pilgrims. Each maritime nation and each order established trading depots and hospices within their own jealously guarded quarters of the city.

CAPITAL OF THE KINGDOM

With the fall of Jerusalem and Crusader defeat at the Horns of Hattin, Acre surrendered to Saladin in the same year, 1187, but was recaptured by Richard Coeur de Lion four years later after a vicious siege. Acre replaced Jerusalem as capital of the Kingdom for the next century, the saintly King Louis IX of France; Francis of Assisi; and Marco Polo all landed here before the fall of the city to the Mamelukes in 1291.

RECENT HISTORY

For more detail of the Crusader siege and occupation, see the chapter on the Crusades, p. 197 and of the subsequent Muslim occupation, see Provincial Shrines of Islam, p. 139. In 1799, following his defeat at the Battle of the Nile, Napoleon Bonaparte failed to capture Acre, when his artillery was sunk by the British Admiral Sir Sidney Smith off the Cape of Carmel. The British finally took the city from the Turks in 1918. During the Mandate and particularly during the last World War, members of the Irgun and other underground movements were imprisoned and executed in the citadel-fortress, which still has eighteenth-century cannonballs buried in its walls. Today, the Arab township is almost surrounded by Jewish suburbs and the citadel cells have become a museum of Israeli heroism.

ACRE TODAY

The pilgrim can easily grasp the strategic importance of the town as both port and fortress through the centuries. Although there is little trace above ground of Crusader fortifications – except for the lower courses of masonry in sea and land walls, and corner towers – yet the pilgrim can easily visualise the Crusader fosses and ramparts from the remaining but more recent fortifications.

Among many items of interest and best seen in this order are:

The River Belus – Wadi Naamin, two kilometres south of town – whose sand was used in Phoenician glass factories and which was famous for the shells of murex, used for making the famous Tyrian purple dye.

The White Bazaar – the Suq el Abyad – eighteenth-century, near the Land Gate.

Jazzar's Mosque – largest in Israel – eighteenth-century, at the end of bazaar.

The underground fortress headquarters of the Knights of St John including entrance hall, inner hall, courtyard, knights' quarter, administrative offices, refectory (crypt), escape tunnel and guardroom.

Ancient Inns: Khan El 'Umdan, El Faranj and Esh-Shawarda.

Sea and land walls and fortifications, Tower of Flies prison. The sea gate and southerly harbour, used by St Paul and St Luke, when Acre was called Ptolemais (Acts 21: 7).

The citadel – Burj el Khazna, many times destroyed and rebuilt, includes the old Turkish arsenal and barracks – in Mandate times a prison and asylum, and Crusader vaults still below the prison.

Aqueduct from the north; Jazzar and Suleiman Pasha, eighteenth century.

Tel El Fukhar: east of town, the strategic headquarters of all besieging forces, including those of kings Guy, Louis and Richard Coeur de Lion, Mamelukes and Napoleon.

CRUSADER CASTLES ACCESSIBLE FROM ACRE

Early in the thirteenth century a great part of the Acre district of Galilee passed into the hands of the Teutonic Order, the German order of chivalry which was founded on the model of the Templars and Hospitallers soon after the recapture of Acre. With the support of the German Emperor Frederick II, the Teutonic Knights purchased the rights of the feudal lords and acquired:

Three Castles

1 The King's castle – the village of Mi'ilya near Tarshiha.
2 Montfort – the present Qual'at El Qurein on the Wadi Qarn.
3 Judin – now the well-excavated castle of Jiddin.

These three form a triangle dominating the coastal plain. The site of Judin is now marked by a later adaptation of the original Crusader castle. Montfort, the northernmost of the three, was the depot and treasury of the Teutonic Order, and has the most Crusader remains. It was heavily damaged, when besieged and captured by the Mameluke Sultan Beybars in 1271. It was not afterwards occupied. Of the castle at Mi'ilya, little remains but a single Crusader hall on the side of the village facing Tarshiha.

Montfort

The Teutonic Castle of Montfort can be reached from Mi'ilya, along an ancient road or track to the north-west for about three kilometres. The pilgrim should keep to the right-hand descent into the Wadi Qarn. The castle occupies the shoulder of a spur jutting out into the wadi. A rock-cut ditch or fosse cuts it off from the higher ground on the east. West of this, the main buildings stand along the ridge in a line end to end. Highest of all is the keep – a massive square tower built of large well-dressed blocks. Below this are the knights' lodgings, then the chapel and the hall – once vaulted on a huge octagonal pier – and finally the commander's residence, flanked by one tall and well-preserved tower.

On the slope of the hill below this there remain parts of the outer ring wall, which surrounded the castle at that level. At the bottom of the valley below the castle, there is a large gothic grange. Opposite this are remains of a dam and aqueduct which probably brought water to a well in the ground floor of the grange.

A contemporary Arabic account of the siege of 1271 describes the undermining of the defences, stone by stone!

Jiddin

The Teutonic castle of Judin was already in ruins by 1284, but in the late eighteenth century was largely reconstructed on the old foundations by Daher el 'Omar. As it stands today, the castle consists of an upper and lower court. The upper court contains the principal buildings – the lower the farm accommodation. Only one remains of the two Crusader towers, but much of the basement vaulting is of Crusader workmanship.

The domed reception hall and fireplace, the surrounding quarters, the round towers and enclosing walls belong to a feudal residence of the Turkish period.

THE CRUSADES – A BRIEF HISTORY

GODFREY DE BOUILLON

In response to the call to reopen and secure the pilgrimage routes, the First Crusade set out in 1097. After marching down from Syria, they by-passed Acre and captured Jerusalem in 1099. They breached the wall to the north-east of the city – the only place where the ground level was higher outside than inside the wall. They cut their way through to the site of Calvary and, sheathing their dripping swords, fell upon their knees. Their cruel massacre of the city's inhabitants appalled the Muslims, whose preachers proclaimed revenge and the recovery from the Infidel of the site of the Prophet's heavenly flight. The leader of the First Crusade was Godfrey de Bouillon, who was elected ruler of the city, with the title of 'Defender of the Holy Sepulchre'. There is an impress-

The Crusading Period
Map & Town plans

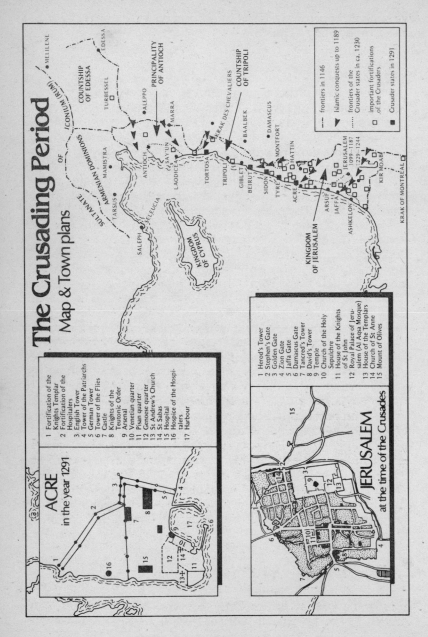

COUNTSHIP OF EDESSA

PRINCIPALITY OF ANTIOCH

COUNTSHIP OF TRIPOLI

SULTANATE OF ICONIUM (RUM)

MELILENE

EDESSA

TURBESSEL

ALEPPO

MARRA

KRAK DES CHEVALIERS

DAMASCUS

BAALBEK

MONTFORT

HATTIN

ARMENIAN DOMINIONS

MAMISTRA

TARSUS

SELEUCIA

ANTIOCH

SAYUN

LAODICEA

TORTOSA

TRIPOLI

GIBLET

BEIRUT

SIDON

TYRE

ACRE

ARSUF

JAFFA

ASHKELON

SALEPH

KINGDOM OF CYPRUS

KINGDOM OF JERUSALEM

JERUSALEM
1099-1187
1229-1244

KIR MOAB

KRAK OF MONTRÉAL

Legend:
- — · — frontiers in 1146
- ▼ Islamic conquests up to 1189
- ······· frontiers of the Crusader states in ca. 1230
- ☐ important fortifications of the Crusaders
- ■ Crusader states in 1291

ACRE
in the year 1291

1 Fortification of the Knights Templar
2 Fortification of the Hospitalers
3 English Tower
4 Tower of the Patriarchs
5 German Tower
6 Tower of the Flies
7 Castle
8 Knights of the Teutonic Order
9 Arsenal
10 Venetian quarter
11 Pisan quarter
12 Genoese quarter
13 St Andrew's Church
14 St Sabas
15 Hospital
16 Hospice of the Hospitalers
17 Harbour

JERUSALEM
at the time of the Crusades

1 Herod's Tower
2 Stephen's Gate
3 Golden Gate
4 Zion Gate
5 Jaffa Gate
6 Damascus Gate
7 Tancred's Tower
8 David's Tower
9 Temple
10 Church of the Holy Sepulchre
11 House of the Knights of St John
12 Royal Palace of Jerusalem (Al Aqsa Mosque)
13 House of the Templars
14 Church of St Anne
15 Mount of Olives

ive portrait, together with his sword and spurs, in the Franciscan vestry of the Holy Sepulchre.

KINGDOM OF JERUSALEM

Godfrey's successors, Baldwin I and II, established a kingdom of Jerusalem, defended by a series of forts and castles, ultimately extended to join up with the Christian states of Edessa, Tripoli and Antioch. Apart from the period of the Crusader Kingdom of Jerusalem, Palestine ceased to have an identity of its own from the Arab conquest in the seventh century to the Mandate in the twentieth century! As in Roman times, Palestine was regarded as South Syria. During the Crusader Kingdom, two Orders of Knights were created. The Templars – originally guardians of the temple – had their headquarters at the erstwhile Church of St Mary in the temple area, which the Muslim had changed into the present Mosque el Aqsa – the mosque more remote from Mecca and Medina. Here the Templars kept their stables and armoury, establishing the Dome of the Rock as their chapel, whose altar surmounted the rock itself. The Templars also policed the pilgrim routes and provided escorts for pilgrims. The Order of Hospitallers, as their name suggests, were responsible for the care of pilgrim routes. Their headquarters was a large hospice and hospital in Jerusalem. Today, their successors are the Order of St John of Jerusalem, who have a large new ophthalmic hospital, in the Sheikh Jarrah quarter – to the north of the Old City.

The main port of the Latin kingdom of the Crusaders was Acre, the lesser ports Jaffa and Caesarea. Tyre and Ascalon were still held strongly by the Fatimite rulers of Egypt. Both Hospitallers and Templars had establishments at Acre and an eye witness in 1172 describes the port with eighty ships at anchor. Another Muslim traveller tells of the Christian customs clerks writing and speaking in Arabic. He comments too on their courtesy and upon the grandeur and traffic of the town: 'It resembles Constantinople!'

DEFEAT AT HATTIN

In 1144, the Turkish prince Zanki captured the Christian state of Edessa. A Second Crusade failed to recover it. Christian influence began to wane in Syria. The Sultan Saladin annexed Damascus and became the greatest enemy of the Crusaders. In the mid-summer of 1187, during a *khamsin* (a hot desert wind) the Crusaders in full armour suffered a crippling defeat from the lightly horsed and mailed Saracens at the Horns of Hattin in Galilee. The Crusaders rallied to the Frankish Knights on the crest of the hill, but the Saracens set light to the surrounding camel-thorn and scrub. The Crusaders left the field of battle and were allowed to embark from their ports with military honours. This disastrous engagement marked the end of the Latin kingdom and Jerusalem returned once more to Muslim control.

FALL OF ACRE

After the defeat of the entire Crusader army at Hattin in July, Acre surrendered to Saladin without resistance. Of all the seaports south of Beirut, Tyre alone remained in Crusader hands. Aware of the importance to the Crusaders of Acre as a port, Saladin personally supervised the strengthening of its fortifications that winter. Sure enough, less than two years later, Guy de Lusignan, king of Jerusalem, advanced down the coast from Tyre to besiege Acre. The Crusaders, like Napoleon in future years, took up position on the large tel (El Fukhar) east of the town. Saladin collected his forces on the plain north of Nazareth and hastened to relieve his garrison at Acre, advancing along the line of prominent tels, or mounds of ancient settlements. Gradually Saladin encircled and surrounded the Crusader force itself, blockading and besieging the town.

THIRD CRUSADE

In the spring of 1191, the bulk of the Third Crusade arrived, consisting of large contingents under King Philip of France and King Richard Coeur de Lion of England. Now the siege operations began in earnest, directed against the strongest towers and walling. These were undermined by sappers and battered by artillery, whose stone missiles are still to be seen in the citadel at Acre. Repeated assaults from movable towers of scaffolding approaching right up to the walls were repulsed. The garrison set light to the wooden towers with a naphthalene preparation, known as 'Greek fire'. All Saladin's efforts to interrupt the siege, however, failed and in July 1191, the weary and starving garrison surrendered.

Acre Made Capital

The port then became the base of Richard's attempted reconquest of the coast and capture of Jerusalem. When this failed, Acre became the capital of the revived Latin kingdom, both king and patriarch taking up residence there, together with the Templars and Hospitallers. During the years which followed, the Teutonic Knights built their castles of Montfort and Judin, still to be seen in the foothills of North Galilee, facing down upon the coastal plain. Subsequent pilgrimages during the thirteenth century converged upon Acre, as their base-port and bridgehead. The religious enthusiasm and single-hearted purposefulness of the earlier Crusades were diluted by political intrigue, commercial competition and ambition. A Fourth Crusade in 1203 only got as far as Constantinople, and a Fifth Crusade as far as Egypt. The Sixth and Seventh Crusades of 1227 and 1243 exercised greater diplomacy and negotiated with the Muslims the restoration of the Kingdom of Jerusalem only to suffer a crippling defeat from a new opponent – the nomad Turks. The Eighth Crusade and Ninth Crusade of 1250 and 1270, both led by St Louis IX of France, failed to defeat either the Kharezmian Turks or the Mameluke (Egyptian) Sultan Beybars. In fact, the Ninth Crusade only reached Tunis. The Mameluke Sultan Beybars and later Kala'un proceeded to conquer the Crusader territories step by step. A ten-year truce was signed with Beybars, but only after he had already won back most of the remaining Crusader strongholds. (Beybars has left his sign of the two lions over St Stephen's Gate at Jerusalem.)

Destruction of Acre

In 1290 Beybars' successor Kala'un determined to wipe out the fortress-port of Acre and the final Crusader footholds on the coast. It was, however, his successor Malik El Ashraf who ultimately besieged, burnt and devastated Acre and occupied Athlit, the last of the Templar castles, in 1291.

LEGACY OF CRUSADES

Thus ended the Crusades, originally inspired by an earnest spiritual longing to open up the pilgrim routes to the sites of the Incarnation and Redemption. The pilgrim today, faced with the amazing evidence left behind during their brief century and a half of spasmodic occupation, will find it hard to assess the value of the Crusades. The sheer industry of their occupation, recorded in enduring buildings, commands respect. There is little reason to expect the rank and file of the crusading armies to have been more pious and devoted or better informed and cultured than those of other medieval forces at arms. There were, of necessity, the camp following of traders, merchants and adventurers who exploited their opportunities in competitive commerce. It is not surprising, however, that the reputation of the Crusaders in both the Jewish and the Muslim world is one of imperialism, avarice and cruelty, senseless slaughter and intolerance. Sometimes the Arab opinion of the West today reflects their opinion of the Crusaders! Certainly the Crusaders returned to Europe with a sense of Arab chivalry, courtesy and hospitality, besides a hearty respect for the fanatical religious zeal of the Muslim. The Crusaders brought back too a vision of the pointed arch, reflected in the later architecture of many medieval European cathedrals. The spirit of the Knights Hospitallers and Knights of St John lives on in the Red Cross and St John's Ambulance brigades of today.

GOLAN HEIGHTS DAY FROM TIBERIAS
SAFED – ANCIENT CITY OF REFUGE, CENTRE OF JEWISH MYSTICISM

Safed was the great intellectual centre of the Jewish revival. Today the town circles a hilltop eight hundred and fifty metres above the Mediterranean and well north of the Sea of Galilee. Both these seas can be seen simultaneously from the top of the town.

HISTORY

In A.D. 66 the priest Flavius Josephus, who led the Jewish rebels of Galilee against the Romans, fortified the town of Zef (or Seph). The surrounding hills acted as beacons, to signal to the Jewish people. During the Crusader occupation, Fulke, King of Anjou, built a citadel here in 1140, which was destroyed by Saladin, rebuilt by the Knights Templars and again destroyed by the Sultan Beybars in 1266. The Muslims made the town the capital of the northern district of Palestine. Here a Jewish community gathered and reached the height of its fame in the sixteenth century. Together with Tiberias, Safed became the centre of Jewish study of the Scriptures, mysticism and symbolism, based upon the Mishnah and Talmud.

RABBI ISAAC LURIA

'In Safed,' it was said, 'is the purest air of the Holy Land and there is not a place where they understand better the profundities and the secrets of the Holy Torah.' In the sixteenth century the first printing press in Asia was established in Safed. The great exponent of its Cabbalist learning was Rabbi Isaac Luria, nicknamed Ha'ari, the lion, in whose name there are two synagogues in Safed today. When it was destroyed by earthquake in 1738, it was said that 'since the destruction of the Temple we have not known such disaster in Israel'. Safed was said to contain in the cave of Shem va'Ever the place where Shem. the son of Noah, expounded the secrets of the Torah to his grandson.

RABBIS SIMEON BAR JOCHAI AND ELEAZAR

Seven kilometres to the west at Meron are the tombs of Rabbi Simeon Bar Jochai and his son Rabbi Eleazar. The Rabbi Simeon lived in the second century A.D. He was one of the leading exponents of the Talmudic literature. Simeon had to take refuge from the Romans in a cave at Pekin, where he composed his Cabbalistic treatise on The Brightness, or the Zohar. In the great pilgrimage to Meron, the people sing:

> In a cave he lay hidden
> By Roman law forbidden
> Our Rabbi bar Yohai
> In the Torah he found his guide
> With spring and carob at his side

Part of Simeon's tomb projects into the adjoining prayer room and the wooden shelf above it is always covered with a large number of notes of supplication, praying that he will intercede with God to obtain the supplicant's desire. On the holiday of Lag Beomer, about a month after the Passover, a pilgrimage is held to the rabbi's tomb, a pilgrimage which has taken place since the sixteenth century. The pilgrims assemble in Safed bearing the flag-bedecked Scroll of the Law and, singing and dancing, process round the city. Then, towards evening, they ride from Safed to Meron where they dance again in the courtyard of Simeon's Tomb. The two tombs are covered with lighted candles and when darkness falls two bonfires are lighted and kept up all through the night, the pilgrims throwing on them clothes soaked in oil to keep them alight. By a Cabbalistic rule, young children have their hair cut for the first time and the cut hair is cast into the bonfires.

SAFED BEACON

Mount Safed was, in ancient times, the site of one of the bonfires by which the news of the new month was passed from Jerusalem throughout the country. 'They used to take long cedar wood sticks and rushes and oleander wood and flax-tow. A man bound these up with rope, went up to the mountain and set light to them. He waved them to and fro and up and down, until he could see his fellow doing the like on the top of the next mountain.'

HILLEL AND SHAMMAI

There are also tombs in Meron which are said to be the tombs of Hillel, the famous rabbi of the years shortly before Jesus, by whose teaching Jesus is thought to have been influenced, also that of his rival, Shammai. In Shammai's Tomb is the traditional Tomb of the Messiah, a rock on which the Messiah will sit at the Last Judgment, after Elijah has blown his trumpet in order to summon all the people to judgment. The synagogue there dates from the second century. Its central doorway consists of huge stones and the upper lintel is also a monolith. It is the Jewish belief that if the lintel should fall of its own accord this would presage the coming of the Messiah. Once, when the lintel was moved by an earthquake, the people of Safed held a feast of celebration for the coming of the Messiah.

PLACES OF INTEREST

The Ari Synagogue of the Ashkenazim, the Jews who came from East Europe through the Balkans. A highly colourful building with medieval vaulting.

The Joseph Caro Synagogue of the Sephardic Jews, who fled from the Spanish Inquisition over the Straits of Gibraltar.

The castle site on the top of the hill, affording views of Mount Hermon, Galilee and the Mediterranean.

The synagogue of Meron, seven kilometres to the west of Safed – much frequented by Jewish pilgrims to the tombs of Rabbi Simeon Bar Jochai and his son Eleazar.

Many other synagogues in Safed town.

Mount Canaan, above Safed, affording magnificent views over Syria.

Relics of the 1948 action include the bullet-scarred police station and the 'Little David' bombard.

HAZOR – STRATEGIC OLD TESTAMENT CITY

EARLY HISTORY

As early as the nineteenth century B.C., Hazor is mentioned in the Egyptian Curses texts, listing enemies of the Egyptian Empire in distant provinces. Hazor is the only Palestinian city mentioned in the Archives of Mari, of the Middle Euphrates, in the same century. Hazor must have been a centre of commerce in the Fertile Crescent, on the caravan route between Egypt and Babylon. It is listed among the conquests of the Pharaohs Thutmosis III, Amenhotep II and Seti I. It occurs in no less than four Archives from El Amarna.

BIBLICAL REFERENCES

In the time of Joshua, Hazor was the chief of a league of northern Canaanite fortresses, gathered by Jabin King of Hazor at the Waters of Merom (once Lake Huleh) to fight against Israel. Joshua defeated them, captured all the cities of the north, but only burnt and destroyed the capital city Hazor. Of all the cities, however, he killed the menfolk, crippled the horses and burnt the chariots (Josh. 11: 1–15).

In the time of Deborah, the children of Israel were oppressed for twenty years by Hazor. Deborah and Barak with a force of infantry held Mount Tabor. Sisera, commander of the Canaanites had a force of some 900 iron chariots at Harosheth, a tell three kilometres north east of Yokneam. Harosheth was probably the iron-smelting furnace of such importance in a period of soft bronze weaponry. Deborah and Barak left their mountain stronghold and attacked the huge chariot force, which was hopelessly bogged down in the swamps of the Kishon, which runs along the base of the Carmel range. Sisera fled on foot and asked hospitality of a Kenite family (a gipsy-smithing tribe) possibly linked with Harosheth. While asleep, he was killed with a tent peg and handed over to Barak (Judges 4: 7–22).

In the time of Solomon, he rebuilt the strategic cities of Hazor, Megiddo and Gezer, dominating respectively the plains of Huleh, Jezreel and Ajalon. His plans of casement wall and city gate were identical in all three cities.

In the time of Pekah of Samaria, Tiglath-Pilezer III conquered Hazor and carried its population away captive to Assyria.

THE SITE AND EXCAVATION

The tell, 600 metres East to West, and 200 metres wide, is bounded by a large plateau on the north, some 1000 by 70 metres in size. The tell was protected by an earthwork, glacis and moat, the plateau by a perimeter earth wall. Solomon's city was on the tell. The gates and casement wall are to be seen in the centre of the excavations. Ahab extended the city and built a keep on the western end of the tell. Between the Solomon and Ahab areas is a vertical water shaft, some forty metres deep, approached by a staircase, as at Megiddo.

Occupation of the Upper City began well before 2000 B.C., but the occupation of the Lower City began in 1800 B.C. This second city was well fortified with a moat on the west side and earth ramparts on the east and north. This well-built Canaanite city was destroyed by fire in the thirteenth century B.C. and never rebuilt. This destruction was almost certainly the work of Joshua. Solomon's reconstruction was confined to the Upper City.

MUSEUM

The most exciting finds from the Lower City mostly came from a series of Canaanite temples and included stelae, statuettes, basins, bowls and a basalt altar. The centrepiece of the museum is an exhibit of two Canaanite temples. In one, the Holy of Holies is exactly as found – the stelae in a line, with one of raised hands towards a symbol of the moon. Beside the larger objects, including a whole sequence of pottery drainpipes, the smaller items – weapons, ritual objects, seals and jewellery – are very impressive.

ORDER OF VIEWING

Upper City from East to West:
Canaanite and Israelite fortifications.
Solomon's gate and casement wall.
Central storehouse.
Underground water system.
Citadel.

Lower City from East to West:
Town gates and Canaanite Temple area.

DAN THE NORTHERN LIMIT OF THE LAND

'From Dan to Beer Sheba.' On the deployment of the tribes, Joshua allocated Dan the coastal plain South of Joppa. When the Danites were unable to hold their territory against Philistine invaders, they moved to the extreme north and occupied the Canaanite city state of Laish (Josh. 19: 47). This city is mentioned in the same Egyptian and Babylonian texts as Hazor.

On the death of Solomon in 928 B.C., Jereboam created two rival shrines within his Northern Kingdom – Dan in the north and Bethel in the south – to establish the religious independence of the Northern Kingdom from the Temple in Jerusalem. At this time, he re-fortified and enlarged the city. Rebuilt in the times of Omri and Ahab, the city was finally destroyed and the population carried away to Assyria, by Tiglath-Pilezer III. Recent research into the practice of pilgrimage to Dan by the King and court of the Northern Kingdom has posed similarities in the 'ritual humiliation' of the king or his 'vicar' to the Passion of Jesus Christ. Among these is a sequence in which a priest, representative of the king, undergoes a process of imprisonment overnight in a bottleneck cell, followed by a ritual flogging and mocking.

ORDER OF VIEWING

The track leads to the *Southern* gate – in itself a sequence of four openings – leading into a courtyard. At the top of the slope is another gate leading through the line of the City Wall, visible on the right. On the *north side* of the tell is the High Place – a square platform on which may well have stood the Golden Calf – approached up a wide staircase from a courtyard. The whole shrine is formed from slabs of early Israelite masonry.

CAESAREA PHILIPPI, BANYAS – SHRINE OF PAN

SOURCE OF RIVER JORDAN

One of the three sources of the Jordan, called the River Hermon, forms the Banyas Waterfall, about two kilometres west of Banyas itself. Here the water gushes from the rock face into a deep cleft, with such strength and spray all the year round as to create a light mist. In the fast-flowing stream, fish over half a metre long are visible. Banyas is a corruption of Paneas, there being no 'P' in Arabic. In the red cliff face, a huge cave enshrining a spring was the outlet of the river. An earthquake has closed the outlet long since and the water now emerges below the cave. High above is a Druse Weli, or Tomb of El Khader. To the right of the cave opening are niches carved in the cliff face, with Greek inscriptions to the god Pan.

PETER'S CONFESSION

Here, Peter made his great confession of faith in Jesus, as the Christ of God, and received the keys of the Kingdom (Matthew 16:13–20).

HEROD PHILIP

The Emperor Augustus presented the District of Iturea in 20 B.C. to Herod the Great, who raised and dedicated a temple for the emperor near the spring. On his death, Herod left the district to his youngest son Philip, who established his capital at Banyas naming it Caesarea Philippi. Agrippa II was a great benefactor of the city. Titus celebrated his successful siege and capture of Jerusalem – according to Josephus spending the lives of many prisoners of war in the process, with mock battles and wild beasts.

CRUSADER CASTLE AND CAMP

The Crusaders used this idyllic setting as a rest camp and recreational centre, building on the crag above a magnificent castle, Nimrud, which commanded both the approaches to Banyas and the road to Tyre. The castle fell to the Saracens in 1164.

> Almighty God,
> who inspired your apostle Saint Peter
> to confess Jesus as Christ and Son of the living God:
> build up your Church upon this rock,
> that in unity and peace
> it may proclaim one truth and follow one Lord,
> your Son our Saviour Jesus Christ,
> who is alive and reigns with you and the Holy Spirit,
> one God, now and for ever.

THE GOLAN HEIGHTS

NIMRUD

Leaving Banyas, the road climbs steadily, circling the fine Crusader Castle of Nimrud, much of which is still intact. (Nimrud was a 'mighty hunter before the Lord', listed among the descendants of Noah – Gen. 10: 9.) A good view of the castle can be obtained from the road above it.

BIRKET RAM

Eleven kilometres' continuous climb beyond Banyas, the road reaches the southern ridge of the Anti-Lebanon range at the Druse village of Mas'ada. Away to the left is the large Druse town of Majdal-Shams (Tower of the Sun) on the slopes of Mount Hermon. Just beyond Mas'ada is the mountain lake of Birket Ram (the High Pool) seemingly in a vast volcanic crater. Josephus described how Herod Philip had chaff thrown into the lake in hopes that it would reappear down at Banyas and confirm his theory that the lake was the highest source of the River Jordan. Only the prompt action of one of his court by throwing chaff into the river at Banyas ensured that Philip was not disappointed!

MOUNT HERMON

Mount Hermon, the southern high point on the Anti-Lebanon range, is some 2224 metres or 7228 feet high. It overlooks the city of Damascus, forty kilometres to the north-east, and Beirut, sixty kilometres to the north-west. It usually retains some snow for a good six months of the year and is noted for its plentiful dew (Ps 133: 3). Its height and remoteness accord with the description of the mountain of Transfiguration far better than Mount Tabor – quite apart from its proximity to Caesarea Philippi (Mark 8: 27–30, 9: 2–8 and Matt. 16: 13–20, 17: 1–8).

THE GOLAN

Returning south, along the Golan and occasionally within a kilometre or two of the Syrian frontier, Quneitra is reached within fifteen kilometres. Skirting the town, passing United Nations villages and heavily fortified volcanic hills, the route descends either over Jordan at Jacob's Daughters' Bridge, or more spectacularly to the Jordan Delta. The Delta is famous for its marvellous range of bird life with every species of heron and kingfisher. Thence, round either side of the lake, we return to Tiberias.

Part Six:

GENERAL INFORMATION

THE CHRISTIAN CHURCH – EASTERN AND WESTERN – IN JERUSALEM TODAY

LANGUAGE

The notice of accusation of Jesus, on his cross, was in three different languages: Greek, Latin and Hebrew. Alexander's empire gave the Greek language to the Middle East, where it spread down the coast of Syria and Palestine to Egypt. St Paul preached and taught in Hebrew and Greek; he wrote his letters in Greek. The Gospels were mostly written in Greek. Even in Rome, the Christian services were Greek until the mid-second century. Certain local languages survived and developed, however: in Egypt the Coptic language, in the Caucasus the Armenian language, in the towns and villages of Palestine and Syria – Aramaic. This last is a Semitic language related to Hebrew and Arabic; it originated among the trading communities of Mesopotamia, from where the Jews of the exile brought it to Palestine. Jesus probably spoke in Aramaic. Latin was the language of the Roman Empire, which succeeded the Greek. Latin was the language of Roman law and order, and it spread throughout Europe. It was the language in which the Gospel was preached throughout the West.

ORGANISATION

From the Pentecost, there was a primitive unity within the Christian Church: common faith, sacraments, apostolic authority and later the threefold ministry of bishops, priests and deacons.

The inner organisation of the Church took form along the lines of civil divisions within the Roman Empire and beyond. The bishops of Antioch, Alexandria and Ephesus were the leading prelates in the East, in the West the bishop of Rome. When Constantine established his capital at Byzantium, the bishop there claimed an equality with the bishop of Rome. Jerusalem too grew in importance at this time, as a centre of Christian pilgrimage.

So, the organisation crystallised into four patriarchates in the East – Constantinople, Alexandria, Antioch and Jerusalem – and one in the West, Rome, which, as the old imperial capital linked with St Peter and St Paul, was regarded as the foremost patriarchate.

SCHISM

Doctrinal disputes were likely to develop on racial, linguistic, political and geographical lines. These broke out in the fifth century and largely concerned the nature of Christ. The patriarch of Constantinople, Nestorius, 426–431, proclaimed that in Christ were not only two natures, divine and human, but also two distinct persons, that of the Son of God and that of the man Jesus. This theory was condemned, as destroying the personal unity of Our Lord, at the Council of Ephesus in 431. Nestorius was exiled and his followers fled beyond the Roman Empire to find refuge among the Syriac Christians in Persia. Until the Mongol and Muslim invasions, this branch of Christ's Church flourished, reaching across Asia into Turkistan, India and China. Today, the Nestorians are still to be found in Iran, Iraq and Eastern Syria.

In Jerusalem, at the Church of John Mark, on a traditional site of the Upper Room, the house of John Mark, there is a Syrian Orthodox community which worships in their chapel in the Holy Sepulchre (west of the tomb) in Syriac, a language almost identical to Aramaic, the language of the Lord. Pilgrims to the House of John Mark may ask the Syrian priest to read the words of the institution of Communion, and then hear the sounds heard by the Twelve: 'This is my body . . . This is my blood. . . .'

After the vindication at Ephesus of the united personality of Christ, a priest at Constantinople declared that, following from the union of the two natures of Christ, he had only one single nature (a monophusis). The theory was condemned at a second council at Constantinople in 448 and, following a fourth Council of Chalcedon in 451, Christ was declared to be of two natures, human and divine united in one person. Disputes, however, persisted and led to permanent schism between Orthodox and Monophysite branches of the Christian Church in the East, though now the Monophysitism is more verbal than real and very little doctrinal divergence separates them. From then until the eleventh century the Orthodox Church held the patriarchates of Constantinople, Alexandria, Antioch and Jerusalem and was in full communion with the Latin West. The Nestorians were in Mesopotamia, the Monophysites in Antioch, Alexandria, Ethiopia and Armenia.

The two sides of the ancient Byzantine empire, the Latin West and Greek East, had grown apart. The barbarians had overrun the West, in which the power of the bishop or pope of Rome had greatly increased. Charlemagne received the imperial crown of the new Holy Roman Empire at the hands of the pope in 800. The popes of Rome claimed as St Peter's successors to rule both West and East. The disagreement fastened on a clause in the Nicene Creed, altered by the Western Church to assert that the Holy Spirit proceeds from the Father 'and the Son'. The East held that this introduced confusion into the Doctrine of the Trinity. So the drift apart became a break in the Great Schism between East and West in 1054. Since then, although present decrees in the Latin West – of the infallibility of the pope, the immaculate conception of the Virgin Mary – have widened the breach, they still have much in common. This includes the same sacraments and threefold Ministry, similar liturgies and moral law, a great respect for the Blessed Virgin and the saints. The last twenty years have gone far to bring closer together the patriarchs and peoples of East and West with the meetings of His All Holiness Athenagoras and His Holiness Paul in Jerusalem, Rome and Istanbul, also of the present patriarch Demetrius with the present Pope John Paul in Istanbul.

IN JERUSALEM TODAY

The Eastern Orthodox Church is the largest numerically in the Holy Land. The patriarch and the monastic community of the Holy Sepulchre, which has a peculiar part in the government of the patriarchate, are Greek-speaking, while the lay-people and their parish clergy are Arabic-speaking. Strangely enough, in Arabic the Orthodox Church is called the 'Roman' Church, because the Arab conquerors considered that the proper name for the Church of the eastern Roman Empire.

Among the other independent Eastern Churches, who went out of communion with the Orthodox Church in the fifth century, are the following:

The Armenian Church, sometimes called Gregorian, is the national Church of the Armenian people. They have a patriarch and monastic community of St James.

The Coptic Church is that of the majority of the native Christians of Egypt. They have an archbishop and monks.

The Old Syrian, or Jacobite, Church has a bishop and monastic community.

The Abyssinian Church is represented by an abbot and monastic community, and has been under the protection of the Egyptian, Coptic Church since the fourth century.

The Roman Catholic Church – commonly called the 'Latin' Church – has had a patriarch in Jerusalem since Crusader times. There are many religious orders in Jerusalem, of which the Franciscans since the thirteenth century have been entrusted with the protection of the Latin rights in the holy places and with the care of pilgrims. Others are the Dominicans, White Fathers, Benedictines, etc., and numerous religious orders of nuns and sisters. The Dominicans have the Ecole Biblique, the French biblical and archaeological centre, linked with the 'Jerusalem Bible'.

The Uniat Churches. Since the Great Schism, the Roman Catholic Church has offered the Eastern Churches the continuance of their national customs and rites provided they recognise the papal supremacy. Small groups have consequently transferred their allegiance to that of the pope to become the Greek Catholics, Armenian Catholics and Syrian Catholics. Their rites and ceremonies are practically the same as those of the independent Eastern Churches, but they follow the Western calendar. The national Syriac-speaking Maronite Church of the Lebanon, which at the time of the Crusades went over in its entirety to the Roman obedience, has a small chapel in Jerusalem. The Greek Catholic or Melkite Church has a seminary at St Anne's Church, under the care of the White Fathers. The Benedictines (a community from the Abbey of Bec-Hellouin in Normandy) have the care of the Crusader Church at Abu Gosh.

The Western pilgrim today can – within a short Sunday morning –

experience a cross-section of oriental liturgies within the Church of the Holy Sepulchre, as nowhere else in the world! What appears at first to be a strange cacophony of languages and cultures proclaims a common gospel of the Risen Lord.

A possible order and timetable might be:

The Syrian chapel, behind the Sepulchre (Syriac/Aramaic) – 08.00
The Coptic Shrine, behind the sepulchre – 08.15
The Greek Catholic, central space – 08.30
The Armenian Chapels, on first floor – 08.45
Arabic Orthodox Liturgy, Mar Yacoub (from courtyard) – 09.00
Abyssinian/Ethiopian monastery chapel (from *suq*) – 09.30

The 'Status Quo' principle of regulating ownership of space and facilities for worship in the Holy Sepulchre goes back centuries. Therefore, more recently arrived Protestant groups may feel excluded. Some of these groups have found hospitality within the Garden Tomb. Anglicans are welcome to celebrate the Eucharist in the Chapel of Abraham, within the Greek Orthodox convent, by arrangement with the Dean of St George's Cathedral.

RELIGIOUS COMMUNITIES IN JERUSALEM – AS IN 1984

ORTHODOX:

Armenian
Armenian Orthodox Patriarchate Road, P.O. Box 14001 – Tel: 282331
Coptic
9th Station, Christian Quarter, P.O. Box 14006 – Tel: 282343
Ethiopian
8th Station, Christian Quarter, P.O. Box 19025 – Tel: 282848
Greek
Greek-Orthodox Patriarchate Road, P.O. Box 19633 – Tel: 284917

Roumanian
46 Shivtei Israel – Tel: 287355
Russian
25 Dabbagha Street, P.O. Box 1991 – Tel: 284580
Russian Orthodox Mission of Moscow
Russian Compound, P.O. Box 1042 – Tel: 222565
Syrian
St Mark's Road, P.O. Box 14069 – Tel: 283304
Apostolic Church of the East
Archbishopric of the Holy Land, Jericho Road, Bethany, P.O. Box
20246

ROMAN CATHOLIC

Armenian
41 Via Dolorosa, 3rd Station, P.O. Box 19546 – Tel: 284262
Chaldean
Chaldean Street, opposite 'Ecole Biblique', Nablus Road – Tel:
284519
Coptic
St Francis Street, Old City, P.O. Box 186 – Tel: 282868
Greek-Catholic (Melkite)
Greek-Catholic Patriarchate Road, P.O. Box 14130 – Tel: 282023
Latin
Latin Patriarchate Road, P.O. Box 14152 – Tel: 282323
Maronite
25 Maronite Street, P.O. Box 14219 – Tel: 282158
Syrian
Chaldean Street, P.O. Box 19787 – Tel: 282657
Nativity Street, Bethlehem, P.O. Box 199 – Tel: 742497

OTHER:

Episcopal Church of Jerusalem and the Middle East (Anglican)
20 Nablus Road, P.O. Box 19018 – Tel: 283302
Christ Church (Anglican)
Jaffa Gate, P.O. Box 14037 – Tel: 282082
Southern Baptist Convention in Israel (Baptist House)
4 Narkis Street, P.O. Box 154 – Tel: 225942, private 287704

Jerusalem House – Baptist Centre
35 Nablus Road, P.O. Box 20423 – Tel: 283258
First Baptist Bible Church
Ashafani Street, P.O. Box 19349 – Tel: 282118
Church of Christ
Museum Street (Alhalabi Bldg), P.O. Box 19529 – Tel: 282723
Church of God
Mount of Olives, Near Commodore Hotel, P.O. Box 19287
Church of God of Prophecy
Christian Quarter, 14 Jabsheh Street, P.O. Box 19184
Church of the Nazarene
33 Nablus Road, P.O. Box 19426
Christian and Missionary Alliance
International Evangelical Church, Native Alliance Church
55 Prophets Street, P.O. Box 50 – Tel: 234804
In the Old City: Christian Quarter, El Rasul Street – Tel: 854587
Danish Israel Mission (Lutheran)
40B/14 HaPalmach Street, P.O. Box 20030 – Tel: 663251
Finnish Mission (Lutheran)
Christian Centre, 25 Shivtei Israel Street, P.O. Box 584 – Tel: 233701 – 283300
Lutheran Church: Church of the Redeemer
Evangelical Lutheran Church in Jordan (E.L.C.J.)
Muristan Road, Old City, P.O. Box 14076 – Tel: 282543 – 285564
　German-speaking Congregation
　Evangelisch-Lutherische Propstei In Jerusalem
　Address: see above – Tel: 282543 – 285564
　English-speaking Congregation
　Address: see above – Tel: 282543 – 285564
Garden Tomb
Nablus Road, P.O. Box 19462 – Tel: 283402
Bible Evangelistic Church (Pentecostal)
32 Shivtei Israel Street, St Paul's Church, P.O. Box 216 – Tel: 717988
Presbyterian St Andrew's Scots Memorial Church
Near Railway Station, P.O. Box 14216 – Tel: 714654
Norwegian Home (Lutheran)
Hatzfira Street, Talpiot – Tel: 638923
Seventh Day Adventist Centre
4 Abraham Lincoln Street, P.O. Box 592 – Tel: 221547
Swedish Institute (Lutheran)
58 Prophets Street, P.O. Box 37 – Tel: 223822

Church of God 7th Day
8 Zorobabel Street, P.O. Box 10184 – Tel: 718814
Old Pentecosts (Fellowship of Sion)
Heleycon House, 13 Ragheb Nashashibi Street, Sheikh Jarrah –
Tel: 283964

PROTESTANT CHRISTIAN SERVICES IN JERUSALEM – AS IN 1984

Language Key: E English   G German   S Swedish   D Danish
                FI Finnish   H Hebrew   A Arabic   Ev Evening

Anglican Church		
St George's Cathedral	Daily	7 a.m. (E) Eucharist
Nablus Road, P.O. Box 19018		6 p.m. (E) Ev. prayer
Tel: 282253/283302	Sunday	8 a.m. (E) Eucharist
		9.30 a.m. (A) Eucharist
		11 a.m. (E) Eucharist
		6 p.m. (E) Ev. prayer
Christ Church	Monday to	6 p.m. (E) Ev. prayer
Jaffa Gate, P.O. Box 191	Saturday	
Tel: 282082	Thursday	7.45 p.m. (E) Bible study
	Sunday	8 a.m. (E) Holy Communion
		9.30 a.m. (E) Family worship
Baptist Church		
Baptist Congregation	Wednesday	10 a.m. (E) Bible study (women)
4 Narkis Street	Saturday	9 a.m. (E+H) Bible study
P.O. Box 154		10.30 a.m. (E) Worship service
	Sunday	7.30 p.m. (H) Prayer service
Baptist Church		
Ali Ibn Taleb Street	Wednesday	5 p.m. (A)
(near Christmas Hotel)	Sunday	9 a.m. (A)
Tel: 284415		
Indep. Baptist Bible Church	Wednesday	5.30 a.m. (A+E) Winter Bible study
Salah-ed Din Street		6 p.m. (A+E) Summer Bible study
Tel: 282118	Sunday	10 a.m. (A+E) Sunday School
		11 a.m. (A+E) Worship
		5.30 p.m. (A+E) Winter worship
Christian Brethren Assembly		
25 Shivtei Israel, P.O. Box 1230	Sunday	10 a.m. (E)
(Finnish School)		
Tel: 634474		

Church of Christ		
Ezzahara Street (Alhabibi)	Wednesday	6 p.m. (E+A)
P.O. Box 19529	Sunday	10 a.m. (E+A) Worship
Tel: 282723		6 p.m. (E+A)
Church of God of Prophecy		
14 Jabsheh Street	Thursday	2 p.m. (A+E)
Tel: 282205	Sunday	4 p.m. (A) Winter 3 p.m.
Church of God-7th Day		
Zerubbabel St, P.O. Box 10184	Saturday	11 a.m. (E) at Ein Rogel St
Tel: 719914		6 p.m. (by Observatory)
Church of the Nazarene	Wednesday	5.30 p.m. (E) Bible study
33 Nablus Road	Sunday	10 a.m. (E) Service
Tel: 283828		11 a.m. (E)
		5.30 p.m. (E)
Marionite Convent St, Jaffa Gate	Saturday	4 p.m. (A) Sunday school
Church of the Redeemer	Thursday	8.30 a.m. (G) Morning prayer
(Lutheran)	Sunday	9 a.m. (A+E) Worship
Muristan, P.O. Box 14076		10.15 a.m. (G)
Danish Israel Mission		
(Lutheran)	1st Sat.	4 p.m. in Redeemer Church
42/98 14 Hapalmach St	in month	
P.O. Box 20030		
Tel: 357851		
Finnish Christian Mission		
(Lutheran)	Saturday	11 a.m. (H)
25 Shivtei Israel St	Saturday	
Tel: 233701 (Off.) 283300 (Pastor)	1st in month	4 p.m.
	Monday	6.30 p.m. (H) Bible study
	Wednesday	4 p.m. (FI) Bible study
Garden Tomb		
(Interdenominational)	Sunday	9 a.m. (E)
Nablus Road, P.O. Box 19462		
Tel: 283402		
Seventh Day Adventists		
Adventhouse	Saturday	9.30 a.m. (E+H) Bible study
4 Lincoln Street		10.30 a.m.
Tel: 221547		
11 Ali Ibn Taleb St	Saturday	9.30 a.m. (A+B) Bible study
Tel: 283271		10.30 a.m. (A+E) Divine Service
Pentecostals		
Church of God, P.O. Box 19287	Thursday	6 p.m. (E) Bible study
Tel: 284436	Sunday	10 a.m. (E) Ev. prayer
Mt of Olives nr Commodore Hotel		
Bible Evangelistical Mission		
32 Shivtei Israel	Saturday	7 p.m. (E) Communion
St Paul's Church	Sunday	6 p.m. (E) Worship
Church of Scotland Presbyterian		
St Andrews	Sunday	10 a.m. (E)
Harakevet St, P.O. Box 14216		

ROMAN-CATHOLIC MASSES
IN JERUSALEM – AS IN 1984

Language Key (L) Latin   (E) English   (F) French   (S) Spanish   (Ar) Armenian
           (A) Arabic   (G) German   (I) Italian   (H) Hebrew   (Sy) Syrian

CHURCH	SUNDAY	WEEKDAY

Latin Patriarchate
Latin Patriarchate Road
P.O. Box 14152
Tel: 282323
	Summer: 7.00 a.m. (A)
	          8.00 a.m. (A)
	          9.00 a.m. (A)
	Winter: 7.00 a.m. (A)
	        8.30 a.m. (A)
	        9.30 a.m. (A)
		7.00 a.m. (A)

Greek-Catholic Patr. Greek-Catholic Patr. R P.O. Box 14130 Tel: 282023	9.30 a.m. (A)	7.00 a.m. (A) except Thurs. & Sat. 6.00 p.m. (A)
Maronite Vicariate 25 Maronite St P.O. Box 14219 Tel: 282158	9.00 a.m.(A)	
Syrian Vicariate Chaldean St P.O. Box 19787 Tel: 282657	10.00 a.m.(Sy-A)	
Armenian Patriarchate 3rd Station P.O. Box 19546 Tel: 284262	9.00 a.m.(Ar.)	

St Saviour's Church
1 St Francis St
P.O. Box 186
Tel: 282868
     282354
	6.00 a.m. (L) 7.00 a.m.
	           (L)
	8.00 a.m.(A)
	9.00 a.m.(A) High Mass
	10.00 a.m.(L) 11.00 a.m.
	          (A)
	5.30 p.m.(L)
		5.30–6.30 7.30–8.00 a.m.
		(L)
		
		5.00 p.m. (A) on Saturday

Cenacle 'Ad Coenaculum' Mount Zion, P.O. Box 14089 Tel: 713597	6.30 a.m.(I)	6.30 a.m. (I)
Dormition Abbey Mount Zion, P.O. Box 22 Tel: 719927	8.00 a.m.(G)	6.45 a.m. (G)
Ecce Homo Via Dolorosa, P.O. Box 19056 Tel: 282445		6.45 a.m. (F) 6.00 p.m. (E)
Flagellation Via Dolorosa, P.O. Box 19424 Tel: 282936	6.00–6.30 a.m. (I) 7.00 a.m.(L+I)	6.00–6.30 a.m. (L+I)

Franciscaines De Marie	9.00 a.m.(F)	7.00 a.m. (F)
9 Kablus Road	11.00 a.m. (S)	
P.O. Box 19049		
Tel: 282633		
French Hospital S. Joseph	8.30 a.m.(E)	6.30 a.m. (F)
Sheikh Jarrah		
P.O. Box 19224		
Tel: 282407		
German Hospice S. Charles	6.15 a.m.(G)	6.15 a.m. (G)
12 Lloyd George St	8.00 a.m.(G)	
P.O. Box 8020		
Tel: 637737		
Gethsemane – Basilica	6.20, 9.00 a.m. (L)	6.20 a.m. (L)
Mount of Olives	11.30 a.m.(E)	Thurs 4.00 p.m. winter (L)
P.O. Box 186		5.00 p.m. summer (L)
Tel: 283264		except 1st Thurs of
		month: H. Hour
Holy Sepulchre-Calvary	4.30–5.00–5.30 a.m. (L)	4.30–5.00–5.30 a.m. (L)
Old City, P.O. Box 186	6.00–6.30–7.00 a.m. (L)	6.00–6.30–7.00 a.m. (L)
Tel: 284213		
House of Isaiah		
20 Agron St, P.O. Box 1332	6.30 p.m.(H)	6.30 p.m. (H) except on
Tel: 231763		Friday
Notre-Dame Centre	9.00 a.m.(E+A)	6.30 p.m. (E+A)
New Gate, P.O. Box 20531	6.30 p.m.(E)	
Tel: 289723		
Pater Noster (Carmel)	6.45 a.m.(F)	6.45 a.m. (F)
Mount of Olives		
P.O. Box 19064		
Tel: 283143		
Pontifical Institute	6.30 a.m.(E)	6.30 a.m. (E)
3 E. Botta St	7.00 p.m.(E)	7.00 p.m. (E)
P.O. Box 497		
Tel: 222843		
Ratisbonne Institute	9.00 a.m.(E,F+H)	6.30 p.m. (E,F+H) exc.
26 Sh. Hanaggid St		Friday
P.O. Box 76		7.00 a.m. (E) Mon, Tues,
Tel: 223847		Wed, Thurs
		8.00 a.m. (E) Saturday
St Paul's Chapel	7.30 a.m.(G)	5.50 a.m. (G)
Schmidt College	6.00 p.m.(G)	7.00 a.m. (G)
2 Nablus Road, P.O. Box 19070		
Tel: 283280 – 285927		
Sisters of the Rosary	7.30 a.m.(A)	6.45 a.m. (A)
14 Agron St		
Tel: 228529		
St Anne's Church	7.00 a.m.(F)	6.30 a.m. (F)
19 Mujahidin St		
P.O. Box 19079		
Tel: 283285		
St James Beit Hanina	9.30 a.m.(A) 10.30 (E)	5.00 p.m. (A+E)
P.O. Box 20089	5.00 p.m.(A+E)	on Saturday
Tel: 854694		
St John Ein Karim	7.15 a.m.(F)	7.15 a.m. (F)
P.O. Box 186		
Tel: 413639		

CHURCH	SUNDAY	WEEKDAY
Visitation Ein Karim	9.00 a.m.(L)	6.30 a.m. (L)
P.O. Box 186		
Tel: 417291		
St Stephen's Church	7.30 a.m.(F)	6.30 a.m. (F)
Nablus Road	11.30 a.m.(F)	12.00 noon (F)
Tel: 282213		
Ecole Biblique, P.O. Box 19053		
Terra Sancta	7.00 a.m.(L)	7.00 a.m. (L)
Keren Hayesod St	10.30 a.m.(F)	
P.O. Box 871	6.30 p.m.(E)	
Tel: 639116		

CHRISTIAN JEWISH AND MUSLIM FEASTS

	1985	1986	1987	1988
CATHOLIC (Gregorian Calendar)				
Holy Mother of God	1 January	1 January	1 January	1 January
Epiphany	6 January	6 January	6 January	6 January
St Joseph	19 March	19 March	19 March	19 March
Annunciation BVM	25 March	25 March	25 March	25 March
EASTER DAY	7 April	30 March	19 March	3 April
Ascension	16 May	8 May	28 May	12 May
Pentecost	26 May	18 May	7 June	22 May
Corpus Christi	6 June	29 May	18 June	2 June
St Peter and Paul	29 June	29 June	29 June	29 June
Assumption BVM	15 August	15 August	15 August	15 August
All Saints	1 November	1 November	1 November	1 November
Immaculate Conception	8 December	8 December	8 December	8 December
Christmas Day	25 December	25 December	25 December	25 December
ORTHODOX (Julian Calendar)				
Nativity of Our Lord	7 January	7 January	7 January	7 January
Epiphany	19 January	19 January	19 January	19 January
Presentation	15 February	15 February	15 February	15 February
Annunciation BVM	7 April	7 April	7 April	7 April
EASTER DAY	14 April	4 May	19 April	10 April

Ascension	23 May	12 June	28 May	19 May
Pentecost	2 June	22 June	7 June	29 May
Transfiguration	19 August	19 August	19 August	19 August
Assumption BVM	28 August	28 August	28 August	28 August
Exaltation of Cross	27 September	27 September	27 September	27 September
Presentation of BVM	4 December	4 December	4 December	4 December

JEWISH

Purim	7 March	25 March	15 March	3 March
PASSOVER	6–12 April	24–30 April	14–20 April	2–8 April
Pentecost	26 May	13 June	3 June	22 May
Feast of 9th Av	28 July	14 August	4 August	24 July
New Year	16–17 September	4–5 October	24–25 September	12–13 September
Jewish year:	5745/6	5746/7	5747/8	5748/9
Day of Atonement	25 September	13 October	3 October	21 September
Tabernacles	30–7 Sept/Oct	18–25 October	8–15 October	26–3 Sept/Oct

MUSLIM (Dependent upon visibility of the moon)

Feast of Mirag	16 April	5 April	25 March	14 March
Feast of Ramadam	19 June	8 June	28 May	17 May
Feast of Sacrifice	24 August	13 August	2 August	22 July
New Year – Hegira	14 September	3 September	24 August	13 August
Muslim year:	405/6	406/7	407/8	408/9
Birthday of the Prophet	24 November	13 November	2 November	23 October

HOLY WEEK IN JERUSALEM

EASTERN

The forms of worship, of which there are a bewildering variety, yet have a basic similarity which witnesses to their common primitive origins. In all cases, the great act of Christian worship is that instituted by Our Lord himself and called variously the Lord's Supper, the liturgy, the mass, the eucharist. Almost all the ceremonies which a pilgrim is likely to attend have at their centre this great Mystery. Apart from this, the public worship consists mainly in the recitation of the Hours, services of common prayer, suggestive of the ancient synagogue services.

In Holy Week, there are many dramatised forms of worship in which are united the uplifted heart, the spoken word and the outward gesture. The pageantry and novelty of these ceremonies draw many pilgrims and it is necessary to obtain tickets of entrance to the most popular. If the pilgrim's visit covers the Eastern Holy Week, he will have a wider choice of such ceremonies than if he comes for the Western Holy Week. In this case, he will, however, be able to find some of the Eastern rites in the Uniat Churches.

On Palm Sunday, the day begins at about 7 a.m. with the liturgy and processions in each of the Eastern churches: the Orthodox at the Sepulchre and in the Russian cathedral, the Armenians at St James', and the Syrians at St Mark's. On Maundy Thursday, the Orthodox liturgies begin earlier and are followed by 'Feet Washing' (a dramatisation of John 13) beginning about 8 a.m. in the courtyard of the Holy Sepulchre, at 2.30 p.m. at the Armenian Cathedral of St James' where the Gospel is usually read by the Anglican Bishop, and at 4 p.m. in the Syrian Church of John Mark. The Coptic one is during the morning in their Convent of St Anthony, the Abyssinian at noon in their chapel above St Helena's. In each case, the ceremony is a vivid lesson in humility in which the head of each community 'takes the part of' the Christ. In the evening both the Greek and Russian Orthodox enact the ceremony of the Holy Passion – at the Holy Sepulchre and the Russian church in Gethsemane respectively. If the pilgrim cannot stay for the whole service, he should plan to come for the last part.

On Good Friday, the Russians hold the ceremony of the Winding Sheet from about noon, in their cathedral. This is followed by the entombment at 5 p.m. The Greeks enact this ceremony within the Holy Sepulchre, on the actual sites concerned, going in procession first to Calvary, then to the Stone of Anointing and finally into the tomb of Christ. The Armenian entombment at St James' begins at 3 p.m., the Syrian entombment in the Sepulchre at 4 p.m. All these services are vivid portrayals of the burial of Christ.

On Holy Saturday, the central ceremony is the 'Holy Fire', in which the Greek and Armenian patriarchs take part with their Syrian and Coptic equivalents and their processions. The service symbolises the Resurrection, when Christ, the Light of the World, emerged from his tomb. Although the service begins at noon, most of the people will have spent the night in the Holy Sepulchre. The pilgrims will not regret sharing the morning with this excited congregation, in which all branches of the Eastern Churches mingle in a deafening din, penetrated by the ululation of the women and the shouts of the men dancing. The lights are extinguished, the tomb sealed and guarded. At last, after endless processions, the Orthodox patriarch enters the tomb with an Armenian monk – while outside a breathless suspense holds the crowded multitude. Inside, they pray and then thrust out through a 'port hole' on the south side a lighted torch, from which the first candles are lit. Within seconds the whole rotunda is a blaze of moving and waving fire.

Another unique ceremony on the Saturday night is the Abyssinian 'Searching for the Body of Christ', on the roof of St Helena's Chapel at 8 p.m. Here all the colour of the Ethiopians is to be seen in the vestments, umbrellas, symbols and drums of this primitive rite.

The Eastern liturgies then begin, before the tomb of Christ, the Greeks from 11.30 p.m. that night to 2 a.m., the Armenians from 4 a.m. to 7 a.m., while the Russians in their own cathedral have processions, matins and finally liturgy from 1 a.m. to 5 a.m. The pilgrim will do well to begin in the Sepulchre with the Greeks, then go on to the Russian cathedral if he can get there, before returning to the Armenians in the Sepulchre. He should not fail to enjoy the wonderful music of the Russians and the atmosphere of expectancy and triumph within the crowded Sepulchre. Only those who have spent Holy Week in Jerusalem can know the unforgettable thrill of the experience.

NIGHT LIFE OF THE HOLY SEPULCHRE

The hidden and true life of the church is only discovered at night, whether Easter Eve, or any night. At Sundown, the church is shut to the outside world. The Muslim doorkeeper locks the door from the outside, passes a ladder through a square trap to a priest who receives it and locks the church from the inside. As the night begins, there is no light in all the church except for the candles which continually shine before Calvary, the sepulchre and the Stone of Unction. Then, a little before eleven o'clock, lights begin to flicker up. The priests of the various denominations, who have been sleeping about the building in curious dormitories, are coming out for their evening devotions. The Greeks appear on a balcony above the Rock of Calvary; the Franciscans emerge from a tunnel beyond the Latin chapel; the Armenians down an iron staircase above the Stabat Mater. Three bearded sacristans appear and begin to trim the lamps. A sound of door-banging and electric bells is heard. At 11.30 as the ceremonies begin, two vested thurifers appear and proceed around the church incensing every one of the altars.

At midnight the night offices begin, the Latin severe and restrained, the Armenian exuberant and musical. The Latin office is the shortest and when it is completed the Franciscans file off to their tunnel – the Greeks and Armenians sing on. Then begins to permeate through the building the smell of newly baked bread, as the priests of the Eastern rites cook the bread for their morning masses. The Latins, the Greeks and the Armenians say mass every day. The Copts say it on certain days at an altar against the outer wall. The Syrians have a service on Sundays. The Abyssinians perform their liturgy in their homely little church on the roof. The Greeks and Armenians say their masses first. After the Armenians have finished, the Latins say their mass at about 3.30. There is no room within the tomb for more than one priest and his server. Other worshippers kneel outside this claustrophobic little chamber with its single luculus and its antechamber, called the Chapel of the Angels, containing a token of the rolling stone, on which the Angel sat on the first Easter morning.

When all is finished, the ladder is passed out again through the trapdoor, the key handed out to the Muslim doorkeeper and the doors thrown open. The public congregation can come in, for the Latin mass in the sepulchre at 4.30, and other masses follow at all the various altars of Calvary, the Chapel of the Franks and the Latin chapel. At dawn, the worshipper steps out into the street, to be greeted by the cry from the near-by Muslim mosque, 'There is no God but Allah and Muhammad is His Prophet!'

WESTERN HOLY WEEK

The Western Holy Week is less colourful, except perhaps in the Latin ceremonies at the Sepulchre and their processions along the journeys of Our Lord, on Palm Sunday, Maundy Thursday night and Good Friday morning. These routes are also followed by the Anglican 'walks', which are described in detail in the Scriptural Presentations on pages 49–78. These 'processions' or 'walks' offer an opportunity to the pilgrim to share Our Lord's passion and to enter more deeply into the love and purposefulness of this wonderful week, entering with Jesus into the city, passing out in the darkness to Gethsemane, sharing his agony among the olives and following his cross up the cobbled Way of Sorrows to Calvary.

All this, too, is vividly brought home to the pilgrim who attends the Latin ceremonies in the Sepulchre, on Maundy Thursday and Good Friday. On the Thursday, the feet-washing, at which the Latin patriarch officiates, begins at 1.30 p.m. and is followed by the simple and moving service before the tomb, called Tenebrae, because it was originally held at night. There are processions to the Upper Room from St Saviour's Convent at 4 p.m. and to Gethsemane at 7.30 p.m. On Good Friday, the mass of the pre-sanctified, within the Chapel of Calvary, begins at 6.30 a.m. It is usually possible to slip into this, after the Anglican devotions along the Via Dolorosa. The Latin procession along the Via Dolorosa, with an address at each station, begins at 1 p.m. The day closes with the 'Burial Procession' within the Holy Sepulchre once again, with seven sermons at different stations, each in a different language. The climax of the Latin Holy Week is the early pontifical mass before the tomb of Christ on Easter morning.

Finally, neither Eastern nor Western Holy Week is an ideal season for the pilgrim's very first visit to the Holy Land. In fact he will find more peace and less distraction from the basic purpose and pattern of a first pilgrimage at almost *any other* time of the year! But for pilgrims who plan a second visit, Holy Week in Jerusalem – either Eastern or Western – will prove a landmark in their spiritual development.

EASTERN AND WESTERN CALENDARS IN JERUSALEM

The old Julian Calendar, once universal in the Christian Church, is used by the Orthodox Churches today. In the sixteenth century, at the order of Pope Gregory XIII, a new system of reckoning was adopted. This Gregorian Calendar has found acceptance within the Western Churches. Thus, the Orthodox Church, keeping Christmas on their 25 December, actually celebrates on the Western 7 January.

Both East and West observe as Easter the first Sunday after the full moon falling on or after 21 March. As their calendars differ, however, so their dates of 21 March differ and even sometimes, therefore, the moon by which they place their festival. The Eastern Churches still observe the rule of the Council of Nicaea that Easter may never precede or coincide with the Jewish Passover. The West has abandoned this rule long since.

HOLY WEEK AND EASTER IN THE HOLY SEPULCHRE – AS IN 1984

ORTHODOX (ON EASTERN DATES)   **CATHOLIC (ON WESTERN DATES)**

PALM SUNDAY

ORTHODOX	CATHOLIC
7.30 a.m.Entry of Patriarch in Holy Sepulchre	6.00 a.m.Blessing and Procession of Palms
7.45 a.m.Liturgy in Katholicon	2.30 p.m.Procession of Palms (Bethphage to St Anne's)
10.15 a.m.Procession round Rotunda	4.00 p.m.Daily Procession in Sepulchre

MONDAY

5.00 p.m.Evening Service in Katholicon	6.00 a.m.Parish Mass on Calvary

TUESDAY

5.00 p.m.Evening Service in Katholicon	7.00 a.m.Solemn Mass – Holy Sepulchre
	7.30 a.m.Solemn Mass – Chapel of Flagellation
	4.00 p.m.Daily Procession in Sepulchre

WEDNESDAY

5.00 p.m.Evening Service in Katholicon	7.00 a.m.Solemn Mass – Holy Sepulchre
	7.30 a.m.Solemn Mass – Gethsemane
	7.45 a.m.Veneration of Pillar of Flagellation within Holy Sepulchre
	3.00 p.m.Tenebrae in Sepulchre

MAUNDY THURSDAY

5.30 a.m.Liturgy – St James Cathedral	7.00 a.m.Pontifical Mass, Blessing of Oils, Procession of Blessed Sacrament

8.00 a.m. Washing of Feet, Parvis of
        Holy Sepulchre (Greek)
2.30 p.m. Washing of Feet, St James
        Cathedral (Armenian)
4.00 p.m. Washing of Feet, Church
        of John Mark (Syrian)

2.00 p.m. Washing of Feet
3.00 p.m. Tenebrae & Procession to Cenacle
5.00 p.m. Washing of Feet at Dormition Abbey
8.00 p.m. Holy Hour, in Gethsemane

GOOD FRIDAY

8.30 a.m. Procession to Holy Sepulchre
9.00 a.m. Royal Hours
2.00 p.m. Service in Katholicon
6.00 p.m. Burial Service, Mar Yacoub
7.30 p.m. Procession from Mar Yacoub
8.00 p.m. Burial Service in Katholicon
9.00 p.m. Procession to Edicule

6.00 a.m. Mass of Presanctified, Calvary
11.15 a.m. Way of the Cross from Omariyah
3.00 p.m. Passion Liturgy at Dormition
        Tenebrae in Holy Sepulchre
7.00 p.m. Funeral Procession in Sepulchre

HOLY SATURDAY

8.15 a.m. Sepulchre door opened by Armenians
11.00 a.m. Sealing of the Tomb
11.20 a.m. Procession of Banners through
        Christian Quarter to Sepulchre
12.00 noon Patriarchal Procession to Sepulchre
12.10 p.m. Armenian, Coptic and Syrian Clergy
        attend Orthodox Patriarch in
        Katholicon
1.00 p.m. Ceremony of Holy Fire – followed by
        Liturgy in Katholicon
8.00 p.m. 'Searching for the Body of Christ',
        Ethiopian Convent above St Helena
11.10 p.m. Patriarch enters Basilica of Holy
        Sepulchre
12.00 mdnt Procession and Liturgy

5.30 a.m. Blessing of the Holy Fire and
        Waters of the Font,
        Pontifical mass
5.00 p.m. Solemn Compline in Sepulchre
10.30 p.m. Matins and Lauds in Sepulchre
11.00 p.m. Easter Vigil in Dormition Abbey

EASTER DAY

1.00 a.m. Russian Liturgy – their Cathedral
3.30 a.m. Liturgy of Resurrection ends in
        Holy Sepulchre
4.00 a.m. Armenian Liturgy – St James
        Cathedral
12.15 p.m. Procession and Solemn Entry of
        Patriarch to Holy Sepulchre

9.30 a.m. Solemn Pontifical Mass of Easter
        in Holy Sepulchre
4.00 p.m. Daily Procession in Holy Sepulchre
4.30 p.m. Procession of the Holy Land to
        Basilica at Emmaus (Qubeibe)

EASTER MONDAY

10.00 a.m. Pontifical Mass, Emmaus, Qubeibe

ST GEORGE'S ANGLICAN CATHEDRAL: Circulates hotels with Holy Week programme, which has included:
    Palm Sunday Eucharist with Palms at 11.00 a.m.
    Maundy Thursday Devotional Walk from Church of John Mark to Gethsemane from 8.00 p.m.
    Good Friday 'Way of the Cross' from First Station, at 6.00 a.m.
    Easter Eucharists at 8.00 and 11.00 a.m.
ST ANDREW'S CHURCH OF SCOTLAND:
    Easter Sunrise Service 5.00 a.m. and Eucharist 10.00 a.m.
THE GARDEN TOMB:
    Sunrise Service, in English at 6.30 a.m., other languages as posted. Otherwise, the Garden may be closed for the rest of the day.

SOME BIBLICAL THEOLOGICAL AND ARCHAEOLOGICAL SCHOOLS WITH COURSES AND FACILITIES IN ENGLISH

ALBRIGHT INSTITUTE OF ARCHAEOLOGY
26 Salah Ed-Din, Jerusalem, P.O. Box 19096   Tel: 02/282131
Language: mainly English
Courses: research students
                academic year and shorter sessions – no courses

AMERICAN INSTITUTE OF HOLY LAND STUDIES
Mount Sion, P.O. Box 1276, Jerusalem   Tel: 02/718628
Language: English, study of Hebrew
Courses: Study and research centre for Bible, archaeology,
                geography, history, etc. Annual programmes, short
                sessions

BEIT ATID CENTRE
2–4 Agron Street, Jerusalem   Tel: 02/226386
Language: English and Hebrew   227463
Courses: Judaic and Biblical studies

BRITISH ARCHAEOLOGICAL SCHOOL
Sheik Jarrah, Jerusalem, P.O. Box 19283   Tel: 02/282902
Language: English
Courses: Institute accepts research students, no courses given

CENTRE BIBLIQUE
Via Dolorosa, Jerusalem, P.O. Box 19056 (Ecce
Homo)   Tel: 02/282445
Language: French and English   282633
Courses: Biblical studies from October to June

ECOLE BIBLIQUE ET ARCHAEOLOGIQUE FRANÇAISE
6 Nablus Road, Jerusalem, P.O. Box 19053   Tel: 02/282213
Language: French, reading Hebrew, Greek, Aramaic
Courses: Annual sessions, seminars, lectures on biblical and
            archaeological subjects (October–June)

ECUMENICAL INSTITUTE FOR THEOLOGICAL RESEARCH: TANTUR
Bethlehem Road, Jerusalem, P.O. Box 19556   Tel: 02/713451
Language: English, French, German
Offerings: Interconfessional, international, theological research
            annual programme: one or two semesters
            summer programme: public lectures

JERUSALEM CENTRE FOR BIBLICAL STUDIES
Damascus Gate, Jerusalem, Spafford Children's
Centre   Tel: 02/285450
Language: English   284875
Courses: Study tours and lectures

SAINT GEORGE'S COLLEGE
31 Salah Ed-Din Street, Jerusalem, P.O. Box 1248   Tel: 02/284372
Language: English
Courses: Biblical, familiarisation with the Holy Land
            (ecumenical) 2-, 3-, 4-week courses from January to
            September;
            10 weeks from September to December

SAINT JOHN'S UNIVERSITY AND CATHOLIC THEOLOGICAL UNION
School of Theology, Collegeville MN 56321, USA Tel: 6123632101
Language: English
Courses: Scripture, history, excursions.
            Programme of 14 weeks (September to December)
Place: Terra Santa Residence,   Tel: 02/419943
            Ain Karim, Jerusalem, P.O. Box 17030

SWEDISH THEOLOGICAL INSTITUTE
58 Prophets Street, Jerusalem, P.O. Box 37   Tel: 02/223822
Language: Swedish, English
Courses: Jewish tradition, biblical studies: annual session, lec-
            tures

JEWISH FESTIVALS AND SYNAGOGUE

FESTIVALS

The festivals are a distinctive feature of Jewish life.
In the Bible six 'appointed seasons' are listed:
The *Shabbat*; The Day of the 'Blowing of the Trumpet'; The Day of Atonement; and The Three Pilgrimage Festivals. Later, other holidays and fast days were added, to reflect occasions of joy and sorrow in Jewish history.

Shabbat
The Bible enjoins the Jewish people to keep the Sabbath as a reminder of the Creation and of the Exodus from Egypt. Not only a day of rest and recreation but a day of joy and spiritual re-creation, the Sabbath is a major influence in Jewish life.

Pesach
Passover, the 'Season of our Freedom', recalls the Exodus. At the *Seder* service, on the eve of Passover the Story of the Exodus is dramatically told. This festival falls in the spring harvest season. On the second day a measure, *omer*, of barley was brought in to the Temple.

Shavuot
The 'Feast of Weeks' – seven weeks after Passover – marks the receiving of the *Torah* and Ten Commandments at Mount Sinai. *Shavuot* is also known as '*Atzeret*' as it marks the 'conclusion' of Passover. In Temple times the summer harvest of first fruits was brought to Jerusalem.

Sukkot
The Festival of Tabernacles is celebrated in temporary huts which recall the booths in which the children of Israel lived whilst journeying through the Wilderness. *Sukkot* sees the ingathering of the autumn harvest, and is celebrated by a procession in the

synagogue bearing the palm branch, the citron, the myrtle and the willow.

Rosh Hashannah

In both character and origin, the Jewish New Year is a purely religious festival. As the traditional birthday of creation, its message is one of judgment. A highlight of the New Year service is the blowing of the *shofar* – the ram's horn – to arouse man to an examination of his deeds.

Yom Kippur

The first ten days of the Jewish New Year are days of Penitence. They conclude with the Day of Atonement, a complete day spent in prayer, spiritual stocktaking, fasting and confession.

Chanukah

'Dedication' is an eight-day festival commemorating the uprising against the Syrian King Antiochus in the year 168 B.C. The victorious Maccabees rekindled the *menorah*, candelabrum, and inaugurated an eight-day dedication of the Temple. In celebration today an eight branched *menorah* is lit.

Purim

'Lots' celebrates the events recorded in the Book of Esther when the Jewish Community in Persia was saved from destruction. In addition to sending gifts to friends and to the poor, the *'Megillah'*, Scroll of the Book of Esther, is read in the synagogue, and, in Israel, there is a national carnival.

Fasts

Three minor fasts in the Jewish calendar are:
The Fast of *Gedaliah*, Third of *Tishri*; the Tenth of *Tevet* and the Seventeenth of *Tammuz*. They are all associated with the end of the Kingdom of Judea. The Ninth of *Av* marks the destruction in the First and Second Temples and, like the Day of Atonement, is a full twenty-five-hour feast.

Lag B'omer

'Thirty-third day' of the *Omer* – barley offering – is a minor festive day occurring in the period of semi-mourning between *Pesach* and *Shavuot*. In Israel it is celebrated by the pilgrimage of many thousands of people to Mount Meron. Children light bonfires and play outdoor games.

Yom Ha'atzmaut

'Independence Day' recalls the foundation of Israel on the Fifth *Iyar* 5708 – 14 May 1948. In Jewish communities throughout the world special services and celebrations are held. In Israel it is a national holiday.

Tu B'shvat:

The 'Fifteen' of the month 'of Shvat' marks the commencement of spring and is known as the 'New Year for Trees'. On this holiday each school child in Israel goes out to the fields and plants a sapling.

SYNAGOGUE

Holy Ark

The main feature of a synagogue is the Holy Ark, *Aron Hakodesh* or *Tebah*, which contains the Scrolls of the Law, *Sifrei Torah*. It is situated against the eastern wall of the synagogue and is a reminder of the Ark in the Temple which contained the two 'Tablets of Stone'.

Bimah

The platform *Bimah* or *Almemar* is usually placed in the centre of the synagogue. It is from here that the service is read and the 'Reading of the Law' takes place.

The Scroll of the Law

Sefer Torah is a parchment on which the Five Books of Moses have been handwritten by a scribe. Each week on *Shabbat* a portion of the *Torah* is read. There are also special readings for the festivals, fasts and holy days. The *Torah* is covered by an embroidered mantle.

Binder

This is a Binder, *Mappah*, for the Scroll of the Law. In some European communities the wrapper is often decorated with biblical quotations and scenes from Jewish life.

The Bells
Rimmonim, which are fitted to the wooden handles of the *Sefer Torah*, recall the bells which the high priest wore on the hem of his robe to warn the people of his approach. The bells today remind the congregation of this ancient ceremony.

The Pointer
Yad, is used by the Reader of the Scrolls, *Baal Deriah*, to point to each word. He uses it in order not to damage the lettering of the *Torah*.

The Crown
of the Torah, *Keter Torah*, is attached to the Scrolls. It is a fitting ornament to remind the congregation of the majesty of the *Torah*.

The Breastplate
Choshen, hangs in front of the *Sefer Torah* and recalls the breastplate worn by the high priest in Temple times. The little box in the middle contains a plate which indicates the *Shabbat* or festival being celebrated.

THE JEWISH PASSOVER

The Jewish feast of the Passover has for Christians great significance because of its intimate associations with the Last Supper and the Sacrifice of Calvary and it comes about the time of Easter. In origin the feast goes back to the supper eaten by the Children of Israel on the night before their flight from Egypt (Ex. 13 and Deut. 16). Gentiles wishing to witness the domestic celebration of the Passover are often able to do so through the courtesy of Jewish friends, or at Jewish hotels, or by arrangement with the Israeli Government Tourist Department.

The time of the Passover feast is fixed by counting fifteen days from the beginning of the month *Nisan*, making it fall on the night of the full moon. The feast of the Passover lasts seven days from the fifteenth to the twenty-first of Nisan, during the whole of which no leavened bread may be eaten. According to biblical injunction the Passover lamb should be killed on the fifteenth and eaten that evening, since the fifteenth *Nisan* is counted as beginning with sundown.

THE PREPARATION

The home is thoroughly cleaned, and every bit of leaven destroyed, with a special ceremony, on the fourteenth *Nisan*. Tableware and cooking utensils uncontaminated by contact with leaven are brought out for use during the days of unleavened bread.

THE HOME FESTIVAL OR SEDER

On the afternoon of the fourteenth *Nisan*, the Passover table is prepared. The *seder*-dish is placed at the head of the table. On it are placed three large cakes of unleavened bread called *mazzoth*, each wrapped in a cloth. On top of these are placed a boiled egg, symbolic of the daily offering once made in the Temple during the feast; a roasted shank-bone, representing the paschal lamb; the *charoseth* consisting of a mixture of scraped apples, nuts, raisins and cinnamon, said to represent the clay from which the Israelites made bricks; a saucer of salt and water; and the bitter herbs, consisting of horseradish and parsley, which are regarded as signifying the hardship of bondage in Egypt. Each person is provided with wine and a goblet for the four ceremonial winedrinkings, with an additional goblet for the prophet Elijah, should he appear. Large chairs with cushions are prepared for the master of the house, who acts as Celebrant, and for the mistress.

The meal begins with a special blessing (*quiddush*) after which all drink wine and the Celebrant washes his hands. All present are given some parsley and lettuce which is eaten with a blessing. A part of one of the *mazzoth* loaves is broken off and hidden, to be eaten later as the *aficomen* or dessert. The shank-bone and egg are temporarily removed from the *seder*-dish, all take hold of it, lift it, and utter an invitation to all needy persons to share in the feast. The egg and shank-bone are replaced.

The youngest person present then asks why the festival is being kept (cf. Exodus 12: 26), and there follows the ancient story of the Passover supper and the history of Israel, called *Haggadah* or 'telling forth'. This done, the first of the Hallel Psalms, 113 and 114, are recited; a second cup of wine is drunk, and all wash their hands in preparation for the feast. The two cakes of unleavened bread are broken and eaten together with the bitter herbs dipped in the *charoseth*. The meal itself is then eaten, Jewish delicacies being provided according to taste. The *aficomen* which was set aside earlier is now brought forth and eaten. The grace is said and the third cup of wine is taken. This done the doors of the house are opened to allow guests to depart. The fourth cup of wine is poured out, the rest of the Hallel Psalms 115–18, and Psalm 136, are recited and a hymn called the Benediction of Song. The evening ends with popular songs.

THE COLLECTIVE SETTLEMENTS OF ISRAEL

AGRICULTURAL REVIVAL

The return of the Jewish people to Palestine, and the agricultural revival by which it was accompanied, led to a number of interesting social experiments. The Jewish immigrants to Palestine were to an overwhelming extent men and women who had been born and bred in towns. On their arrival they understood that their hope of creating a sound and healthy Jewish national life could not succeed without the formation of a large Jewish farming class. This transformation of the city dweller into a farmer, which would have been difficult in the best of circumstances, was rendered even more complicated by the fact that the soil of Palestine had been neglected for many centuries and that its reclamation involved severe hardship and struggle. The early pioneers realised instinctively that they could not hope to overcome the obstacles in their way – both internal and external – without co-operation in one degree or another. The individual pioneer, working on his own, would have gone under before difficulties which a co-operative group, fortified by a spirit of mutual help, could overcome, granted a sufficient degree of perseverance and devotion.

DEGANYA

This co-operative tendency expressed itself in the first place in the establishment of co-operative workers' restaurants where agricultural labourers were able to get good food at cheap prices and where they could get credit in times of unemployment. From this, there developed the idea of forming co-operative groups for settlement. The first of these groups was formed in 1908 and three years later it established the first workers' collective settlement in Deganya, near the Lake of Galilee.

MOSHAV

The idea of co-operative settlement did not come into existence full-grown. There was a long period of experimentation before two distinct types of settlement crystallised out; the moshav and the kvutza or kibbutz. The moshav is a co-operative smallholders' village in which each family farms its own land on its own account. There is extensive provision for co-operative effort in marketing produce and in buying and distributing commodities which the village cannot produce for itself. There is also a developed system of mutual self-help and in some moshavim there is a system of doing certain types of farming collectively.

KIBBUTZ

The kvutza or kibbutz is a collective village. Land, houses, machinery and livestock – indeed all property – belong to the village as a whole and not to the individual members. The economic position of the individual in the village is governed by the principle 'from each according to his capacity and to each according to his needs'. The kibbutz is a voluntary organisation, every member is free to leave when he chooses, while the act of joining is equally free from any measure of coercion. It is a society based on equality and governed democratically. Today there are 266 such settlements permanently established in Israel, comprising some 132,000 people. The kibbutzim are the focal points in the creation of the new Israel. Theirs is the pioneering role in reclaiming the land, settling not in already fertile places but on the borders of the desert. They form too the front line of Israel's defence.

OPENING HOURS OF CHRISTIAN PLACES *IN* JERUSALEM – AS IN 1984

PLACES	SUMMER	WINTER
Armenian Cathedral of St James Tel: 282331	Mon–Fri 3.00–3.30 p.m. Sat–Sun 2.30–3.15 p.m.	– –
Armenian Museum	closed temporarily	–
Bethany St Lazarus Tel: 271706	7.00–12.00 a.m. 2.00–6.00 p.m.	– –
Bethphage, Tel: 284352	7.00 a.m.–5.30 p.m.; ring bell	–
Cenacle-Last Supper room	8.30 a.m.–sundown	–
Cenacle Chapel Tel: 713597	7.00 a.m.–12.00 noon 3.00 p.m.–sundown	– –
Christ Church Office Tel: 282082	8.00–10.00 a.m. 4.30–6.00 p.m.	– –
Christian Information Centre Tel: 287647	8.30 a.m.–12.30 p.m. 3.00–6.00 p.m. Closed Sunday	– 3.00–5.30 p.m.
Dominus flevit Tel: 285837	6.45–11.30 a.m. 3.00–5.00 p.m.	– –
Dormition Abbey Tel: 719927	7.00 a.m.–12.30 p.m. 2.00–7.00 p.m.	– –

Flagellation Tel: 282936	6.00 a.m.–12.00 noon 2.00–6.00 p.m.	– 2.00–5.00 p.m.
Garden Tomb Tel: 283402	8.00 a.m.–12.30 p.m. 2.30–5.00 p.m. Closed Sunday	9.00 a.m.–12.30 p.m. 2.30–4.30 p.m.
Gethsemane Basilica and Grotto Tel: 283264	8.30 a.m.–12.00 noon 3.00 p.m.–sundown	– 2.00 p.m.–sundown
Holy Sepulchre Tel: 284213	4.00 a.m.–8.00 p.m.	4.00 a.m.–7.00 p.m.
Lithostrotos-Ecce Homo Tel: 282445	8.30 a.m.–4.30 p.m. Closed Sunday	8.30 a.m.–4.00 p.m. –
Lutheran Church of the Redeemer Tel: 282543	9.00 a.m.–1.00 p.m. 2.00–5.00 p.m. Friday 9.00 a.m.–1.00 p.m. Closed Sunday	– – – –
Monastery of Holy Cross Tel: 634442	Irregular. Phone before visiting	–
Paternoster Church Tel: 283143	8.30–11.45 a.m. 3.00–4.30 p.m.	– –
Pilgrims Office Tel: 282621	8.30 a.m.–12.30 p.m. 3.00–6.00 p.m. Closed Sunday	– 3.00–5.30 p.m.
Russian Cathedral Tel: 222565	by appointment	–
Russian Excavations Tel: 284580	9.00 a.m.–1.00 p.m. 3.00–5.00 p.m.; ring bell	– –
St Mary Magdalene Tel: 282897	Irregular. Phone before visiting	–
St Ann's, Bethesda Tel: 283285	8.00 a.m.–12.00 noon 2.30–6.00 p.m. Closed Sunday	– 2.00–5.00 p.m.
Tomb of Mary-Gethsemane	6.30 a.m.–12.00 noon 2.00–6.00 p.m.	– –
St Mark's Syrian Orthodox Tel: 283304	9.00 a.m.–12.00 noon 3.30–6.00 p.m.; ask for key	– –
St Peter in Gallicantu Tel: 283332	8.30–11.45 a.m. 2.00–5.00 p.m.	– –
St Stephen's Basilica Tel: 282213	7.30 a.m.–1.00 p.m. 3.00–6.00 p.m.	– –

OPENING HOURS OF CHRISTIAN PLACES *OUTSIDE* JERUSALEM – AS IN 1984

PLACES	SUMMER	WINTER
Abu Gosh: Crusader Church Tel: 539798	8.30–11.00 a.m. 2.30–5.00 p.m. Sunday and Thursday closed	– –
Bethlehem: Nativity Church	6.00 a.m.–6.00 p.m.	–
Bethlehem: St Catherine Tel: 742425	8.00 a.m.–12.00 noon 2.30–6.00 p.m.	– –
Bethlehem: Shepherd's Field Tel: 742413	8.00 a.m.–12.00 noon 2.00–6.00 p.m.	– 2.00–5.00 p.m.
Cana: Wedding Church Tel: 067/55211	8.00 a.m.–12.00 noon 3.00–6.00 p.m.	– 3.00–5.00 p.m.
Capernaum Tel: 067/21059	8.30 a.m.–4.30 p.m.	–
Ein Karem: St John's Tel: 413639	5.30 a.m.–12.00 noon 2.30–6.00 p.m.	– 2.30–5.30 p.m.
Ein Karem: Visitation Tel: 417291	9.00 a.m.–12.00 noon 3.00–6.00 p.m.	– –
Jacob's Well: Nablus	8.00 a.m.–12.00 noon 2.30–5.00 p.m.	– –
Kiriath Jearim Tel: 02/539818	8.30–11.30 a.m. ring the bell	–
Latrun Monastery Tel: 054/20065	7.30–11.30 a.m. 2.30–5.00 p.m.	– –
Mar Saba Monastery (men only)	with permission of the Greek Orthodox Patriarch	
Mount of Beatitudes Tel: 067/20878	8.00 a.m.–12.00 noon 2.00–4.00 p.m.	– –
Mount Carmel: Stella Maris Tel: 04/523460	6.00 a.m.–12.00 noon 3.00–6.00 p.m.	– 3.00–5.00 p.m.
Muhraqa: Sacrifice of Elijah	9.00–11.00 a.m. 1.00–5.00 p.m.	– –.
Nazareth: Annunciation and St Joseph's Tel: 065/72501	8.30–11.45 a.m. 2.00–6.00 p.m. Sunday: 2.00–6.00 p.m. only	– 2.00–5.00 p.m. –
Nazareth: Synagogue	8.30 a.m.–5.00 p.m.; ring bell	–
Nazareth: St Gabriel's Well	8.30–11.45 a.m. 2.00–6.00 p.m.	–

Qubeibeh Church Tel: 952495 ext. 4	6.30–11.30 a.m. 2.00–6.00 p.m.	– –
Wadi Kelt: St George's	at any time	–
Bethlehem: St Theodosius Monastery Tel: 742216	8.00 a.m.–12.00 noon 1.00–5.00 p.m.	– –
Tabor: Transfiguration Tel: 067/67489	8.00 a.m.–12.00 noon 3.00–5.00 p.m.	– –
Tabgha: Primacy St Peter Tel: 067/21062 (Mensa Christi)	8.00 a.m.–sundown	–
Tabgha: Loaves and Fishes Tel: 067/21061	8.00 a.m.–4.00 p.m.	–
Jericho: Temptation Monastery	8.00 a.m.–12.00 noon 3.00–4.00 p.m.	– –

OPENING HOURS OF SHRINES, MUSEUMS, MODELS AND EXCAVATIONS – AS IN 1984

PLACES	SUMMER	WINTER
Acre: Crusaders' subterranean	9.00 a.m.–6.00 p.m. Friday 9.00 a.m.–2.00 p.m.	9.00 a.m.–5.00 p.m.
Beersheba: Abraham's Well	8.00 a.m.–7.00 p.m. Friday 8.00 a.m.–1.00 p.m. Closed Saturday	– – –
Beersheba: Negev Museum	Mon–Thurs 8 a.m.–2 p.m. 4.30 p.m.–7 p.m. Friday 8.30 a.m.–12.00 noon Saturday 10.00 a.m.–1.00 p.m. free Sunday 8.00 a.m.–2.00 p.m.	– – – –
Biblical Zoo, Jerusalem	8.00 a.m.–7.00 p.m. Fri., Sat. 8.00 a.m.–3.00 p.m.	8.00 a.m.–6.00 p.m. –
Caesarea Excavations	8.00 a.m.–5.00 p.m.	8.00 a.m.–5.00 p.m.
Citadel, Jerusalem	8.30 a.m.–4.00 p.m.	–
David's Tomb, Mount Zion	8.00 a.m.–sundown	–
Dome of the Rock, Mosque Al Aqsa and Islamic Museum	8.00 a.m.–3.00 p.m. Closed Fridays and Muslim holidays	– – –

Hadassah, Chagall windows Tel: 426271 confirm by phone	8.00 a.m.–3.45 p.m. Friday 8.00 a.m.–9.15 a.m. Closed Saturday	– – –
Hebron: Tomb of the Patriarchs	7.30 a.m.–11.30 a.m. 1.00 p.m.–2.30 p.m. 3.30 p.m.–5.00 p.m. Closed Friday	– – –
Heikhal Schlomo, Jerusalem Tel: 635212	9.00 a.m.–1.00 p.m. Friday 9.00 a.m.–12.00 noon	– –
Herodium, Bethlehem*	8.00 a.m.–5.00 p.m. Friday 8.00 a.m.–4.00 p.m.	8.00 a.m.–4.00 p.m.
Hisham Palace, Jericho*	8.00 a.m.–5.00 p.m.	8.00 a.m.–4.00 p.m.
Islamic Art Museum, Jerusalem	10.00 a.m.–12.30 p.m. 3.30 p.m.–6.00 p.m. Wed 3.30 p.m.–9.00 p.m. Closed Friday Saturday 10.30 a.m.–1.00 p.m.	– – – –
Israel Museum, Jerusalem Tel: 636231 including: Shrine of the Book	Sun–Thurs 10.00 a.m.–5.00 p.m. Tuesday 4.00 p.m.–10.00 p.m. Fri–Sat 10.00 a.m.–2.00 p.m. as above except: Tuesday 10.00 a.m.–10.00 p.m.	– – – –
Jericho, Tel Es-Sultan*	8.00 a.m.–5.00 p.m.	8.00 a.m.–4.00 p.m.
Knesset, Tel: 554111	Sun, Thurs 8.30 a.m.–2.30 p.m. Bring Passport Sitting: Mon–Tues 4.00–9.00 p.m. Wednesday 11.00 a.m.–1.00 p.m.	–
Meggido*	8.00 a.m.–5.00 p.m.	8.00 a.m.–4.00 p.m.
Model of Jerusalem at hotel Holy Land West	8.00 a.m.–5.00 p.m.	8.00 a.m.–4.00 p.m.
Mount Herzl Museum	8.00 a.m.–6.30 p.m. (park) Fri., Sat 9.00 a.m.–1.00 p.m.	8.00 a.m.–5.00 p.m. –
Negev Cities including: Arad, Avdat, Mamshit, Shivta	8.00 a.m.–5.00 p.m.	8.00 a.m.–4.00 p.m.
Rachel's Tomb, Bethlehem	8.00 a.m.–sundown	–
Rockefeller Museum, Jerusalem	Sun–Thur 10.00 a.m.–5.00 p.m. Fri–Sat 10.00 a.m.–2.00 p.m.	– –
Sanhedrin tombs, Jerusalem	9.00 a.m.–sundown	–
Sebaste, Samaria*	8.30 a.m.–5.00 p.m.	8.30 a.m.–4.00 p.m.
Siloam Pool and Hezekiah's Conduit	8.30 a.m.–3.00 p.m. Friday 8.30 a.m.–1.00 p.m. Friday 10.00 a.m. guided tour Closed Saturday	– –
Solomon's Quarries, Jerusalem	8.00 a.m.–4.00 p.m.	–
Walls of Jerusalem – Walk Damascus to Dung Gate	9.00 a.m.–4.00 p.m.	–

*Friday and Holiday Eve archaeological sites close one hour earlier

PUBLIC TRANSPORT – ARAB AND EGGED BUSES, SHARED TAXI SERVICES – AS IN 1984

N.B. Egged buses stop on Friday afternoons and resume Saturday sunsets or Sunday mornings. Arab buses run every day.

WITHIN JERUSALEM:	Bus:	Bus:	Bus:
To:	*From:* JAFFA GATE BUS STATION	*From:* DAMASCUS GATE ARAB BUS STN	*From:* EGGED CENTRAL JAFFA STREET
ROUND-CITY	99, stops at major sites – every hour – on the hour		
BIBLICAL ZOO	1 or 15	12 change to 1 or 7	1 or 7
DAMASCUS GATE & ROCKEFELLER (MUSEUM)	1	–	12 or 27
HADASSAH (WINDOWS)	19	27	27
HEIKAL SCHLOMO	19	12 or 27 change to 4, 8, 9, or 31	8, 9 or 31
HOLY LAND HOTEL (MODEL)	21	12 or 27 change to 21	21
ISRAEL MUSEUM	13, 20, 23 change to 9	12 or 27 change to 9	9
JAFFA GATE		21, 22 or 23	13, 20 or 23
MOUNT SCOPUS	2 change to 9 or 28	12 change to 9 or 28	9 or 28
RAILWAY STATION	21, 22 or 23	21, 22 or 23	7, 8, 30, 31 or 38
ISLAMIC MUSEUM	15	12 change to 15	15
JERUSALEM THEATRE			
YAD VASHEM	13, 20 or 23	12 or 27	12, 13, 18, 20 or 23
MT HERTZL			
MEA SHEARIM	2	12 change 2, 35 or 37	35 or 37
SANHEDRIN TOMBS			
EGGED BUS STN	13, 20 or 23	12 or 27	–

OUTSIDE JERUSALEM: *To:*	*From:*	Bus:
BETHLEHEM – (passing Jaffa Gate) –	Arab Bus Station	22
HEBRON – (passing Jaffa Gate)	Damascus/Herod's Gate	23
MT OF OLIVES	Damascus/Herod's Gate	75
BETHANY	Damascus/Herod's Gate	36
JERICHO	Damascus/Herod's Gate	46
SILOAM	Damascus/Herod's Gate	76
EMMAUS-QUBEIBE	Nablus Road opposite Ecole Biblique	45
NEBI SAMUEL	Nablus Road opposite Ecole Biblique	53
RAMALLAH	Nablus Road opposite Ecole Biblique	18
EMMAUS – ABU/GOSH	Egged, Jaffa Road	085 or 086
EMMAUS – LATRUN (½-hourly)	Egged, Jaffa Road	402, 403, 404, 433

LONG DISTANCE FROM JERUSALEM:

To:	From:	Times:	Bus:
ASHDOD	EGGED, Jaffa Road	6.30, 8, 10.30, 12.45 14.45, 16, 18, 20	438
ASHKELON	EGGED, Jaffa Road	6.15, 6.40, 7.10, 7.40 8.30, 9.30, 11, 13.30, 14.30, 16.15, 17.30, 18.30, 19.30	437
BEERSHEBA	EGGED, Jaffa Road	6 to 20.30, every ¾ hour (except 13 and 14)	440 or 443 or 445
BETH SHEMESH	EGGED, Jaffa Road	Every ½ hour	415 or 418
EILAT (book in advance)	EGGED, Jaffa Road	7, 10, 16, 24 (ex. Fri)	444
HAIFA (via Lod)	EGGED, Jaffa Road	6 to 19 every ½ hour	945 or 947
JERICHO	EGGED, Jaffa Road	7, 7.45, 8.20,	961 or 963
TIBERIAS (book in advance)	EGGED, Jaffa Road	9, 11, 12, 13, 14, 14.30, 15, 16.15, 17	
LOD AIRPORT DIRECT (Ben Gurion)	EGGED, Jaffa Road	Express	940
MASADA	EGGED, Jaffa Road	8.30, 9.15, 10.15, 12, 13	486
NAZARETH	EGGED, Jaffa Road	9.30, 13.45 Sundays also 11.15	952 or 955
TIBERIAS, MAGDALA MT OF BEATITUDES HAZOR, KIRIAT SHEMONA (book in advance)	EGGED, Jaffa Road	7, 8.20, 9, 11, 13, 14.30	963

SHARED TAXI SERVICES

To:	From:	Phone in advance:
BETHLEHEM HEBRON JERICHO RAMALLAH ALLENBY BRIDGE GAZA	DAMASCUS GATE	283281 (Abdo)
NABLUS JENIN NAZARETH	3 NABLUS RD	283283
BEERSHEBA EILAT HAIFA ASHKELON	HA RAV KOOK ST	226985
HAIFA	2 SHAMMAI ST	227366 (Aviv) 227967
LOD AIRPORT	CORNER KING GEORGE & BEN YEHUDA ST	227227 (Nesher) 231231

N.B. All information quoted was current at time of writing but may be liable to change. Check in advance.

HISTORY OF THE HOLY LAND
A CHRONOLOGICAL TABLE

EARLY BIBLICAL TIMES

1800–1580 B.C.	Hyksos pharaohs in Egypt, patriarchs in Canaan
1580	New dynasty in Egypt, oppression of Hebrews
1380	Tel El Amarna Tablets begin
1250–1200	Exodus and wanderings in the Wilderness
1200	Invasion of Canaan
1100	Philistine settlements
1000	David: founding of the city
970	Solomon: building of the Temple

DIVISION INTO TWO KINGDOMS

936–722 B.C.	Northern Kingdom of Israel, capital Samaria
936–587	Southern Kingdom of Judea, capital Jerusalem
720–685	Hezekiah
722	Fall of Samaria and Northern Kingdom
701	Sennacherib's invasion and siege of Jerusalem
685–640	Manasseh
587	Destruction of Jerusalem by Nebuchadrezzar
538	First return from exile
538–332	**UNDER THE PERSIANS**
520–516	Rebuilding of the temple of Zerubbabel
444	Rebuilding of the Walls by Nehemiah
332–168	**UNDER THE GREEKS**
332	Alexander the Great
323	The Ptolemids of Egypt
198	The Seleucids of Antioch
168	Desecration of the Temple by Antiochus Epiphanes
168–164	The Maccabees. Independent Jewish kingdom. Dead Sea Scrolls written at Qumran
165	Restoration of the Temple

63 B.C.–	
A.D. 637	**UNDER THE ROMAN EMPIRE**
63 B.C.	Pompey in Jerusalem
37–4	Herod the Great
20	Rebuilding the Temple
6	The Birth of Jesus
4	Archelaus Ethnarch of Judea
A.D. 6	Judea a Roman Province
14–37	Tiberius, Emperor
26–36	Pontius Pilate, Procurator of Judea
26	Caiaphas, High Priest
30	The Crucifixion
32	Martyrdom of St Stephen
37–41	Caligula, Emperor
37–97	Josephus, Historian
41–4	Herod Agrippa I, king of Judaea. 'Third Wall' built
44	St James the Great is beheaded. St James the Less Bishop of Jerusalem
45	Helena, queen of Adiabene, in Jerusalem. Tombs of kings built
49	Jews expelled from Rome
54–68	Nero, Emperor
64	The Great Fire at Rome
66	The Jewish War
67	Flight of the Church to Pella
70	Destruction of Jerusalem under Titus
70–132	The Legionary Camp in Jerusalem
117–38	Hadrian, Emperor
132	Jewish rebellion under Bar Cochbar
136	Aelia Capitolina founded by Hadrian
185–253	Origen
260–339	Eusebius, historian
313–637	**UNDER BYZANTINE RULE**
306–37	Constantine, Emperor
325	Council of Nicaea
326	St Helena in Jerusalem
333	The Bordeaux pilgrim's visit to Jerusalem
335	Church of the Holy Sepulchre consecrated
346–420	St Jerome. Translation of Vulgate, at Bethlehem
c. 386	Pilgrimage of Paula
408–50	Theodosius II, Emperor

450–61	Eudocia, Empress at Jerusalem
451	Council of Chalcedon. Jerusalem made a patriarchate
527–65	Justinian, Emperor
530	Pilgrimages of Theodosius and Theodorus
570	Birth of Muhammad
610–41	Heraclius, Emperor
614	Sack of Jerusalem by Chosroës, king of Persia
622	The Flight of Muhammad
637	Jerusalem captured by Caliph Omar
637–1099	**UNDER THE ARABS**
661	Umayyad Caliphs make Damascus their capital.
c. 670	Pilgrimage of Arculf, Bishop in Gaul
691	Dome of the Rock built by Abdel Melek
800	Harun er Rashid sends keys of Jerusalem to Charlemagne
870	Pilgrimage of Bernard the Wise
876–939	Eutychius, Patriarch
969	Jerusalem under the Egyptian caliphs, capital Cairo
1010	Destruction of Christian shrines by Caliph el Hakem, including the Tomb of Christ
1048	Restoration by Emperor Constantine Monomachus
1077	Invasion of the Turkomans
1094	Peter the Hermit's visit
1099	First Crusade: Godfrey de Bouillon
1099–1187	**UNDER THE LATINS**
	1099, Godfrey; 1100, Baldwin I; 1118, Baldwin II; 1131, Fulke; 1144, Baldwin III; 1162, Amaury I; 1173, Baldwin IV; 1185, Baldwin V; 1186, Guy de Lusignan
1145–8	Second Crusade: St Bernard and the French
c. 1160	Rebuilding of Church of Holy Sepulchre
1169–93	Saladin, Sultan of Egypt
1187	Battle of Hattin. Jerusalem taken by Saladin
1188–92	Third Crusade: Richard of England
1191	Frederick I, Barbarossa, died
1196	Fourth Crusade: Emperor Henry VI and the Germans
1202	Fifth Crusade: Latin capture of Constantinople

1217	The Sixth Crusade: Andrew of Hungary
1218	St Francis in Egypt
1227	Seventh Crusade
1239	Richard, Earl of Cornwall, and William, Earl of Salisbury, last Christian rulers in Jerusalem
1244–47	The Kharezmian Turkish invasion
1247–1507	**UNDER THE MAMELUKES, CAPITAL CAIRO**
1248–54	Eighth Crusade: St Louis
1260–77	Sultan Beybars
1279–90	Sultan el Mansur Kala'un
1270–2	Ninth Crusade: Edward I of England
1291	Fall of Acre
1453	Capture of Constantinople by the Sultan Muhammad II
1517	Syria and Egypt conquered by Sultan Selim I
1517–1917	**UNDER THE TURKS**
1520–66	Suleiman the Magnificent
1537–42	Building at Jerusalem, including walls of city
1808	Holy Sepulchre destroyed by fire
1832	Jerusalem captured by Muhammad Ali
1841	Anglican bishopric founded
1850	Riots in Jerusalem preceding the Crimean War
1917	Capture of Jerusalem by the British
1917–48	**JERUSALEM UNDER BRITISH RULE**
1917	Balfour Declaration
1923	Britain accepts Mandate of Palestine from League of Nations
1933	Increased Jewish immigration, following Hitler's purge in Germany and East Europe
1939–45	Arab and Jewish units join British forces
1948	Surrender of British Mandate to United Nations. Arab–Jewish War. Declaration of State of Israel
1948–today	**STATE OF ISRAEL**
1949	Israel a member of United Nations
1956	Suez War
1967	Six Day War
1973	Yom Kippur War
1979	Peace Treaty between Israel and Egypt
1983	Israel invades Lebanon. Lebanese Civil War

ARCHAEOLOGICAL PERIODS
IN THE HOLY LAND

Palaeolithic	200,000 B.C. –	14,000 B.C.
Mesolithic	14,000	7000
Neolithic	7000	4000
Chalcolithic	4000	3000
Bronze Age	3000	1200
Iron Age	1200	330
Hellenistic	332	63
Roman	63 B.C. –	330 A.D.
Byzantine	330	636
Arab	636	1099
Crusader	1099	1291
Mameluke	1247	1507
Ottoman	1517	1917

INDEX OF PLACE NAMES AND PEOPLE

N.B. People's names are shown in italics.